A CASA DE HADES

RICK RIORDAN

A Casa de Hades

OS HERÓIS DO OLIMPO – LIVRO QUATRO

Tradução de Alexandre Raposo e
Edmundo Barreiros

TÍTULO ORIGINAL
The House of Hades

PREPARAÇÃO
Flora Pinheiro

REVISÃO
Janaína Senna
Carolina Lopes

DIAGRAMAÇÃO
Editoriarte

ADAPTAÇÃO DE CAPA
Julio Moreira

CIP-BRASIL. CATALOGAÇÃO-NA-FONTE
SINDICATO NACIONAL DOS EDITORES DE LIVROS, RJ

R452c

Riordan, Rick, 1964-
A Casa de Hades / Rick Riordan ; tradução Alexandre Raposo, Edmundo Barreiros. – 1. ed. - Rio de Janeiro : Intrínseca, 2013.
496p. : 23 cm. (Os heróis do Olimpo ; 4)

Tradução de: The House of Hades
ISBN 978-85-8057-421-0

1. Mitologia grega – Literatura infantojuvenil. 2. Hades (Divindade grega) – Literatura infantojuvenil. 3. Literatura infantojuvenil americana. I. Raposo, Alexandre. II. Barreiros, Edmundo, 1966- III. Título. IV. Série.

13-04544. CDD: 028.5
CDU: 087.5

[2013]

EDITORA INTRÍNSECA LTDA.
Av. das Américas, 500, bloco 12, sala 303
22640-904 – Barra da Tijuca
Rio de Janeiro – RJ
Tel. / Fax.: (21) 3206-7400
www.intrinseca.com.br

Para meus maravilhosos leitores:
Lamento pelo último suspense.
Quer dizer, não, não de verdade. HAHAHAHA.
Mas, falando sério, adoro vocês, pessoal.

Rick Riordan

I

HAZEL

Durante o terceiro ataque, Hazel quase engoliu um pedregulho. Tentava enxergar através da neblina, perguntando-se como podia ser tão difícil voar por uma estúpida cordilheira, quando o alarme do navio soou.

— Tudo a bombordo! — gritou Nico do mastro de proa do navio voador.

Lá atrás, no leme, Leo girou o timão. O *Argo II* guinou para a esquerda, os remos aéreos cortando as nuvens como facas enfileiradas.

Hazel cometeu o erro de olhar por cima da amurada. Uma forma esférica e escura movia-se rapidamente em sua direção. Ela pensou: *Por que a lua está se aproximando?* Então gritou e se jogou no convés. A imensa pedra passou tão perto que soprou o cabelo caído em seu rosto.

Crac!

O mastro de proa tombou — vela, vergas e Nico, tudo caindo no convés. O pedregulho, mais ou menos do tamanho de uma picape, desapareceu na neblina como se tivesse mais o que fazer longe dali.

— Nico!

Hazel chegou até ele com dificuldade enquanto Leo estabilizava o navio.

— Estou bem — murmurou Nico, chutando as velas enroscadas em suas pernas.

Ela o ajudou a se levantar e os dois cambalearam até a proa. Hazel olhou com mais cuidado dessa vez. As nuvens se abriram o bastante para revelar o topo de uma montanha logo abaixo: um cume escarpado de rocha negra despontava das encostas verde-musgo. De pé, no topo, estava um deus da montanha — um dos *numina montanum,* como Jason os chamava. Ou *ourae,* em grego. Qualquer que fosse o nome, eles eram malvados.

Como os outros que haviam enfrentado, esse usava uma túnica branca simples que cobria a pele áspera e escura como basalto. Era extremamente musculoso, tinha pouco mais de seis metros de altura, barba branca e comprida, cabelo desgrenhado e um olhar selvagem, como o de um eremita louco. Ele gritou algo incompreensível para Hazel, mas que com certeza não eram boas-vindas. Com as próprias mãos, ele arrancou outro pedaço de rocha de sua montanha e começou a moldar uma bola.

A cena desapareceu na neblina, mas quando o deus da montanha rugiu de novo outros *numina* responderam ao longe, as vozes ecoando pelos vales.

— Malditos deuses das pedras! — gritou Leo ao timão. — Vou ter que substituir o mastro pela *terceira* vez! Acham que eles dão em árvores?

Nico franziu a testa.

— Os mastros *são* feitos de árvores.

— Essa não é a questão!

Leo pegou um de seus controles, adaptado de um Nintendo Wii, e girou-o em círculo. A alguns metros dali, um alçapão se abriu no convés. Surgiu um canhão de bronze celestial. Hazel só teve tempo de tapar os ouvidos antes de aquilo disparar para o céu, espalhando uma dúzia de esferas de metal que deixou um rastro de fogo verde. Em pleno ar, esporões brotaram das esferas como as pás de um helicóptero, e elas se afastaram em meio à névoa.

Pouco depois, uma sequência de explosões ecoou pela cordilheira, seguida pelo rugido indignado dos deuses da montanha.

— Há! — gritou Leo.

Infelizmente, a julgar pelos dois últimos encontros, Hazel presumiu que a mais nova arma de Leo apenas irritara os *numina.*

Outra pedra silvou através do ar a estibordo.

— Tire-nos daqui! — gritou Nico.

Leo murmurou alguns comentários pouco lisonjeiros sobre os *numina*, mas girou o timão. Os motores rugiram. O cordame mágico se tensionou por conta própria, e o navio rumou para bombordo. O *Argo II* ganhou velocidade, recuando para o noroeste, como vinha fazendo nos últimos dois dias.

Hazel não relaxou até estarem longe das montanhas. O nevoeiro se dissipou. Abaixo deles, o sol da manhã iluminava a pradaria italiana: colinas verdes e campos dourados não muito diferentes daqueles do norte da Califórnia. Hazel quase podia imaginar que estava navegando de volta para casa, rumo ao Acampamento Júpiter.

Aquela ideia fez seu peito doer. O Acampamento Júpiter fora o seu lar por apenas nove meses, desde que Nico a trouxera de volta do Mundo Inferior. Mas ela sentia mais saudade dali do que de sua cidade natal, Nova Orleans, e, *definitivamente*, mais do que do Alasca, onde morrera em 1942.

Hazel sentia falta de seu beliche no bunker da Quinta Coorte. Tinha saudade dos jantares no refeitório, com os espíritos do vento conduzindo pratos pelo ar e legionários gracejando a respeito de jogos de guerra. Ela queria passear sem rumo pelas ruas de Nova Roma de mãos dadas com Frank Zhang. Queria saber como era ser uma garota normal pelo menos uma vez, com um namorado realmente doce e atencioso.

Mais que tudo, queria se sentir segura. Estava cansada de passar o tempo todo assustada e preocupada.

Hazel ficou de pé no tombadilho. Nico extraía de seus braços os estilhaços do mastro e, no painel de comando do navio, Leo socava botões.

— Bem, *isso* foi uma droga — comentou Leo. — Devo acordar os outros?

Hazel estava tentada a dizer que sim, mas os outros membros da tripulação haviam ficado com o turno da noite e mereciam descansar. Estavam exaustos por defenderem o navio. Ao que parecia, de poucas em poucas horas um monstro romano resolvia que o *Argo II* era na verdade uma guloseima deliciosa.

Algumas semanas antes, Hazel não teria acreditado que alguém pudesse dormir durante um ataque *numina*, mas, agora, imaginava que seus amigos ainda estavam roncando abaixo do convés. Sempre que *ela* tinha uma chance de descansar, dormia como se estivesse em coma.

— Eles precisam descansar — disse ela. — A gente vai ter que descobrir outro caminho sozinhos.

— Hum.

Leo olhou feio para o monitor. Com sua camisa de trabalho esfarrapada e a calça jeans manchada de graxa, parecia que tinha acabado de perder uma luta contra uma locomotiva.

Desde que seus amigos Percy e Annabeth haviam caído no Tártaro, Leo vinha trabalhando quase sem parar. Andava mais irritado e até mesmo mais determinado do que o habitual.

Hazel estava preocupada com ele. Mas parte dela sentia-se aliviada com a mudança. Sempre que Leo sorria e fazia piadas, ficava parecido demais com Sammy, seu bisavô... o primeiro namorado de Hazel, em 1942.

Droga, por que a vida tinha que ser tão complicada?

— Outro caminho — murmurou Leo. — Você vê algum?

Um mapa da Itália brilhava em seu monitor. A cordilheira dos Apeninos se estendia por todo o país em forma de bota. Um ponto verde representando o *Argo II* piscava no lado esquerdo da tela, a algumas centenas de quilômetros ao norte de Roma. Deveria ter sido simples. Precisavam chegar a um lugar chamado Épiro, na Grécia, e encontrar um antigo templo chamado Casa de Hades (ou Plutão, como os romanos o conheciam, ou então, como Hazel gostava de pensar nele, o Pior Pai Ausente do Mundo).

Para chegar a Épiro, tudo o que tinham de fazer era ir direto para leste — sobrevoando os Apeninos e atravessando o Mar Adriático. Mas não foi o que aconteceu. Sempre que tentavam cruzar a coluna vertebral da Itália, os deuses da montanha atacavam.

Nos últimos dois dias, margearam as montanhas rumo ao norte, na esperança de encontrar uma passagem segura. Sem resultado. Os *numina montanum* eram filhos de Gaia, a deusa de quem Hazel menos gostava. Isso os tornava inimigos *muito* determinados. O *Argo II* não podia voar alto o bastante para evitar os ataques e, mesmo com todas as suas defesas, o navio não conseguiria atravessar a cadeia de montanhas sem ser despedaçado.

— A culpa é nossa — disse Hazel. — Minha e de Nico. Os *numina* podem nos sentir.

Ela olhou para o meio-irmão. Ele começara a recuperar as forças desde que o resgataram dos gigantes, mas ainda estava muito magro. A camisa preta e a calça jeans caíam folgadas no corpo esquelético. O cabelo longo e escuro emoldurava olhos encovados. A pele morena estava com um tom verde-claro doentio, cor de seiva de árvore.

Sua idade humana era só catorze anos, apenas um ano mais velho do que Hazel, mas a história não terminava aí. Assim como ela, Nico di Angelo era um semideus de outra era. Ele irradiava uma espécie de energia *antiga* — uma melancolia por saber que não pertencia ao mundo moderno.

Hazel não o conhecia havia muito tempo, mas entendia e chegava a compartilhar sua tristeza. Os filhos de Hades (ou Plutão, tanto faz) raramente tinham uma vida feliz. E, a julgar pelo que Nico dissera na noite anterior, seu maior desafio ainda estava por vir quando chegassem à Casa de Hades — um desafio que ele implorou que Hazel mantivesse em segredo.

Nico agarrou a empunhadura de sua espada de ferro estígio.

— Espíritos telúricos não gostam de filhos do Mundo Inferior. É verdade. Eles nos acusam de dar golpes baixos. Literalmente. Mas acho que os *numina* sentiriam este navio de qualquer modo. Estamos transportando a Atena Partenos. Essa coisa é como um farol mágico.

Hazel estremeceu, pensando na enorme estátua que ocupava a maior parte do porão de carga. Eles sacrificaram muito para resgatá-la da caverna subterrânea em Roma, mas não tinham ideia do que fazer com ela. Até o momento, parecia que só servia para alertar monstros de sua presença.

Leo deslizou o dedo pelo mapa da Itália.

— Então, passar pela cordilheira está fora de questão. O problema é que ela se estende por um bom pedaço nos dois sentidos.

— Poderíamos ir pelo mar — sugeriu Hazel. — Contornar a ponta sul da Itália.

— É bem longe — disse Nico. — Além disso, não temos... — Sua voz falhou. — Você sabe... nosso especialista do mar, Percy.

O nome pairou no ar como uma tempestade iminente.

Percy Jackson, filho de Poseidon... provavelmente o semideus que Hazel mais admirava. Ele salvara a sua vida tantas vezes na expedição ao Alasca, mas quando Percy precisou de sua ajuda em Roma ela havia falhado. Vira, impotente, Percy e Annabeth despencarem naquele abismo.

Hazel respirou fundo. Percy e Annabeth ainda estavam vivos. Ela conseguia sentir. Ainda teria a chance de ajudá-los caso conseguisse chegar à

Casa de Hades, caso sobrevivesse ao desafio a respeito do qual Nico a tinha alertado...

— E se formos para o norte? — perguntou Hazel. — Tem que haver uma passagem nas montanhas ou algo assim.

Leo mexia na esfera de bronze de Arquimedes que ele instalara no painel de controle — seu mais novo e mais perigoso brinquedo. Toda vez que Hazel olhava para aquilo, ficava com a boca seca. Temia que Leo girasse a combinação errada e, acidentalmente, ejetasse todos do convés, explodisse o navio ou transformasse o *Argo II* em uma torradeira gigante.

Felizmente, tiveram sorte. A esfera estendeu uma lente de câmera e projetou sobre o painel uma imagem em 3-D dos Apeninos.

— Sei lá — disse Leo examinando o holograma. — Não vejo nenhuma boa passagem ao norte. Mas é uma ideia melhor do que voltar para o sul. Já chega de Roma.

Ninguém discutiu. Roma não fora uma boa experiência.

— Seja lá o que formos fazer — disse Nico —, precisamos nos apressar. Cada dia que Annabeth e Percy passarem no Tártaro...

Ele não precisou terminar. Tinham que manter a esperança de que Percy e Annabeth sobreviveriam tempo suficiente para encontrar o lugar do Tártaro onde ficavam as Portas da Morte. Então, supondo que o *Argo II* pudesse chegar à Casa de Hades, eles *talvez* conseguissem abrir as portas pelo lado mortal, salvar os amigos e fechar a entrada, impedindo que as forças de Gaia reencarnassem infinitamente no mundo mortal.

Sim, com certeza era um plano infalível...

Nico olhou feio para a pradaria italiana lá embaixo.

— Talvez devêssemos acordar os outros. Esta decisão afeta a todos nós.

— Não — disse Hazel. — A gente pode encontrar uma solução.

Não sabia bem por que estava tão decidida, mas, desde que deixaram Roma, a tripulação começara a perder a coesão. Estavam aprendendo a trabalhar em equipe e, então, *bum*... os dois membros mais importantes caíram no Tártaro. Percy era a sua coluna vertebral. Ele lhes dera confiança quando velejaram pelo Atlântico e entraram no Mediterrâneo. Quanto a Annabeth, ela fora a líder *de facto* da expedição. Recuperara a Atena Partenos sozinha. Era a mais inteligente dos sete, aquela que tinha as respostas.

Se Hazel acordasse o restante da tripulação sempre que tivessem um problema, eles apenas começariam a discutir novamente, sentindo-se cada vez mais desamparados.

Hazel tinha que deixar Percy e Annabeth orgulhosos. Precisava tomar a iniciativa. Não podia crer que seu único papel naquela expedição seria aquele do qual Nico lhe incumbira: o de remover o obstáculo que os esperava na Casa de Hades. Ela afastou tal pensamento.

— Precisamos ser criativos — disse ela. — Pensar em outra forma de atravessar aquelas montanhas, ou uma maneira de nos esconder dos *numina*.

Nico suspirou.

— Se estivesse sozinho, eu poderia viajar nas sombras. Mas isso não funcionaria com um navio inteiro. E, para ser sincero, não sei se tenho forças para transportar nem a *mim* mesmo.

— Talvez eu pudesse criar algum tipo de camuflagem — disse Leo —, como uma cortina de fumaça para a gente se disfarçar nas nuvens.

Ele não soava muito entusiasmado.

Hazel olhou para os campos pensando no que havia abaixo deles, o reino de seu pai, o senhor do Mundo Inferior. Ela só encontrara Plutão uma vez, e na ocasião nem sabia quem ele era. Certamente nunca esperara ajuda dele — não em sua primeira vida, não durante o período em que vagou como um espírito no Mundo Inferior e não desde que Nico a trouxera de volta ao mundo dos vivos.

O servo de seu pai, Tânatos, o deus da morte, dera a entender que Plutão poderia estar fazendo um favor a Hazel ao ignorá-la. Afinal, ela não deveria estar viva. Se Plutão prestasse atenção nela, talvez tivesse que devolvê-la à terra dos mortos.

O que significava que recorrer a Plutão era uma ideia muito ruim. E, no entanto...

Por favor, pai, viu-se orando. *Eu* preciso *encontrar uma maneira de entrar em seu templo na Grécia, a Casa de Hades. Se estiver aí embaixo, mostre-me o que fazer.*

No limiar do horizonte, um lampejo de movimento chamou a sua atenção, algo pequeno e bege cruzando os campos a uma velocidade incrível, deixando para trás um rastro de vapor, como um avião.

Era inacreditável. Hazel não se atrevia a ter esperança, mas *tinha* que ser...

— Arion.

— O quê? — exclamou Nico.

Leo emitiu um grito de felicidade diante da nuvem de poeira que se aproximava.

— É o cavalo dela, cara! Você perdeu essa parte. Não o vemos desde o Kansas!

Hazel sorriu — a primeira vez que sorria em dias. Era tão bom ver seu velho amigo.

Cerca de um quilômetro ao norte, o pequeno ponto bege circundou uma colina e parou no topo. Era difícil enxergar, mas quando o cavalo empinou e relinchou, o som chegou até o *Argo II*. Hazel não teve mais dúvidas: era Arion.

— Precisamos ir até lá — disse ela. — Ele está aqui para ajudar.

— Tudo bem. — Leo coçou a cabeça. — Mas, hã, nós combinamos não pousar mais o navio no chão, lembra? Você sabe, com Gaia querendo destruir a gente e tudo mais…

— Só me deixe perto dele. Vou descer pela escada de corda. — O coração de Hazel estava disparado. — Acho que Arion quer me dizer alguma coisa.

II

HAZEL

Hazel nunca se sentira tão feliz. Bem, exceto na noite da festa da vitória no Campo Júpiter, quando beijou Frank pela primeira vez... mas este era seu segundo momento mais feliz.

Assim que chegou ao chão, ela correu em direção a Arion e abraçou seu pescoço.

— Senti saudade! — Ela apertou o rosto contra o dorso quente do animal, que cheirava a sal marinho e a maçãs. — Por onde você andou?

Arion relinchou. Hazel desejou poder falar com cavalos como Percy fazia, mas entendeu a ideia geral. Arion soava impaciente, como se estivesse dizendo: *Não há tempo para sentimentalismos, garota! Vamos!*

— Quer que eu vá com você? — arriscou Hazel.

Arion balançou a cabeça, trotando sem sair do lugar. Seus olhos castanho-escuros brilhavam, apressando-a.

Hazel ainda não conseguia acreditar que ele estava realmente ali. Arion era capaz de correr em qualquer superfície, até mesmo o mar, mas ela teve medo de que ele não os seguisse nas terras antigas. O Mediterrâneo era muito perigoso para semideuses e seus aliados.

Ele não teria vindo a menos que Hazel estivesse realmente precisando. E parecia tão agitado... Qualquer coisa que fizesse um cavalo destemido ficar arisco deveria aterrorizá-la.

Em vez disso, ela se sentia feliz. Estava *tão* cansada de enjoar no ar e no mar... A bordo do *Argo II*, Hazel se sentia tão útil quanto uma caixa de lastro. Estava feliz por pisar em terra firme de novo, mesmo *sendo* território de Gaia. Ela estava pronta para cavalgar.

— Hazel — gritou Nico do navio. — O que está acontecendo?

— Está tudo bem!

Ela se agachou e extraiu uma pepita de ouro da terra. Tinha cada vez mais controle sobre o seu poder. Pedras preciosas não mais brotavam acidentalmente ao seu redor, e era fácil extrair ouro do chão.

Deu a pepita para Arion... seu lanche favorito. Então, sorriu para Leo e Nico, que a observavam do topo da escada, uns trinta metros acima.

— Arion quer me levar a algum lugar.

Os rapazes trocaram olhares nervosos.

— Hã... — Leo apontou para o norte. — Por favor, não me diga que ele está levando você para *lá*?

Hazel estava tão concentrada em Arion que não notara a perturbação. A quilômetros de distância, no topo da colina seguinte, uma tempestade se armava sobre umas velhas ruínas de pedra, talvez restos de um templo romano ou uma fortaleza. Um funil de nuvens serpenteava em direção à colina como um filete de tinta preta.

Hazel sentiu gosto de sangue na boca. Olhou para Arion.

— Você quer ir para lá?

Arion relinchou, como se dissesse: *Claro, dã!*

Bem... Hazel pedira ajuda. Seria esta a resposta de seu pai?

Ela esperava que sim, mas sentia algo além da influência de Plutão naquela tempestade... algo sombrio, poderoso e não necessariamente amigável.

Ainda assim, era a sua chance de ajudar os amigos — de liderar em vez de seguir.

Apertou as correias de sua espada de ouro da cavalaria imperial e montou Arion.

— Vou ficar bem — gritou para Nico e Leo. — Esperem por mim aqui.

— Esperar por quanto tempo? — perguntou Nico. — E se você não voltar?

— Não se preocupe. Voltarei — prometeu ela, esperando que fosse verdade.

Ela esporeou Arion, e ambos dispararam pelo campo, seguindo direto para o ciclone que se tornava cada vez maior.

III

HAZEL

A TEMPESTADE ENGOLIU A COLINA em um cone negro rodopiante.

Arion disparou naquela direção.

Hazel viu-se no cume da colina, mas sentia como se estivesse em outra dimensão. O mundo perdera as suas cores. As paredes do tornado, de um negro tenebroso, cercavam a colina. O céu estava cinzento. As ruínas pareciam tão brancas que quase brilhavam. Até mesmo Arion mudara de marrom caramelo para um tom cinza-escuro.

No olho do tornado, o ar estava estagnado. Hazel sentiu um calafrio na pele, como se tivesse sido esfregada com álcool. À sua frente, um portal em arco nas paredes cobertas de musgo dava acesso a uma espécie de recinto.

Hazel não podia ver muito em meio à escuridão, mas sentia uma presença ali, como se ela fosse um pedaço de ferro perto de um grande ímã. O magnetismo era irresistível, forçando-a a avançar.

Ainda assim, hesitou. Ela puxou as rédeas de Arion, e ele golpeou o chão com impaciência, fazendo o solo crepitar sob seus cascos. Onde quer que ele pisasse, a grama, a terra e as pedras ficavam brancas como gelo. Hazel se lembrou da geleira Hubbard, no Alasca — como a superfície se partira sob seus pés. Lembrou-se do chão daquela horrível caverna em Roma se desfazendo em poeira, lançando Percy e Annabeth no Tártaro.

Esperava que aquela colina em preto e branco não se dissolvesse debaixo dela, mas decidiu que era melhor continuar andando.

— Então vamos, garoto. — Sua voz soava abafada, como se estivesse falando com o rosto enfiado em um travesseiro.

Arion passou pelo arco de pedra. Paredes em ruínas rodeavam um pátio quadrado mais ou menos do tamanho de uma quadra de tênis. Havia três outros portais, um no meio de cada parede, nos sentidos norte, leste e oeste. No centro do pátio, cruzavam-se dois passeios calçados com seixos, formando uma cruz. A névoa pairava no ar — tiras brancas e nebulosas que se retorciam e ondulavam como se tivessem vida.

Não uma névoa qualquer, percebeu Hazel. *A Névoa.*

Durante toda a sua vida ela ouvira falar sobre a Névoa — o véu sobrenatural que ocultava o mundo mitológico da visão dos mortais. Podia enganar os seres humanos, até mesmo os semideuses, fazendo-os ver monstros como animais inofensivos, ou deuses como pessoas normais.

Hazel nunca pensara naquilo como fumaça de verdade, mas ao observá-la se fechar e envolver as patas de Arion, flutuando pelos arcos quebrados do pátio em ruínas, os pelos de seus braços se arrepiaram. De alguma forma, ela sabia: aquela coisa branca era pura magia.

Ao longe, um cão uivou. Arion não costumava ter medo de nada, mas recuou, bufando, nervoso.

— Está tudo bem — disse Hazel acariciando seu pescoço. — Estamos juntos nessa. Vou desmontar, certo?

Ela desmontou. Na mesma hora, o cavalo se virou e partiu.

— Arion, espe... — mas ele já voltara correndo por onde viera.

Isso porque estavam juntos nessa...

Outro uivo rasgou o ar, dessa vez mais próximo.

Hazel deu um passo em direção ao centro do pátio. A Névoa se agarrava a ela como neblina de congelador.

— Olá — chamou.

— Olá — respondeu uma voz.

A figura pálida de uma mulher apareceu no portal norte. Não, espere... no portal leste. Não, oeste. *Três* imagens esfumaçadas da mesma mulher se moviam sincronizadas em direção ao centro das ruínas. Sua forma era turva, feita de Névoa, e dois pequenos tufos de fumaça a seguiam de perto, movimentando-se rapidamente a seus pés como se fossem seres vivos. Algum tipo de animal de estimação?

Ela chegou ao centro do pátio e suas três formas se fundiram em uma. Materializou-se em uma jovem que usava um vestido escuro sem mangas. Seu cabelo dourado estava preso em um rabo de cavalo alto, no estilo grego clássico. Seu vestido era tão sedoso que parecia ondular, como se o tecido fosse tinta escorrendo de seus ombros. Não parecia ter mais de vinte anos, mas Hazel sabia que isso não queria dizer nada.

— Hazel Levesque — disse a mulher.

Ela era linda, embora muito pálida. Certa vez, em Nova Orleans, Hazel fora obrigada a ir ao velório de uma colega de classe. Lembrou-se do corpo sem vida da jovem no caixão aberto. Seu rosto fora muito bem maquiado, para parecer que estava dormindo, o que Hazel achou aterrador.

A mulher fez Hazel se lembrar daquela menina, só que seus olhos estavam abertos e eram completamente negros. Quando inclinou a cabeça, pareceu voltar a se dividir em três pessoas diferentes... imagens enevoadas e fora de foco se juntando, como o retrato borrado de uma pessoa se movendo rápido demais na hora da foto.

— Quem é você? — Os dedos de Hazel seguraram o punho de sua espada. — Quer dizer... qual deusa?

Pelo menos daquilo Hazel tinha certeza. A mulher irradiava poder. Tudo ao redor dela — a Névoa rodopiante, a tempestade monocromática, o brilho fantasmagórico das ruínas — era por causa de sua presença.

— Ah. — A mulher assentiu com a cabeça. — Deixe-me lhe dar alguma luz.

Ela ergueu as mãos. Subitamente, segurava duas antiquadas tochas de junco acesas. A Névoa recuou para as extremidades do pátio. Junto às sandálias da mulher, os dois animais etéreos tomaram formas sólidas. Um era um labrador preto. O outro era um roedor comprido, cinzento e peludo com uma máscara branca ao redor do rosto. Uma doninha, talvez?

A mulher deu um sorriso sereno.

— Sou Hécate. Deusa da magia. Temos muito o que conversar se quiser sobreviver a esta noite.

IV

HAZEL

Hazel queria correr, mas seus pés pareciam presos ao chão branco vitrificado.

Em ambos os lados do cruzamento, dois suportes de metal escuro irromperam da terra como caules de plantas. Hécate prendeu as tochas neles, então caminhou lentamente em torno de Hazel, olhando-a como se fossem parceiras em uma estranha dança.

O cão preto e a doninha a seguiram.

— Você parece com a sua mãe — decidiu Hécate.

Hazel sentiu um nó na garganta.

— Você a conheceu?

— Claro. Marie era uma vidente. Vivia de encantos, maldições e talismãs. Eu sou a deusa da magia.

Aqueles olhos absolutamente negros pareciam atrair Hazel, como se estivessem tentando sugar a sua alma. Durante sua *primeira* vida em Nova Orleans, as crianças da escola St. Agnes a atormentavam por causa da mãe. Diziam que Marie Levesque era uma bruxa. As freiras murmuravam que a mãe de Hazel tinha coisa com o Diabo.

Se as freiras tinham medo de minha mãe, perguntou-se Hazel, *o que achariam desta deusa?*

— Muitos me temem — disse Hécate, como se lesse os seus pensamentos. — Mas a magia não é boa e nem má. Trata-se de uma ferramenta, como uma faca. Uma faca é má? Só se o seu dono for mau.

— Minha... minha mãe — gaguejou Hazel. — Ela não acreditava em magia. Não de verdade. Apenas fingia, para ganhar dinheiro.

A doninha chiou e mostrou os dentes. Em seguida, emitiu um ruído de seu traseiro. Em outras circunstâncias, uma doninha soltando gases poderia ser algo engraçado, mas Hazel não riu. Os olhos vermelhos do roedor voltaram-se sinistramente para ela, como pequenas brasas.

— Calma, Gale — disse Hécate. Ela deu de ombros, desculpando-se com Hazel. — Gale não gosta de incrédulos e vigaristas. Ela já foi uma bruxa, sabe?

— Sua doninha era uma bruxa?

— Na verdade é uma tourão — esclareceu Hécate. — Mas, sim. Gale já foi uma desagradável bruxa humana. Ela cuidava muito mal da higiene pessoal, além de ter muitos, hã, problemas digestivos. — Hécate balançou a mão diante do nariz. — Isso dava má fama para meus outros seguidores.

— Tudo bem.

Hazel tentou não olhar para a doninha. Ela realmente não queria saber dos problemas intestinais do roedor.

— De qualquer modo — continuou Hécate —, eu a transformei em um tourão. Ela fica muito melhor assim.

Hazel engoliu em seco. Ela olhou para o cão negro, que esfregava carinhosamente o focinho na mão da deusa.

— E o seu labrador...

— Ah, é Hécuba, ex-rainha de Troia — disse Hécate, como se isso fosse algo óbvio.

A cadela rosnou.

— Você está certa, Hécuba — disse a deusa. — Não temos tempo para longas apresentações. O fato, Hazel Levesque, é que sua mãe podia alegar não acreditar, mas ela detinha a verdadeira magia. E acabou percebendo isso. Quando buscou um feitiço para invocar o deus Plutão, *eu* a ajudei a encontrá-lo.

— Você...?

— Sim. — Hécate continuou andando ao redor de Hazel. — Eu vi potencial em sua mãe. E vejo ainda *mais* potencial em você.

Hazel ficou tonta. Ela se lembrou da confissão de sua mãe pouco antes de morrer: como invocara Plutão, como o deus se apaixonara por ela, e como, por causa de sua cobiça, sua filha Hazel nascera amaldiçoada. Hazel era capaz de extrair riquezas da terra, mas qualquer um que as usasse sofreria e morreria.

Agora, aquela deusa estava dizendo que *ela* provocara tudo aquilo.

— Minha mãe sofreu por causa da magia. A minha vida inteira...

— Sua vida não teria acontecido sem mim — disse Hécate simplesmente. — Eu não tenho tempo para a sua raiva. Nem você aliás. Sem a minha ajuda, você morrerá.

A cadela rosnou. A tourão trincou os dentes e soltou gases.

Era como se os pulmões de Hazel estivessem se enchendo de areia quente.

— Que tipo de ajuda? — perguntou.

Hécate ergueu os braços pálidos. Os três portais pelos quais entrara — norte, leste e oeste — começaram a girar com a Névoa. Um turbilhão de imagens em preto e branco brilhou e cintilou, como nos velhos filmes mudos que ainda passavam às vezes nos cinemas quando Hazel era pequena.

No portal oeste, semideuses romanos e gregos com armaduras completas lutavam entre si na encosta de uma colina, sob um grande pinheiro. A grama estava repleta de feridos e moribundos. Hazel viu a si mesma montando Arion, avançando pela luta corpo a corpo e gritando, tentando pôr um fim à violência.

No portal leste, Hazel viu o *Argo II* caindo sobre os Apeninos. Seu cordame estava em chamas. Um pedregulho atingira o tombadilho. Outro perfurara o casco. O navio se rompeu como uma abóbora podre, e o motor explodiu.

As imagens do portal norte eram ainda piores. Hazel viu Leo inconsciente — ou morto — caindo através das nuvens. Ela viu Frank cambaleando sozinho por um túnel escuro, segurando o braço, com a camisa encharcada de sangue. E viu-se em uma vasta caverna repleta de fios de luz, como uma teia luminosa. Ela lutava para avançar enquanto, ao longe, Percy e Annabeth estavam deitados e imóveis ao pé de duas portas de metal preto e prata.

— Escolhas — disse Hécate. — Você está em uma encruzilhada, Hazel Levesque. E eu sou a deusa das encruzilhadas.

O chão sob os pés de Hazel tremeu. Ela olhou para baixo e viu o reflexo de moedas de prata... milhares de antigos denários romanos irrompendo na superfície ao seu redor, como se toda a colina estivesse fervilhando. Ela estava tão agitada por conta das visões nos portais que devia ter invocado toda a prata dos campos ao redor.

— Neste lugar, o passado fica próximo à superfície — disse Hécate. — Nos tempos antigos, duas grandes estradas romanas se encontravam neste ponto. Notícias eram trocadas. Negócios eram realizados. Amigos se encontravam, e inimigos lutavam. Exércitos inteiros tinham de escolher uma direção. Encruzilhadas sempre são lugares de decisão.

— Como... como Jano. — Hazel se lembrou do santuário de Jano na Colina dos Templos, no Acampamento Júpiter. Os semideuses iam até lá para tomar decisões. Lançavam uma moeda, cara ou coroa, e esperavam que o deus de duas faces os guiasse pelo bom caminho. Hazel sempre odiara aquele lugar. Nunca entendera por que seus amigos estavam tão dispostos a colocar suas escolhas na mão de um deus. Depois de tudo por que passara, Hazel confiava na sabedoria dos deuses tanto quanto confiava em uma máquina caça-níqueis de Nova Orleans.

A deusa da magia sibilou, enojada.

— Jano e seus portais. Para ele, todas as opções são preto ou branco, sim ou não, dentro ou fora. Na verdade, não é tão simples assim. Sempre que você chega a uma encruzilhada, há ao menos três maneiras de prosseguir... quatro, se você contar com a possibilidade de retornar. Você está em uma encruzilhada assim agora, Hazel.

Hazel olhou de novo para cada portal: uma guerra de semideuses, a destruição do *Argo II*, sua ruína e a de seus amigos.

— Todas as escolhas são ruins.

— Todas as escolhas implicam riscos — corrigiu a deusa. — Mas qual é o seu objetivo?

— Meu objetivo? — Hazel apontou impotente para os portais. — Nenhum deles.

Hécuba rosnou. Gale, a tourão, descreveu um círculo ao redor dos pés da deusa, peidando e mostrando os dentes.

— Você poderia voltar — sugeriu Hécate. — Retornar a Roma... mas as forças de Gaia estão esperando por isso. Nenhum de vocês sobreviverá.

— Então... o que você sugere?

Hécate se aproximou da tocha mais próxima. Ela pegou um punhado de fogo e esculpiu as chamas até ter em suas mãos um pequeno mapa em relevo da Itália.

— Você pode ir para oeste. — Hécate afastou o dedo do mapa flamejante. — Volte para a América com o seu prêmio, a Atena Partenos. Seus companheiros em casa, gregos e romanos, estão à beira da guerra. Volte agora e talvez salve muitas vidas.

— *Talvez* — repetiu Hazel. — Mas Gaia deve acordar na Grécia. É lá que os gigantes estão se reunindo.

— Verdade. Gaia escolheu o dia primeiro de agosto, a Festa de Spes, deusa da esperança, para a sua ascensão ao poder. Ao acordar no Dia da Esperança, ela pretende destruir para sempre toda a esperança. Mesmo que você consiga chegar à Grécia a tempo, conseguirá detê-la? Eu não sei. — Hécate correu o dedo ao longo dos Apeninos flamejantes. — Você pode ir para leste, atravessando as montanhas, mas Gaia vai fazer de tudo para impedi-la de cruzar a Itália. Ela lançou os deuses da montanha contra vocês.

— Percebemos — disse Hazel.

— Qualquer tentativa de atravessar os Apeninos resultará na destruição de seu navio. Ironicamente, esta pode ser a opção mais *segura* para a sua tripulação. Eu prevejo que todos vocês sobreviveriam à explosão. É possível, embora improvável, que você ainda possa chegar a Épiro e fechar as Portas da Morte. Você poderia encontrar Gaia e impedir a sua ascensão. Mas, a essa altura, ambos os acampamentos dos semideuses estariam destruídos. Você não teria um lar para onde voltar. — Hécate sorriu. — Provavelmente, a destruição de seu navio os deixaria presos nas montanhas. Isso significaria o fim de sua missão, mas pouparia você e seus amigos de muita dor e sofrimento nos dias que virão. A guerra contra os gigantes teria de ser ganha ou perdida sem vocês.

Ganha ou perdida sem nós.

Uma pequena e culpada parte de Hazel achou aquilo tentador. Ela ansiava pela chance de ser uma garota normal. Não queria mais nenhuma dor ou sofrimento para si ou para seus amigos. Eles já haviam sofrido tanto...

Hazel olhou para o portal do meio, atrás de Hécate. Viu Percy e Annabeth caídos diante daquelas portas pretas e prata. Uma enorme forma escura, vagamente humanoide, pairava agora sobre eles com o pé erguido, como se estivesse a ponto de esmagar Percy.

— E eles? — perguntou Hazel, com a voz falhando. — Percy e Annabeth?

Hécate deu de ombros.

— Oeste, leste, ou sul... eles morrem.

— Não é uma opção — disse Hazel.

— Então você tem apenas um caminho, embora seja o mais perigoso.

Hécate arrastou o dedo pelos Apeninos em miniatura, deixando uma linha branca brilhante sobre as chamas vermelhas.

— Há uma passagem secreta aqui no norte, um lugar sob o meu controle, por onde Aníbal cruzou certa vez quando marchou contra Roma.

A deusa traçou uma longa volta... até o topo da Itália, depois para leste sobre o mar e, em seguida, para o sul, ao longo da costa ocidental da Grécia.

— Depois de atravessarem a passagem, vocês viajarão para o norte até Bolonha, e, depois, para Veneza. A partir daí, navegarão no Mar Adriático até o seu objetivo: Épiro, na Grécia.

Hazel não era muito boa em geografia. Não tinha ideia de como era o Mar Adriático. Nunca ouvira falar de Bolonha, e tudo o que sabia sobre Veneza eram histórias vagas sobre canais e gôndolas. Mas uma coisa era óbvia:

— Isso é tão fora de mão...

— Justamente por isso Gaia não vai esperar que vocês sigam por este caminho — disse Hécate. — Eu posso ocultar um pouco o seu progresso, mas o sucesso de sua viagem dependerá de você, Hazel Levesque. Você deverá aprender a usar a Névoa.

— Eu? — O coração de Hazel estava disparado. — Usar a Névoa como?

Hécate apagou seu mapa da Itália. Em seguida, acenou em direção a Hécuba. A Névoa se concentrou ao redor da labradora até ela estar completamente envolvida por um casulo branco. A neblina desapareceu com um sonoro *puft!* e, no lugar da cadela, surgiu uma gatinha preta e tristonha com olhos dourados.

— Miau — reclamou.

— Eu sou a deusa da Névoa — explicou Hécate. — Sou responsável por manter o véu que separa o mundo dos deuses do mundo dos mortais. Meus filhos aprendem a usar a Névoa a seu favor, para criar ilusões ou influenciar as mentes dos mortais. Outros semideuses também podem fazer isso. Assim como você, Hazel, se quiser ajudar os seus amigos.

— Mas... — Hazel olhou para a gata. Ela sabia que, na verdade, era Hécuba, a labradora preta, mas não conseguia acreditar. A gata parecia tão real. — Eu não vou conseguir fazer isso.

— Sua mãe tinha o dom — disse Hécate. — O seu é ainda maior. Como filha de Plutão que voltou dos mortos, você entende o véu entre os mundos melhor do que a maioria. Você *pode* controlar a Névoa. Caso contrário... bem, seu irmão Nico já a advertiu. Os espíritos sussurraram para ele, contaram-lhe sobre o seu futuro. Quando chegar à Casa de Hades, você encontrará uma inimiga formidável. Ela não pode ser vencida pela força ou pela espada. Só você poderá derrotá-la, e para isso precisará de magia.

Hazel sentiu as pernas ficarem fracas. Ela se lembrou da expressão séria de Nico enquanto ele apertava seu braço com força. *Você não pode contar para os outros. Ainda não. A coragem deles já está no limite.*

— Quem? — perguntou Hazel com a voz trêmula. — Quem é essa inimiga?

— Não pronunciarei o nome dela — disse Hécate. — Isso seria o mesmo que alertá-la sobre a sua presença antes de você estar pronta para enfrentá-la. Vá para o norte, Hazel. Pratique invocar a Névoa durante a viagem. Quando chegar a Bolonha, procure os dois anões. Eles os levarão a um tesouro que poderá ajudá-los a sobreviver na Casa de Hades.

— Não entendi.

— Miau — reclamou a gatinha.

— Está bem, está bem, Hécuba. — A deusa moveu a mão outra vez. A gata desapareceu e a labradora preta ocupou o seu lugar.

— Você *vai* entender, Hazel — prometeu a deusa. — De vez em quando, enviarei Gale para verificar o seu progresso.

A tourão sibilou, com os olhos vermelhos e redondos repletos de malícia.

— Maravilha — murmurou Hazel.

— Antes de chegar a Épiro, você deverá estar preparada. Se conseguir, então talvez nos encontremos novamente... para a batalha final.

Uma batalha final, pensou Hazel. Ah, que alegria.

Hazel perguntou-se se seria capaz de impedir as previsões que vira na Névoa: Leo caindo pelo céu; Frank cambaleando no escuro, sozinho e gravemente ferido; Percy e Annabeth à mercê de um gigante sombrio.

Ela odiava os enigmas dos deuses e seus conselhos obscuros. E estava começando a detestar encruzilhadas.

— Por que está me ajudando? — perguntou Hazel. — No Acampamento Júpiter disseram que você tomou o partido dos *titãs* na última guerra.

Os olhos escuros de Hécate brilharam.

— Porque eu *sou* uma titã, filha de Perses e Astéria. Muito antes de os olimpianos chegarem ao poder, eu dominava a Névoa. Apesar disso, na Primeira Guerra dos Titãs, há milênios, lutei ao lado de Zeus contra Cronos. Eu não estava cega para a crueldade de Cronos. E esperava que Zeus se mostrasse um rei melhor.

Ela deu uma curta risada amarga.

— Quando Deméter perdeu a filha Perséfone, sequestrada por *seu* pai, eu a guiei com as minhas tochas pela noite mais escura, ajudando-a na busca. E quando os gigantes se ergueram pela primeira vez, de novo fiquei do lado dos deuses. Lutei contra meu arqui-inimigo, Clítio, criado por Gaia para absorver e derrotar toda a minha magia.

— Clítio. — Hazel nunca ouvira esse nome, mas pronunciá-lo fez os seus membros parecerem mais pesados. Ela olhou para as imagens no portal norte: a enorme forma escura pairando sobre Percy e Annabeth. — Ele é a ameaça na Casa de Hades?

— Ah, ele está lá à sua espera — disse Hécate. — Mas primeiro você deve derrotar a bruxa. Se não conseguir...

Ela estalou os dedos, escurecendo todos os portais. A Névoa se dissipou, e as imagens desapareceram.

— Todos precisamos fazer escolhas — disse a deusa. — Quando Cronos se rebelou pela segunda vez, cometi um erro. Eu o apoiei. Estava cansada de ser ignorada pelos chamados deuses *maiores*. Mesmo com todos os meus anos de serviço fiel, ainda desconfiavam de mim, não permitiam que eu ocupasse um lugar no seu salão...

A tourão Gale chiou com raiva.

— Isso não importa mais. — A deusa suspirou. — Fiz as pazes com o Olimpo. Mesmo agora que estão por baixo, com suas personas gregas e romanas lutando entre si, eu os ajudarei. Grega ou romana, sempre fui apenas Hécate. Vou ajudá-los na luta contra os gigantes, se você se mostrar digna dessa ajuda. Portanto, a escolha é sua, Hazel Levesque. Você vai confiar em mim... ou vai me desprezar, como os deuses do Olimpo fizeram tantas vezes?

O sangue rugia nos ouvidos de Hazel. Poderia confiar naquela deusa sombria, que dera para a sua mãe a magia que arruinara a sua vida? Não. E não gostara muito do cão de Hécate e da doninha peidona.

Mas também sabia que não podia deixar Percy e Annabeth morrerem.

— Seguirei para o norte — respondeu. — Usaremos a sua passagem secreta pelas montanhas.

Hécate assentiu, com uma ponta de satisfação no rosto.

— Você escolheu bem, mas o caminho não será fácil. Muitos monstros enfrentarão vocês. Até mesmo alguns de *meus* próprios servos passaram para o lado de Gaia, na esperança de destruir o seu mundo mortal.

A deusa pegou as duas tochas de seus suportes.

— Prepare-se, filha de Plutão. Se você conseguir derrotar a bruxa, nós nos encontraremos novamente.

— Vou conseguir — prometeu Hazel. — E, Hécate? Saiba que não estou escolhendo um de seus caminhos. Farei o meu próprio.

A deusa arqueou as sobrancelhas. A tourão se contorceu, e a cadela rosnou.

— A gente vai descobrir uma maneira de deter Gaia — disse Hazel. — E vamos resgatar os nossos amigos do Tártaro. Manteremos a tripulação e o navio unidos e impediremos que o Acampamento Júpiter e o Acampamento Meio-Sangue entrem em guerra. Faremos tudo.

A tempestade uivava, e as paredes negras do tornado giravam cada vez mais rápido.

— Interessante — disse Hécate, como se Hazel fosse o resultado inesperado de uma experiência científica. — Essa seria uma magia especial.

Uma onda negra obscureceu o mundo. Quando Hazel voltou a enxergar, a tempestade, a deusa e seus minions haviam desaparecido. Hazel ficou na encosta da colina sob o sol da manhã, sozinha em meio às ruínas, com exceção de Arion, que trotava ao seu lado, relinchando, impaciente.

— Concordo — disse Hazel para o cavalo. — Vamos sair daqui.

* * *

— O que aconteceu? — perguntou Leo quando Hazel embarcou no *Argo II*.

As mãos da menina ainda tremiam por conta da conversa com a deusa. Ela olhou pela amurada e viu o rastro de poeira levantado por Arion enquanto ele cruzava as colinas da Itália. Ela queria que o amigo tivesse ficado, mas não podia culpá-lo por querer se afastar daquele lugar o mais rápido possível.

O campo brilhava à medida que o sol de verão iluminava o orvalho matinal. Na colina, as velhas ruínas brancas permaneciam silenciosas — nenhum sinal de estradas antigas, deusas ou doninhas peidonas.

— Hazel — chamou Nico.

Seus joelhos falharam. Nico e Leo a agarraram pelos braços e ajudaram-na a subir os degraus do tombadilho. Ela ficou envergonhada por estar desfalecendo como uma donzela de conto de fadas, mas a sua energia se esgotara. A lembrança daquelas cenas na encruzilhada a enchiam de pavor.

— Estive com Hécate — conseguiu dizer.

Ela não contou tudo. Lembrou-se da advertência de Nico: *a coragem deles já está no limite*. Mas falou sobre a passagem secreta pelas montanhas ao norte, e sobre a rota que, segundo Hécate, poderia levá-los até Épiro.

Quando terminou o relato, Nico segurou sua mão. Os olhos dele estavam repletos de preocupação.

— Hazel, você encontrou Hécate em uma encruzilhada. Isso é… isso é algo a que muitos semideuses não sobreviveriam. E aqueles que *sobrevivem* nunca são os mesmos. Tem certeza de que você…

— Eu estou bem — insistiu ela.

Mas sabia que não estava. Hazel se lembrou de como havia se sentido ousada e furiosa ao dizer à deusa que encontraria o seu próprio caminho e faria tudo. Agora, sua resposta orgulhosa parecia ridícula. Sua coragem a abandonara.

— E se Hécate estiver nos enganando? — perguntou Leo. — Essa rota pode ser uma armadilha.

Hazel balançou a cabeça em negativa.

— Se fosse uma armadilha, acho que Hécate teria feito a rota norte parecer tentadora. Acredite, ela não fez isso.

Leo tirou uma calculadora do cinto e apertou alguns números.

— Isso fica uns... quatrocentos e oitenta quilômetros fora de nosso caminho para chegar a Veneza. Então, teríamos de voltar e descer o Adriático. E você disse algo sobre anões pamonhas?

— Anões em Bolonha — corrigiu Hazel. — Acho que Bolonha é uma cidade. Mas por que temos que encontrar anões por lá... não faço ideia. Tem a ver com algum tesouro para nos ajudar em nossa busca.

— Hum — murmurou Leo. — Quer dizer, adoro tesouros, mas...

— É a nossa melhor opção — opinou Nico, ajudando Hazel a se levantar. — Precisamos recuperar o tempo perdido, viajar o mais rápido que pudermos. A vida de Percy e Annabeth pode depender disso.

— Rápido? — Leo sorriu. — Deixa comigo.

Ele correu até o painel de controle e começou a acionar interruptores.

Nico segurou o braço de Hazel e conduziu-a até onde não pudessem ser ouvidos.

— O que mais Hécate falou? Nada sobre...

— Não posso — interrompeu Hazel.

As imagens que vira haviam sido devastadoras: Percy e Annabeth indefesos diante daquelas portas de metal negro, o gigante sombrio pairando sobre os dois, ela mesma presa em um labirinto de luz brilhante, incapaz de ajudar.

Você deve derrotar a bruxa, dissera Hécate. *Só você pode derrotá-la. Se não conseguir...*

O fim, pensou Hazel. Todos os portais fechados. Toda a esperança extinta.

Nico a advertira. Ele se comunicara com os mortos, ouvira-os murmurando pistas sobre o seu futuro. Dois filhos do Mundo Inferior entrariam na Casa de Hades. Teriam de enfrentar um inimigo impossível. Apenas um deles conseguiria chegar às Portas da Morte.

Hazel não conseguia encarar o irmão.

— Eu lhe digo mais tarde — prometeu, tentando manter a voz firme. — Agora devemos descansar enquanto podemos. Hoje à noite, cruzaremos os Apeninos.

V

ANNABETH

Nove dias.

Enquanto caía, Annabeth pensou em Hesíodo, o antigo poeta grego que especulara que o tempo que leva para alguém cair da terra até o Tártaro seria de nove dias.

Esperava que Hesíodo estivesse errado. Tinha perdido a noção de por quanto tempo Percy e ela estavam caindo... horas? Um dia? Parecia uma eternidade. Eles estavam de mãos dadas desde que foram laçados no abismo. Depois, Percy a havia puxado mais para perto, abraçando-a com força enquanto despencavam pela escuridão absoluta.

O vento assoviava nos ouvidos de Annabeth. O ar ia ficando mais quente e úmido, como se estivessem mergulhando na garganta de um dragão enorme. O tornozelo quebrado latejava, mas não sabia dizer se ainda estava envolto em teias de aranha.

Aracne, aquele monstro maldito. Apesar de ter sido capturada por sua própria teia, atropelada por um carro e lançada no Tártaro, a aranha tinha conseguido sua vingança. De algum modo seu fio de seda tinha se emaranhado na perna de Annabeth e a puxado para o abismo, arrastando Percy junto.

Annabeth não podia imaginar que Aracne ainda estivesse viva, em algum lugar na escuridão abaixo deles. Não queria encontrar aquele monstro outra vez quando chegassem ao fundo. Pensando pelo lado positivo, supondo que *houvesse* um fundo, Annabeth e Percy provavelmente seriam esmagados com o impacto, por isso aranhas gigantes eram a menor de suas preocupações.

Abraçou Percy e tentou não chorar. Ela nunca havia esperado que sua vida fosse fácil. A maioria dos semideuses morria jovem nas mãos de monstros terríveis. Era assim desde a Antiguidade. Os gregos *inventaram* a tragédia. Eles sabiam que os maiores heróis não tinham finais felizes.

Mesmo assim, não era *justo*. Ela tinha passado por tanta coisa para recuperar aquela estátua de Atena. Quando enfim conseguiu e as coisas estavam parecendo melhorar e ela reencontrara Percy, eles tinham despencado para a morte.

Nem os deuses poderiam imaginar um destino tão cruel.

Mas Gaia não era como os outros deuses. A Mãe Terra era mais velha, mais perversa, mais sanguinária. Annabeth podia imaginá-la rindo enquanto eles despencavam nas profundezas.

Annabeth encostou os lábios no ouvido de Percy.

— Amo você.

Não sabia se ele podia ouvi-la, mas, se morressem, ela queria que aquelas fossem suas últimas palavras.

Tentou desesperadamente pensar em um plano para salvá-los. Era uma filha de Atena. Tinha provado seu valor nos túneis sob Roma, superado uma série de desafios apenas com sua inteligência. Mas não conseguia pensar em um modo de reverter ou mesmo reduzir a velocidade de sua queda.

Nenhum deles tinha o poder de voar, não como Jason, que era capaz de controlar o vento, ou Frank, que podia se transformar em um animal alado. Se chegassem ao fundo em velocidade terminal... bem, ela entendia o suficiente de física para saber que seria terminal.

Estava se perguntando seriamente se eles poderiam montar um paraquedas com suas camisas (sim, o desespero chegara a esse ponto) quando algo mudou ao seu redor. A escuridão assumiu um tom cinza avermelhado. Ela se deu conta de que enxergava os cabelos de Percy. O assovio em seus ouvidos se transformou em algo mais parecido com um rugido. O ar ficou insuportavelmente quente, permeado por um fedor que lembrava ovos podres.

De repente, o poço por onde estavam caindo se abriu em uma caverna ampla. Annabeth conseguiu ver o fundo cerca de um quilômetro abaixo deles. Por um instante, ficou atônita demais para pensar direito. Toda a ilha de Manhattan caberia no interior daquela caverna. E ela nem conseguia vê-la por inteiro. Nuvens vermelhas pairavam no ar como se fossem vapor de sangue. A paisagem, pelo menos o que podia ver dela, era composta por uma planície negra rochosa, pontuada por montanhas íngremes e abismos causticantes. À esquerda de Annabeth, o chão se abria numa série de penhascos semelhantes a degraus colossais que levavam para ainda mais fundo do abismo.

O fedor de enxofre dificultava a concentração, mas ela encarou o chão diretamente abaixo deles e viu uma faixa de um líquido negro reluzente, um *rio*.

— Percy! — gritou no ouvido dele. — Água!

Gesticulou freneticamente. Era difícil interpretar a expressão de Percy naquela penumbra avermelhada. Ele parecia exausto, em estado de choque e apavorado, mas assentiu com a cabeça como se tivesse entendido.

Percy era capaz de controlar a água, supondo que o que estivesse abaixo deles *fosse* água. Ele podia dar um jeito de suavizar a queda. Claro que Annabeth tinha ouvido histórias horríveis sobre os rios do Mundo Inferior. Eles podiam roubar suas lembranças, queimar seu corpo e sua alma até virarem cinzas. Mas decidiu não pensar nisso. Aquela era sua única chance.

O rio se aproximava rapidamente. No último segundo, Percy soltou um grito desafiador, e então a água jorrou em um gêiser gigantesco que os engoliu inteiros.

VI

ANNABETH

O impacto não a matou, mas o frio quase conseguiu.

A água congelante expulsou o ar de seus pulmões. Seus membros ficaram rígidos, e ela soltou Percy e começou a afundar. Gemidos estranhos enchiam seus ouvidos, milhões de vozes infelizes, como se o rio fosse feito de tristeza destilada. As vozes eram piores que o frio. Elas a faziam afundar e deixavam seu corpo dormente.

Por que lutar?, perguntaram a ela. *Você já está morta mesmo. Nunca vai sair deste lugar.*

Ela podia submergir até o fundo e se afogar, deixar que o rio levasse seu corpo. Seria mais fácil. Podia simplesmente fechar os olhos…

Percy agarrou sua mão e a puxou de volta para a realidade. Ela não conseguia vê-lo na água escura, mas de repente não queria mais morrer. Juntos, nadaram e chegaram à superfície.

Annabeth encheu os pulmões, agradecida pelo ar, por mais sulfuroso que fosse. A água girava em volta deles, e ela se deu conta de que Percy estava criando um rodamoinho para fazê-los flutuar.

Apesar de não conseguir ver o que havia ao redor, sabia que aquilo era um rio. E rios tinham margens.

— Terra — disse com voz rouca. — Vá para o lado.

Percy parecia morto de exaustão. Normalmente a água o revigorava, mas não *aquela* água. Controlá-la devia ter exigido toda a sua energia. O rodamoinho começou a se dissipar. Annabeth passou um braço pela cintura dele e lutou contra a corrente. O rio estava contra ela: milhares de vozes chorosas murmurando em seus ouvidos, em seus pensamentos.

Vida é desespero, diziam elas. *Nada faz sentido, e depois você morre.*

— *Sem sentido* — murmurou Percy.

Seus dentes batiam de frio. Ele parou de nadar e começou a afundar.

— Percy! — gritou ela. — O rio está mexendo com a sua cabeça. É o Cócito, o Rio das Lamentações. Ele é feito de infelicidade!

— Infelicidade — concordou ele.

— Resista!

Ela movia as pernas e fazia um enorme esforço para manter os dois na superfície. Outra piada cósmica para a diversão de Gaia: *Annabeth morre tentando impedir que o namorado, o filho de Poseidon, se afogue.*

Não vai acontecer, sua bruxa, pensou Annabeth.

Abraçou Percy com mais força e o beijou.

— Conte-me sobre Nova Roma — pediu. — Quais eram seus planos para nós?

— Nova Roma… para nós…

— É, Cabeça de Alga. Você disse que poderíamos ter um futuro, lá! Me fale sobre isso!

Annabeth nunca tivera vontade de deixar o Acampamento Meio-Sangue. Era o único lar de verdade que conhecera. Mas alguns dias antes, no *Argo II*, Percy dissera que imaginava um futuro para os dois entre os semideuses romanos. Na cidade de Nova Roma, veteranos da legião podiam se estabelecer com segurança, fazer faculdade, se casar e até ter filhos.

— Arquitetura — murmurou Percy. Seus olhos começaram a entrar em foco. — Achei que você ia gostar das casas, dos parques. Tem uma rua cheia de chafarizes bem legais.

Annabeth já conseguia vencer a correnteza. Seus membros pareciam sacos de areia molhada, mas Percy agora a estava ajudando. A linha escura da margem estava a alguns metros de distância.

— Faculdade — disse ela, ofegante. — Será que poderíamos estudar juntos?

— É... É — concordou ele, com um pouco mais de segurança.

— O que você estudaria, Percy?

— Não sei — admitiu ele.

— Biologia marinha? — sugeriu ela. — Oceanografia?

— Surfe? — perguntou ele.

Ela riu. O som produziu uma onda pela água, e o impacto fez os lamentos se reduzirem a um ruído de fundo. Annabeth se perguntou se alguém já havia rido antes no Tártaro, apenas uma risada pura e simples de prazer. Ela duvidava.

Usou o que restava de suas forças para alcançar a beira do rio. Seus pés afundaram no leito arenoso, e ela e Percy saíram da água com dificuldade. Os dois tremiam, ofegavam e desmoronaram sobre a areia escura.

Annabeth queria se encolher junto de Percy e dormir. Queria fechar os olhos, na esperança de que tudo aquilo fosse apenas um pesadelo, e acordar no *Argo II*, em segurança e junto de seus amigos (bem... tão em segurança quanto pode estar um semideus).

Mas, não. Eles estavam mesmo no Tártaro. Aos seus pés, o Rio Cócito passava rugindo, uma torrente de tristeza e infelicidade líquidas. O ar sulfuroso fazia os pulmões e a pele de Annabeth arderem. Quando olhou para os braços, viu que já estavam cobertos com feias manchas vermelhas. Ela tentou se sentar, mas ofegou de dor.

A praia não era de areia. Estavam sentados em um campo de cacos de vidro afiados, alguns dos quais agora estavam nas mãos de Annabeth.

Então o ar era ácido. A água era infelicidade. O chão era vidro quebrado. Tudo ali era feito para machucar e matar. Annabeth respirou fundo com dificuldade e se perguntou se as vozes no Cócito estavam certas. Talvez lutar pela vida não fizesse sentido. Eles estariam mortos em menos de uma hora.

Percy tossiu ao seu lado.

— O cheiro deste lugar é igualzinho ao do meu ex-padrasto.

Annabeth conseguiu dar um leve sorriso. Não conhecia Gabe Cheiroso, mas já ouvira várias histórias sobre ele. Amava Percy por tentar melhorar seu ânimo.

Se tivesse caído no Tártaro sozinha, pensou Annabeth, estaria condenada. Depois de tudo pelo que passara no subterrâneo de Roma e de ter encontrado a

Atena Partenos, aquilo era simplesmente demais. Ela teria se encolhido e chorado até se transformar em outro fantasma e se dissolver no Cócito.

Mas não estava sozinha. Tinha Percy. E aquilo significava que não podia desistir.

Ela se concentrou para avaliar a situação. Seu pé continuava envolto na tala improvisada com madeira e plástico bolha, ainda emaranhado em teias de aranha. Mas quando o moveu, não sentiu dor. A ambrosia que comera nos túneis sob Roma devia finalmente ter curado a sua fratura.

Sua mochila tinha desaparecido, perdida durante a queda, ou talvez levada pelo rio. Odiou ter perdido o laptop de Dédalo, com todos os seus programas e informações fantásticos, mas tinha problemas piores: sua faca de bronze celestial tinha sumido, a arma que carregava desde os sete anos.

Quando percebeu essa perda, quase desmoronou, mas não podia se permitir pensar muito nisso. Mais tarde teria tempo para chorar. O que mais eles tinham?

Sem comida, sem água... basicamente sem suprimentos.

É. Um começo bastante promissor.

Annabeth olhou para Percy, que estava com uma aparência péssima. Seus cabelos negros estavam grudados na testa, e a camiseta, toda esfarrapada. Seus dedos haviam ficado em carne viva por terem se agarrado à beira do precipício antes de caírem. O mais preocupante de tudo: ele não parava de tremer, e seus lábios estavam azuis.

— Precisamos ficar em movimento ou vamos ter hipotermia — disse Annabeth. — Você consegue se levantar?

Ele assentiu com a cabeça. Os dois fizeram um grande esforço para ficar de pé.

Annabeth o abraçou pela cintura, mas não tinha certeza de quem estava dando apoio a quem. Ela examinou os arredores. Acima, não viu sinal do túnel pelo qual haviam caído. Não conseguia enxergar nem o teto da caverna, apenas nuvens cor de sangue flutuando no ar cinza e enevoado. Era como olhar através de uma mistura de cimento com sopa de tomate.

A praia de cacos de vidro se estendia por uns cinquenta metros, até a beira de um precipício. De onde estava, Annabeth não conseguia ver o que havia abaixo, mas a borda tremeluzia com luz vermelha como se estivesse iluminada por grandes fogueiras.

Uma lembrança distante a incomodou, algo sobre o Tártaro e fogo. Antes que pudesse pensar melhor, Percy arquejou.

— Veja! — Ele apontou rio abaixo.

A uns trinta metros de distância, um carro italiano familiar tinha batido de frente na areia. Parecia exatamente o Fiat que caíra sobre Aracne e a arremessara no abismo.

Annabeth esperava estar errada, mas quantos carros esportivos italianos poderia haver no Tártaro? Parte dela não queria chegar nem perto do veículo, mas ela precisava descobrir. Agarrou a mão de Percy com força, e os dois foram cambaleantes na direção do carro destruído. Um dos pneus tinha se soltado e estava flutuando sobre um rodamoinho em um remanso do Cócito. As janelas do Fiat tinham se espatifado, e uma camada de vidro mais claro cobria a praia escura como se fosse neve. Sob o capô amassado havia os restos reluzentes de um gigantesco casulo de seda, a armadilha que Annabeth fizera Aracne tecer. Não havia dúvida de que estava vazia. Riscos na areia formavam uma trilha que levava rio abaixo... como se algo pesado e com várias pernas tivesse corrido para se esconder na escuridão.

— Ela está viva. — Annabeth estava tão horrorizada, tão revoltada com toda aquela injustiça, que teve ânsias de vômito.

— É o Tártaro — disse Percy. — Lar e corte dos monstros. Talvez aqui embaixo eles não possam ser mortos.

Olhou envergonhado para Annabeth, como se percebesse que não estava ajudando o moral da equipe.

— Ou talvez esteja gravemente ferida e tenha rastejado para morrer em algum lugar.

— Vamos torcer para que seja isso — concordou Annabeth.

Percy ainda tremia. Annabeth também não estava se sentindo mais aquecida, apesar do ar quente e úmido. Os cortes de vidro em suas mãos ainda sangravam, o que era estranho. Ela costumava se curar rapidamente. Sua respiração foi ficando entrecortada.

— Este lugar está nos matando — disse ela. — Quer dizer, ele vai *literalmente* nos matar, a menos que...

Tártaro. Fogo. A lembrança distante surgiu em sua mente. Ela olhou para a terra adiante, para o penhasco iluminado por chamas.

Era uma ideia absolutamente louca. Mas podia ser sua única chance.

— A menos que o quê? — perguntou Percy. — Você tem um plano brilhante, não tem?

— É um plano — murmurou Annabeth. — Não sei se brilhante. Temos que encontrar o Rio de Fogo.

VII

ANNABETH

Quando chegaram à beirada do penhasco, Annabeth tinha certeza de que os estava levando para a morte.

O precipício tinha mais de trinta metros de altura. No fundo havia uma versão pesadelo do Grand Canyon: um rio de fogo passando por fendas obsidianas irregulares. A corrente vermelha brilhante projetava sombras terríveis nas faces rochosas do penhasco.

Mesmo do alto do cânion, o calor era intenso. O frio do Rio Cócito não tinha saído dos ossos de Annabeth, mas agora sentia o rosto ardido parecendo queimado de sol. Respirar era cada vez mais difícil, como se seu peito estivesse cheio de bolinhas de isopor. Os cortes na mão sangravam mais em vez de menos. O pé de Annabeth, que estava praticamente curado, parecia piorar de novo. Ela havia tirado a tala improvisada, mas agora estava arrependida. Seu rosto se contorcia de dor a cada passo.

Supondo que conseguissem chegar ao rio de chamas, o que ela duvidava, seu plano parecia uma insanidade absoluta.

— Hã... — Percy examinou o penhasco.

Ele apontou para uma pequena fissura que descia em diagonal da beirada até o fundo.

— A gente podia tentar aquela saliência. Talvez dê para descer por ali.

Ele não disse que seria loucura tentar. Conseguiu parecer esperançoso. Annabeth ficou feliz por isso, mas continuava preocupada por talvez o estar conduzindo para a morte.

Claro que se ficassem ali iam morrer de qualquer jeito. O ar quente do Tártaro estava deixando seus braços cobertos de bolhas. Aquele ambiente era quase tão saudável quanto a área de uma explosão nuclear.

Percy foi na frente. A saliência mal era larga o bastante para eles apoiarem as pontas dos pés. Suas mãos procuraram qualquer rachadura na rocha vítrea. Toda vez que Annabeth se apoiava no pé machucado, tinha vontade de gritar de dor. Tinha arrancado as mangas da camiseta e usado o tecido para envolver as palmas das mãos sangrentas, mas seus dedos ainda estavam fracos e escorregadios.

Alguns passos abaixo dela, Percy resmungou enquanto procurava outro apoio para a mão.

— Então... como se chama mesmo esse rio?

— Flegetonte — disse ela. — Você devia se concentrar em descer.

— *Flegetonte?* — Ele seguia caminhando pela saliência estreita e se segurava onde podia. Tinham percorrido um terço do caminho até o fundo do penhasco, mas, da altura em que estavam, ainda morreriam se caíssem. — Parece até nome de bicho pré-histórico: flegetonte, mastodonte...

— Por favor, não me faça rir — disse ela.

— Só estou tentando aliviar o clima.

— Obrigada — grunhiu Annabeth, quase pisando fora da saliência com o pé machucado. — Vou despencar para a morte com um sorriso no rosto.

Eles seguiram em frente, um passo de cada vez. Os olhos de Annabeth ardiam com o suor. Seus braços tremiam. Mas, para sua surpresa, finalmente chegaram ao fim do penhasco.

Quando chegou ao fundo, tropeçou. Percy a segurou. Annabeth ficou assustada ao sentir que a pele dele fervia. Bolhas vermelhas haviam irrompido em seu rosto, fazendo-o parecer uma vítima de varíola.

Sua própria visão estava embaçada. Sentia como se a garganta estivesse cheia de bolhas, e seu estômago estava mais apertado que um punho cerrado.

Temos de nos apressar, pensou.

— Só até o rio — disse a Percy, tentando não parecer em pânico. — Vamos conseguir.

Caminharam com dificuldade por saliências escorregadias de vidro, contornando enormes blocos de rocha e evitando estalagmites que os teriam empalado ao menor escorregão. Suas roupas esfarrapadas soltavam vapor devido ao calor do rio, mas eles seguiram em frente até caírem de joelhos às margens do Flegetonte.

— Temos de beber — disse Annabeth.

Percy hesitou com os olhos semicerrados. Ele contou até três antes de responder.

— Er... beber fogo?

— O Flegetonte corre do reino de Hades para o Tártaro. — Annabeth mal conseguia falar. Sua garganta estava se fechando por conta do calor e do ar ácido. — O rio é usado para punir os maus. Mas além disso... algumas lendas o chamam de Rio da Cura.

— *Algumas* lendas?

Annabeth engoliu em seco, tentando não desmaiar.

— O Flegetonte preserva os maus para que eles tenham que suportar os tormentos dos Campos de Punição. Eu acho que... pode ser o equivalente do Mundo Inferior da ambrosia e do néctar.

O rosto de Percy se contorceu quando cinzas se ergueram do rio e giraram perto dele.

— Mas isso é fogo. Como vamos...

— Assim. — Annabeth enfiou as mãos no rio.

Burrice? Sim, mas ela estava convencida de que não tinham escolha. Se esperassem um pouco mais, iriam desmaiar e morrer. Era melhor tentar algo idiota e torcer para funcionar.

Ao primeiro contato, o fogo não era doloroso. Ele parecia frio, o que provavelmente significava que era *tão* quente que estava sobrecarregando os nervos de Annabeth. Antes que pudesse mudar de ideia, pegou um pouco do líquido flamejante nas mãos em concha e o levou à boca.

Esperava que tivesse um gosto parecido com o de gasolina. Mas era *muito* pior. Certa vez, em um restaurante lá em São Francisco, ela tinha cometido o erro de provar a pimenta mais picante do mundo, que vinha com um prato de comida indiana. Após mordiscá-la, achou que seu sistema respiratório fosse implodir.

Beber do Flegetonte era como virar um copo do suco concentrado daquela pimenta. Suas cavidades nasais se encheram de chamas líquidas. A boca parecia estar sendo frita. Os olhos derramaram lágrimas ferventes, e todos os poros de seu rosto pipocaram. Ela desmoronou, engasgando e vomitando enquanto o corpo inteiro tremia violentamente.

— Annabeth! — Percy agarrou seus braços, impedindo-a por pouco de rolar para dentro do rio.

O acesso passou. Ela respirou fundo com dificuldade e conseguiu se sentar. Sentia-se horrivelmente fraca e enjoada, mas a respiração seguinte foi mais fácil. As bolhas nos braços começaram a sumir.

— Funcionou — disse com voz rouca. — Percy, você precisa beber.

— Eu… — Ele revirou os olhos e caiu sobre ela.

Desesperada, Annabeth encheu outra vez as palmas em concha. Ignorando a dor, pingou o fogo líquido na boca de Percy. Ele não reagiu.

Tentou de novo, derramando as mãos cheias em sua garganta. Dessa vez, ele engasgou e tossiu. Annabeth o segurou enquanto Percy tremia e o fogo mágico agia em seu corpo. A febre passou. As bolhas sumiram. Ele conseguiu sentar e estalar os lábios.

— Ergh — disse ele. — Apimentado, mas nojento.

Annabeth riu sem forças. Estava tão aliviada… ficou até meio tonta.

— É. Isso mais ou menos resume tudo.

— Você nos salvou.

— Por enquanto. O problema é que ainda estamos no Tártaro.

Percy piscou. Olhou ao redor como se começasse a aceitar que estavam ali.

— Por Hera! Nunca pensei… bem, não tenho certeza do *que* pensei. Talvez que o Tártaro fosse um espaço vazio, um poço sem fundo. Mas este é um lugar *real*.

Annabeth lembrou da paisagem que vira enquanto caíam: uma série de platôs que iam descendo até sumir na escuridão.

— Nós ainda não vimos tudo — alertou ela. — Isto pode ser só uma parte mínima do abismo, os degraus da entrada.

— O tapete de boas-vindas — murmurou Percy.

Os dois olharam para as nuvens cor de sangue que pairavam na névoa cinzenta. Não tinham forças para subir aquele penhasco de volta de jeito nenhum, mesmo que quisessem. Agora só havia duas opções: subir ou descer o Flegetonte, acompanhando suas margens.

— Vamos achar uma saída — disse Percy. — As Portas da Morte.

Annabeth estremeceu. Ela se lembrava do que Percy dissera pouco antes de caírem no Tártaro. Tinha feito Nico di Angelo prometer levar o *Argo II* até Épiro, até o lado mortal das Portas da Morte.

Encontramos vocês lá, dissera Percy.

A ideia parecia ainda mais louca do que beber fogo. Como eles poderiam sair andando pelo Tártaro e encontrar as Portas da Morte? Mal tinham conseguido cambalear por cem metros naquele lugar venenoso sem morrer.

— Temos que conseguir — disse Percy. — Não apenas por nós, mas por todos os que amamos. As Portas têm que ser fechadas pelos dois lados, ou os monstros vão continuar a passar. As forças de Gaia acabarão dominando o mundo.

Annabeth sabia que ele tinha razão. Mesmo assim… era impossível pensar em um plano com alguma chance de sucesso. Eles não tinham como localizar as Portas. Não sabiam quanto tempo iam demorar, sequer se o tempo passava na mesma velocidade no Tártaro. Como poderiam sincronizar um encontro com seus amigos? E Nico dissera que a legião dos monstros mais fortes de Gaia vigiava as Portas do lado do Tártaro. Annabeth e Percy não podiam exatamente fazer um ataque direto.

Ela resolveu não mencionar nada disso. Os dois sabiam que não tinham muita chance. Além do mais, após nadarem no Rio Cócito, Annabeth tinha ouvido lamentos e gemidos o bastante para uma vida. Prometeu a si mesma nunca mais voltar a reclamar.

— Bem. — Ela respirou fundo, grata por seus pulmões finalmente terem parado de arder. — Se ficarmos perto do rio, vamos sempre ter um modo de nos curarmos. Se descermos o rio…

Aconteceu tão rápido que Annabeth teria morrido se estivesse sozinha.

Os olhos de Percy se fixaram em algo atrás dela. Annabeth girou quando uma forma escura enorme se lançou em sua direção, uma massa monstruosa com pernas finas cobertas de espinhos, olhos reluzentes e presas à mostra.

Só teve tempo de pensar: *Aracne*. Mas estava paralisada de medo, sem conseguir raciocinar por causa do cheiro doce enjoativo.

Então ouviu o *SHWINK* da caneta esferográfica de Percy se transformando em espada. A lâmina de bronze reluzente descreveu um arco acima da cabeça de Annabeth. Um gemido horrível ecoou pelo cânion.

Ela ficou ali parada, atônita, enquanto a poeira amarela, os restos de Aracne, caía ao seu redor como uma chuva de pólen de árvore.

— Você está bem?

Percy examinou os penhascos e blocos rochosos, à procura de outros monstros, mas nada mais apareceu. A poeira dourada da aranha caiu sobre as rochas obsidianas.

Annabeth olhou impressionada para o namorado. A lâmina de bronze celestial de Contracorrente brilhava ainda mais forte na escuridão do Tártaro e emitiu um silvo desafiador ao cortar o ar denso e quente, como uma serpente furiosa.

— Ela... ela teria me matado — gaguejou Annabeth.

Percy chutou a terra sobre as rochas com a cara amarrada e um ar nada satisfeito.

— A morte dela foi muito rápida, considerando como torturou você. Ela merecia pior.

Annabeth não podia negar isso, mas o tom duro de Percy a incomodou. Ela nunca vira alguém ficar tão raivoso ou vingativo por causa dela. Ficou quase feliz por Aracne ter morrido tão rápido.

— Como você reagiu tão depressa?

Percy deu de ombros.

— Temos que cuidar um do outro, não é? Agora, você estava dizendo... rio abaixo?

Annabeth assentiu com a cabeça, ainda confusa. A poeira amarela se dissipou sobre a margem rochosa e virou vapor. Pelo menos agora sabiam que era possível matar monstros no Tártaro... apesar de ela não ter ideia de por quanto tempo Aracne permaneceria morta. Annabeth não planejava ficar ali o bastante para descobrir.

— É, rio abaixo — conseguiu dizer. — Se o Flegetonte vem dos níveis superiores do Mundo Inferior, deve correr para as profundezas do Tártaro...

— Na direção mais perigosa — completou Percy. — Que é provavelmente onde ficam as Portas. Sorte a nossa.

VIII

ANNABETH

Tinham percorrido apenas algumas centenas de metros quando Annabeth ouviu vozes.

Annabeth estava seguindo em frente lentamente, parte dela ainda em choque, tentando pensar em um plano. Como era filha de Atena, os planos deviam ser sua especialidade. Mas era difícil raciocinar com o estômago roncando e a garganta queimando. A água causticante do Flegetonte podia tê-la curado e lhe dado força, mas não ajudou a saciar sua fome ou sede. O objetivo do rio não era fazer com que ninguém se sentisse bem, imaginou Annabeth. Ele apenas mantinha a gente viva para poder experimentar mais dor excruciante.

Sua cabeça começou a pender de exaustão. Então ela as ouviu, vozes femininas em algum tipo de discussão, e ficou imediatamente alerta.

— Percy, se abaixe! — sussurrou ela.

Ela o puxou para trás da rocha mais próxima, tão espremida contra a margem do rio que seus sapatos quase tocavam o fogo líquido. Do outro lado, descendo o rio pela passagem estreita entre o Flegetonte e o penhasco, vozes irritadas ficavam mais altas ao se aproximarem.

Annabeth tentou manter a respiração estável. As vozes soavam vagamente humanas, mas isso não significava nada. Ela pressupunha que todos no Tártaro fossem seus inimigos. Não sabia como os monstros ainda não os tinham localizado. Eles podiam *farejar* semideuses, especialmente os poderosos como Percy, filho de Poseidon. Annabeth duvidava que se esconder atrás de uma rocha fosse adiantar alguma coisa quando os monstros sentissem o cheiro deles.

Mesmo assim, conforme os monstros se aproximavam, não mudavam de tom. Seus passos irregulares — *scrap, clump, scrap, clump* — não se aceleravam.

— Falta muito? — perguntou um deles com uma voz rouca, como se tivesse acabado de fazer um gargarejo com o fogo do Flegetonte.

— Ah, meus deuses! — resmungou outra voz. Parecia bem mais jovem e muito mais humana, como de uma adolescente mortal no shopping, ficando irritada com os amigos. Por alguma razão, a voz soava familiar. — Cara, vocês são *muito* chatos! Eu já falei, é a três *dias* daqui.

Percy agarrou o pulso de Annabeth e a olhou alarmado, como se também tivesse reconhecido a voz da garota do shopping.

Houve um coro de resmungos e reclamações. As criaturas, talvez meia dúzia, calculou Annabeth, tinham parado bem do outro lado da rocha, sem dar sinal de terem farejado os semideuses. Annabeth se perguntou se os semideuses tinham um cheiro diferente no Tártaro, ou se os outros odores ali eram fortes o suficiente para mascarar a aura de um semideus.

— Eu acho — disse uma terceira voz, séria e velha como a primeira — que talvez você não saiba o caminho, minha jovem.

— Ah, cale a boca, Serefone, sua imbecil — retrucou a garota do shopping. — Quando foi a última vez que *vocês* escaparam para o mundo mortal? Eu estive lá há alguns anos. Sei o caminho! Além disso, *eu* sei o que estamos enfrentando lá em cima. Vocês não têm a mínima ideia!

— A Mãe Terra não fez de você nossa líder! — interveio uma terceira voz aguda.

Mais sussurros, sibilos, discussões e gemidos ferozes, como uma briga de gatos de rua gigantes. Por fim, a que se chamava Serefone berrou:

— Basta!

O bate-boca morreu.

— Por enquanto, vamos seguir você — disse Serefone. — Mas se *não* nos conduzir direito, se descobrirmos que *mentiu* sobre as invocações de Gaia…

— Eu não minto! — respondeu bruscamente a menina do shopping. — Podem acreditar, tenho um bom motivo para entrar nessa batalha. Tenho inimigos a devorar, e vocês vão se banquetear no sangue dos heróis. Deixem apenas um pedaço especial para mim... um chamado Percy Jackson.

Annabeth se segurou para não rosnar também. Esqueceu seu medo. Queria pular por cima da rocha e fazer picadinho dos monstros com sua faca... só que a tinha perdido.

— Podem acreditar em mim — continuou a garota do shopping. — Gaia nos convocou, e vamos nos divertir *muito*. Antes do fim desta guerra, mortais e semideuses vão tremer ao som de meu nome: Kelli.

Annabeth quase soltou um grito. Olhou para Percy. Mesmo à luz vermelha do Flegetonte, o rosto dele parecia branco como cera.

Empousai, disse sem som, apenas mexendo os lábios. *Vampiras.*

Percy assentiu com a cabeça, preocupado.

Ela se lembrava de Kelli. Dois anos antes, no primeiro ano de orientação de Percy, ele e a amiga Rachel Dare foram atacados por *empousai* disfarçadas de líderes de torcida. Uma era Kelli. Mais tarde, a mesma *empousa* os havia atacado na oficina de Dédalo. Annabeth a apunhalara nas costas e a enviara... para lá, para o Tártaro.

As criaturas continuaram a andar, e suas vozes foram sumindo. Annabeth rastejou até o canto da rocha e arriscou uma espiada. Como esperava, cinco mulheres caminhavam lentamente sobre pernas de tipos diferentes, mecânicas de bronze à esquerda, e peludas e com cascos à direita. Seus cabelos eram feitos de fogo, e suas peles eram brancas como ossos. A maioria delas usava túnicas gregas antigas esfarrapadas, menos a líder, Kelli, que usava uma blusa queimada e rasgada com uma saia curta plissada... seu disfarce de líder de torcida.

Annabeth cerrou os dentes. Enfrentara muitos monstros malvados ao longo dos anos, mas seu ódio pelas *empousai* era maior que o normal.

Além de suas garras e presas perigosas, tinham o poder de manipular a Névoa. Conseguiam mudar de forma e usar o charme, enganando mortais e fazendo-os baixarem a guarda. Homens eram especialmente suscetíveis. A tática favorita de uma *empousa* era fazer com que um homem se apaixonasse por ela para depois beber seu sangue e devorar sua carne. Não era um bom primeiro encontro.

Kelli quase tinha matado Percy. Ela havia manipulado o amigo mais antigo de Annabeth, Luke, levando-o a cometer atos cada vez mais sombrios em nome de Cronos.

Annabeth queria *muito* ainda ter sua faca.

Percy ficou de pé.

— Elas estão indo para as Portas da Morte — murmurou ele. — Sabe o que isso significa?

Annabeth não queria pensar naquilo, mas, infelizmente, aquele grupo de mulheres devoradoras de carne dignas de um circo de aberrações podia ser a coisa mais próxima de boa sorte que teriam no Tártaro.

— Sei — disse ela. — Temos de segui-las.

IX

LEO

Leo passou a noite lutando com uma Atena de doze metros de altura.

Desde que trouxeram a estátua a bordo, Leo estava obcecado em descobrir como funcionava. Tinha certeza de que ela possuía poderes especiais. Tinha de haver um interruptor secreto, uma placa de pressão ou algo assim.

Ele deveria estar dormindo, mas simplesmente não conseguia. Passava horas rastejando sobre a estátua deitada, que ocupava a maior parte do convés inferior. Os pés de Atena estavam enfiados na enfermaria, de modo que quem quisesse um analgésico tinha que se espremer por entre seus dedos de marfim. O corpo da estátua ocupava todo o corredor de bombordo, e sua mão estendida chegava até o interior da casa de máquinas, segurando na palma a estátua em tamanho real de Nice, como se dissesse: *Aqui, tome um pouco de Vitória!* O rosto sereno de Atena ocupava a maior parte dos estábulos dos pégasos, na popa, que felizmente estavam desocupados. Se Leo fosse um cavalo mágico, ele não gostaria de morar em um estábulo com uma deusa da sabedoria gigante olhando para ele.

A estátua tomava todo o corredor, por isso Leo tinha de subir nela e se esgueirar sob os seus membros, procurando alavancas e botões.

Como sempre, não encontrou nada.

Leo andara pesquisando sobre a estátua. Ele sabia que fora feita a partir de uma estrutura de madeira oca coberta de marfim e ouro, o que explicava por que era tão leve. Estava em muito bom estado, considerando-se que tinha mais de dois mil anos de idade, fora roubada de Atenas, levada para Roma e estivera secretamente escondida na caverna de uma aranha por praticamente dois milênios. A magia, combinada com o excelente trabalho artesanal, devia tê-la mantido intacta, supunha Leo.

Annabeth dissera... bem, ele tentou não pensar em Annabeth. Ainda se sentia culpado por ela e Percy terem caído no Tártaro. Leo sabia que a culpa era *dele*. Deveria ter trazido todos em segurança a bordo do *Argo II* antes de começar a prender a estátua. Ele deveria ter percebido que o chão da caverna era instável.

Contudo, lamentar-se não traria Percy e Annabeth de volta. Ele precisava se concentrar nos problemas que podia resolver.

De qualquer forma, Annabeth dissera que a estátua era a chave para derrotar Gaia. Ela poderia pôr fim à rixa entre os semideuses gregos e romanos. Leo imaginava que devia haver ali mais do que simples simbolismo. Talvez os olhos de Atena disparassem raios laser, ou a serpente por trás de seu escudo cuspisse veneno. Ou talvez a figura menor da deusa Nice ganhasse vida e executasse alguns golpes ninja.

Leo imaginava todo tipo de coisas divertidas que a estátua poderia fazer caso *ele* a tivesse projetado, mas quanto mais a examinava, mais frustrado ficava. A Atena Partenos irradiava magia. Até mesmo *ele* conseguia sentir. Mas aparentemente não fazia outra coisa além de parecer impressionante.

O navio adernou em uma manobra evasiva. Leo resistiu ao impulso de correr até o timão. Jason, Piper e Frank estavam de plantão com Hazel agora. Eles podiam lidar com fosse lá o que estivesse acontecendo. Além disso, Hazel insistira em assumir o leme para guiá-los pela passagem secreta que a deusa da magia mencionara.

Leo esperava que Hazel estivesse certa a respeito do longo desvio ao norte. Ele não confiava naquela tal de Hécate e não entendia por que uma deusa esquisita que dava arrepios de repente decidira ser prestativa.

Claro, ele não costumava confiar em magia. Por isso estava tendo tantos problemas com a Atena Partenos. A estátua não tinha peças móveis. Seja lá o que fizesse, aparentemente funcionava com pura feitiçaria... e Leo não gostava disso. Ele queria que aquilo fizesse sentido, como uma máquina.

Finalmente, ficou exausto demais para pensar direito. Encolheu-se sob um cobertor na sala de máquinas e ficou ouvindo o reconfortante murmurar dos geradores. Buford, a mesa mecânica, estava em um canto, em modo de espera, emitindo seus roncos vaporosos: *shhh, pfft, shh, pfft*.

Leo até gostava de seus aposentos, mas se sentia mais seguro ali, no coração do navio, em uma sala repleta de mecanismos que sabia controlar. Além disso, se passasse mais tempo perto da Atena Partenos, talvez acabasse compreendendo os seus segredos.

— Sou eu ou você, Dona — murmurou, puxando o cobertor até o queixo. — Você vai acabar cooperando.

Ele fechou os olhos e dormiu. Infelizmente, isso significava sonhar.

Tentando salvar a própria vida, ele corria pela antiga oficina de sua mãe, onde ela morrera em um incêndio quando Leo tinha oito anos.

Ele não sabia bem o que o estava perseguindo, mas sentia que se aproximava com rapidez — algo grande, escuro e cheio de ódio.

Ele esbarrou em bancadas, derrubou caixas de ferramentas e tropeçou em cabos elétricos. Viu a saída e correu naquela direção, mas uma figura surgiu à sua frente: uma mulher trajando uma túnica de terra seca rodopiante, com o rosto coberto por um véu de poeira.

Aonde vai, heroizinho?, perguntou Gaia. *Fique e conheça meu filho favorito.*

Leo correu para a esquerda, mas o riso da deusa da terra o seguiu.

Na noite em que sua mãe morreu, eu o avisei. Disse que as Parcas não me permitiriam matá-lo naquela ocasião. Mas agora *você escolheu o seu caminho. Sua morte está próxima, Leo Valdez.*

Ele se chocou contra uma mesa de desenho, o antigo local de trabalho de sua mãe. A parede atrás da mesa era decorada com desenhos feitos por Leo com giz de cera. Ele soluçou em desespero e tentou voltar, mas a coisa que o perseguia estava agora em seu caminho, um ser colossal envolto em sombras de forma vagamente humanoide, com a cabeça quase tocando o teto, seis metros mais acima.

As mãos de Leo se incendiaram. Ele atacou o gigante, mas a escuridão engoliu o fogo. Leo tateou à procura do cinto de ferramentas, mas os bolsos estavam costurados. Ele tentou falar — dizer qualquer coisa que pudesse salvar sua vida —, mas não conseguia emitir som algum, como se o ar tivesse sido roubado de seus pulmões.

Meu filho não permitirá fogos hoje à noite, disse Gaia do fundo do armazém. *Ele é o vazio que engole toda a magia, o frio que engole qualquer fogo, o silêncio que engole todas as vozes.*

Leo quis gritar: *E eu sou o cara que vai dar o fora!*

Sua voz não funcionava, então usou os pés, correndo para a direita, esquivando-se das gigantescas mãos sombrias que tentavam agarrá-lo, e atravessou a porta mais próxima.

Subitamente, viu-se no Acampamento Meio-Sangue, só que o lugar estava em ruínas. Os chalés eram cascas carbonizadas. Campos queimados ardiam ao luar. O pavilhão de jantar desmoronara em uma pilha de escombros brancos, e a Casa Grande estava em chamas, e suas janelas brilhavam como olhos de demônios.

Leo continuou a correr, certo de que o gigante de sombra ainda estava atrás dele.

Desviou de corpos de semideuses gregos e romanos. Queria verificar se estavam vivos. Queria ajudá-los. Mas por algum motivo sabia que seu tempo estava se esgotando.

Leo correu em direção às únicas pessoas vivas que viu — um grupo de romanos na quadra de vôlei. Dois centuriões casualmente inclinados contra seus dardos, conversando com um sujeito louro, alto e magricela, vestindo uma toga roxa. Leo tropeçou. Era aquele estranho Octavian, o áugure do Acampamento Júpiter, que estava sempre clamando por guerra.

Octavian se voltou para ele, mas parecia estar em transe. Estava com o rosto relaxado e de olhos fechados. Quando falou, foi com a voz de Gaia: *Isto não pode ser evitado. Os romanos estão se deslocando a leste de Nova York. Eles avançam em direção ao seu acampamento, e nada poderá detê-los.*

Leo se sentiu tentado a dar um soco no rosto de Octavian. Em vez disso, continuou correndo.

Ele subiu a Colina Meio-Sangue. No cume, um raio partira o pinheiro gigante.

Ele parou, atônito. A parte de trás da colina fora devastada. Mais além, o mundo inteiro desaparecera. Leo viu apenas nuvens bem lá embaixo, um tapete prateado estendendo-se sob o céu escuro.

Uma voz aguda disse:

— Bem?

Leo se assustou.

No pinheiro partido, havia uma mulher ajoelhada à entrada de uma caverna que se abrira entre as raízes da árvore.

A mulher não era Gaia. Mais parecia uma Atena Partenos viva, com a mesma toga dourada e os braços nus de marfim. Quando ela se levantou, Leo quase caiu da borda do mundo.

Seu rosto era belo como o de uma rainha, com maçãs do rosto proeminentes, grandes olhos escuros e cabelo cor de alcaçuz trançado em um elegante penteado grego, enfeitado com uma espiral de esmeraldas e diamantes que para Leo lembrava uma árvore de Natal. Sua expressão irradiava puro ódio. Tinha os lábios retorcidos. O nariz franzido.

— O filho do deus remendão — zombou ela. — Você não é ameaça, mas suponho que minha vingança deva começar em algum lugar. Faça a sua escolha.

Leo tentou falar, mas estava paralisado de tanto medo. Entre aquela rainha furiosa e o gigante que o perseguia, não tinha ideia do que fazer.

— Ele estará aqui em breve — avisou a mulher. — Meu amigo sombrio não lhe dará o luxo de uma escolha. É o precipício ou a caverna, garoto!

Subitamente, Leo entendeu o que ela queria dizer. Ele estava encurralado. Poderia saltar do precipício, mas isso seria suicídio. Mesmo que houvesse terra sob aquelas nuvens, morreria na queda, ou talvez simplesmente caísse para sempre.

Mas a caverna... ele olhou para a entrada escura entre as raízes da árvore. Cheirava a podridão e morte. Ele ouviu corpos movendo-se lá dentro, vozes sussurrando nas sombras.

A caverna era a casa dos mortos. Se ele entrasse, nunca sairia.

— Sim — disse a mulher.

Trazia ao redor do pescoço um estranho pingente de bronze e esmeralda, como um labirinto circular. Seus olhos estavam tão zangados que Leo finalmente entendeu por que se dizia que alguém ficava "louco de raiva". Aquela mulher havia enlouquecido de tanto ódio.

— A Casa de Hades o espera — disse ela. — Você será o primeiro roedor insignificante a morrer em meu labirinto. Tem apenas uma chance de escapar, Leo Valdez. Aproveite-a.

Ela fez um gesto em direção ao penhasco.

— Você está doida — disse ele, recuperando a fala.

Não devia ter dito aquilo. Ela o agarrou pelo pulso.

— Talvez eu devesse matá-lo agora, antes da chegada de meu amigo das trevas.

Passos faziam a encosta tremer. O gigante se aproximava, envolto em sombras, enorme, pesado e sedento de sangue.

— Você já ouviu falar sobre morrer em um sonho, rapaz? — perguntou a mulher. — Isso é possível, nas mãos de uma feiticeira!

O braço de Leo começou a fumegar. O toque da mulher era ácido. Ele tentou se libertar, mas os dedos dela pareciam feitos de aço.

Leo abriu a boca para gritar. O enorme volume do gigante pairou sobre ele, obscurecido por camadas de fumaça negra.

O gigante ergueu o punho e uma voz penetrou em seu sonho.

— Leo. — Jason sacudia o seu ombro. — Ei, cara, por que você está agarrando a Nice?

Leo abriu os olhos. Seus braços estavam ao redor da estátua em tamanho natural na mão de Atena. Ele deve ter se debatido durante o sono e se agarrado à deusa da vitória, como costumava se agarrar ao travesseiro na infância quando tinha pesadelos. (Cara, isso era *tão* embaraçoso quando acontecia em lares adotivos...)

Ele se desvencilhou da estátua e se sentou, esfregando o rosto.

— Nada — murmurou. — Estávamos apenas nos abraçando. Hã, o que está acontecendo?

Jason não caçoou dele. Esta era uma coisa que Leo apreciava no amigo. Os olhos azul gelo do garoto estavam calmos e sérios. A pequena cicatriz em sua boca estremeceu, como sempre acontecia quando trazia más notícias.

— Conseguimos atravessar as montanhas — contou ele. — Estamos quase chegando a Bolonha. Você deve encontrar a gente no refeitório. Nico tem novas informações.

X

LEO

Leo projetara as paredes do refeitório para exibir cenas em tempo real do Acampamento Meio-Sangue. No começo, achara que era uma ótima ideia. Agora, já não tinha tanta certeza.

As cenas de casa — as cantorias ao pé da fogueira, os jantares no pavilhão, os jogos de vôlei do lado de fora da Casa Grande — pareciam entristecer seus amigos. Quanto mais se distanciavam de Long Island, pior ficava. Os fusos horários mudavam, fazendo com que Leo *sentisse* a distância toda vez que olhava para as paredes. Ali na Itália, o sol acabara de nascer. Já no Acampamento Meio-Sangue era de madrugada. As tochas crepitavam às portas dos chalés. O luar refletia nas ondas do Estuário de Long Island. A praia estava coberta de pegadas, como se uma grande multidão tivesse acabado de ir embora.

Subitamente, Leo se deu conta de que o dia anterior — certo, a noite anterior, na verdade — fora o Quatro de Julho. Eles haviam perdido a festa anual do Acampamento Meio-Sangue com os fogos de artifício incríveis preparados pelos irmãos de Leo no chalé 9.

Decidiu não comentar nada com a tripulação, mas esperava que os amigos em casa tivessem se divertido. Eles também precisavam de algo para manter o moral elevado.

Lembrou-se das imagens que vira em seu sonho: o acampamento em ruínas, repleto de corpos; Octavian na quadra de vôlei, falando despreocupadamente com a voz de Gaia.

Ele olhou para seus ovos com bacon e desejou poder desligar as imagens da parede.

— Então — disse Jason —, agora que estamos aqui...

Ele se sentou à cabeceira da mesa meio que de modo automático. Desde que perderam Annabeth, Jason vinha se esforçando ao máximo para assumir o papel de líder do grupo. Como fora pretor no Acampamento Júpiter, provavelmente estava acostumado. Mas Leo sabia que o amigo estava estressado. Ele parecia mais abatido, e seu cabelo louro estava desarrumado, como se tivesse se esquecido de penteá-lo, o que era estranho para ele.

Leo observou o restante da mesa. Hazel também estava com os olhos vermelhos, mas ela passara a noite em claro, guiando o navio pelas montanhas. Seu cabelo encaracolado cor de canela estava preso por uma bandana, o que lhe dava um ar de soldado de elite que Leo achou meio sensual — e logo em seguida se sentiu culpado por isso.

Ao lado dela estava sentado seu namorado, Frank Zhang, vestindo calça preta de ginástica e uma camiseta romana de turista com a palavra: *Ciao!* (Aquilo chegava a ser uma palavra?). Trazia sua antiga medalha de centurião presa à camiseta, apesar de os semideuses do *Argo II* serem agora os Inimigos Públicos Números 1 a 7 do Acampamento Júpiter. Sua expressão sombria apenas reforçava sua infeliz semelhança com um lutador de sumô. Em seguida, vinha o meio-irmão de Hazel, Nico di Angelo. Sério, aquele garoto era muito esquisito. Usava uma jaqueta de couro de aviador, camiseta e calça jeans pretas, aquele anel de prata sinistro em forma de caveira no dedo e trazia ao seu lado a espada de ferro estígio. Os cachos na ponta de seu cabelo preto pareciam asas de filhotes de morcego. Tinha olhos tristes e um tanto vazios, como se tivesse olhado para as profundezas do Tártaro — como de fato olhara.

O único semideus ausente era Piper, que manejava o timão ao lado do treinador Hedge, seu acompanhante sátiro.

Leo desejou que Piper estivesse ali. Ela tinha um jeito de acalmar as coisas com aquele seu charme de Afrodite. Depois de seus sonhos na noite anterior, Leo gostaria de se acalmar.

Por outro lado, provavelmente era bom que ela estivesse no convés superior, acompanhando o acompanhante deles. Agora que estavam nas terras antigas, tinham de ficar constantemente em estado de alerta. Leo tinha medo de deixar o treinador Hedge voando sozinho. O sátiro tinha um dedo muito leve no gatilho, e o timão tinha muitos botões brilhantes e perigosos que poderiam explodir as pitorescas vilas italianas abaixo deles.

Leo estava tão fora do ar que não percebeu que Jason ainda estava falando.

— ... a Casa de Hades — dizia. — Nico?

Nico inclinou-se para a frente.

— Fiz contato com os mortos na noite passada.

Ele disse aquilo com a maior naturalidade, como se estivesse contando que recebera uma mensagem de texto de um amigo.

— Descobri mais a respeito do que vamos enfrentar — prosseguiu Nico. — Nos tempos antigos, a Casa de Hades era um importante lugar de peregrinação para os gregos. Eles iam até lá para falar com os mortos e homenagear os antepassados.

Leo franziu a testa.

— Parece com o *Día de los Muertos*. Minha tia Rosa levava esse negócio a sério.

Ele se lembrava de ter sido arrastado por ela até o cemitério local, em Houston, onde limparam os túmulos de seus parentes e fizeram oferendas de limonada, biscoitos e cravos frescos. Tia Rosa forçava Leo a participar de um piquenique, como se o fato de passar um tempo com os mortos abrisse o apetite.

Frank resmungou:

— Os chineses também fazem isso: adoram os antepassados e varrem as sepulturas na primavera. — Ele olhou para Leo. — Sua tia Rosa teria se dado bem com a minha avó.

Leo teve uma visão aterrorizante de sua tia Rosa e uma velha chinesa em trajes de luta, se digladiando com porretes pontiagudos.

— É — disse Leo. — Tenho certeza de que teriam sido melhores amigas.

Nico pigarreou.

— Muitas culturas têm tradições sazonais para honrar os mortos, mas a Casa de Hades ficava aberta o ano inteiro. Os peregrinos podiam realmente *falar* com os fantasmas. Em grego, o lugar era chamado de *Necromanteion*, o Oráculo da Morte. Você atravessava diferentes níveis de túneis, deixando oferendas e bebendo poções especiais…

— Poções especiais — murmurou Leo. — Que delícia.

Jason lançou-lhe um olhar tipo *já chega, cara*.

— Prossiga, Nico.

— Os peregrinos acreditavam que cada nível do templo os aproximava mais do Mundo Inferior, até os mortos aparecerem diante deles. Se ficassem satisfeitos com as oferendas, respondiam às perguntas, talvez até mesmo revelassem o futuro.

Frank deu um tapinha em sua caneca de chocolate quente.

— E se os espíritos *não* ficassem satisfeitos?

— Alguns peregrinos não encontravam nada — disse Nico. — Alguns enlouqueciam ou morriam após saírem do templo. Outros se perdiam nos túneis e nunca mais eram vistos.

— O fato — acrescentou Jason rapidamente — é que Nico encontrou uma informação que pode nos ser útil.

— É. — Nico não parecia muito animado. — O fantasma com que falei ontem à noite… ele era um ex-sacerdote de Hécate. Ele confirmou o que a deusa disse para Hazel ontem na encruzilhada. Na primeira guerra contra os gigantes, Hécate lutou ao lado dos deuses. Ela matou um dos gigantes, um que fora concebido como o *anti*-Hécate. Um sujeito chamado Clítio.

— Sujeito tenebroso — adivinhou Leo. — Envolto em sombras.

Hazel se voltou para ele, estreitando os olhos dourados.

— Como é que você sabe disso, Leo?

— Tive uma espécie de sonho.

Ninguém pareceu surpreso. A maioria dos semideuses tinha pesadelos vívidos sobre o que estava acontecendo no mundo.

Seus amigos ouviram o relato atentamente. Leo tentou não olhar para as imagens do Acampamento Meio-Sangue na parede enquanto descrevia o lugar em ruínas. Falou sobre o gigante tenebroso e sobre a estranha mulher na Colina Meio-Sangue, oferecendo-lhe diferentes opções de morte.

Jason afastou o prato de panquecas.

— Então o gigante é Clítio. Acho que ele vai estar nos esperando, guardando as Portas da Morte.

Frank enrolou uma das panquecas e começou a mastigar. Não era o tipo de sujeito que deixava a morte iminente ficar entre ele e um café da manhã saudável.

— E a mulher no sonho de Leo?

— Ela é problema meu. — Hazel passou um diamante entre seus dedos em um truque de mágica. — Hécate mencionou um inimigo poderoso na Casa de Hades, uma bruxa que só poderia ser derrotada por mim, por meio da magia.

— Você sabe magia? — perguntou Leo.

— Ainda não.

— Ah.

Ele tentou pensar em algo otimista para dizer, mas se lembrou dos olhos furiosos da mulher e de como seus dedos de aço fizeram sua pele fumegar.

— Tem alguma ideia de quem ela é?

Hazel balançou a cabeça.

— Só que... — Ela olhou para Nico, e algum tipo de discussão silenciosa ocorreu entre eles.

Leo teve a sensação de que os dois tiveram algumas conversas particulares a respeito da Casa de Hades e não estavam compartilhando todos os detalhes.

— Só que ela não vai ser fácil de derrotar.

— Mas *temos* algumas boas notícias — disse Nico. — O fantasma com quem conversei explicou como Hécate derrotou Clítio na primeira guerra. Ela usou as suas tochas para pôr fogo no cabelo dele. Clítio morreu queimado. Em outras palavras, o fogo é a sua fraqueza.

Todos olharam para Leo.

— Ah — disse ele. — Tudo bem.

Jason assentiu, animado, como se aquela fosse uma ótima notícia, como se esperasse que Leo avançasse em direção a uma gigantesca massa de trevas, disparasse algumas bolas de fogo e resolvesse todos os seus problemas. Leo não queria decepcioná-lo, mas ainda podia ouvir a voz de Gaia: *Ele é o vazio que engole toda a magia, o frio que engole qualquer fogo, o silêncio que engole todas as vozes.*

Leo tinha certeza de que precisaria de mais do que alguns fósforos para atear fogo àquele gigante.

— É um bom começo — insistiu Jason. — Pelo menos a gente sabe como matar o gigante. E essa feiticeira... bem, se Hécate acredita que Hazel pode derrotá-la, então eu também acredito.

Hazel baixou os olhos.

— Agora, só precisamos chegar à Casa de Hades, abrir caminho em meio às forças de Gaia...

— Além de um bando de fantasmas — acrescentou Nico, sombrio. — Os espíritos naquele templo podem não ser amigáveis.

— ... e encontrar as Portas da Morte — completou Hazel. — Supondo que de alguma forma a gente consiga chegar ao mesmo tempo que Percy e Annabeth e resgatar os dois.

Frank engoliu um pedaço de panqueca.

— Nós podemos fazer isso. *Precisamos* conseguir.

Leo admirou o otimismo do grandalhão. Pena que não sentia o mesmo.

— Então, com este desvio — disse Leo —, estimo quatro ou cinco dias de viagem até chegarmos a Épiro, presumindo que não haja atrasos como, vocês sabem, ataques de monstros e outras coisas assim.

Jason sorriu amargamente.

— É. Isso nunca acontece.

Leo olhou para Hazel.

— Hécate disse que Gaia estava planejando a sua grande Festa do Despertar para primeiro de agosto, certo? O Festim de Sei Lá o Quê...

— Spes — disse Hazel. — A Deusa da Esperança.

Jason virou o garfo.

— Teoricamente, temos tempo suficiente. Ainda é cinco de julho. Devemos conseguir fechar as Portas da Morte e, depois, encontrar o quartel-general dos gigantes e os impedir de despertar Gaia antes de primeiro de agosto.

— Teoricamente — concordou Hazel. — Mas eu ainda gostaria de saber como vamos entrar na Casa de Hades sem enlouquecer ou morrer.

Ninguém deu qualquer sugestão.

Frank largou a sua panqueca como se subitamente ela não tivesse mais um gosto tão bom.

— É cinco de julho. Ah, droga, eu nem me lembrei...

— Ei, cara, tudo bem — disse Leo. — Você é canadense, certo? Eu não estava esperando que me desse um presente de Dia da Independência ou algo assim... a menos que você fizesse questão...

— Não é isso. A minha avó... ela sempre me disse que sete era um número de azar. Era um número *fantasma*. Ela não gostou quando contei que haveria sete semideuses em nossa missão. E julho é o sétimo mês.

— É, mas... — Leo tamborilou nervosamente sobre a mesa. Ele percebeu que estava dizendo *eu te amo* em código Morse, do jeito que costumava fazer com a mãe, o que teria sido muito constrangedor caso seus amigos entendessem o código Morse. — Mas é só uma coincidência, não é?

A expressão de Frank não o tranquilizou.

— Lá na China, as pessoas chamavam o sétimo mês de *mês fantasma*. Era quando o mundo dos espíritos e o mundo dos homens ficavam mais próximos. Os vivos e os mortos podiam atravessar de um para o outro. Acha mesmo que é uma coincidência estarmos procurando as Portas da Morte no Mês Fantasma?

Ninguém disse nada.

Leo queria acreditar que uma velha crença chinesa não teria nada a ver com gregos e romanos. Totalmente sem relação, certo? Mas a existência de Frank era prova de que tais culturas estavam interligadas. A árvore genealógica de Zhang remontava à Grécia Antiga. Passaram por Roma e pela China e, finalmente, chegaram ao Canadá.

Além disso, Leo não parava de pensar sobre seu encontro com a deusa da vingança, Nêmesis, no Great Salt Lake. Nêmesis o chamara de a *sétima vela*, o forasteiro naquela missão. Ela não quis dizer sétimo no sentido de *fantasma*, certo?

Jason apoiou as mãos nos braços da cadeira.

— Vamos nos concentrar no que podemos resolver. Estamos chegando a Bolonha. Talvez tenhamos mais respostas quando encontrarmos esses anões que Hécate...

O navio adernou como se tivesse batido em um iceberg. O prato de Leo deslizou pela mesa. A cadeira de Nico tombou para trás e ele bateu a cabeça no aparador. Então caiu no chão, com uma dúzia de taças e pratos mágicos virando em cima dele.

— Nico!

Hazel correu para ajudá-lo.

— O que...? — Frank tentou se levantar, mas o navio adernou para o outro lado. Ele tropeçou na mesa e caiu de cara no prato de ovos mexidos de Leo.

— Vejam! — Jason apontou para as paredes. As imagens do Acampamento Meio-Sangue piscavam e mudavam.

— Impossível — murmurou Leo.

Não havia como aqueles encantamentos exibirem algo além de cenas do acampamento, mas de repente um enorme rosto distorcido preencheu toda a parede de bombordo: dentes amarelos e tortos, uma barba vermelha desgrenhada, nariz cheio de verrugas e olhos assimétricos: um muito maior e mais alto do que o outro. O rosto parecia estar tentando entrar na sala.

As outras paredes piscaram, mostrando cenas do convés. Piper estava no leme, mas havia algo errado. Do pescoço para baixo ela estava enrolada em fita adesiva, e tinha também a boca amordaçada e as pernas amarradas ao painel de controle.

No mastro principal, o treinador Hedge também estava amarrado e amordaçado, enquanto uma criatura de aparência bizarra — uma combinação de gnomo com chimpanzé sem muito bom gosto para roupas — dançava ao redor dele, fazendo pequenas tranças no cabelo do treinador e prendendo-as com elásticos cor-de-rosa.

Na parede de bombordo, a enorme cara feia recuou para exibir seu corpo: era outro gnomo chimpanzé com roupas ainda mais malucas. Ele começou a saltitar pela plataforma, enfiando coisas em um saco de estopa — a adaga de Piper, o controle de Wii de Leo. Então, arrancou a esfera de Arquimedes do painel.

— Não! — gritou Leo.

— Ai — gemia Nico no chão.

— Piper! — gritou Jason.

— Macacos! — gritou Frank.

— Não são macacos — resmungou Hazel. — Acho que são anões.

— Estão roubando as minhas coisas! — gritou Leo, e correu para a escada.

XI

LEO

Leo achou que tinha ouvido o grito de Hazel:

— Vá! Eu cuido de Nico!

Como se Leo pretendesse voltar. Claro, ele esperava que di Angelo estivesse bem, mas tinha seus próprios problemas a resolver.

Galgou os degraus com Jason e Frank logo atrás dele.

A situação no convés era ainda pior do que ele temia.

O treinador Hedge e Piper tentavam se libertar da fita adesiva, enquanto um dos macacos anões demoníacos dançava pelo convés, pegando tudo o que não estivesse amarrado e enfiando em um saco. Tinha cerca de um metro e vinte de altura, ainda mais baixo que o treinador Hedge, com pernas arqueadas e pés de chimpanzé, e suas roupas eram tão extravagantes que deixavam Leo tonto. A calça xadrez verde com bainha virada era presa por suspensórios vermelhos sobre uma blusa feminina listrada de preto e rosa. Usava meia dúzia de relógios de ouro em cada braço e um chapéu de caubói com estampa de zebra, que tinha uma etiqueta de preço pendurada na aba. Seu corpo era coberto por pelos ruivos desgrenhados, embora noventa por cento de seus pelos corporais parecessem estar concentrados nas imensas sobrancelhas.

Leo mal formulara a pergunta *Onde está o outro anão?* quando ouviu um *clique* atrás de si e percebeu que levara os amigos para uma armadilha.

— Abaixem-se!

Ele caiu no convés no momento da explosão ensurdecedora.

Anotação mental, pensou Leo, ainda grogue. *Não deixar caixas de granadas mágicas onde anões possam alcançá-las.*

Ao menos estava vivo. Leo vinha fazendo experiências com todo tipo de armamento a partir da esfera de Arquimedes que recuperara em Roma. Criara granadas que podiam soltar ácido, fogo, estilhaços, ou pipoca amanteigada. (Ei, você nunca sabe quando vai ter fome durante uma batalha.) A julgar pelo zumbido nos ouvidos de Leo, o anão detonara uma granada de luz e som, que ele enchera com um raro frasco de extrato puro e líquido da música de Apolo. Não era letal, mas fazia Leo se sentir como se tivesse caído de barriga em uma piscina.

Ele tentou se levantar. Seus membros não respondiam. Alguém estava puxando a sua cintura, talvez um amigo tentando ajudá-lo? Não. Seus amigos não cheiravam a jaulas de macacos extremamente fedorentas.

Conseguiu se virar. Sua visão estava fora de foco e em tom rosado, como se o mundo estivesse imerso em geleia de morango. Um rosto sorridente e grotesco pairava sobre ele. O anão de pelo castanho vestia-se ainda pior do que o amigo: usava um chapéu-coco verde, como o de um leprechaun, brincos compridos de diamantes e uma camisa preta e branca com listras verticais. Ele exibiu o objeto que acabara de roubar — o cinto de ferramentas de Leo — e então se afastou dançando.

Leo tentou agarrá-lo, mas seus dedos estavam dormentes. O anão saltitou alegremente até a balista mais próxima, que seu amigo de pelo ruivo armava para o lançamento.

O anão de pelo castanho pulou sobre o projétil como se fosse um skate, e seu amigo o disparou para o céu.

Pelo Ruivo desfilou arrogantemente até o treinador Hedge. Deu um beijo estalado no rosto do sátiro e, em seguida, pulou na amurada. Ele fez uma reverência para Leo, tirando o chapéu de caubói de zebra, e deu um mortal de costas sobre a borda.

Leo conseguiu se levantar. Jason já estava de pé, tropeçando e esbarrando nas coisas. Frank se transformara em um gorila de dorso prateado (por quê? Leo não sabia. Talvez para se comunicar com os macacos anões), mas a granada de luz e som o atingira em cheio. Ele estava caído no convés, língua de fora, com os olhos de gorila revirados para cima.

— Piper! — Jason cambaleou até o leme e cuidadosamente retirou a mordaça dela.

— Não perca tempo comigo! Vá atrás *deles*!

No mastro, o treinador Hedge resmungou:

— Humm!

Leo imaginou que aquilo queria dizer "Matem-nos!". Era fácil de traduzir, já que a maioria das frases do treinador envolvia a palavra *matar*.

Leo olhou para o painel de controle. Sua esfera de Arquimedes não estava mais lá. Ele levou a mão à cintura, onde deveria estar seu cinto de ferramentas. Estava voltando a pensar com clareza e se encheu de indignação. Aqueles anões haviam atacado seu navio. Tinham roubado os seus bens mais preciosos.

A cidade de Bolonha estendia-se abaixo deles: era um quebra-cabeça de edifícios de telhas vermelhas em um vale cercado por colinas verdejantes. Se Leo não encontrasse os anões em algum lugar daquele labirinto de ruas... Não. O fracasso não era uma opção. E nem esperar os seus amigos se recuperarem.

Ele se voltou para Jason.

— Você está se sentindo bem o bastante para controlar os ventos? Preciso de uma carona.

Jason franziu a testa.

— Claro, mas...

— Bom — disse Leo. — Temos que pegar alguns macacos.

Jason e Leo aterrissaram em uma grande praça repleta de prédios governamentais de mármore branco e cafés ao ar livre. Bicicletas e Vespas entupiam as ruas em torno, mas a praça estava vazia, exceto pelos pombos e alguns velhos tomando café *espresso*.

Nenhum dos moradores parecia notar o enorme navio de guerra grego pairando sobre a praça, ou o fato de que Jason e Leo desceram dele voando, Jason empunhando uma espada de ouro, e Leo... bem, Leo de mãos vazias.

— Para onde? — perguntou Jason.

Leo olhou para ele.

— Bem, eu não sei. Deixe-me pegar o GPS de rastreamento de anões em meu cinto de ferramentas e... Ah, espere! Não tenho um GPS rastreador de anões... e nem o meu cinto de ferramentas!

— Tudo bem — resmungou Jason. Ele olhou para o navio como se estivesse tentando se orientar e, em seguida, apontou para o outro lado da praça. — A balista lançou o primeiro anão naquela direção, eu acho. Vamos.

Atravessaram um mar de pombos, então entraram em uma rua transversal com lojas de roupas e sorveterias. As calçadas tinham fileiras de colunas brancas cobertas de pichações. Alguns mendigos pediam trocados (Leo não sabia italiano, mas o significado era óbvio).

Ele não parava de levar a mão à cintura, esperando que seu cinto de ferramentas reaparecesse magicamente. Não reapareceu. Tentou não entrar em pânico, mas ele dependia daquele cinto para quase tudo. Era como se alguém tivesse roubado uma de suas mãos.

— Nós vamos encontrá-lo — prometeu Jason.

Normalmente, Leo teria se tranquilizado. Jason tinha talento para se manter calmo durante uma crise e já tirara Leo de vários apuros. Hoje, porém, Leo só conseguia pensar naquele estúpido biscoito da sorte que quebrara em Roma. A deusa Nêmesis prometera ajudá-lo, e ajudou: deu a ele o código para ativar a esfera de Arquimedes. Naquele dia, Leo não tivera outra escolha a não ser usá-la para salvar os amigos. Mas Nêmesis o avisara que sua ajuda teria um preço.

Leo se perguntou se esse preço já teria sido pago. Percy e Annabeth se foram. O navio estava centenas de quilômetros fora do curso, a caminho de um desafio impossível. Seus amigos contavam com ele para vencer um gigante terrível. E agora não tinha nem o seu cinto de ferramentas nem a esfera de Arquimedes.

Vinha tão ocupado sentindo pena de si mesmo que não percebeu onde estavam até que Jason agarrou seu braço.

— Veja.

Leo olhou para cima. Tinham chegado a uma praça menor. Diante deles havia uma enorme estátua de bronze de Netuno completamente nu.

— Ai, deuses! — Leo desviou o olhar. Ele não estava com a menor vontade de ver a genitália de um deus logo de manhã cedo.

O deus do mar estava de pé sobre uma grande coluna de mármore, no meio de uma fonte que não estava funcionando (o que parecia um tanto irônico). Em ambos os lados de Netuno sentavam-se despreocupadamente alguns cupidos, tipo, *e aí, beleza?* O próprio Netuno (evite olhar para a virilha) projetava o quadril para o lado em um movimento à Elvis Presley. Segurava o tridente frouxamente com a mão direita e estendia a esquerda para a frente como se estivesse abençoando Leo, ou, talvez, tentando fazê-lo levitar.

— Alguma pista? — perguntou Leo.

Jason franziu a testa.

— Talvez sim, talvez não. Há estátuas dos deuses por toda a Itália. Eu me sentiria melhor se encontrasse Júpiter. Ou Minerva. Qualquer um, menos Netuno.

Leo subiu na fonte seca. Pousou a mão sobre o pedestal da estátua, e uma enxurrada de informações percorreu as pontas de seus dedos. Ele sentiu engrenagens de bronze celestial, alavancas mágicas, molas e pistões.

— É mecânico — disse ele. — Talvez seja a entrada para o esconderijo secreto dos anões.

— Uooou! — gritou uma voz próxima. — Esconderijo secreto?

— Eu quero um esconderijo secreto! — gritou outra voz mais acima.

Jason recuou, espada em punho. Leo quase ficou com torcicolo tentando olhar para dois lugares ao mesmo tempo. O anão de pelo ruivo com chapéu de caubói estava a uns trinta metros deles, sentado a uma das mesas do café mais próximo tomando um *espresso* com seu pé de macaco. O anão de pelo castanho com chapéu-coco verde estava empoleirado no pedestal de mármore, aos pés de Netuno, pouco acima da cabeça de Leo.

— Se tivéssemos um esconderijo secreto — disse Pelo Ruivo —, gostaria que tivesse um poste de bombeiros.

— E um toboágua! — disse Pelo Castanho, que tirava ferramentas aleatórias do cinto de Leo, jogando fora chaves de porcas, martelos e grampeadores.

— Pare com isso!

Leo tentou agarrar os pés do anão, mas não conseguia alcançar o topo do pedestal.

— Muito baixinho? — perguntou Pelo Castanho, compreensivo.

— *Você* está me chamando de baixinho? — Leo olhou em volta procurando algo para arremessar, mas não havia nada além de pombos, e ele duvidava que conseguisse agarrar algum. — Devolva o meu cinto, seu estúpido...

— Ora, ora! — interrompeu Pelo Castanho. — Nós ainda nem nos apresentamos! Sou Acmon. E o meu irmão ali...

— ... é o bonitão! — O anão de pelo ruivo ergueu a xícara de café *espresso*. A julgar pelos olhos dilatados e o sorriso meio louco, não precisava de mais cafeína. — Passalos! Cantor de canções! Bebedor de café! Ladrão de coisas brilhantes!

— Ora, vamos! — gritou seu irmão, Acmon. — Eu roubo *muito* melhor do que você.

Passalos deu uma risadinha irônica.

— Até parece! Só se for melhor em roubar doce de criança!

Ele pegou uma adaga — a adaga de Piper — e começou a palitar os dentes.

— Ei! — gritou Jason. — Essa adaga é da minha namorada!

Ele investiu contra Passalos, mas o anão de pelo ruivo era muito rápido. Saltou da cadeira para a cabeça de Jason, depois deu uma cambalhota e aterrissou ao lado de Leo, com os braços peludos em torno da cintura do semideus.

— Você me salva? — pediu o anão.

— Cai fora!

Leo tentou empurrá-lo, mas Passalos deu uma cambalhota para trás e saiu de seu alcance. A calça de Leo imediatamente escorregou até os joelhos.

Ele olhou para Passalos, que agora estava sorrindo e segurando uma pequena tira dentada de metal. De alguma forma, o anão roubara o zíper da calça de Leo.

— Devolva... o zíper... idiota! — gaguejou Leo, tentando brandir o punho e erguer a calça ao mesmo tempo.

— Ah, não é brilhante o suficiente. — Passalos jogou o zíper fora.

Jason atacou com sua espada. Passalos pulou bem alto e de repente estava sentado no pedestal da estátua, ao lado do irmão.

— Diga que não tenho os meus truques — gabou-se Passalos.

— Tudo bem — disse Acmon. — Você não tem os seus truques.

— Ora! — disse Passalos. — Cadê o cinto de ferramentas? Quero ver.

— Não! — Acmon o afastou com uma cotovelada. — Você já tem a faca e a bola brilhante.

— É, a bola brilhante é bonita.

Passalos tirou o chapéu de caubói. Como um mágico tirando um coelho de uma cartola, ele fez surgir a esfera de Arquimedes e começou a mexer nos antigos discos de bronze.

— Pare! — gritou Leo. — Essa é uma máquina sensível.

Jason ficou ao lado de Leo e olhou para os anões.

— Quem são vocês dois, afinal de contas?

— Os cêrcopes! — Acmon olhou para Jason com suspeita. — E aposto que você é um filho de Júpiter, não é mesmo? Eu sempre acerto.

— Igual ao Nádegas Negras — concordou Passalos.

— Nádegas Negras?

Leo resistiu ao impulso de tentar agarrar os pés dos anões de novo. Ele tinha certeza de que Passalos quebraria a esfera de Arquimedes a qualquer momento.

— É, sabe? — disse Acmon, sorrindo. — Hércules. Nós o chamávamos de Nádegas Negras porque ele costumava sair por aí pelado. Ele ficou com a bunda tão bronzeada que…

— Pelo menos tinha senso de humor! — disse Passalos. — Ele ia nos matar quando o roubamos, mas nos deixou ir porque gostou de nossas piadas. Não era como vocês dois. Ranzinzas, ranzinzas!

— Ei, eu tenho senso de humor — rosnou Leo. — Devolva as nossas coisas e vou contar uma piada de *morrer* de rir.

— Boa tentativa! — Acmon tirou uma chave catraca do cinto de ferramentas e girou-a como se fosse uma matraca. — Ah, muito legal! Vou ficar com isso, com certeza! Obrigado, Nádegas Azuis!

Nádegas Azuis?

Leo olhou para baixo. Suas calças haviam escorregado até os tornozelos outra vez, revelando sua cueca azul.

— Chega! — gritou. — Devolvam. Minhas coisas. Agora. Ou vocês vão ver como anões em chamas são engraçados.

Suas mãos se incendiaram.

— Ah, agora sim — aprovou Jason, apontando a espada para o céu.

Nuvens negras começaram a se juntar sobre a praça. Ouviu-se um trovão.

— Ai, que *meda*! — ironizou Acmon.

— Sim — concordou Passalos. — Se ao menos tivéssemos um local secreto para nos escondermos.

— Infelizmente, esta estátua não é a porta de um esconderijo secreto — disse Acmon. — Tem uma finalidade diferente.

Leo sentiu um frio no estômago. O fogo de suas mãos se apagou e ele percebeu que algo estava muito errado.

— Uma armadilha — gritou, pulando para fora da fonte.

Infelizmente, Jason estava muito ocupado convocando a sua tempestade.

Leo, caído no chão, virou-se a tempo de ver cinco cordas douradas saírem dos dedos da estátua de Netuno. Uma quase prendeu os seus pés. As outras cordas foram lançadas na direção de Jason, laçando-o como se fosse um bezerro em um rodeio e deixando-o de cabeça para baixo.

Um relâmpago atingiu o tridente de Netuno, enviando ondas de eletricidade por toda a estátua, mas os cêrcopes já tinham desaparecido.

— Bravo! — Acmon aplaudia de uma mesa de um café próximo. — Você dá uma bela pinhata, filho de Júpiter!

— Dá mesmo! — concordou Passalos. — Hércules já nos pendurou de cabeça para baixo, sabia? Ah, como a vingança é doce!

Leo conjurou uma bola de fogo. Ele a arremessou mirando em Passalos, que tentava fazer malabarismos com dois pombos e a esfera de Arquimedes.

— Opa! — O anão esquivou-se da explosão, derrubando a esfera e deixando os pombos voarem.

— Hora de ir embora! — decidiu Acmon.

Ele baixou a ponta do chapéu-coco e saltou de mesa em mesa. Passalos olhou para a esfera de Arquimedes, que rolara até parar entre os pés de Leo.

Leo conjurou outra bola de fogo.

— Pode vir — rosnou.

— Tchau!

Passalos deu um mortal de costas e seguiu o irmão.

Leo pegou a esfera de Arquimedes e correu até Jason, que ainda estava pendurado de cabeça para baixo, completamente amarrado, com exceção do braço da espada. Tentava cortar as cordas com a lâmina de ouro, mas não estava se saindo muito bem.

— Espere — disse Leo. — Se eu encontrar um interruptor para soltar você…

— Vá! — rosnou Jason. — Eu o encontro quando sair dessa.

— Mas…

— Vá atrás deles!

A última coisa que Leo queria era ficar a sós com os anões macacos, mas os cêrcopes já estavam dobrando a esquina no outro extremo da praça. Leo deixou Jason pendurado e correu atrás deles.

XII

LEO

Os anões não se esforçaram muito para despistá-lo, o que deixou Leo desconfiado. Ficavam sempre no seu campo de visão, correndo sobre os telhados de telhas vermelhas, derrubando jardineiras das janelas, comemorando, gritando e deixando um rastro de parafusos e pregos do seu cinto de ferramentas, quase como se *quisessem* ser seguidos.

Leo correu atrás deles, soltando palavrões a cada vez que suas calças caíam. Ele dobrou uma esquina e viu duas antigas torres de pedra elevando-se até o céu, lado a lado, muito mais altas do que qualquer outra construção nas redondezas — talvez fossem torres de vigia medievais. Inclinavam-se em direções diferentes, como as alavancas de marcha de um carro de corrida.

Os cêrcopes escalaram a torre da direita. Quando chegaram ao topo, deram a volta até a parte de trás e desapareceram.

Teriam entrado? Leo enxergava algumas pequenas janelas cobertas com grades de metal lá no alto, mas duvidava que aquilo detivesse os anões. Ficou olhando durante um minuto, mas os cêrcopes não reapareceram. O que significava que Leo teria de subir até lá e procurar por eles.

— Ótimo — murmurou.

Não tinha nenhum amigo voador para levá-lo até lá. O navio estava longe demais para ele poder pedir ajuda. Talvez pudesse improvisar algum tipo de dispositivo voador com a esfera de Arquimedes, mas só se tivesse o seu cinto de ferramentas — coisa que não tinha. Leo examinou as construções vizinhas, tentando pensar. Meio quarteirão adiante, duas portas de vidro se abriram e uma senhora idosa saiu devagar, carregando sacolas plásticas de compras.

Um mercado? Humm...

Leo apalpou os bolsos. Para a sua surpresa, ainda tinha alguns euros dos dias que passaram em Roma. Aqueles anões idiotas tinham levado tudo, *menos* o seu dinheiro.

Correu até a loja o mais rápido que sua calça sem zíper permitia.

Percorreu os corredores procurando coisas que pudessem ser úteis. Não sabia dizer em italiano "*Olá, onde estão seus produtos químicos perigosos, por favor?*", mas tudo bem. Também não queria acabar em uma prisão da Itália.

Felizmente, não precisava ler rótulos. Bastava pegar um tubo de pasta de dente para saber que continha nitrato de potássio. Encontrou carvão. Encontrou açúcar e bicarbonato de sódio. A loja vendia fósforos, repelente contra insetos e papel-alumínio. Praticamente tudo de que precisava, além de um fio de varal que poderia usar como cinto. Acrescentou às compras um pouco de *junk food* italiana, apenas para disfarçar seus produtos mais suspeitos e, em seguida, levou tudo até a caixa registradora. Uma senhora de olhos arregalados fez-lhe algumas perguntas que ele não compreendeu, mas conseguiu pagar, encher a sacola de compras e ir embora correndo.

Ele se agachou junto à porta mais próxima, de onde poderia ficar de olho nas torres. Então começou a trabalhar, conjurando uma fogueira para secar e cozinhar materiais que, de outro modo, teriam levado dias para ficarem prontos.

Vez por outra, lançava um olhar furtivo para a torre, mas não havia nenhum sinal dos anões. Esperava que ainda estivessem lá em cima. Preparar seu arsenal demorou apenas alguns minutos — ele era realmente muito bom nisso —, mas pareceram horas.

Jason não apareceu. Talvez ainda estivesse preso na fonte de Netuno, ou percorrendo as ruas à procura de Leo. Ninguém mais do navio veio ajudar. Provavelmente estavam ocupados tirando os elásticos cor-de-rosa do cabelo do treinador Hedge.

Isso significava que Leo estava sozinho com sua sacola de *junk food* e algumas armas altamente improvisadas feitas de açúcar e creme dental. Ah, e a esfera de

Arquimedes. Era um detalhe importante. Esperava não tê-la estragado enchendo-a de pó químico.

Correu para a torre e encontrou a entrada. Começou a subir a escada em espiral, apenas para ser detido diante de uma bilheteria por algum zelador que gritou com ele em italiano.

— Sério mesmo? — perguntou Leo. — Olha, cara, sua torre está infestada de anões macacos. E sou o dedetizador. — Ergueu a lata de inseticida. — Está vendo? Dedetizador *Molto Buono. Borrifa, borrifa. Ahhhhh*!

Ele imitou um anão desmanchando-se, apavorado, o que, por algum motivo, o italiano não pareceu entender.

O sujeito simplesmente estendeu a mão, pedindo dinheiro.

— Caramba, homem — resmungou Leo. — Gastei todo o meu dinheiro em explosivos caseiros e outras coisas. — Ele remexeu em sua sacola de compras. — Será que você aceitaria... hã... o que é isso?

Leo ergueu um saco amarelo e vermelho de algo chamado Fonzies. Achava que fosse algum tipo de batatas chips. Para sua surpresa, o zelador deu de ombros e aceitou o saco.

— *Avanti*!

Leo continuou a subir, mas disse a si mesmo para não se esquecer de estocar Fonzies. Aparentemente, funcionavam melhor do que dinheiro na Itália.

A escada subia, subia e subia. A torre inteira parecia ser apenas uma desculpa para construírem a escada.

Parou ao chegar a um patamar e encostou-se em uma estreita janela gradeada, tentando recuperar o fôlego. Suava como um porco, e seu coração batia forte. Cércopes idiotas. Leo imaginou que assim que chegasse ao topo eles fugiriam antes que tivesse a chance de usar as suas armas, mas precisava tentar.

Continuou subindo.

Finalmente, com as pernas moles como macarrão cozido, chegou ao topo.

O cômodo era do tamanho de um armário de vassouras, com janelas gradeadas nas quatro paredes. Havia sacos de tesouros empilhados pelos cantos e objetos brilhantes espalhados pelo chão. Leo viu a adaga de Piper, um velho livro com capa de couro, alguns dispositivos mecânicos interessantes e ouro suficiente para causar uma indigestão no cavalo de Hazel.

A princípio, achou que os anões tinham ido embora. Então, olhou para cima. Acmon e Passalos estavam pendurados de cabeça para baixo, presos às vigas pelos pés de chimpanzé, jogando pôquer antigravidade. Ao verem Leo, ambos jogaram as suas cartas como confete e irromperam em aplausos.

— Eu disse que ele viria! — gritou Acmon, felicíssimo.

Passalos deu de ombros, pegou um de seus relógios de ouro e o entregou ao irmão.

— Você ganhou. Não achei que ele fosse tão burro.

Ambos pularam das vigas. Acmon usava o cinto de ferramentas. Estava tão perto que Leo teve que resistir ao impulso de tentar agarrá-lo.

Passalos ajeitou o chapéu de caubói e chutou a grade da janela mais próxima, abrindo-a.

— O que o faremos escalar agora, irmão? A cúpula de San Luca?

Leo queria estrangular os anões, mas forçou um sorriso.

— Ah, isso parece divertido! Mas, antes de irem, saibam que esqueceram algo brilhante.

— Impossível! — Acmon fez uma careta. — Fomos muito cuidadosos.

— Tem certeza?

Leo ergueu a sacola de supermercado.

Os anões se aproximaram. Como Leo esperava, sua curiosidade era tão grande que não conseguiam resistir.

— Vejam.

Leo pegou a sua primeira arma, um punhado de produtos químicos secos embrulhados em uma folha de papel-alumínio, e acendeu-a com a mão.

Afastou-se antes da explosão, mas os anões estavam olhando diretamente para o artefato. Pasta de dente, açúcar e repelente de insetos não eram tão bons quanto a música de Apolo, mas causavam uma explosão de som e luz bem decente.

Os cêrcopes gritaram, levando as patas aos olhos. Cambalearam em direção à janela, mas Leo já detonara seus rojões caseiros, mirando-os nos pés descalços dos anões para desequilibrá-los. Então, só para garantir, Leo girou um disco em sua esfera de Arquimedes, o que espalhou uma nuvem branca por toda a sala.

A fumaça não afetava Leo. Como era imune ao fogo, ele entrara em fogueiras fumacentas várias vezes, suportara sopros de dragões e limpara forjas ardentes. Enquanto os anões tossiam e ofegavam, recuperou o cinto de ferramentas que estava com Acmon, retirou calmamente alguns cabos de *bungee jump*, e amarrou os anões.

— Meus olhos! — exclamou Acmon, tossindo. — Meu cinto de ferramentas!

— Meus pés estão pegando fogo! — lamentou-se Passalos. — Isso não é nada brilhante! Não mesmo!

Quando teve certeza de que estavam devidamente imobilizados, Leo arrastou os cêrcopes até um canto e começou a vasculhar seus tesouros. Recuperou a adaga de Piper, alguns de seus protótipos de granadas e uma dezena de outros objetos que os anões haviam roubado do *Argo II*.

— Por favor! — lamentou-se Acmon. — Não tome nossos brilhos!

— Vamos fazer um acordo! — sugeriu Passalos. — Nós lhe daremos dez por cento se você deixar a gente ir embora!

— Acho que não — murmurou Leo. — É tudo meu agora.

— Vinte por cento!

Naquele momento, ecoou um trovão. Relâmpagos brilharam e as barras da janela mais próxima começaram a derreter, transformando-se em tocos incandescentes de ferro derretido.

Jason entrou voando como Peter Pan, com a eletricidade crepitando em torno dele e de sua espada de ouro fumegante.

Leo assobiou, admirado.

— Cara, você acaba de desperdiçar uma entrada triunfal.

Jason franziu a testa. Então, viu os cêrcopes amarrados.

— Mas que...

— Fiz tudo sozinho — interrompeu Leo. — Sou super especial. Como você me encontrou?

— Hã, a fumaça — conseguiu dizer Jason. — E ouvi estampidos. Houve um tiroteio por aqui?

— Tipo isso.

Leo atirou-lhe a adaga de Piper e continuou a vasculhar o lugar. Lembrou-se do que Hazel dissera sobre encontrar um tesouro que os ajudaria em sua jornada, mas não sabia exatamente o que estava procurando. Havia moedas, pepitas de ouro, joias, clipes de papel, rolos de papel-alumínio, abotoaduras.

E sempre voltava a topar com alguns objetos que não pareciam combinar com o conjunto. O primeiro era um antigo dispositivo de navegação feito de bronze, como o astrolábio de um navio. Estava muito danificado e parecia que algumas de suas peças estavam faltando, mas ainda assim Leo o achou fascinante.

— Pode levar! — ofereceu Passalos. — Foi Odisseu quem fez, sabia? Leve-o e deixe a gente ir embora.

— Odisseu? — perguntou Jason. — Tipo, *o* Odisseu?

— Ele mesmo! — berrou Passalos. — Fez isso quando já estava velho, em Ítaca. É uma de suas últimas invenções. E nós a roubamos!

— Como funciona? — perguntou Leo.

— Ah, não funciona — disse Acmon. — Acho que é por causa de um cristal que está faltando.

Ele olhou para o irmão em busca de ajuda.

— "É o meu maior arrependimento" — disse Passalos. — "Deveria ter pegado um cristal." Era isso que ele resmungava durante o sono, na noite em que o roubamos. — Passalos deu de ombros. — Não faço ideia do que queria dizer, mas o brilhante é todo seu! Podemos ir agora?

Leo não tinha certeza de por que queria o astrolábio. O objeto estava obviamente quebrado, e ele tinha a sensação de que não era isso que Hécate queria que encontrassem. Ainda assim, guardou-o em um dos bolsos mágicos de seu cinto de ferramentas.

Voltou a atenção para o outro item estranho: o livro com capa de couro. O título era folheado a ouro, escrito em uma língua que Leo não conseguia entender, mas era a única coisa brilhante naquele livro. E não achava que os cêrcopes gostassem muito de ler.

— O que é isso?

Ele balançou o livro diante dos anões, que ainda estavam lacrimejando por causa da fumaça.

— Nada! — disse Acmon. — Só um livro. Tinha uma bela capa de ouro, por isso o roubamos dele.

— Dele quem? — perguntou Leo.

Acmon e Passalos trocaram um olhar nervoso.

— Um deus menor — disse Passalos. — Em Veneza. Realmente, não é nada.

— Veneza. — Jason franziu a testa para Leo. — Não é para lá que devemos ir em seguida?

— É.

Leo examinou o livro. Não entendia o que estava escrito, mas havia muitas ilustrações: foices, plantas diferentes, uma imagem do sol, uma parelha de bois puxando uma carroça. Não conseguia ver a importância daquilo, mas se o livro fora roubado de um deus menor em Veneza — o próximo lugar que Hécate lhes dissera para visitar —, então era *aquilo* que eles estavam procurando.

— Onde, exatamente, podemos encontrar esse deus menor? — perguntou Leo.

— Não! — gritou Acmon. — Você não pode devolver para ele! Se ele descobrir que a gente o roubou...

— Ele vai destruir vocês — deduziu Jason. — E é o que vamos fazer se não responderem, e estamos *muito* mais perto de vocês.

Encostou a ponta da espada na garganta peluda de Acmon.

— Tudo bem, tudo bem! — gritou o anão. — *La Casa Nera*! *Calle Frezzeria*!

— Isso é um endereço? — perguntou Leo.

Os anões assentiram, desesperados.

— *Por favor*, não conte que roubamos — implorou Passalos. — Ele não é nada legal!

— Quem é ele? — perguntou Jason. — Que deus?

— Eu... eu não posso dizer — gaguejou Passalos.

— É melhor falar logo — avisou Leo.

— Não — disse Passalos, apavorado. — Quer dizer, eu *realmente* não consigo dizer. Não consigo pronunciar! Tr... tri... É muito difícil!

— Truh — disse Acmon. — Tru-toh... Tem sílabas demais!

Ambos irromperam em lágrimas.

Leo não sabia se os cêrcopes estavam dizendo a verdade, mas era difícil ficar bravo com anões chorando, por mais malvestidos e irritantes que eles fossem.

Jason baixou a espada.

— O que você quer fazer com eles, Leo? Mandá-los para o Tártaro?

— Por favor, não! — choramingou Acmon. — Levaremos semanas para voltar.

— Isso se Gaia permitir! — fungou Passalos. — Ela controla as Portas da Morte agora. Vai ficar muito zangada conosco.

Leo olhou para os anões. Já enfrentara muitos monstros e nunca se sentira mal por dissolvê-los, mas aquilo era diferente. Teve que admitir que tinha alguma admiração por aqueles sujeitinhos. Eles pregavam boas peças e gostavam de coisas brilhantes. Leo se identificava com eles. Além disso, Percy e Annabeth estavam no Tártaro (Leo esperava que ainda estivessem vivos), caminhando em direção às Portas da Morte. A ideia de enviar aqueles macacos gêmeos até lá para enfrentar o mesmo pesadelo... Bem, não parecia certo.

Imaginou Gaia rindo de sua fraqueza: um semideus de coração mole demais para matar monstros. Lembrou-se de seu sonho sobre o Acampamento Meio-Sangue em ruínas, corpos de gregos e romanos espalhados pelos campos. Lembrou-se de Octavian, falando com a voz da deusa da terra: *Os romanos estão se deslocando a leste de Nova York. Eles avançam em direção ao seu acampamento, e nada poderá detê-los.*

— Nada poderá detê-los — pensou Leo em voz alta. — Eu me pergunto...

— O quê? — indagou Jason.

Leo olhou para os anões.

— Farei um acordo com vocês.

Os olhos de Acmon se iluminaram.

— Trinta por cento?

— Vamos deixá-los com todo o seu tesouro — disse Leo —, a não ser as coisas que nos pertencem, o astrolábio e este livro, que vamos devolver para o cara lá em Veneza.

— Mas ele vai nos destruir! — lamentou-se Passalos.

— Não vamos contar onde o conseguimos — prometeu Leo. — E não vamos matar vocês. Vamos deixá-los em liberdade.

— Hã, Leo...? — perguntou Jason, hesitante.

Acmon guinchou de alegria:

— Eu sabia que você era tão inteligente quanto Hércules! Vou chamá-lo de Nádegas Negras, o Retorno!

— Certo, não, obrigado — disse Leo. — Mas, em troca de pouparmos sua vida, vocês terão que fazer algo para nós. Vou enviá-los a um lugar para roubarem algumas pessoas, atormentá-las e infernizar a vida delas de todas as maneiras possíveis. Vocês terão de seguir exatamente as minhas instruções. Têm de jurar pelo Rio Estige.

— Juramos! — disse Passalos. — Roubar pessoas é a nossa especialidade!

— E adoro atormentar! — concordou Acmon. — Para onde estamos indo?

Leo sorriu.

— Já ouviram falar em Nova York?

XIII

PERCY

Percy levara a namorada para passeios românticos antes. Este não era um deles.

Seguiam o Rio Flegetonte. Caminhavam com dificuldade sobre o solo negro de cacos de vidro. Saltavam fendas e se escondiam atrás de rochas sempre que o grupo de vampiras reduzia o passo à frente deles.

Era difícil ficar para trás o bastante para não serem notados e ao mesmo tempo perto o suficiente para não perderem de vista Kelli e suas amigas em meio ao ar escuro e enevoado. O calor do rio tostava a pele de Percy. Cada vez que respirava era como se estivesse inalando fibra de vidro com cheiro de enxofre. Quando ficavam com sede, o máximo que podiam fazer era tomar um gole refrescante de fogo líquido.

É. Percy sabia mesmo fazer uma garota se divertir.

Pelo menos o tornozelo de Annabeth parecia estar melhor. Ela quase não mancava mais. Seus vários cortes e arranhões tinham desaparecido. Ela prendera os cabelos louros com uma tira que rasgara da calça jeans e, na luz abrasadora do rio, seus olhos cinzentos brilhavam. Apesar de exausta, imunda e vestida como uma mendiga, Percy achava que ela estava linda.

E daí que estavam no Tártaro? E daí que tinham uma chance ínfima de sobreviver? Ficou tão feliz por estarem juntos que sentiu uma necessidade ridícula de sorrir.

Fisicamente, Percy também estava melhor, apesar de suas roupas parecerem ter passado por um furacão de cacos de vidro. Estava com sede, fome e morrendo de medo (mas não ia contar isso para Annabeth), porém estava livre do frio desesperançado do Rio Cócito. E por pior que fosse o gosto do fogo líquido, ele parecia lhe dar forças.

Era impossível ter noção do tempo. Continuavam a acompanhar penosamente o rio que cortava a paisagem. Por sorte, as *empousai* não caminhavam muito rápido. Arrastavam as pernas diferentes, umas de bronze outras de burro, reclamando e discutindo entre si, aparentemente sem pressa de chegar às Portas da Morte.

Em certo momento, as vampiras, animadas, apertaram o passo e enxamearam em torno de algo que parecia uma carcaça lançada na praia às margens do rio. Percy não conseguiu identificar o que era... um monstro morto? Algum tipo de animal? As *empousai* a atacaram com voracidade.

Quando os demônios retomaram seu caminho, Percy e Annabeth foram até o local e nada encontraram além de alguns ossos quebrados e manchas reluzentes secando ao calor do rio. Percy não tinha a menor dúvida de que as *empousai* devorariam semideuses com o mesmo prazer.

— Vamos lá. — Ele afastou Annabeth gentilmente daquela cena. — Não queremos perdê-las de vista.

Enquanto caminhavam, Percy se lembrou da primeira vez em que enfrentara a *empousa* Kelli na orientação dos alunos de primeiro ano do ensino médio na Goode High School, quando ele e Rachel Elizabeth Dare ficaram presos na sala de música. Na época, parecia uma situação sem saída. Agora, daria qualquer coisa para que seus problemas fossem assim tão simples. Pelo menos naquele tempo estava no mundo mortal. Ali não havia para onde fugir.

Uau! Já estava até pensando na guerra contra Cronos como os bons tempos... Isso era triste. Mantinha as esperanças de que as coisas fossem melhorar para ele e Annabeth, mas a vida de ambos só ficava cada vez mais perigosa, como se as Três Parcas estivessem lá em cima fiando o seu futuro com arame farpado em vez de fios só para ver quanto dois semideuses podiam aguentar.

Após alguns quilômetros, as *empousai* desapareceram por trás de uma elevação do terreno. Quando Percy e Annabeth chegaram lá, encontraram-se diante de outro precipício gigantesco. O Rio Flegetonte despencava em uma série irregular de cascatas flamejantes. O grupo de mulheres demônios descia o precipício, pulando de uma saliência a outra como cabras-montesas.

O coração de Percy quase saiu pela boca. Mesmo que ele e Annabeth chegassem ao fundo do abismo vivos, o futuro não era promissor. A paisagem abaixo deles era uma planície desolada e cinzenta de onde se projetavam árvores negras, como pelos de um inseto. O chão estava coberto de bolhas. De vez em quando uma delas inchava e explodia, fazendo surgir um monstro parecido com uma larva saída de um ovo.

De repente, Percy perdeu toda a fome.

Todos os monstros recém-formados rastejavam e mancavam na mesma direção, rumo a uma barreira de nuvens negras que engolia o horizonte como se uma tempestade se aproximasse. O Flegetonte seguia seu curso e, perto do centro da planície, encontrava outro rio de águas negras, quem sabe o Cócito? As duas correntes se misturavam em uma corredeira fervente e borbulhante e seguiam juntas na direção da névoa preta.

Quanto mais Percy olhava para aquela tempestade de escuridão, menos queria ir até lá. Aquilo podia esconder qualquer coisa: um oceano, um poço sem fundo ou um exército de monstros. Mas se as Portas da Morte ficassem naquela direção, era sua única chance de voltar para casa.

Espiou a borda do precipício.

— Queria que a gente pudesse voar.

Annabeth esfregou os braços.

— Lembra dos tênis voadores de Luke? Será que ainda estão por aqui?

Percy lembrava. Aqueles tênis tinham uma maldição que os fazia arrastar para o Tártaro qualquer um que os calçasse. Quase haviam levado Grover, seu melhor amigo.

— Eu me contentaria com uma asa-delta.

— Talvez não seja uma boa ideia.

Annabeth apontou para o alto, onde formas escuras aladas descreviam círculos, entrando e saindo das nuvens vermelho-sangue.

— Fúrias? — perguntou Percy.

— Ou algum outro tipo de demônio — supôs Annabeth. — No Tártaro há milhares deles.

— Incluindo o tipo que devora asas-deltas — comentou Percy. — Está bem, então vamos descer o penhasco.

Ele não conseguia mais ver as *empousai* lá embaixo. Elas tinham desaparecido por trás de alguma outra elevação, mas isso não importava. O caminho estava claro. Como todas as larvas monstruosas que rastejavam pelas planícies do Tártaro, eles deviam seguir na direção do horizonte sombrio. Percy mal podia esperar.

XIV

PERCY

Quando começaram a descer o penhasco, Percy se concentrou nos desafios mais imediatos: não perder o equilíbrio, evitar derrubar pedras para não alertar as *empousai* de sua presença e, é claro, garantir que ele e Annabeth não despencassem para a morte.

Na metade da descida, Annabeth disse:

— Percy, espere. Vamos parar um pouco.

As pernas dela tremiam tanto que Percy se xingou mentalmente por não ter sugerido uma parada antes.

Eles se sentaram juntos em uma saliência ao lado de uma feroz cascata de fogo. Percy passou o braço em torno de Annabeth, que se aconchegou a ele, trêmula de exaustão.

Ele não estava muito melhor. Seu estômago parecia ter encolhido até ficar do tamanho de uma bala de goma. Caso se deparassem com mais alguma carcaça de monstro, temia empurrar uma *empousa* para fora de seu caminho e tentar devorá-la.

Pelo menos ele tinha Annabeth. Iam encontrar uma saída do Tártaro. *Tinham* que conseguir. Não acreditava muito em destino e profecias, mas estava convencido de uma coisa: Annabeth e ele precisavam ficar juntos. Não haviam sobrevivido a tanta coisa só para morrerem ali.

— Podia ser pior — arriscou a garota.

— É? — Percy não via como, mas tentou parecer animado.

Ela se aninhou nele. Seus cabelos cheiravam a fumaça, e se fechasse os olhos, Percy quase podia imaginar que estavam junto da fogueira no Acampamento Meio-Sangue.

— Podíamos ter caído no Rio Lete — disse ela. — E perdido nossas lembranças.

Percy sentiu arrepios só de pensar nisso. Já tivera problemas suficientes com amnésia para uma vida inteira. Menos de um mês antes, Hera tinha apagado suas lembranças para botá-lo entre os semideuses romanos. Percy tinha ido parar no Acampamento Júpiter sem saber quem era ou de onde vinha. E alguns anos antes, lutara contra um titã nas margens do Lete, perto do palácio de Hades. Ele atacara o titã com água daquele rio e apagara sua memória.

— É, o Lete — murmurou ele. — Não é meu preferido.

— Qual era mesmo o nome daquele titã? — perguntou Annabeth.

— Hã... Jápeto. Ele disse que significava o *Empalador* ou algo assim.

— Não, o nome que você lhe deu depois que ele perdeu a memória. Steve?

— Bob — corrigiu Percy.

Annabeth conseguiu dar uma leve risada.

— Bob, o titã.

Os lábios de Percy estavam tão rachados que sorrir doía. Ele se perguntou o que teria acontecido com Jápeto depois que o deixaram no palácio de Hades... se ele ainda estaria feliz em ser Bob, simpático, alegre e bobalhão. Percy esperava que sim, mas o Mundo Inferior parecia despertar o pior em todos: monstros, heróis e deuses.

Observou as planícies cinzentas. Os outros titãs deveriam estar ali no Tártaro, talvez acorrentados ou vagando sem rumo, ou quem sabe escondidos em alguma daquelas fendas escuras. Percy e seus aliados tinham destruído o pior titã, Cronos, mas *seus* restos mortais podiam ainda estar ali, em algum lugar, um bilhão de partículas raivosas de titã flutuando nas nuvens cor de sangue ou espreitando na neblina negra.

Percy resolveu não pensar mais naquilo e beijou a testa de Annabeth.

— Temos que ir andando. Quer beber mais fogo?

— Eca. Não, obrigada.

Levantaram-se com dificuldade. Parecia impossível descer o resto do penhasco. Tudo que tinham pela frente eram saliências minúsculas, mas Percy e Annabeth seguiram em frente.

O corpo de Percy estava no piloto automático. Sentia câimbras nos dedos. Bolhas começavam a surgir em seus tornozelos. Estava tremendo de fome.

Perguntou-se se iriam morrer de inanição ou se o fogo líquido os manteria vivos. Lembrou-se do castigo de Tântalo, preso para sempre em um lago sob uma árvore frutífera, mas sem poder alcançar nem a água nem o alimento.

Caramba, Percy não pensava em Tântalo havia anos. Aquele sujeito idiota tinha sido brevemente perdoado para ser diretor do Acampamento Meio-Sangue. Provavelmente estava de volta aos Campos de Punição. Percy nunca tinha sentido pena do imbecil antes, mas agora sentia certa compaixão por ele. Podia imaginar como seria sentir cada vez mais fome por toda a eternidade sem jamais conseguir comer.

Continue a descer, disse a si mesmo.

Cheeseburgueres, respondeu seu estômago.

Cale a boca, pensou.

Com fritas, protestou o estômago.

Um bilhão de anos mais tarde, com mais umas dez bolhas nos pés, Percy chegou ao fundo. Ajudou Annabeth a descer, e os dois desabaram no chão.

Diante deles se estendiam quilômetros de terra estéril fervilhando com larvas monstruosas e árvores que pareciam pelos gigantescos de inseto. À direita, o Flegetonte se dividia em braços que riscavam a planície, abrindo-se em um delta de fumaça e fogo. Ao norte, ao longo do curso principal do rio, havia inúmeras entradas de cavernas. Aqui e ali, colunas de rocha se projetavam para o alto como pontos de exclamação.

Ao tocar o solo, Percy o achou estranhamente quente e macio. Tentou pegar um punhado de terra, mas então percebeu que sob uma fina camada de terra e caliça, o chão era uma única grande membrana... que parecia pele.

Quase vomitou, mas conseguiu se conter. Não havia nada em seu estômago além de fogo.

Não disse nada a Annabeth, mas começou a sentir que algo os observava, algo grande e maligno. Não conseguia dizer exatamente de onde, porque a presença estava ao seu redor. *Observar* também era a palavra errada. Isso pressupunha olhos, e esta coisa apenas sabia que estavam ali. A sequência de penhascos diante deles começava a se parecer menos com degraus e mais com fileiras de dentes enormes. As colunas de pedra pareciam costelas quebradas. E se o solo fosse pele...

Percy se obrigou a pensar em outra coisa. Estava morrendo de medo daquele lugar. Era simples assim.

Annabeth se levantou, limpou a fuligem do rosto e olhou para a escuridão do horizonte.

— Vamos ficar completamente expostos quando atravessarmos essa planície.

Cerca de cem metros à frente deles, uma bolha estourou no chão. Um monstro saiu, abrindo caminho com suas garras... Um telquine com pelo liso, corpo como o de uma foca e membros humanos atrofiados. Conseguiu rastejar apenas alguns metros quando algo saiu disparado da caverna mais próxima, tão rápido que Percy só conseguiu vislumbrar uma cabeça reptiliana verde-escura. O monstro abocanhou o telquine e o arrastou para a escuridão, enquanto a presa guinchava.

Renascer no Tártaro só para ser devorado dois segundos depois. Percy se perguntou se aquele telquine surgiria em algum outro lugar do Tártaro e quanto tempo levaria para que seu corpo tornasse a se formar.

Engoliu em seco, ainda sentindo o sabor amargo do fogo líquido.

— Que a diversão comece.

Annabeth o ajudou a se levantar. Ele olhou para os penhascos uma última vez, mas não havia volta. Teria dado mil dracmas de ouro para que Frank Zhang estivesse com eles naquele momento, o bom e velho Frank, que sempre aparecia quando era necessário e podia se transformar em uma águia ou dragão e carregá-los voando por cima daquela terra idiota, estéril e desolada.

Começaram a andar, evitando as entradas das cavernas e permanecendo perto da margem do rio.

Estavam acabando de contornar uma das colunas quando os olhos de Percy captaram um vislumbre de movimento, algo correndo entre duas rochas à direita deles.

Estavam sendo seguidos por um monstro? Ou talvez fosse algum vilão aleatório a caminho das Portas da Morte.

De repente, ele se lembrou por que enveredaram por aquele caminho e parou de andar.

— As *empousai*. — Agarrou o braço de Annabeth. — Onde elas estão?

Annabeth olhou em volta. Seus olhos cinza reluziram alarmados.

Talvez as *empousai* tivessem sido apanhadas por aquele réptil na caverna. Se ainda estivessem à frente deles nas planícies, deveriam estar visíveis.

A menos que estivessem escondidas…

Percy sacou a espada tarde demais.

As *empousai* surgiram das rochas em volta deles, e as cinco formaram um círculo. Uma armadilha perfeita.

Kelli se adiantou mancando com aquelas suas pernas diferentes. Seus cabelos flamejantes caíam em cascata sobre os ombros como a miniatura de uma cachoeira do Flegetonte. O uniforme esfarrapado de líder de torcida estava coberto de manchas de um marrom acobreado, e Percy tinha quase certeza de que não eram de ketchup. Ela o encarou com os olhos vermelhos brilhantes e exibiu as presas.

— Percy Jackson — exclamou ela alegremente. — Que maravilha! Nem preciso voltar ao mundo mortal para destruir você!

XV

PERCY

Percy se lembrou do perigo que Kelli representara da última vez que haviam lutado no Labirinto. Apesar das pernas diferentes, ela se movia muito rápido quando queria. Tinha desviado de seus golpes de espada e teria acabado com ele se Annabeth não a houvesse esfaqueado pelas costas.

Agora ela estava acompanhada de quatro amigas.

— E sua amiga *Annabeth* está com você! — sibilou Kelli com uma risada. — Ah, sim, eu me lembro muito bem dela.

Kelli tocou o próprio esterno, por onde saíra a ponta da lâmina quando Annabeth a esfaqueara.

— Qual é o problema, filha de Atena? Perdeu sua arma? Que chato. Eu gostaria de usá-la para matar você.

Percy tentou raciocinar. Ele e Annabeth ficaram ombro a ombro como haviam feito muitas vezes antes, prontos para a batalha. Mas nenhum dos dois estava em condições de lutar. Annabeth estava de mãos vazias. Estavam em grande desvantagem numérica. Não havia para onde correr. Não chegaria nenhuma ajuda.

Por um segundo, Percy considerou chamar a sra. O'Leary, sua amiga cão infernal que podia viajar pelas sombras. Mesmo que ela o ouvisse, será que conseguiria chegar ao Tártaro? Era para lá que os monstros iam quando morriam.

Chamá-la até ali podia matá-la, ou fazê-la voltar a seu estado natural de monstro feroz. Não, não ia conseguir fazer isso com sua cadela.

Então, nada de ajuda. E não tinham chances no combate corpo a corpo.

Com isso, restavam as táticas favoritas de Annabeth: trapaça, conversa, postergação.

— Então… — Começou ele. — Acho que deve estar se perguntando o que estamos fazendo no Tártaro.

Kelli deu uma risadinha de desdém.

— Na verdade, não. Só quero matar você.

A conversa teria terminado aí, mas Annabeth entrou no papo.

— Que chato — disse ela. — Porque vocês não fazem ideia do que está acontecendo no mundo mortal.

As outras *empousai* começaram a andar em volta deles, observando Kelli à espera de uma deixa para atacar; mas a ex-líder de torcida só rosnou e saiu do alcance da espada de Percy.

— Sabemos o bastante — disse Kelli. — Gaia falou.

— Vocês estão rumando para uma grande derrota. — Annabeth parecia tão confiante que até Percy se impressionou. Ela olhou para as outras *empousai*, uma por uma, depois apontou acusadoramente para Kelli. — Essa aí diz que as está conduzindo a uma vitória. É mentira. Da última vez em que esteve no mundo mortal, Kelli era responsável por manter meu amigo Luke Castellan fiel a Cronos. No fim, Luke o rejeitou e deu a vida para expulsá-lo. Os titãs perderam porque Kelli *falhou*. Agora ela quer conduzir vocês a um novo fracasso.

As outras *empousai* murmuravam e se moviam inquietas em seus lugares.

— Já chega! — As unhas de Kelli cresceram e se transformaram em longas garras negras. Ela olhou para Annabeth como se estivesse fazendo picadinho dela mentalmente.

Percy estava quase certo de que Kelli tivera uma queda por Luke Castellan. Luke tinha esse efeito sobre as garotas, mesmo nas vampiras com perna de burro, e Percy desconfiava de que mencionar seu nome não fora uma ideia muito boa.

— A garota está mentindo — disse Kelli. — Sim, os titãs perderam. Ótimo! Isso era parte do plano para despertar Gaia! Agora a Mãe Terra e seus gigantes vão destruir o mundo mortal, e a gente vai devorar um super banquete de semideuses!

As outras vampiras mostraram os dentes em um frenesi. Percy estivera no meio de um cardume de tubarões em uma água cheia de sangue. Mas aquilo não fora nem de perto tão assustador quanto *empousai* prontas para se alimentarem.

Ele se preparou para atacar, mas de quantas daria cabo antes que elas o dominassem? Não seria o suficiente.

— Os semideuses se uniram! — gritou Annabeth. — É melhor pensar duas vezes antes de nos atacar. Romanos e gregos vão combatê-los juntos. Vocês não têm a menor chance!

As *empousai* recuaram nervosamente, sibilando: "*Romani.*"

Percy pressupôs que elas haviam tido alguma experiência anterior com a Décima Segunda Legião e o resultado não fora nada bom para as *empousai*.

— É, isso mesmo, *Romani*. — Percy desnudou o antebraço e mostrou a elas a marca que recebera no Acampamento Júpiter, as letras SPQR, com o tridente de Netuno. — Você sabe o que acontece quando mistura gregos e romanos? O resultado é um BUM!

Ele bateu o pé com força no chão, e as *empousai* se afastaram correndo. Uma caiu da rocha sobre a qual estivera parada.

Isso fez com que Percy se sentisse bem, mas elas logo se recuperaram e voltaram a cercá-los.

— Vocês estão bem confiantes para dois semideuses perdidos no Tártaro — provocou Kelli. — Baixe a espada, Percy Jackson, e mato você rápido. Acredite em mim, há maneiras piores de morrer aqui embaixo.

— Espere! — tentou Annabeth outra vez. — As *empousai* não são servas de Hécate?

Kelli pareceu contrariada.

— E daí?

— E daí que Hécate agora está do *nosso* lado — disse Annabeth. — Ela tem um chalé no Acampamento Meio-Sangue. Alguns de seus filhos semideuses são meus amigos. Se lutarem contra nós, vão deixá-la com raiva.

Percy teve vontade de abraçar Annabeth. Ela era absolutamente brilhante.

Uma das outras *empousai* rosnou.

— Isso é verdade, Kelli? Nossa senhora fez as pazes com o Olimpo?

— Cale a boca, Serefone! — gritou Kelli. — *Deuses*, vocês são insuportáveis.

— Não vou contrariar a Senhora das Trevas.

Annabeth aproveitou a deixa.

— É melhor vocês todas ouvirem Serefone. Ela é mais velha e mais sábia.

— É! — gritou Serefone com sua voz aguda. — Sigam-me!

Kelli deu o bote tão rápido que Percy não teve chance de levantar a espada. Por sorte, ela não o atacou. Avançou sobre Serefone. Por meio segundo as duas *empousai* viraram um borrão de garras e presas afiadas.

Então acabou. Kelli ficou de pé triunfante sobre um monte de poeira. Os restos esfarrapados do vestido de Serefone pendiam de suas garras.

— Alguém tem mais algum *problema*? — perguntou Kelli ameaçadoramente para as irmãs. — Hécate é a deusa da Névoa! Seus desígnios são misteriosos. Quem sabe de que lado ela realmente está? Também é a deusa das encruzilhadas e espera que façamos nossas próprias escolhas. Eu escolho o caminho que vai nos render mais sangue de semideuses! Escolho Gaia.

Suas amigas sibilaram em aprovação.

Annabeth olhou rapidamente para Percy, e ele viu que ela estava sem ideias. Ela havia feito o possível. Conseguira que Kelli eliminasse uma delas mesmas. Agora não havia mais nada a fazer além de lutar.

— Por dois anos eu me debati no vazio — disse Kelli. — Você tem ideia de como é absolutamente *chato* ser vaporizada, Annabeth Chase? Tipo, recuperar a forma bem devagar, estando totalmente consciente e sofrendo uma dor terrível por meses e anos enquanto seu corpo torna a crescer, para então finalmente romper a crosta deste lugar infernal e se arrastar com as garras de volta à luz do dia? Tudo porque uma *garotinha* a esfaqueou pelas costas?

Seus olhos ameaçadores encararam os de Annabeth.

— O que será que acontece se um semideus for morto no Tártaro? Duvido que já tenha acontecido antes. Vamos descobrir.

Percy atacou, brandindo Contracorrente em um arco amplo. Cortou um dos demônios ao meio, mas Kelli se esquivou e atacou Annabeth. As outras duas *empousai* se lançaram sobre Percy. Uma agarrou o braço da espada. A amiga pulou nas costas dele.

Percy tentou ignorá-las e avançou com dificuldade na direção de Annabeth, determinado a morrer defendendo-a, se fosse preciso. Mas Annabeth estava se saindo muito bem. Ela desviou para um lado e escapou das garras de Kelli. Quando se levantou, trazia uma pedra na mão, com a qual golpeou o nariz da adversária.

Kelli urrou. Annabeth pegou um punhado de cascalho e o jogou nos olhos da *empousa*.

Enquanto isso, Percy se debatia, tentando se livrar da *empousa* que pegara carona nas suas costas, mas as garras dela afundaram ainda mais em seus ombros. A segunda *empousa* segurava seu braço, evitando que ele usasse Contracorrente.

Pelo canto do olho, viu Kelli saltar e cravar as garras nos braços de Annabeth, que gritou e caiu.

Percy cambaleou em sua direção. A vampira em suas costas afundou os dentes em seu pescoço. Uma dor intensa percorreu todo o seu corpo, e seus joelhos vacilaram.

Fique de pé, disse para si mesmo. *Você tem de vencê-las.*

Então a outra vampira mordeu o braço da espada, e Contracorrente caiu no chão com um ruído metálico.

Era isso. Sua sorte finalmente acabara. Kelli erguia-se sobre Annabeth, saboreando sua vitória. As outras duas *empousai* cercaram Percy com as bocas salivando, prontas para outra mordida. Então uma sombra passou por Percy. De algum lugar acima, ouviu-se um sonoro grito de guerra, que ecoou pelas planícies do Tártaro, e em seguida um titã caiu no campo de batalha.

XVI

PERCY

Percy achou que estava alucinando. Não era possível que uma figura prateada enorme caísse do nada bem em cima de Kelli e a transformasse em poeira de monstro.

Mas foi exatamente o que aconteceu. O titã tinha três metros de altura, cabelos prateados e desgrenhados como os de Einstein, olhos inteiramente prateados e braços musculosos saindo do uniforme rasgado de zelador. Ele carregava uma enorme vassoura, e seu crachá, para espanto de Percy, dizia: Bob.

Annabeth gritou de dor e tentou se afastar, rastejando, mas o zelador gigante não estava interessado nela. Ele se virou para as *empousai* que ainda estavam em cima de Percy.

Uma foi tola o suficiente para atacar. Ela se lançou com a velocidade de um tigre, mas não teve a menor chance. Uma ponta de lança projetou-se da extremidade da vassoura de Bob. Com um único golpe mortal, ele a cortou e a transformou em poeira. A última *empousa* tentou fugir. Bob lançou a vassoura como se fosse um bumerangue gigante (será que existia algo como um vassourangue?), que atravessou a *empousa* e voltou para suas mãos.

— Varrer! — O titã sorriu com prazer e fez uma dança da vitória. — Varrer, varrer, varrer!

Percy não conseguia falar. Para ele, era impossível acreditar que alguma coisa boa tinha mesmo acontecido. Annabeth parecia igualmente chocada.

— C-como...? — gaguejou ela.

— Percy me chamou! — disse o zelador, satisfeito. — É, ele chamou.

Annabeth se afastou um pouco mais. Seu braço estava sangrando muito.

— Chamou você? Ele... espere. Você é Bob? *O* Bob?

O zelador fez uma expressão preocupada ao ver o ferimento de Annabeth.

— Ai!

Annabeth se encolheu quando ele se ajoelhou a seu lado.

— Está tudo bem — disse Percy, ainda zonzo de dor. — Ele é um amigo.

Ele se lembrou de quando conheceu Bob. O titã tinha curado uma ferida feia no ombro de Percy só de tocá-la. Exatamente o que aconteceu agora: o zelador deu um tapinha no braço de Annabeth, que cicatrizou na mesma hora.

Bob riu, feliz consigo mesmo, depois foi até Percy e curou o pescoço e o braço que sangravam. As mãos do titã eram surpreendentemente quentes e delicadas.

— Agora está tudo bem! — declarou Bob, com os estranhos olhos prateados brilhando de prazer. — Eu sou Bob, amigo de Percy.

— Ah... sim. — Foi o que Percy conseguiu dizer. — Obrigado pela ajuda, Bob. É *muito* bom ver você de novo.

— É mesmo — concordou o zelador. — Bob. Esse sou eu. Bob, Bob, Bob. — Ele não parava quieto, obviamente feliz com o nome. — Estou ajudando. Ouvi meu nome. Lá em cima no palácio de Hades, ninguém chama Bob a não ser que haja uma sujeirada. Bob, varra esses ossos. Bob, limpe essas almas torturadas. Bob, um zumbi explodiu na sala de jantar.

Annabeth olhou intrigada para Percy, mas ele não tinha explicação.

— Então ouvi meu amigo chamar! — disse orgulhoso o titã. — Percy disse: *Bob*!

Ele segurou o braço de Percy e o levantou.

— Isso é incrível — disse Percy. — É sério. Mas como você...

— Ah, mais tarde teremos tempo para conversar. — A expressão de Bob ficou séria. — Precisamos ir antes que encontrem vocês. Eles estão a caminho. Estão, sim.

— *Eles*? — perguntou Annabeth.

Percy observou o horizonte. Não viu monstros se aproximando. Não havia nada além da terra estéril cinzenta e desolada.

— É — confirmou Bob. — Mas Bob conhece um caminho. Venham, amigos! Vamos nos divertir!

XVII

FRANK

Frank acordou como uma píton, o que o deixou confuso.

Não por estar em uma forma animal. Ele fazia isso o tempo todo. Mas nunca se transformara durante o sono. Tinha certeza de que não adormecera como cobra. Normalmente, dormia como cão.

Descobrira que dormia muito melhor na forma de um buldogue encolhido em seu beliche. Por algum motivo, tinha menos pesadelos. A constante gritaria em sua cabeça quase desaparecia.

Ele não fazia ideia de por que se transformara em uma píton reticulada, mas isso explicava o sonho no qual engolia lentamente uma vaca. Sua mandíbula ainda estava dolorida.

Preparou-se e voltou à forma humana. Imediatamente, a terrível dor de cabeça retornou, junto com as vozes.

Lute contra eles!, gritou Marte. *Tome o navio! Defenda Roma!*

A voz de Ares gritou em resposta: *Mate os romanos! Sangue e morte! Armas gigantescas!*

As personalidades romana e grega de seu pai gritavam em sua mente com a habitual trilha sonora de ruídos de batalha: explosões, rifles de assalto, turbinas rugindo — tudo pulsando como se houvesse um amplificador de som no cérebro de Frank.

Ele se sentou no beliche, zonzo de tanta dor. Como fazia todas as manhãs, inspirou profundamente e olhou para o lampião sobre a escrivaninha — uma pequena chama que queimava noite e dia, alimentada pelo azeite de oliva mágico da despensa.

Fogo… o maior medo de Frank. Manter uma chama acesa em seu quarto o aterrorizava, mas também o ajudava a se concentrar. O barulho em sua cabeça tornava-se apenas um ruído de fundo, e assim ele conseguia pensar.

Ele melhorara, mas durante dias fora quase um inútil. Assim que a luta irrompera no Acampamento Júpiter, as duas vozes do deus da guerra haviam começado a berrar sem parar. Desde então, Frank andava por aí confuso, quase incapaz de agir. Vinha se comportando como um idiota, e tinha certeza de que seus amigos achavam que ele tinha perdido o juízo.

Frank não podia lhes dizer o que havia de errado. Eles não podiam fazer nada, e, ouvindo as suas conversas, Frank confirmou que não estavam com o mesmo problema de ter seus divinos pais gritando em seus ouvidos.

Típico de Frank, mas ele *tinha* de se recompor. Seus amigos precisavam dele, especialmente agora, com a ausência de Annabeth.

Annabeth fora gentil com Frank. Mesmo quando ele estava perturbado e fazendo várias trapalhadas, ela fora paciente e prestativa. Enquanto Ares gritava que os filhos de Atena não eram confiáveis, e Marte ordenava aos berros que ele matasse todos os gregos, Frank passara a respeitar Annabeth.

Agora que estavam sem ela, Frank era a melhor opção do grupo em termos de estrategista militar. Precisariam dele na jornada que tinham pela frente.

Ele se levantou e se vestiu. Felizmente, conseguira comprar roupas novas em Siena dois dias antes, substituindo a roupa suja que Leo usara como isca na mesa Buford. (Longa história.) Ele pegou um jeans, uma camiseta verde do exército e separou seu pulôver favorito, mas lembrou que não precisava daquilo. Fazia muito calor. Mais importante: não precisava mais de bolsos para proteger o pedaço de madeira mágica que controlava o seu tempo de vida. Hazel o mantinha em segurança para ele.

Talvez isso devesse deixá-lo nervoso. Se o graveto queimasse, Frank morreria: fim da história. Mas confiava em Hazel mais do que em si mesmo. Saber que ela protegia a sua maior fraqueza o fazia se sentir melhor, como se tivesse colocado o cinto de segurança antes de uma perseguição em alta velocidade.

Ele pendurou no ombro o arco e a aljava, que imediatamente se transformaram em uma mochila comum. Frank adorava aquilo. Jamais teria descoberto a camuflagem de sua aljava sem Leo.

Leo!, rugiu Marte. *Ele deve morrer!*

Estrangule-o!, gritou Ares. *Estrangule todo mundo! Espere, de quem estamos falando mesmo?*

Os dois começaram a gritar um com o outro de novo, por cima do som das bombas que explodiam dentro da cabeça de Frank.

Ele se apoiou na parede. Durante dias, Frank ouvira aquelas vozes exigirem a morte de Leo Valdez.

Afinal, fora Leo quem começara a guerra com o Acampamento Júpiter ao disparar uma balista contra o Fórum. Claro, ele estava possuído naquele momento, mas Marte exigia vingança mesmo assim. E Leo piorava as coisas ao debochar sempre de Frank, e Ares exigia que Frank retaliasse cada insulto.

Frank mantinha as vozes sob controle, mas não era fácil.

Em sua viagem pelo Atlântico, Leo dissera algo que não lhe saía da cabeça. Quando descobriram que Gaia, a malvada deusa da terra, pusera todos eles a prêmio, Leo desejou saber o valor.

Quer dizer, posso entender por que não sou tão caro quanto Percy ou Jason, talvez..., dissera, *mas valho, tipo, dois ou três Franks.*

Era apenas mais uma das piadas idiotas de Leo, mas ele havia colocado o dedo na ferida. No *Argo II*, Frank definitivamente se sentia como o JMV, ou Jogador Menos Valioso. Claro, ele podia se transformar em animais. Mas e daí? Sua maior utilidade até agora fora virar uma doninha para escapar de uma oficina subterrânea, e até mesmo *isso* fora ideia de Leo. Frank era mais conhecido pelo Fiasco do Peixe Dourado Gigante, em Atlanta, e também por ontem, após ter se transformado em um gorila de duzentos quilos apenas para ser derrubado por uma granada de som e luz.

Leo ainda não fizera nenhuma piada sobre gorilas às suas custas, mas era apenas uma questão de tempo.

Mate-o!

Torture-o! Depois *mate*!

Os dois lados do deus da guerra pareciam estar brigando dentro da cabeça de Frank, usando seus seios da face como ringue.

Sangue! Armas!

Roma! Guerra!

Fiquem quietos, ordenou Frank.

Surpreendentemente, as vozes obedeceram.

Muito bem, pensou Frank.

Talvez pudesse finalmente controlar aqueles irritantes minideuses. Talvez hoje fosse um bom dia.

Mas a esperança foi destruída assim que subiu ao convés superior.

— O que *são* esses bichos? — perguntou Hazel.

O *Argo II* estava atracado a um cais muito movimentado. De um lado estendia-se um canal de navegação com cerca de meio quilômetro de largura. Do outro, a cidade de Veneza: telhados vermelhos, cúpulas metálicas nas igrejas, torres com campanários e edifícios banhados pelo sol, pintados em todas as cores daqueles doces em forma de coração típicos do Dia dos Namorados: vermelho, branco, ocre, rosa e laranja.

Por toda parte havia estátuas de leões: sobre pedestais, em cima das portas de entrada, nos pórticos dos edifícios maiores. Havia tantos que Frank concluiu que o leão devia ser o mascote da cidade.

Em lugar de ruas, canais verdes tomados por lanchas cortavam os bairros. Ao longo das docas, as calçadas estavam abarrotadas de turistas fazendo compras nos quiosques de camisetas, lotando as lojas e relaxando ao longo dos quilômetros de mesas de cafés ao ar livre, como um bando de leões-marinhos. E Frank tinha achado que Roma era cheia de turistas... Veneza era uma loucura.

Mas Hazel e o restante de seus amigos não estavam prestando atenção em nada disso. Reuniam-se à amurada a boreste olhando para dezenas de estranhos monstros peludos misturados à multidão.

Cada monstro era mais ou menos do tamanho de uma vaca, com as costas curvadas como as de um cavalo exaurido, pelo cinzento emaranhado, patas finas e cascos negros fendidos. A cabeça das criaturas parecia pesada demais para o pescoço. Os longos focinhos de tamanduá chegavam quase até o chão. As longas jubas acinzentadas cobriam completamente seus olhos.

Frank observou uma das criaturas vagar pesadamente pelo passeio, farejando e lambendo o chão com a língua comprida. Os turistas passavam ao seu lado sem esboçarem surpresa. Alguns chegavam até mesmo a acariciá-lo. Frank se perguntou como aqueles mortais podiam estar tão calmos. Então, a figura do monstro tremeluziu. Por um instante, sua aparência era a de um velho e gordo beagle.

— Os mortais pensam que são cães de rua — resmungou Jason.

— Ou animais de estimação perambulando por aí — disse Piper. — Meu pai fez um filme em Veneza certa vez. Eu me lembro de ele ter dito que havia cachorros em todo lugar. Os venezianos adoram cães.

Frank franziu a testa. Sempre se esquecia de que o pai de Piper era Tristan McLean, um grande astro do cinema. Ela não falava muito sobre ele. Piper era uma garota muito equilibrada para alguém que havia crescido em Hollywood. Frank achava isso ótimo. A última coisa de que precisavam naquela missão era de paparazzi tirando fotos de todos os seus fracassos épicos.

— Mas o que são esses bichos? — Ele repetiu a pergunta de Hazel. — Parecem... vacas desnutridas com pelo de pastor inglês.

Esperou que alguém lhe desse alguma explicação. Ninguém disse nada.

— Talvez sejam inofensivos — sugeriu Leo. — Estão ignorando os mortais.

— Inofensivos — debochou Gleeson Hedge.

O sátiro trajava seu short de ginástica de sempre, camiseta esporte e apito de treinador. Parecia mal-humorado, como de costume, mas ainda tinha um elástico cor-de-rosa no cabelo, preso pelos anões ardilosos em Bolonha. Frank estava com medo de avisá-lo.

— Valdez, quantos monstros *inofensivos* já encontramos? A gente devia apontar essas balistas e botar para quebrar!

— Hã, não — disse Leo.

Pela primeira vez, Frank concordou com Leo. Havia muitos monstros. Seria impossível atingir um sem acertar também a multidão de turistas. Além disso, se aquelas criaturas entrassem em pânico e desatassem a correr...

— Teremos de passar por eles e torcer para que sejam pacíficos — disse Frank, já odiando a ideia. — É a única maneira de encontrarmos o dono do livro.

Leo tirou o manual encadernado em couro de debaixo do braço. Ele colara uma nota adesiva na capa com o endereço que os anões lhe deram em Bolonha.

— *La Casa Nera* — leu. — *Calle Frezzeria.*

— A Casa Negra — traduziu Nico di Angelo. — Calle Frezzeria é a rua.

Frank tentou não recuar ao perceber que Nico estava ao seu lado. O sujeito era tão quieto e sombrio que parecia desaparecer quando não estava falando. Hazel podia ter voltado dos mortos, mas Nico era *muito* mais fantasmagórico.

— Você fala italiano? — perguntou Frank.

Nico lançou-lhe um olhar de advertência, tipo: *Cuidado com o que pergunta.* Mas respondeu calmamente:

— Frank está certo. Precisamos encontrar esse endereço. E a única maneira de fazer isso é andando pela cidade. Veneza é um labirinto. Teremos que enfrentar as multidões e esses... seja lá o que forem.

Um trovão retumbou no céu claro de verão. Eles tinham enfrentado tempestades na noite anterior. Frank achara que haviam terminado, mas agora não tinha certeza. O ar estava tão quente e abafado quanto o de uma sauna a vapor.

Jason franziu a testa ao fitar o horizonte.

— Talvez eu devesse ficar a bordo. Tinha muitos *venti* na tempestade de ontem à noite. Se decidirem atacar o navio outra vez...

Não precisou terminar. Todos haviam sentido a fúria dos espíritos do vento. Jason fora o único que tivera alguma chance de combatê-los.

O treinador Hedge resmungou:

— Bem, estou fora também. Se vocês, bebezinhos de coração mole, vão passear por Veneza sem nem mesmo dar uns tabefes na cabeça desses animais peludos, não quero nem saber. Não gosto de expedições *tediosas*.

— Tudo bem, treinador — disse Leo, sorrindo. — Ainda temos que consertar o mastro de proa. Então, precisarei de sua ajuda na sala de máquinas. Tenho uma ideia para uma nova instalação.

Frank não gostou do brilho nos olhos de Leo. Desde que o filho de Hefesto encontrara a esfera de Arquimedes, vinha planejando um monte de "novas instalações". Normalmente elas explodiam ou produziam fumaça, que subia até a cabine de Frank.

— Bem — Piper mudou o peso do corpo de um pé para o outro. — Quem quer que vá deve saber lidar com animais. Eu, bem... admito não ser muito boa com vacas.

Frank percebeu que havia uma história por trás daquele comentário, mas resolveu não perguntar.

— Eu vou — disse ele.

Não sabia dizer por que se oferecera, talvez por estar ansioso para ser útil para variar. Ou talvez por não querer que se adiantassem dizendo: *Animais? Frank pode se transformar em animais! Ele é que deve ir!*

Leo deu um tapinha no ombro dele e entregou-lhe o livro com capa de couro.

— Ótimo. Se você passar por alguma loja de ferragens, pode me trazer algumas tábuas 2x4 e um galão de alcatrão?

— Leo — censurou Hazel. — Ele não está indo fazer compras.

— Eu vou com Frank — ofereceu-se Nico.

Os olhos de Frank começaram a tremer. As vozes dos deuses da guerra ficaram mais altas dentro de sua cabeça: *Mate-o! Escória grega!*

Não! Eu amo a escória grega!

— Hã... você é bom com animais? — perguntou.

Nico forçou um sorriso.

— Na verdade, a maioria dos animais me odeia. Eles podem sentir a morte. Mas há algo nesta cidade... — Sua expressão se tornou sombria. — Muitas mortes. Espíritos inquietos. Se eu for, talvez consiga mantê-los afastados. Além disso, como você notou, eu falo italiano.

Leo coçou a cabeça.

— Muitas mortes, hein? Pessoalmente, estou tentando evitar muitas mortes. Mas divirtam-se!

Frank não sabia o que o assustava mais: as monstruosas vacas peludas, as hordas de fantasmas inquietos ou ir a algum lugar sozinho com Nico di Angelo.

— Também vou. — Hazel tomou o braço de Frank. — Três é o melhor número para uma missão de semideuses, certo?

Frank tentou não parecer muito aliviado. Ele não queria ofender Nico. Mas se voltou para Hazel e agradeceu com os olhos: *Obrigado, obrigado, obrigado.*

Nico fitou os canais, como se estivesse se perguntando quais novos e interessantes tipos de maus espíritos poderiam estar espreitando por lá.

— Tudo bem, então. Vamos encontrar o dono deste livro.

XVIII

FRANK

Frank teria gostado de Veneza se não fosse verão, no meio da alta temporada, e se a cidade não estivesse tomada por enormes criaturas peludas. Espremidas entre as fileiras de casas antigas e os canais, as calçadas já eram estreitas demais para a multidão que se acotovelava e parava para tirar fotos. Os monstros deixavam tudo ainda pior. Vagavam de cabeça baixa, esbarrando nos mortais e farejando o chão.

Um pareceu ter encontrado algo de seu agrado à margem de um canal. Mordiscou e lambeu uma rachadura entre as pedras até conseguir remover uma espécie de raiz esverdeada. O monstro a consumiu alegremente e se afastou.

— Bem, eles são vegetarianos — disse Frank. — Essa é uma boa notícia.

Hazel segurou sua mão.

— A menos que complementem a sua dieta com semideuses. Tomara que não.

Frank ficou tão feliz por estar de mãos dadas com Hazel que as multidões, o calor e os monstros subitamente não lhe pareceram assim tão ruins. Sentia-se *necessário*. Útil.

Não que Hazel precisasse de sua proteção. Qualquer um que a tivesse visto montada em Arion, cavalgando em direção a um inimigo e brandindo a espada, saberia que ela podia cuidar de si mesma. Ainda assim, Frank gostava de estar ao seu lado, imaginando ser o seu guarda-costas. Se qualquer um daqueles monstros tentasse feri-la, ele se transformaria em um rinoceronte com todo o prazer e o empurraria para dentro do canal.

Será que conseguiria se transformar em um rinoceronte? Frank nunca tentara.

Nico parou.

— Ali.

Entraram em uma rua menor, deixando o canal para trás. À frente deles havia uma pequena praça cercada por prédios de cinco andares. O lugar estava estranhamente deserto, como se os mortais sentissem que ali não era seguro. No meio do pátio com calçamento de seixos, umas doze vacas peludas farejavam um antigo poço de pedras cobertas de musgo.

— Um monte de vacas em um mesmo lugar — observou Frank.

— É, mas veja — disse Nico. — Atrás daquele arco.

Os olhos de Nico deviam ser melhores do que os dele. Frank forçou a vista. Na outra extremidade da praça, um arco de pedra entalhado com leões levava a uma rua estreita. Logo após o arco, uma das casas era preta; o único edifício dessa cor que Frank vira até então em Veneza.

— La Casa Nera? — arriscou ele.

Hazel segurou a mão de Frank com mais força.

— Eu não gosto desta praça. Está... fria.

Frank não tinha certeza do que Hazel queria dizer, já que ainda estava suando como um porco.

Mas Nico assentiu. Ele estudou as janelas da casa, a maioria fechada com venezianas de madeira.

— Tem razão, Hazel. Este lugar está cheio de *lemures*.

— Lêmures? — perguntou Frank, nervoso. — Suponho que você não esteja se referindo aos pequenos animais peludos de Madagascar.

— São fantasmas furiosos — esclareceu Nico. — Os *lemures* remontam ao tempo dos romanos. Eles perambulam por muitas das cidades italianas, mas nunca senti tantos em um mesmo lugar. Minha mãe dizia que... — Ele hesitou. — Ela me contava histórias sobre os fantasmas de Veneza.

Novamente, Frank ficou curioso sobre o passado de Nico, mas tinha medo de perguntar. Ele olhou para Hazel.

Ela parecia estar dizendo: *Vá em frente. Nico precisa de mais prática em conversar com pessoas.*

Os sons de rifles de assalto e bombas atômicas ficaram mais altos dentro da cabeça de Frank. Marte e Ares estavam tentando superar um ao outro com *Dixie* e *O Hino de Batalha da República*. Frank fez o possível para ignorá-los.

— Nico, sua mãe era italiana? — perguntou. — Era de Veneza?

Nico assentiu, relutante.

— Ela conheceu Hades aqui, na década de 1930. Com a Segunda Guerra Mundial prestes a estourar, fugiu para os EUA comigo e com minha irmã. Quer dizer... Bianca, minha outra irmã. Não me lembro muito da Itália, mas ainda sei falar o idioma.

Frank tentou pensar em uma resposta. *Puxa, que legal* não parecia apropriado. Ele estava perto não de um, mas de *dois* semideuses tirados de seu tempo. Tecnicamente, ambos eram uns setenta anos mais velhos do que ele.

— Deve ter sido difícil para a sua mãe — disse Frank. — Acho que fazemos qualquer coisa pelas pessoas que amamos.

Hazel apertou sua mão de modo aprovador. Nico olhou para os seixos do calçamento.

— É — disse com amargura. — Acho que fazemos.

Frank não sabia o que Nico estava pensando. Tinha dificuldade em imaginar Nico di Angelo fazendo algo por amor, exceto, talvez, por Hazel. Mas decidiu que já fizera muitas perguntas pessoais.

— Então, os *lemures*... — Ele engoliu em seco. — Como podemos evitá-los?

— Já estou cuidando disso — respondeu Nico. — Enviei uma mensagem dizendo que devem ficar longe e nos ignorar. Esperemos que seja o bastante. Caso contrário... as coisas podem ficar complicadas.

Hazel não parecia convencida.

— Vamos em frente — sugeriu ela.

Quando estavam no meio da praça, tudo deu errado. Mas não foi por causa dos fantasmas.

Eles contornavam o poço no centro da praça, tentando manter certa distância dos monstros bovinos, quando Hazel tropeçou em um pedaço solto de calçamento. Frank a segurou. Seis ou sete daquelas enormes criaturas cinzentas voltaram-se para eles. Frank vislumbrou um olho verde brilhante sob uma juba e imediatamente foi tomado por uma onda de náusea, como a que sentia quando comia muito queijo ou sorvete.

As criaturas emitiram profundos sons guturais, como sirenes furiosas.

— Vacas boazinhas — murmurou Frank, tranquilizador. Ele se colocou entre seus amigos e os monstros. — Pessoal, acho que devemos sair daqui bem devagar.

— Eu sou uma estabanada — murmurou Hazel. — Me desculpem.

— Não é culpa sua — disse Nico. — Olhe para os seus pés.

Frank olhou para baixo e ofegou, surpreso.

Sob seus pés, as pedras do calçamento se moviam: gavinhas pontiagudas surgiam das rachaduras.

Nico recuou um passo. As raízes serpentearam em sua direção, tentando segui-lo. As gavinhas ficaram mais grossas, exalando um vapor verde que cheirava a repolho cozido.

— Essas raízes parecem gostar de semideuses — observou Frank.

A mão de Hazel segurou o punho da espada.

— E as vacas gostam das raízes.

Todo o rebanho olhava agora em sua direção, emitindo rosnados repetidos que lembravam sirenes e batendo os cascos no chão. Frank sabia o suficiente sobre comportamento animal para entender a mensagem: *Vocês estão pisando em nossa comida. Isso os torna nossos inimigos.*

Frank tentou raciocinar. Havia monstros demais, não tinham como enfrentá-los. E algo nos olhos das criaturas, escondidos sob as jubas peludas... Frank ficara nauseado apenas com um olhar de relance. Tinha o mau pressentimento de que, caso aqueles monstros fizessem contato visual, pudessem deixá-lo muito mais do que nauseado.

— Não olhem para os olhos deles — advertiu. — Vou distraí-los. Vocês dois recuem bem devagar em direção à casa negra.

As criaturas se prepararam para atacar.

— Esqueçam o que eu disse — disse Frank. — Corram!

* * *

No fim das contas, Frank descobriu que *não* conseguia se transformar em rinoceronte e perdeu um tempo precioso tentando.

Nico e Hazel correram para a rua lateral. Frank se posicionou na frente dos monstros, na esperança de chamar a sua atenção. Ele berrou o mais alto que pôde, imaginando a si mesmo como um temível rinoceronte, mas com Ares e Marte gritando dentro de sua cabeça, não conseguia se concentrar. Continuou o Frank de sempre.

Dois dos monstros bovinos se destacaram do rebanho para perseguir Nico e Hazel.

— Não! — gritou Frank para as criaturas. — Aqui! Eu sou um rinoceronte!

O restante da manada o cercou. Os animais rosnavam, e um gás verde-esmeralda saía de suas narinas. O semideus recuou um passo para evitar o vapor, mas o fedor quase o fez desmaiar.

Muito bem, nada de rinoceronte. Outra coisa. Frank sabia que tinha apenas alguns segundos antes que os monstros o pisoteassem ou o envenenassem, mas não conseguia raciocinar. Não conseguia se concentrar na imagem de animal nenhum tempo o bastante para se transformar.

Então, olhou para uma das varandas das casas e viu uma escultura em pedra, o símbolo de Veneza.

No instante seguinte, Frank era um leão adulto. Soltou um rugido desafiador, então pulou para longe dos monstros que o cercavam e aterrissou a oito metros dali, em cima do antigo poço de pedra.

Os monstros rosnaram em resposta. Três deles fizeram sua investida ao mesmo tempo, mas Frank estava preparado. Seus reflexos de leão eram feitos para o combate ágil.

Ele transformou os dois primeiros monstros em pó com suas garras, afundou as presas na garganta do terceiro e jogou-o para o lado.

Restavam sete, e mais os dois que perseguiam os seus amigos. As chances não eram boas, mas Frank precisava manter o rebanho concentrado nele. Rugiu para os monstros, que se afastaram.

Sim, eles estavam em vantagem numérica. Mas Frank era um predador top de linha. Os monstros do rebanho sabiam disso. Tinham acabado de assisti-lo mandar três de seus amigos para o Tártaro.

Ele se aproveitou da vantagem e saltou do poço, ainda mostrando as presas. O rebanho recuou.

Se pudesse simplesmente contornar o grupo correndo e ir atrás de seus amigos…

Frank estava se saindo bem, até recuar um passo em direção ao arco. Uma das vacas, a mais corajosa ou mais estúpida, interpretou aquilo como um sinal de fraqueza. Ela avançou e soprou gás verde no rosto de Frank.

Ele transformou o monstro em pó com suas garras, mas o estrago já estava feito. Frank prendeu a respiração. Ainda assim, sentia os pelos do focinho queimando. Seus olhos ardiam. Cambaleou para trás, meio cego e tonto, vagamente consciente de Nico gritando o seu nome.

— Frank! *Frank!*

Ele tentou se concentrar. Estava de volta à forma humana, com ânsia de vômito e cambaleante. A pele do rosto parecia estar descascando. A nuvem de gás verde flutuava entre ele e o rebanho à sua frente. Os monstros bovinos restantes olhavam-no desconfiados, talvez se perguntando se Frank tinha algum outro truque na manga.

Ele olhou para trás. Sob o arco de pedra, Nico di Angelo empunhava a espada negra de ferro estígio, acenando para que Frank se apressasse. Aos pés de Nico, duas poças escuras manchavam a calçada — sem dúvida restos dos monstros bovinos que os perseguiram.

E Hazel… estava encostada na parede atrás do irmão. Ela não se movia.

Frank correu em sua direção, esquecendo-se do rebanho de monstros. Passou correndo por Nico e agarrou os ombros da garota. A cabeça de Hazel tombou na direção do peito.

— Ela levou uma baforada de gás verde no rosto — contou Nico, arrasado. — Eu… eu não fui rápido o bastante.

Frank não sabia dizer se ela estava respirando. Raiva e desespero lutavam dentro dele. Sempre tivera medo de Nico. Agora, queria dar uma voadora no filho de Hades e jogá-lo no canal mais próximo. Talvez não fosse justo, mas Frank não se importava. Tampouco os deuses da guerra que gritavam em sua cabeça.

— Precisamos levá-la de volta para o navio — disse Frank.

O rebanho de monstros bovinos rondava cautelosamente, um pouco além do arco, lançando os seus berros de sirene. Nas ruas em torno, outros monstros respondiam. Reforços. Logo os semideuses estariam cercados.

— Nunca conseguiremos voltar a pé — disse Nico. — Frank, transforme-se em uma águia gigante. Não se preocupe comigo. Leve-a de volta ao *Argo II*!

Com o rosto ardendo e as vozes gritando em sua mente, Frank não sabia se conseguiria mudar de forma, mas estava prestes a tentar quando uma voz atrás deles disse:

— Seus amigos não podem ajudá-los. Eles não conhecem a cura.

Frank se virou na direção da voz. À entrada da casa negra havia um homem jovem vestindo calça e camisa jeans. Tinha cabelos pretos encaracolados e um sorriso amigável, embora Frank duvidasse que ele fosse um amigo. Provavelmente nem era humano.

Naquele momento, Frank não se importava nem um pouco.

— Você pode curá-la?

— É claro — disse o homem. — Mas é melhor entrarem logo. Acho que vocês irritaram todos os *catóblepas* de Veneza.

XIX

FRANK

Foi por pouco que conseguiram entrar.

Assim que o anfitrião trancou o ferrolho, os monstros bovinos urraram e se atiraram contra a porta, fazendo-a estremecer em suas dobradiças.

— Ah, eles não podem entrar — assegurou o sujeito de jeans. — Vocês estão seguros agora!

— Seguros? — exclamou Frank. — Hazel está morrendo!

O estranho franziu a testa, como se não tivesse gostado de Frank ter estragado o seu bom humor.

— Sim, sim. Tragam-na por aqui.

Frank carregou Hazel seguindo o homem para o interior do prédio. Nico se ofereceu para ajudar, mas não era preciso. Hazel não pesava nada, e o corpo de Frank estava sob efeito da adrenalina. Ele sentia os tremores de Hazel, o que significava que ao menos ela estava viva, mas sua pele estava fria. Os lábios assumiram um tom esverdeado, ou seria apenas a visão embaçada de Frank?

Seus olhos ainda ardiam por causa do hálito do monstro. Seus pulmões queimavam como se ele tivesse inalado um repolho em chamas. Não sabia por que o gás o afetara menos do que a Hazel. Talvez ela tivesse respirado mais gás. Frank teria dado qualquer coisa para trocar de lugar com ela caso isso significasse salvar sua vida.

As vozes de Marte e Ares gritavam dentro de sua cabeça, incitando-o a matar Nico, o homem de jeans e qualquer um que encontrasse, mas Frank controlou o barulho que faziam.

O primeiro cômodo da casa era uma espécie de estufa. Ao longo das paredes havia mesas com bandejas de plantas sob lâmpadas fluorescentes. O ar cheirava a fertilizante. Será que os venezianos faziam seus jardins dentro de casa, já que estavam cercados de água em vez de terra? Frank não tinha certeza, mas não perdeu muito tempo pensando no assunto.

A sala dos fundos parecia uma mistura de garagem, dormitório de faculdade e laboratório de informática. Junto à parede da esquerda ficava uma bancada de servidores e laptops, com protetores de tela que exibiam imagens de tratores e campos arados. Encostada na parede da direita havia uma cama de solteiro, uma mesa bagunçada e um guarda-roupa aberto repleto de mais jeans e uma pilha de instrumentos agrícolas, como forcados e ancinhos.

A parede dos fundos era uma grande porta de garagem. Estacionada ali perto via-se uma carruagem aberta vermelha e dourada com um único eixo, como as carruagens em que Frank correra no Acampamento Júpiter. Das laterais do compartimento do condutor brotavam asas com penas gigantescas. Enrolada ao aro da roda esquerda, uma píton malhada roncava alto.

Frank não sabia que pítons roncavam. Esperava não tê-lo feito quando assumira a forma de uma na noite anterior.

— Deite a sua amiga aqui — instruiu o homem de jeans.

Frank colocou Hazel cuidadosamente na cama. Ele pegou sua espada e tentou deixá-la confortável, mas ela estava tão inerte quanto um espantalho. Sua pele definitivamente assumia um tom esverdeado.

— O que eram aquelas coisas bovinas? — perguntou Frank. — O que fizeram com ela?

— São catóblepas — disse o anfitrião. — Significa *que olham para baixo*. São chamados assim porque...

— Estão sempre olhando para baixo. — Nico deu um tapa na própria testa. — Claro, eu me lembro de ter lido sobre eles.

Frank olhou feio para Nico.

— *Agora* você lembra?

Nico encarou o chão, e sua cabeça ficou quase tão baixa quanto a de um catóblepa.

— Eu, hã… costumava jogar aquele jogo de cartas idiota quando era mais novo. Mitomagia. O catóblepa era uma das cartas de monstro.

Frank piscou.

— Já joguei Mitomagia. Nunca vi essa carta.

— Ela vinha na expansão *Africanus Extreme*.

— Ah.

O anfitrião pigarreou.

— Vocês dois, hã, já saíram do surto de nerdice?

— Certo, desculpe — murmurou Nico. — De qualquer modo, os catóblepas têm hálito e olhar venenosos. Eu achava que só viviam na África.

O homem de jeans deu de ombros.

— É a terra natal deles. Foram acidentalmente trazidos para Veneza há centenas de anos. Vocês já ouviram falar em São Marcos?

Frank queria berrar de frustração. Não via como aquilo podia ser relevante, mas, se o seu anfitrião podia curar Hazel, decidiu que talvez fosse melhor não aborrecê-lo.

— Santos? Não fazem parte da mitologia grega.

O homem de jeans riu.

— Não, mas São Marcos é o padroeiro desta cidade. Ele morreu no Egito há muito tempo. Quando os venezianos se tornaram poderosos… bem, relíquias de santos eram uma grande atração turística na Idade Média. Os venezianos decidiram roubar os restos mortais de São Marcos e trazê-los para a sua grande igreja de San Marco. Eles contrabandearam o corpo em um barril de carne de porco em conserva.

— Isso é… nojento — disse Frank.

— Sim — concordou o sujeito, com um sorriso. — O problema é que você não pode fazer algo assim sem sofrer as consequências. Involuntariamente, os venezianos contrabandearam algo mais para fora do Egito: os catóblepas. Vieram a bordo do navio e têm procriado como ratos desde então. Adoram as raízes mágicas venenosas que crescem por aqui, plantas do pântano fedorentas que brotam dos canais. Isso torna o hálito deles ainda mais venenoso! Os monstros costumam ignorar os mortais, mas semideuses… ainda mais no caminho deles…

— Já entendi — disse Frank rispidamente. — Você pode curá-la?

O homem encolheu os ombros.

— Talvez.

— *Talvez?*

Frank precisou usar toda sua força de vontade para não estrangular o sujeito. Ele levou a mão às narinas de Hazel. Não podia sentir sua respiração.

— Nico, por favor, me diga que ela está fazendo aquele negócio de transe de morte, como você fez na jarra de bronze.

Nico fez uma careta.

— Não sei se Hazel pode fazer isso. Tecnicamente, o pai dela é Plutão, não Hades, então...

— Hades! — exclamou o anfitrião. Ele se afastou, olhando para Nico com desagrado. — Então é *esse* o cheiro que estou sentindo. Filhos do Mundo Inferior? Se eu soubesse *disso*, jamais os teria deixado entrar!

Frank se levantou.

— Hazel é uma boa pessoa. Você prometeu que a *ajudaria*!

— Eu *não* prometi.

Nico sacou a espada e rosnou:

— Ela é minha irmã. Eu não sei quem você é, mas se pode curá-la, então precisa ajudar, ou eu juro pelo Rio Estige...

— Ah, blá-blá-blá!

O homem fez um gesto de desprezo com a mão. De repente, no lugar de Nico di Angelo surgiu um vaso de planta com um metro e meio de altura, folhas verdes pendentes, tufos de palha e meia dúzia de espigas maduras de milho amarelo.

— Pronto — disse o homem, apontando para o pé de milho. — Não recebo ordens dos filhos de Hades! Vocês deviam falar menos e ouvir mais. Pelo menos agora você não tem mais boca.

Frank tropeçou na cama.

— O que você fez... por que...?

O homem ergueu uma sobrancelha. Frank soltou um gritinho que não soou muito corajoso. Estivera tão preocupado com Hazel que havia esquecido o que Leo dissera sobre o sujeito que estavam procurando.

— Você é um deus — lembrou-se Frank.

— Triptólemo — confirmou o homem com uma reverência. — Meus amigos me chamam de Trip, então não me chame assim. E se você for outro filho de Hades…

— Marte! — disse Frank rapidamente. — Filho de Marte!

Triptólemo fungou.

— Bem… não é muito melhor. Mas talvez você mereça algo mais do que um pé de milho. Que tal um sorgo? Sorgos são muito bonitos.

— Espere! — implorou Frank. — Nós viemos em paz. Trouxemos um presente. — Bem devagar, ele enfiou a mão na mochila e pegou o livro com capa de couro. — Isso é seu?

— Meu almanaque! — Triptólemo sorriu e aceitou o livro. Ele folheou as páginas e começou a dar pulinhos. — Ah, mas isso é fabuloso! Onde o encontraram?

— Hum, Bolonha. Foram aqueles… — Frank se lembrou de que não deveria mencionar os anões — … monstros terríveis. Arriscamos as nossas vidas, mas sabíamos que era importante para você. Então, talvez pudesse, quem sabe, trazer Nico de volta ao normal e curar Hazel.

— Hein?

Trip ergueu os olhos do livro. Estivera alegremente recitando trechos para si mesmo, algo sobre a época de plantio de nabos. Frank desejou que Ella, a harpia, estivesse ali. Ela se daria muito bem com aquele cara.

— Ah, *curá-los*? — exclamou Triptólemo de modo desaprovador. — Estou grato pelo livro, é claro. E definitivamente posso deixar que *você* vá embora, filho de Marte. Mas tenho um problema de longa data com Hades. Afinal, devo meus poderes divinos a Deméter!

Frank vasculhou a memória, mas era uma tarefa difícil com as vozes gritando em sua cabeça e o veneno do catóblepa deixando-o tonto.

— Ah, Deméter — disse ele —, a deusa das plantas. Ela… ela não gosta de Hades, porque… — Subitamente ele se lembrou de uma velha história que ouvira no Acampamento Júpiter. — Sua filha, Prosérpina…

— Perséfone — corrigiu Trip. — Prefiro a forma grega, se não se importa.

Mate-o!, gritou Marte.

Adoro esse cara!, retrucou Ares. *Mas mate-o assim mesmo!*

Frank decidiu não se ofender. Não queria ser transformado em um pé de sorgo.

— Tudo bem. Hades raptou Perséfone.

— Exatamente! — disse Trip.

— Então... Perséfone era sua amiga?

— Na época eu era apenas um príncipe mortal — desdenhou Trip. — Perséfone não teria me notado. Mas quando sua mãe, Deméter, foi atrás dela, procurando por toda a Terra, muitas pessoas se recusaram a ajudar. Hécate iluminou seu caminho à noite com tochas. E eu... bem, quando Deméter veio à minha propriedade na Grécia, dei a ela um lugar para ficar. Eu a consolei, alimentei e ofereci a minha ajuda. Na ocasião, não sabia que era uma deusa, mas minha boa ação valeu a pena. Mais tarde, Deméter me recompensou tornando-me deus da agricultura!

— Uau — exclamou Frank. — Agricultura. Parabéns.

— Eu sei! Muito legal, não é? De qualquer modo, Deméter nunca se deu bem com Hades. Então, naturalmente, você sabe, tenho que tomar o partido de minha deusa padroeira. Filhos de Hades, nem pensar! Na verdade, um deles... Sabe aquele rei cita chamado Linceu? Então, quando eu tentei ensinar agricultura para seus conterrâneos, ele matou a minha píton da direita!

— Sua... píton da direita?

Trip foi até a carruagem alada e pulou nela. Então, puxou uma alavanca, e as asas começaram a bater. A píton malhada na roda esquerda abriu os olhos e começou a se mexer, enrolando-se em volta do eixo como uma mola. A carruagem entrou em movimento, mas a roda direita ficou parada, o que fez com que Triptólemo girasse em círculos; a carruagem batia as asas e subia e descia como um carrossel defeituoso.

— Viu? — perguntou ele, ainda girando. — Não funciona! Desde que perdi minha píton da direita, não pude mais disseminar a agricultura, pelo menos não pessoalmente. Agora, preciso recorrer a cursos on-line.

— O quê?

Assim que perguntou, Frank se arrependeu.

Trip pulou da carruagem enquanto esta ainda girava. A píton desacelerou até parar e voltou a roncar. Trip correu até a bancada de computadores. Tocou nos teclados e as máquinas despertaram. Os monitores exibiram um site em marrom e dourado com a imagem de um fazendeiro feliz vestindo uma toga e um boné John Deere e empunhando uma foice de bronze em um campo de trigo.

— Universidade de Agricultura Triptólemo — anunciou com orgulho. — Em apenas seis semanas, você pode obter o seu bacharelado na emocionante e vibrante carreira do futuro: a agricultura!

Frank sentiu uma gota de suor escorrer pelo seu rosto. Não se importava com aquele deus maluco, sua carruagem movida a cobras ou seu curso universitário on-line. Mas Hazel estava ficando cada vez mais verde. Nico tinha virado um pé de milho, e ele estava sozinho.

— Veja. *Nós* recuperamos o seu almanaque. E meus amigos são muito legais. Não são como os outros filhos de Hades que você conheceu. Então, se houver alguma maneira de...

— Ah! — Trip estalou os dedos. — Entendi aonde você quer chegar!

— Hã... entendeu?

— Claro! Se eu curar a sua amiga Hazel e fizer o outro, Nicholas...

— Nico.

— ... voltar ao normal...

Frank hesitou.

— Sim?

— Então, em troca, você ficará comigo e abraçará a agricultura! Um filho de Marte como meu aprendiz? É perfeito! Que grande porta-voz você será. Podemos transformar espadas em arados e nos divertir muito!

— Na verdade...

Frank tentava desesperadamente bolar um plano. Ares e Marte gritaram em sua cabeça: *Espadas! Armas de fogo! Grandes explosões!*

Se recusasse a oferta de Trip, o sujeito provavelmente se ofenderia e ele acabaria como um pé de sorgo, trigo ou alguma outra cultura rentável.

Se fosse a única maneira de salvar Hazel, então tudo bem, aceitaria as exigências de Trip e se tornaria um agricultor. Mas essa *não podia* ser a única maneira. Frank se recusava a acreditar que tinha sido escolhido pelas Parcas para integrar aquela missão apenas para acabar estudando o cultivo de nabo em um curso on-line.

Seus olhos se voltaram para a carruagem quebrada.

— Tenho uma proposta melhor. Eu posso consertar isso.

O sorriso de Trip desapareceu.

— Consertar... a minha carruagem?

Frank teve vontade de se matar. Que ideia era aquela? Ele não era Leo. Ele nem mesmo conseguira desvendar aquele par de algemas chinesas estúpidas. Mal conseguia trocar as pilhas de um controle remoto de tevê. Não poderia consertar uma carruagem mágica!

Mas algo lhe dizia que era a sua única chance. Aquela carruagem era a única coisa que Triptólemo realmente desejava.

— Descobrirei uma forma de consertar a carruagem — ofereceu. — Em troca, você cura Nico e Hazel e nos deixa ir embora. E... e nos dá qualquer ajuda que puder para derrotarmos as forças de Gaia.

Triptólemo riu.

— O que o faz pensar que posso ajudá-lo com *isso*?

— Hécate nos disse que podia — afirmou Frank. — Ela nos mandou para cá. Ela... ela decidiu que Hazel é uma de suas favoritas.

O rosto de Trip empalideceu.

— Hécate?

Frank esperava não estar exagerando. Não precisava que Hécate também ficasse brava com ele. Mas se Triptólemo e Hécate eram amigos de Deméter, talvez isso convencesse Trip a ajudar.

— A deusa nos guiou até o seu almanaque em Bolonha — contou Frank. — Ela queria que nós o devolvêssemos a você porque... bem, ela deve saber que você tem algum conhecimento que pode nos ajudar a atravessar a Casa de Hades em Épiro.

Trip assentiu com a cabeça bem devagar.

— Sim. Entendi. Sei por que Hécate o enviou para mim. Muito bem, filho de Marte. Encontre uma maneira de consertar a minha carruagem. Se conseguir, farei tudo o que me pedir. Caso contrário...

— Já sei — resmungou Frank. — Meus amigos morrem.

— Isso mesmo — disse Trip alegremente. — E você dará um belo pé de sorgo!

XX

FRANK

Frank saiu tropeçando da Casa Negra. A porta se fechou atrás dele, e o semideus se encostou na parede, cheio de culpa. Por sorte os catóblepas tinham ido embora, senão havia grandes chances de que Frank ficasse ali sentado e deixasse que o pisoteassem. Ele merecia. Havia abandonado Hazel lá dentro, agonizando indefesa, à mercê de um deus agricultor louco.

Mate os agricultores!, gritou Ares em sua cabeça.

Volte para a legião e lute contra os gregos!, exclamou Marte. *O que estamos fazendo aqui?*

Matando agricultores!, gritou Ares em resposta.

— Calem a boca! — gritou Frank. — Os dois!

Duas velhas senhoras com sacolas de compras passando ali perto olharam estranho para Frank, murmuraram algo em italiano e continuaram a andar.

Arrasado, Frank olhava para a espada de cavalaria de Hazel caída aos seus pés, ao lado de sua mochila. Ele poderia voltar correndo para o *Argo II* e chamar Leo. Talvez o filho de Hefesto pudesse consertar a carruagem.

Mas, por algum motivo, Frank sabia que aquele não era um problema para Leo resolver. Era tarefa de Frank. Ele tinha de provar o seu valor. Além do mais, a carruagem não estava exatamente quebrada. Não havia nenhum problema mecânico. Apenas faltava uma serpente.

Frank poderia se transformar em uma píton. Talvez o fato de ele ter despertado naquela manhã como uma serpente gigante tivesse sido um sinal dos deuses. Não queria passar o resto da vida girando a roda da carruagem de um agricultor, mas se isso significasse salvar a vida de Hazel…

Não. Tinha que haver outra maneira.

Serpentes, pensou Frank. Marte.

Será que seu pai tinha alguma ligação com serpentes? O animal sagrado de Marte era o javali, não a serpente. Ainda assim, Frank tinha certeza de ter ouvido algo certa vez…

Só conseguia pensar em uma pessoa a quem perguntar e, relutante, abriu a mente para as vozes do deus da guerra.

Preciso de uma serpente, disse. *Como?*

Ha, ha!, gritou Ares. *Sim, a serpente!*

Como aquele Cadmo desprezível, disse Marte. *Nós o castigamos por ter matado o nosso dragão!*

Os dois começaram a gritar tanto que Frank pensou que sua cabeça fosse explodir.

— Tudo bem! Parem!

As vozes se aquietaram.

— Cadmo — murmurou Frank. — Cadmo…

Ele se lembrou da história. O semideus Cadmo matara um dragão que por acaso era filho de Ares. Frank não queria nem saber como o deus da guerra acabara tendo um filho dragão, mas o fato é que, como punição, Ares transformou Cadmo em uma serpente.

— Então você pode transformar os seus inimigos em serpentes — disse Frank. — É disso que preciso. Agora tenho que encontrar um inimigo. Então, vou precisar que você o transforme em uma serpente.

Pensa que eu faria isso por você?, rugiu Ares. *Você não provou o seu valor!*

Apenas um grande herói poderia pedir tal graça, disse Marte. *Um herói como Rômulo!*

Romano demais!, gritou Ares. *Diomedes!*

Nunca!, retrucou Marte. *Aquele covarde foi derrotado por Hércules!*

Horácio, então, sugeriu Marte.

Ares ficou em silêncio. Frank sentiu-o concordar, de má-vontade.

— Horácio — disse Frank. — Tudo bem. Se é isso que você quer, provarei que sou tão bom quanto Horácio. Hã... o que ele fez?

Imagens inundaram a mente de Frank. Ele viu um guerreiro solitário em uma ponte de pedra, enfrentando todo um exército que se reunia do outro lado do Rio Tibre.

Frank se lembrou da lenda. Horácio, o general romano que sozinho detivera uma horda de invasores, sacrificando-se naquela ponte para impedir que os bárbaros atravessassem o Tibre. Ao dar tempo para que seus companheiros romanos concluíssem as suas defesas, ele salvou a República.

Veneza foi invadida, disse Marte, *como Roma está prestes a ser. Purifique-a!*

Destrua a todos! disse Ares. *Crave sua espada no coração de cada um deles!*

Frank voltou a ignorar as vozes. Ele olhou suas mãos e ficou surpreso por não estarem tremendo.

Pela primeira vez em muitos dias, seus pensamentos clarearam. Ele sabia exatamente o que precisava fazer. Ainda não sabia como faria aquilo. Tinha grandes chances de morrer, mas precisava tentar. A vida de Hazel dependia disso.

Ele guardou a espada de Hazel no cinto, transformou a sua mochila em uma aljava e arco, e correu em direção à praça onde lutaria contra os monstros bovinos.

O plano tinha três fases: perigosa, muito perigosa, e super ultra mega perigosa.

Frank parou ao lado do poço de pedra. Não havia catóblepas à vista. Ele sacou a espada de Hazel e a usou para erguer alguns seixos do calçamento, desenterrando um grande emaranhado de raízes pontiagudas. Os tentáculos se esticaram, exalando o fedorento vapor verde enquanto se arrastavam em direção aos pés de Frank.

O semideus ouviu ao longe o urro de um catóblepa. Outros se seguiram, vindos de todas as direções. Frank não tinha certeza de como os monstros poderiam saber que ele estava roubando a sua comida favorita, talvez tivessem apenas um excelente olfato.

Agora, teria que ser rápido. Frank cortou um longo pedaço de vinha e a amarrou em um dos passadores de sua calça, tentando ignorar o ardor e a coceira nas mãos. Logo, ele tinha um cinto brilhante e fedorento de ervas venenosas. Oba.

Os primeiros catóblepas chegaram à praça galopando e urrando de ódio. Os olhos verdes brilhavam sob suas jubas. Seus longos focinhos sopravam nuvens de gás, o que os fazia parecerem máquinas a vapor peludas.

Frank preparou uma flecha. Sentiu uma momentânea pontada de culpa. Aqueles não eram os piores monstros que encontrara. Tratava-se basicamente de ruminantes que por acaso eram venenosos.

Mas Hazel estava morrendo por causa deles, lembrou-se.

Disparou a flecha. O catóblepa mais próximo caiu, desintegrando-se em poeira. Frank preparou uma segunda flecha, mas o resto da manada já estava quase em cima dele. E outros catóblepas chegavam à praça pela direção oposta.

Frank se transformou em leão. Deu um rugido desafiador e saltou em direção ao arco, pulando por cima do segundo rebanho. Os dois grupos de catóblepas se chocaram, mas logo se recuperaram e passaram a persegui-lo.

Frank não tinha certeza se as raízes ainda teriam cheiro depois que ele mudou de forma. Normalmente, suas roupas e pertences meio que se misturavam à sua forma animal, mas pelo visto ainda cheirava a um suculento e venenoso jantar. Toda vez que passava por um catóblepa, o monstro rugia indignado e se juntava ao desfile do *Mate o Frank!*

Entrou em uma rua maior e abriu caminho entre a multidão de turistas. Não sabia que cena os mortais estariam vendo. Talvez um gato sendo perseguido por uma matilha de cães. Pessoas xingaram Frank em uns doze idiomas diferentes. Cones de sorvete foram derrubados. Uma mulher deixou cair uma pilha de máscaras de carnaval. Um sujeito foi parar dentro do canal.

Quando Frank olhou para trás, havia no mínimo uns vinte monstros em seu encalço, mas ele precisava de mais. Precisava de *todos* os monstros de Veneza, e precisava manter os que vinham atrás dele furiosos.

Encontrou um espaço no meio da multidão e voltou à forma humana. Sacou a espata de Hazel, que nunca fora a sua arma preferida, mas ele era grande e forte o bastante para que a pesada espada de cavalaria não fosse problema. Na verdade, estava contente com a arma de alcance mais longo. Golpeou com a lâmina de ouro, destruindo o primeiro catóblepa e deixando os outros se amontoarem à sua frente.

Tentou evitar encará-los, mas podia sentir os olhares dos monstros queimando sua pele. Imaginou que se todas aquelas criaturas soprassem ao mesmo tempo a nuvem venenosa resultante seria suficiente para derretê-lo. Os monstros avançavam e se chocavam uns nos outros.

Frank gritou:

— Vocês querem as minhas raízes venenosas? Então venham pegá-las!

Transformou-se em um golfinho e saltou no canal. Torcia para que os catóblepas não soubessem nadar. No mínimo, pareciam relutantes em segui-lo, e ele não podia culpá-los. O canal era nojento, fedorento, salgado e tão quente quanto uma sopa, mas Frank o atravessou, esquivando-se de gôndolas e lanchas, parando de vez em quando para lançar insultos na língua dos golfinhos aos monstros que o seguiam pelas calçadas. Quando chegou à doca de gôndolas mais próxima, Frank voltou à forma humana, matou mais alguns catóblepas, para mantê-los enfurecidos, e saiu correndo.

E assim foi.

Após algum tempo, caiu em uma espécie de transe. Atraía mais monstros, dispersava mais multidões de turistas e conduzia seu então enorme séquito de catóblepas pelas ruas sinuosas da velha cidade. Sempre que precisava escapar rapidamente, mergulhava em um canal como um golfinho ou se transformava em uma águia e saía voando, mas nunca se colocava muito longe de seus perseguidores.

Cada vez que os monstros pareciam estar perdendo o interesse, Frank parava em um telhado, pegava o arco e abatia alguns catóblepas no centro do rebanho. Balançava o cinto de plantas venenosas e insultava o mau hálito dos monstros, provocando-os até ficarem furiosos. Em seguida, continuava a correr.

Voltou por onde veio. E se perdeu. Em dado momento, dobrou uma esquina e deu de cara com o final do cortejo que o perseguia. Deveria estar esgotado, mas de algum modo encontrou forças para continuar, o que era bom. A parte mais difícil ainda estava por vir.

Frank até viu algumas pontes, mas achou que não serviriam. Uma era elevada e completamente coberta; não havia como fazer os monstros se espremerem por ela. A rua estava cheia de turistas. Mesmo que os monstros ignorassem os mortais, aquele gás venenoso não podia ser muito benéfico. Quanto maior o rebanho de monstros, mais mortais seriam empurrados para o lado, jogados na água ou pisoteados.

Finalmente Frank viu algo que serviria. Pouco mais à frente, depois de uma grande praça, uma ponte atravessava um dos canais mais largos. Era feita de madeira, em um arco de vigas entrecruzadas, como uma antiga montanha-russa, com cerca de cinquenta metros de comprimento.

Do alto, Frank, em forma de águia, não viu nenhum monstro do outro lado. Todos os catóblepas em Veneza pareciam ter se juntado ao rebanho e avançavam pelas ruas atrás dele enquanto os turistas gritavam e se dispersavam, talvez pensando terem sido pegos no meio de uma correria de cães de rua.

A ponte estava vazia. Era perfeito.

Frank desceu e retomou a forma humana. Então correu até o meio da ponte — lugar onde esta se estreitava — e jogou a isca de raízes venenosas para trás.

Quando o rebanho de catóblepas alcançou o início da ponte, Frank sacou a espata de ouro de Hazel.

— Venham — gritou. — Vocês querem saber o valor de Frank Zhang? Venham!

Ele se deu conta de que não estava gritando apenas para os monstros. Extravasava semanas de medo, raiva e ressentimentos. As vozes de Marte e Ares se juntaram à dele.

Os monstros avançaram. A visão de Frank ficou vermelha.

Mais tarde, não conseguiu se lembrar dos detalhes com clareza. Matou monstros até ficar com pó amarelo na altura dos tornozelos. Sempre que ficava encurralado e as nuvens de gás começavam a sufocá-lo, mudava de forma, tornando-se um elefante, um dragão, um leão, e cada transformação parecia limpar os seus pulmões, dando-lhe uma nova explosão de energia. Sua mudança de forma se tornou tão fluida que era capaz de iniciar um ataque com a espada em forma humana e terminar como um leão, arranhando o focinho de um catóblepa com suas garras.

Os monstros batiam com os cascos no chão. Exalavam gás e encaravam Frank com seus olhares venenosos. Ele deveria ter morrido. Deveria ter sido pisoteado. Mas, de alguma forma, manteve-se de pé, ileso, e desencadeou um furacão de violência.

Não sentiu qualquer tipo de prazer naquilo, mas também não hesitou. Apunhalou um monstro e decapitou outro. Transformou-se em um dragão e cortou um catóblepa ao meio. Em seguida, virou elefante e esmagou três dos monstros de uma vez com as patas. Ele ainda via tudo em vermelho, e percebeu que seus olhos não o estavam enganando. Seu corpo brilhava, rodeado por uma aura rosada.

Não entendia por quê, mas continuou lutando até que sobrou apenas um monstro.

Frank enfrentou-o com a espada desembainhada. Estava ofegante, suado, coberto de poeira de monstro, mas não estava ferido.

O catóblepa rosnou. Não devia ser o mais inteligente do rebanho. Apesar de centenas de seus irmãos terem acabado de morrer, o animal não recuou.

— Marte! — gritou Frank. — Provei o meu valor. Agora, preciso de uma serpente!

Frank duvidava que alguém já tivesse pronunciado tais palavras. Era um pedido meio estranho. Nenhuma resposta veio dos céus. Pela primeira vez em muito tempo, as vozes em sua cabeça ficaram em silêncio.

O catóblepa perdeu a paciência. Investiu contra Frank, deixando-o sem escolha. O semideus golpeou de baixo para cima. Assim que a lâmina o atingiu, o catóblepa desapareceu em um clarão vermelho-sangue. Quando a visão de Frank voltou ao normal, viu uma píton birmanesa marrom enrolada aos seus pés.

— Muito bem — disse-lhe uma voz familiar.

A poucos metros dali estava seu pai, Marte, usando uma boina vermelha e uniforme verde-oliva com a insígnia das Forças Especiais italianas e um rifle de assalto pendurado no ombro. Seu rosto era rígido e anguloso, e ele usava óculos escuros.

— Pai — conseguiu dizer Frank.

Não podia acreditar no que acabara de fazer. O terror começou a atingi-lo. Tinha vontade de chorar, mas achava que não seria uma boa ideia fazer isso na frente de Marte.

— É natural sentir medo. — A voz do deus da guerra estava surpreendentemente calorosa, cheia de orgulho. — Todos os grandes guerreiros têm medo. Só os idiotas e os loucos não o sentem. Mas você enfrentou o seu medo, filho. Fez o que tinha que fazer, como Horácio. Esta foi a sua ponte, e você a defendeu.

— Eu… — Frank não sabia o que dizer. — Eu… eu só precisava de uma serpente.

Marte deu um leve sorriso.

— Sim. E agora você a tem. Sua bravura uniu as minhas formas, grega e romana, mesmo que apenas por um instante. Vá. Salve os seus amigos. Mas ouça, Frank. Seu maior desafio ainda está por vir. Quando enfrentar os exércitos de Gaia no Épiro, sua liderança…

De repente, o deus se curvou, segurando a cabeça. Sua forma tremulou. Seu uniforme se transformou em uma toga, depois em uma jaqueta e uma calça jeans de motociclista. Seu rifle se transformou em uma espada e, em seguida, um lançador de foguetes.

— Agonia! — berrou Marte. — Vá! Depressa!

Frank não fez perguntas. Apesar da exaustão, transformou-se em uma águia gigante, pegou a píton com suas garras enormes e alçou voo.

Quando olhou para trás, viu um cogumelo atômico em miniatura no meio da ponte, com anéis de fogo irradiando do centro, e duas vozes — Marte e Ares — gritaram:

— Nããão!

Frank não sabia bem o que acabara de acontecer, mas não tinha tempo para pensar naquilo. Sobrevoou a cidade, agora sem monstros, e se dirigiu à casa de Triptólemo.

— Você conseguiu! — exclamou o deus agricultor.

Frank o ignorou. Invadiu La Casa Nera, arrastando a píton pela cauda como um estranho saco de Papai Noel, e a soltou perto da cama.

Ajoelhou-se ao lado de Hazel.

Ainda estava viva. Verde e trêmula, mal respirando, mas viva. Quanto a Nico, ainda era um pé de milho.

— Cure-os — disse Frank. — Agora.

Triptólemo cruzou os braços.

— Como vou saber se a serpente vai funcionar?

Frank rangeu os dentes. Desde a explosão na ponte, as vozes do deus da guerra pararam de gritar em sua cabeça, mas ele ainda sentia a raiva de ambos, fundidas, agitando-se dentro dele. Fisicamente, também se sentia diferente. Será que Triptólemo tinha ficado mais baixo?

— A serpente é um presente de Marte — rosnou Frank. — Vai funcionar.

Como se esperando a deixa, a píton birmanesa deslizou até a carruagem e se enroscou na roda direita. A outra serpente acordou. Elas se entreolharam, tocaram o focinho e então moveram as rodas ao mesmo tempo. A carruagem andou para a frente, batendo as asas.

— Viu? — disse Frank. — Agora, cure os meus amigos!

Triptólemo deu um tapinha no próprio queixo.

— Bem, obrigado pela serpente, mas não estou gostando do seu tom de voz, semideus. Talvez eu o transforme em…

Frank foi mais rápido. Agarrou Trip e o empurrou contra a parede, apertando a garganta do deus.

— Pense bem no que vai dizer — advertiu Frank, incrivelmente calmo. — Ou, em vez de enfiar a minha espada em um arado, vou cravá-la em sua cabeça.

Triptólemo engoliu em seco.

— Sabe… acho que vou curar os seus amigos.

— Jure pelo Rio Estige.

— Juro pelo Rio Estige.

Frank o soltou. Triptólemo tocou a garganta, como se quisesse ter certeza de que ela ainda estava ali. Deu um sorriso nervoso para Frank, passou a uma distância segura dele e saiu correndo para a sala da frente.

— Só estou… só estou colhendo ervas!

Frank observou o deus recolher folhas e raízes e esmagá-las em um pilão. Ele enrolou uma bola verde e gosmenta do tamanho de uma pílula, correu até Hazel e colocou a bola nojenta sob a língua dela.

Instantaneamente, Hazel estremeceu e se sentou, tossindo. Seus olhos se abriram. A pele voltou à cor normal.

Ela olhou em torno, confusa, até ver Frank.

— O quê…?

Frank a abraçou.

— Você vai ficar bem — disse ele, arrebatado. — Está tudo bem.

— Mas... — Hazel agarrou seus ombros e o olhou com espanto. — Frank, o que aconteceu com você?

— Comigo? — Ele se levantou, subitamente desconfortável. — Eu não...

Olhou para baixo e entendeu do que Hazel estava falando. Triptólemo não ficara mais baixo. Era Frank quem estava mais alto. Sua barriga diminuíra. Seu peito parecia mais musculoso.

Frank já tivera surtos de crescimento. Certa vez acordara dois centímetros mais alto do que no dia anterior. Mas aquilo era loucura. Era como se um pouco do dragão e do leão tivesse permanecido nele quando voltou à forma humana.

— Hã... Eu não... Talvez eu possa consertar isso.

Hazel riu com prazer.

— Mas por quê? Você está incrível!

— E-estou?

— Quer dizer, você era bonito antes! Mas agora parece mais velho, mais alto, tão imponente...

Triptólemo suspirou de modo dramático.

— Sim, obviamente algum tipo de bênção de Marte. Parabéns, blá-blá-blá. Agora, já acabamos por aqui?

Frank olhou feio para o deus.

— Ainda não. Cure Nico.

Triptólemo revirou os olhos e apontou para o vaso com a planta e BUM! Nico di Angelo apareceu em uma explosão de palhas de milho.

O garoto olhou em torno, em pânico.

— Eu... eu tive um pesadelo muito esquisito com pipocas. — Ele franziu a testa para Frank. — Por que você está *mais alto*?

— Está tudo bem — assegurou Frank. — Triptólemo estava prestes a nos dizer como sobreviver na Casa de Hades. Não é mesmo, Trip?

O deus agricultor olhou para o teto, como se perguntasse: *Por que eu, Deméter?*

— Tudo bem — disse Trip. — Quando chegarem a Épiro, será oferecido a vocês um cálice do qual devem beber.

— Oferecido por quem? — perguntou Nico.

— Não importa — respondeu Trip, mal-humorado. — Mas saibam que está cheio de um veneno mortal.

Hazel estremeceu.

— Então você está dizendo que não devemos beber.

— Não! — exclamou Trip. — Vocês *terão* que beber, ou nunca serão capazes de atravessar o templo. O veneno vai ligá-los ao mundo dos mortos, permitindo que sigam para os níveis mais baixos. O segredo para sobreviver é... — Seus olhos brilharam. — ... *Cevada*.

Frank o encarou.

— Cevada.

— Levem um pouco de minha cevada especial que está na sala da frente. Façam bolinhos com ela e comam antes de entrarem na Casa de Hades. A cevada absorverá o pior do veneno, de modo que vocês serão *afetados* por ele, mas não morrerão.

— Só isso? — perguntou Nico. — Hécate nos mandou até o outro lado da Itália para você nos dizer para comer cevada?

— Boa sorte! — Triptólemo atravessou a sala correndo e pulou em sua carruagem. — E, Frank Zhang, eu o perdoo! Você é corajoso. Se mudar de ideia, minha oferta continua de pé. Adoraria vê-lo se formar em agricultura!

— Claro... — murmurou Frank. — Obrigado.

O deus puxou uma alavanca em sua carruagem. As serpentes-rodas giraram. As asas começaram a bater. No fundo da sala, as portas de garagem se abriram.

— Como é bom poder viajar outra vez! — gritou Trip. — Há tantas terras ignorantes que necessitam de meu conhecimento. Vou ensinar-lhes as glórias da lavoura, da irrigação, da adubação! — A carruagem decolou e saiu da casa enquanto Triptólemo gritava para o céu:

— Avante, minhas serpentes! Avante!

— Isso foi muito estranho — comentou Hazel.

— As glórias da adubação. — Nico espanou algumas palhas de milho de seu ombro. — Podemos sair daqui agora?

Hazel pousou a mão sobre o ombro de Frank.

— Está tudo bem mesmo? Você lutou por nossas vidas. O que Triptólemo o obrigou a fazer?

Frank tentou se conter. Censurou-se por se sentir tão fraco. Era capaz de enfrentar um exército de monstros, mas bastava Hazel ser gentil e ele tinha vontade de entregar os pontos e chorar.

— Aqueles monstros bovinos... os catóblepas que a envenenaram... Tive que destruí-los.

— Isso foi corajoso — disse Nico. — Devia ter o quê? Uns seis ou sete que sobraram daquele rebanho?

— Não, foram todos eles. — Frank pigarreou. — Matei *todos* os catóblepas da cidade.

Nico e Hazel o encararam em um silêncio atordoado. Frank estava com medo de que duvidassem dele ou começassem a rir. Quantos monstros tinha matado naquela ponte? Duzentos? Trezentos?

Mas viu em seus olhos que os dois acreditavam nele. Eram filhos do Mundo Inferior. Talvez pudessem sentir a morte e a carnificina pela qual passara.

Hazel beijou seu rosto. Agora, tinha que ficar na ponta dos pés para alcançá-lo. Os olhos dela estavam incrivelmente tristes, como se tivesse percebido que algo mudara em Frank, algo muito mais importante do que o crescimento físico repentino.

Frank também sabia. Jamais seria o mesmo. Só não sabia se isso era bom.

— Bem — disse Nico, aliviando a tensão. — Alguém faz ideia de como é a cevada?

XXI

ANNABETH

ANNABETH CONCLUIU QUE OS MONSTROS não iam matá-la. Nem a atmosfera venenosa, nem a paisagem traiçoeira com seus poços, precipícios e rochas afiadas.

Não. O motivo de sua morte seria, muito provavelmente, a overdose de *bizarrices* que faria seu cérebro explodir.

Primeiro, ela e Percy tiveram que beber fogo para se manterem vivos. Depois, foram atacados por um bando de vampiras, comandado por uma líder de torcida que Annabeth matara dois anos antes. Por fim, foram resgatados por um titã zelador chamado Bob, que tinha cabelos de Einstein, olhos de prata e técnicas mortíferas de luta com vassoura.

Claro. Por que não?

Seguiram Bob pela paisagem estéril e acompanharam o Flegetonte até se aproximarem da tempestade de trevas. De vez em quando, paravam para beber o fogo líquido, o que os mantinha vivos, mas Annabeth não estava nada feliz. Era como se estivesse o tempo todo fazendo gargarejo com ácido de bateria.

Seu único conforto era Percy. De vez em quando, ele a olhava e sorria ou apertava sua mão. Devia estar tão apavorado e arrasado quanto ela, mas Annabeth o amava por tentar fazê-la se sentir melhor.

— Bob sabe o que está fazendo — assegurou Percy.

— Você tem amigos interessantes — murmurou Annabeth.

— Bob é interessante! — O titã se virou e deu um sorriso. — É, obrigado!

A audição do grandalhão era bem aguçada. Annabeth não podia se esquecer disso.

— Então, Bob… — Ela tentou soar despreocupada e simpática, o que não era fácil com a garganta ardendo por causa do fogo líquido. — Como você chegou ao Tártaro?

— Eu pulei — disse ele como se fosse óbvio.

— Você pulou no Tártaro porque Percy disse seu nome?

— Ele precisava de mim. — Seus olhos prateados brilharam em meio à escuridão. — Não tem problema. Estava cansado de varrer o palácio. Venham, estamos quase chegando a um abrigo.

Abrigo.

Annabeth não conseguia imaginar o que aquela palavra significava no Tártaro. Lembrou-se de quando ela, Luke e Thalia eram semideuses sem-teto lutando pela sobrevivência e dependiam dos abrigos que encontravam em sua jornada.

Esperava que, aonde quer que Bob os estivesse levando, houvesse banheiros limpos e uma máquina que vendesse salgadinhos. Conteve o riso. É, estava mesmo ficando maluca.

Annabeth continuou a mancar, tentando ignorar o estômago, que roncava. Observou as costas de Bob enquanto ele os conduzia na direção da muralha de escuridão, agora a apenas algumas centenas de metros de distância. O uniforme azul de zelador tinha um grande rasgo entre as omoplatas, como se alguém houvesse tentado esfaqueá-lo. Havia panos de limpeza saindo de seu bolso. Trazia no cinto uma garrafa plástica, e o líquido azul em seu interior balançava de modo hipnótico.

Annabeth se lembrou da história de Percy sobre como conhecera o titã. Thalia Grace, Nico di Angelo e Percy tinham se unido para derrotar Bob às margens do Lete. Depois de apagar sua memória, não tiveram coragem de matá-lo. O titã se tornou tão gentil, simpático e prestativo que os semideuses o deixaram no palácio de Hades, onde Perséfone prometeu que cuidariam dele.

Aparentemente, o rei e a rainha do Mundo Inferior entendiam que "cuidar" de alguém era dar à pessoa uma vassoura e mandá-la limpar sua sujeira. Annabeth achou muita insensibilidade, até mesmo para Hades. Jamais sentira pena de um titã antes, mas não parecia certo pegar um imortal que teve a memória apagada e transformá-lo em um zelador que não recebia salário.

Ele não é seu amigo, lembrou a si mesma.

Morria de medo de que, de repente, Bob se lembrasse de quem era. O Tártaro era o lugar para onde os monstros iam se regenerar. E se ele recuperasse a memória e voltasse a ser Jápeto? Bem, ela o vira dar cabo daquelas *empousai*. Annabeth estava desarmada. Ela e Percy não estavam em condições de enfrentar um titã.

Olhava nervosamente para o cabo da vassoura de Bob, perguntando-se em quanto tempo aquela lança oculta se projetaria para fora e apontaria para ela.

Seguir Bob pelo Tártaro era um risco absurdo. Infelizmente, não podia pensar em plano melhor.

Seguiam pelas terras desoladas e cinzentas quando um relâmpago vermelho reluziu nas nuvens tóxicas. Apenas mais um dia agradável nas masmorras da criação. Annabeth não podia ver muito longe no ar enevoado, entretanto, quanto mais caminhavam, mais certeza tinha de que estavam descendo.

Ela ouvira descrições conflitantes do Tártaro. Era um poço sem fundo. Uma fortaleza cercada por paredes de metal. Não era nada além de um vazio infinito.

Uma história o descrevia como o contrário do céu, o interior oco de um enorme domo de rocha invertido. Essa parecia a descrição mais precisa, porém, se o Tártaro fosse um domo, Annabeth achava que era como o do céu: sem um fundo de verdade, mas composto por várias camadas, cada uma mais escura e menos acolhedora que a anterior.

E nem *isso* contava toda a horrível verdade...

Passaram por uma bolha que brotava do chão. Era translúcida e do tamanho de uma minivan. Em seu interior estava o corpo semiformado de um drakon. Bob perfurou-a com a lança sem pensar duas vezes. Ela explodiu em um gêiser de gosma amarela e fumegante, e o drakon se desintegrou.

Bob continuou em frente.

Monstros são espinhas na pele do Tártaro, pensou Annabeth. E estremeceu. Às vezes desejava não ter uma imaginação tão fértil, porque agora estava certa de que caminhavam por algo vivo. Toda aquela paisagem bizarra, o domo, poço ou fosse qual fosse seu nome, era o corpo do deus Tártaro, a mais antiga encarnação do mal. Assim como Gaia habitava a superfície da Terra, Tártaro habitava as profundezas.

Se aquele deus os notasse caminhando por sua pele, como pulgas em um cachorro... Chega. Chega de pensar nisso.

— Aqui — disse Bob.

Pararam no topo de uma elevação. Abaixo deles, em uma depressão parecida com uma cratera lunar, havia um círculo de colunas de mármore em ruínas cercando um altar de rocha negra.

— Um santuário de Hermes — explicou Bob.

Percy franziu a testa.

— Um santuário de Hermes no *Tártaro*?

Bob riu com prazer.

— É. Caiu de algum lugar há muito tempo. Talvez do mundo mortal. Talvez do Olimpo. Enfim, os monstros não chegam perto dali. A maioria.

— Como sabia que isso estava aqui? — perguntou Annabeth.

O sorriso de Bob desapareceu. Seu rosto ficou sem expressão.

— Não lembro.

— Tudo bem — apressou-se em dizer Percy.

Annabeth ficou furiosa consigo mesma. Antes de Bob virar Bob, ele era Jápeto, o titã. Como todos os seus irmãos, tinha sido prisioneiro no Tártaro por eras. *É claro* que conhecia bem o lugar. Mas se ele se recordava desse santuário, podia começar a lembrar de outros detalhes de sua velha prisão e de sua velha vida. Isso *não* seria nada bom.

Penetraram na cratera e entraram no círculo de colunas. Annabeth desabou em uma placa rachada de mármore, exausta demais para dar um passo que fosse. Percy ficou de pé ao seu lado, em uma postura protetora, examinando os arredores. A enorme tempestade negra agora estava a menos de trinta metros, ocultando tudo o que havia adiante. A borda da cratera impedia a visão da terra estéril por onde tinham vindo. Ficariam bem escondidos ali, mas, caso algum monstro se deparasse com eles, seriam pegos de surpresa.

— Você disse que havia alguém atrás da gente — lembrou Annabeth. — Quem?

Bob limpava a base do altar com sua vassoura, agachando-se de vez em quando para examinar o chão, como se estivesse à procura de algo.

— É, vocês estão sendo seguidos. Eles sabem que vocês estão aqui. Gigantes e titãs. Os derrotados. Eles sabem.

Os derrotados...

Annabeth tentou controlar o medo. Quantos titãs e gigantes ela e Percy tinham enfrentado ao longo dos anos? Cada um dos inimigos parecera um desafio impossível. Se *todos* estivessem ali embaixo no Tártaro, caçando Percy e Annabeth...

— Então por que estamos parando? Devíamos seguir em frente.

— Daqui a pouco — disse Bob. — Mortais precisam de descanso. Aqui é um bom lugar. É o melhor lugar... por perto. Vou proteger vocês.

Annabeth olhou para Percy transmitindo silenciosamente a seguinte mensagem: *Ah, não.* Andar por aí com um titã já era ruim o bastante. Dormir sob a guarda do titã... não era preciso ser filha de Atena para saber que aquilo era maluquice.

— Por enquanto você dorme — disse Percy. — Eu e Bob ficamos de vigia.

Bob concordou.

— Isso, boa. Quando você acordar, a comida deve ter chegado!

O estômago de Annabeth roncou à menção de comida. Não imaginava como Bob faria surgir alimento no meio do Tártaro. Talvez também fosse cozinheiro além de zelador.

Não queria dormir, mas foi traída por seu corpo. Suas pálpebras viraram chumbo.

— Percy, me acorde para o segundo turno. Não dê uma de herói.

Ele deu aquele sorriso sarcástico que ela aprendera a amar.

— Quem, eu?

Ele a beijou com lábios febris e ressecados.

— Durma.

Annabeth se sentiu como se estivesse de volta ao chalé de Hipnos, no Acampamento Meio-Sangue, caindo de sono. Encolheu-se no chão duro e fechou os olhos.

XXII

ANNABETH

Mais tarde, ela tomou uma decisão. Nunca, *jamais* dormir no Tártaro.

Os sonhos dos semideuses eram sempre ruins. Mesmo na segurança de seu beliche no acampamento, tinha pesadelos horrorosos. No Tártaro, eles pareciam mil vezes mais reais.

Primeiro, era novamente uma garotinha que não conseguia subir a Colina Meio-Sangue. Luke Castellan segurava sua mão, ajudando-a. Grover Underwood, seu guia sátiro, esperava inquieto no topo, gritando: "Corram! Corram!"

Thalia Grace ficara um pouco para trás, contendo um exército de cães infernais com seu escudo que invocava o terror, Aegis.

Do alto do morro, Annabeth podia ver o acampamento no vale — as luzes cálidas dos chalés, a possibilidade de refúgio. Tropeçou e torceu o tornozelo, e Luke a carregou nos braços. Quando olharam para trás, os monstros estavam a apenas alguns metros de distância. Havia dezenas deles cercando Thalia.

— Podem ir! — gritou ela. — Vou segurá-los.

Ela brandiu sua lança e raios bifurcados varreram as fileiras de monstros; porém, à medida que os cães infernais morriam, outros tomavam seus lugares.

— Corram! — gritou Grover.

Ele os conduziu até o acampamento. Luke o seguiu, enquanto Annabeth chorava, debatendo-se em seus braços e gritando que não podiam deixar Thalia sozinha. Mas era tarde demais.

A cena mudou.

Annabeth, mais velha, subia até o topo da Colina Meio-Sangue. No local da batalha final de Thalia agora erguia-se um pinheiro alto. O céu estava tomado por uma forte tempestade.

Os trovões faziam o vale tremer. Um raio caiu na árvore, abrindo uma fenda fumegante que ia até as raízes. No pé da colina, Reyna, pretora de Nova Roma, estava parada na escuridão. Sua capa era da cor de sangue recém-derramado. Sua armadura dourada reluzia. A jovem olhava para cima, com expressão altiva e distante, e suas palavras ecoavam diretamente nos pensamentos de Annabeth.

Você agiu bem, disse Reyna, mas a voz era de Atena. *O resto de minha jornada deve ser nas asas de Roma.*

Os olhos escuros da pretora ficaram cinzentos como as nuvens da tempestade.

Preciso ficar aqui, disse Reyna. *Os romanos devem me trazer.*

A colina estremeceu. O chão se moveu em ondas; a grama se transformou nas dobras de seda do vestido de uma deusa enorme. Gaia ergueu-se diante do Acampamento Meio-Sangue. Seu rosto adormecido era do tamanho de uma montanha.

Cães infernais chegavam em bandos pelas colinas. Gigantes de seis braços nascidos da terra e ciclopes selvagens atacavam da praia. Destruíram o refeitório e incendiaram os chalés e a Casa Grande.

Depressa, disse a voz de Atena. *A mensagem precisa ser enviada.*

O chão se rompeu aos pés de Annabeth e ela caiu na escuridão.

Seus olhos se abriram de repente. Ela gritou e agarrou os braços de Percy. Ainda estava no Tártaro, no Santuário de Hermes.

— Está tudo bem — disse Percy, tranquilizando-a. — Pesadelos?

Seu corpo formigava de medo.

— Já é… é meu turno de vigia?

— Não, não. Estamos bem. Pode dormir.

— Percy!

— Ei, está tudo bem. Além disso, estava empolgado demais para dormir. Veja.

Bob, o titã, estava sentado de pernas cruzadas ao lado do altar, devorando alegremente uma fatia de pizza.

Annabeth esfregou os olhos, achando que ainda estava sonhando.

— Isso é... *pepperoni*?

— Oferendas queimadas — explicou Percy. — Sacrifícios do mundo mortal para Hermes, acho. Surgiram em uma nuvem de fumaça. Temos meio cachorro-quente, algumas uvas, um prato de rosbife e um saquinho de M&Ms de amendoim.

— M&Ms para Bob! — disse o titã, contente. — Hã, tudo bem?

Annabeth não protestou. Percy levou até ela a travessa de rosbife, e ela os devorou com a voracidade de um lobo. Nunca comera algo tão bom. A carne ainda estava quente, com uma crosta doce e apimentada exatamente como a do churrasco do Acampamento Meio-Sangue.

— Eu sei — disse Percy, lendo sua expressão. — Acho que veio mesmo do Acampamento Meio-Sangue.

A ideia deixou Annabeth morta de saudades de casa. Em todas as refeições, os membros do acampamento queimavam parte da comida em honra a seus pais divinos. A fumaça supostamente agradava aos deuses, mas Annabeth nunca tinha pensado para onde aquela comida ia depois de queimada. Talvez as oferendas reaparecessem nos altares dos deuses no Olimpo... ou mesmo ali, no meio do Tártaro.

— M&Ms de amendoim — disse Annabeth. — Connor Stoll sempre queimava um pacote para o pai no jantar.

Lembrou-se de quando se sentava no refeitório e observava o sol se pôr no estreito de Long Island. Aquele foi o lugar em que ela e Percy se beijaram de verdade pela primeira vez. Seus olhos ficaram marejados.

Percy pôs a mão em seu ombro.

— Ei, isso é *bom*. Comida de verdade, de casa, certo?

Ela assentiu. Terminaram de comer em silêncio.

Bob engoliu seus últimos M&Ms.

— A gente tem que ir agora. Eles vão chegar em alguns minutos.

— Alguns *minutos*?

Annabeth ia tentar sacar sua faca quando lembrou que não estava mais com ela.

— É... bem, eu *acho* que são alguns minutos... — Bob coçou os cabelos prateados. — O tempo é uma coisa meio complicada no Tártaro. Não é igual.

Percy subiu com cautela até a borda da cratera e olhou na direção de onde tinham vindo.

— Não estou vendo nada, mas isso não quer dizer muito. Bob, de quais gigantes estamos falando? Quais titãs?

Bob resmungou.

— Não sei os nomes. Devem ser seis, talvez sete. Posso senti-los.

— *Seis ou sete?* — Annabeth achou que ia pôr a comida toda para fora. — E eles podem sentir *você*?

— Não sei. — Bob sorriu. — Bob é diferente! Mas eles com certeza podem farejar semideuses. Vocês dois têm um cheiro muito forte! Bom e forte. Como... humm. Como pão com manteiga derretida.

— Pão com manteiga. Nossa, que ótimo — disse Annabeth.

Percy voltou para perto do altar.

— É possível matar um gigante no Tártaro? Quer dizer, já que não temos um deus para nos ajudar?

Olhou para Annabeth como se ela soubesse a resposta.

— Percy, não sei. Viajar pelo Tártaro, lutar contra os monstros aqui... é a primeira vez que alguém faz isso. Será que Bob poderia nos ajudar a matar um gigante? Será que um titã conta como deus? Simplesmente não sei.

— É... — disse Percy. — O.k.

Annabeth podia ver a preocupação nos olhos dele. Por anos Percy contara com ela para encontrar respostas. Agora, quando ele mais precisava, Annabeth não conseguia ajudá-lo. Odiava estar tão perdida, mas nada do que aprendera no Acampamento Meio-Sangue a havia preparado para o Tártaro. Só tinha certeza de uma coisa: precisavam seguir em frente. Não podiam ser pegos por seis ou sete imortais hostis.

Ela se levantou, ainda desorientada por conta dos pesadelos. Bob começou a arrumar tudo, juntou o lixo em uma pequena pilha e borrifou o líquido da garrafa de seu cinto no altar, limpando-o com um pano.

— Vamos para onde, agora? — perguntou Annabeth.

Percy apontou para a muralha de trevas e tempestade.

— Bob diz que é para lá. Aparentemente, as Portas da Morte...

— Você *contou* a ele? — exclamou Annabeth. Não teve a intenção de ser dura, mas Percy estremeceu.

— Enquanto você estava dormindo — admitiu Percy. — Annabeth, Bob pode nos ajudar. Precisamos de um guia.

— Bob ajuda! — concordou o titã. — Vamos para as Terras Sombrias. As Portas da Morte... Humm, ir andando direto até elas seria ruim. Lá há muitos monstros. Nem Bob pode varrer tantos assim. Eles matariam Percy e Annabeth em dois segundos. — O titã franziu a testa. — *Acho* que são segundos, o tempo é complicado no Tártaro.

— Está bem — resmungou Annabeth. — Mas tem outro jeito?

— Escondidos — disse Bob. — A Névoa da Morte pode ocultar vocês.

— Ah... — Annabeth de repente se sentiu muito pequena à sombra do titã. — Hã... O que é essa Névoa da Morte?

— Ela é perigosa — advertiu Bob. — Mas se a senhora lhes der a Névoa da Morte, talvez vocês consigam se esconder. Se pudermos evitar a Noite. A senhora é *muito* ligada à Noite. Isso não é bom.

— A Senhora — repetiu Percy.

— É. — Bob apontou para a escuridão absoluta à frente deles. — É melhor irmos.

Percy olhou para Annabeth, obviamente em busca de alguma orientação, mas ela não tinha nada a oferecer. Estava pensando em seu pesadelo, na árvore de Thalia rachada por um raio, em Gaia se erguendo na encosta e lançando seus monstros contra o Acampamento Meio-Sangue.

— Então está decidido — disse Percy. — Acho que vamos ver uma senhora para falar sobre uma Névoa da Morte.

— Esperem — disse Annabeth.

Sua mente passou por um turbilhão. Ela pensou no sonho com Luke e Thalia. Lembrou-se das histórias que Luke contara sobre o pai dele, Hermes, o deus dos viajantes, guia dos espíritos dos mortos, deus da comunicação.

Ficou algum tempo olhando para o altar negro.

— Annabeth? — Percy parecia preocupado.

Ela caminhou até a pilha de lixo e pegou um guardanapo razoavelmente limpo.

Lembrou-se da visão de Reyna parada sob os restos fumegantes do pinheiro de Thalia, falando com a voz de Atena.

Preciso ficar aqui. Os romanos devem me trazer.

Depressa. A mensagem deve ser enviada.

— Bob — disse ela. — As oferendas queimadas no mundo mortal aparecem neste altar, certo?

Bob, aparentando desconforto, franziu a testa, como se fosse um aluno que não se preparou para um teste surpresa.

— Sim?

— E o que acontece se eu queimar algo aqui no altar?

— Hã...

— Tudo bem — disse Annabeth. — Você não sabe. Ninguém sabe porque isso nunca foi feito.

Havia uma chance, pensou ela, uma ínfima chance de que uma oferenda queimada naquele altar aparecesse no Acampamento Meio-Sangue.

Não dava para ter certeza, mas *se* funcionasse...

— Annabeth? — Percy tornou a dizer. — Você está planejando alguma coisa. Está com aquela cara de *estou planejando alguma coisa*.

— Não tenho uma cara de *estou planejando alguma coisa*.

— Tem, tem sim. Você franze a testa e aperta os lábios, e...

— Tem uma caneta? — perguntou ela.

— Está brincando, certo? — Ele sacou a Contracorrente.

— É, mas você consegue usá-la para escrever?

— Eu... eu não sei — admitiu ele. — Nunca tentei.

Ele destampou a caneta. Como sempre, ela se transformou em uma grande espada. Annabeth o havia visto fazer aquilo centenas de vezes. Percy costumava simplesmente descartar a tampa quando ia lutar. Ela sempre reaparecia mais tarde em seu bolso. E quando a encostava na ponta da espada, a lâmina voltava à forma de uma caneta esferográfica.

— E se você colocar a tampa na outra ponta da espada? — perguntou Annabeth. — Como faria se fosse realmente escrever alguma coisa.

— Hã... — Percy pareceu ter ficado em dúvida, mas pôs a tampa no cabo da espada.

Contracorrente se transformou de novo em uma caneta esferográfica, e agora a ponta de escrever estava exposta.

— Posso? — Annabeth tirou-a da mão dele.

Então apoiou o guardanapo no altar e começou a escrever. A tinta da Contracorrente reluzia com cor de bronze celestial.

— O que está fazendo? — perguntou Percy.

— Enviando uma mensagem. Só espero que Rachel a receba.

— Rachel? Está falando da *nossa* Rachel? A Rachel do Oráculo de Delfos?

— Ela mesma — confirmou, contendo um sorriso.

Sempre que Annabeth mencionava o nome de Rachel, Percy ficava nervoso. Houve uma época em que Rachel estivera a fim de Percy. Mas já fazia muito tempo. As duas garotas tinham se tornado amigas. Annabeth, porém, não se importava em deixar Percy um pouco desconfortável. É sempre bom manter o namorado esperto.

Annabeth terminou o bilhete e dobrou o guardanapo. Na parte externa, escreveu:

Connor,

Entregue isto a Rachel. Não é uma brincadeira. Não seja idiota.

Beijos,

Annabeth

Respirou fundo. Estava pedindo a Rachel Dare que fizesse algo absurdamente perigoso, mas era a única maneira que conseguia imaginar de se comunicar com os romanos, a única forma de evitar o derramamento de sangue.

— Agora só preciso queimar isso. Alguém tem fósforo?

Do cabo de vassoura de Bob surgiu a ponta de uma lança. Ela soltou faíscas ao bater no altar e irrompeu em chamas prateadas.

— Ah, obrigada.

Annabeth pôs fogo no guardanapo e o deixou no altar. Ela o observou virar cinzas e se perguntou se estaria louca. Será que a fumaça conseguiria sair do Tártaro?

— Temos que ir agora — aconselhou Bob. — Temos mesmo que ir. Antes que matem a gente.

Annabeth encarou a parede de trevas à frente deles. Em algum lugar lá atrás havia uma senhora que fornecia uma Névoa da Morte que *talvez* conseguisse ocultá-los dos monstros, um plano concebido por um titã, um de seus piores inimigos. Outra dose de bizarrice para fundir seu cérebro de vez.

— Tudo bem — disse ela. — Estou pronta.

XXIII

ANNABETH

Annabeth literalmente tropeçou no segundo titã.

Depois de entrarem na tempestade, avançaram com dificuldade durante o que pareceram horas, contando com a claridade da lâmina de bronze celestial de Percy e com Bob, que brilhava levemente no escuro, como uma espécie de anjo zelador esquisito.

Annabeth só conseguia ver pouco mais de um metro à frente. É estranho, mas as Terras Sombrias a faziam lembrar de São Francisco, onde o pai dela morava, quando as tardes de verão tinham uma névoa úmida e fria que engolia Pacific Heights. Só que ali no Tártaro a névoa era feita de nanquim.

Rochas gigantescas surgiam do nada. Poços apareciam de repente diante de seus pés, e por pouco Annabeth não caiu. Rugidos monstruosos ecoavam nas trevas, mas ela não sabia de onde vinham. Só o que podia dizer com certeza era que o terreno continuava em declive.

Para baixo. Essa parecia ser a única direção no Tártaro. Se Annabeth recuasse um passo sequer, sentia-se cansada e pesada, como se a gravidade aumentasse para desencorajá-la. Supondo que todo aquele lugar *era* o corpo de Tártaro, Annabeth tinha a péssima sensação de que estavam descendo direto pela garganta.

Estava tão distraída com essa preocupação que não percebeu a saliência de rocha até ser tarde demais.

— Ei! — gritou Percy.

Ele tentou agarrar seu braço, mas ela já estava caindo.

Felizmente, o buraco era raso. A maior parte dele estava ocupada por uma bolha de monstro. Aterrissou em uma superfície quente e macia e estava se sentindo com sorte. Até que abriu os olhos e se viu encarando, através de uma membrana dourada e reluzente, outro rosto, muito maior.

Ela gritou, perdeu o equilíbrio e caiu ao lado da depressão. Seu coração quase saiu pela boca.

Percy a ajudou a se levantar.

— Você está bem?

Não se julgava em condições de responder. Se abrisse a boca, podia gritar de novo, o que não seria uma atitude digna. Ela era filha de Atena, não uma personagem histérica de filme de terror.

Mas, deuses do Olimpo... Encolhido dentro da membrana da bolha diante dela havia um titã completamente formado, com armadura dourada e pele cor de bronze polido. Estava de olhos fechados, mas sua expressão era tão furiosa que ele parecia prestes a soltar um apavorante grito de guerra. Mesmo através da bolha, Annabeth podia sentir o calor que irradiava de seu corpo.

— Hiperíon — disse Percy. — Odeio esse cara.

De repente, um antigo ferimento no ombro de Annabeth começou a latejar. Durante a Batalha de Manhattan, Percy tinha enfrentado aquele titã no reservatório, água contra fogo.

Foi a primeira vez que Percy invocou um furacão, algo que Annabeth jamais esqueceria.

— Achei que Grover tinha transformado esse sujeito em uma árvore.

— Pois é — concordou Percy. — Talvez a árvore tenha morrido e ele acabou aqui outra vez.

Annabeth se lembrava das explosões causticantes provocadas por Hiperíon e de quantos sátiros e ninfas ele matara antes que Percy e Grover conseguissem detê-lo.

Estava prestes a sugerir que estourassem a bolha de Hiperíon antes que ele despertasse. O titã parecia pronto para se libertar a qualquer momento e começar a carbonizar tudo em seu caminho.

Então ela olhou para Bob. O titã prateado observava Hiperíon com uma expressão de concentração, talvez identificando-se com ele. Os dois eram muito parecidos.

Annabeth conteve um palavrão. É claro que eles se pareciam. Aquele era *seu irmão*. Hiperíon era o titã Senhor do Leste. Jápeto, Bob, era o Senhor do Oeste. Se substituíssem o uniforme e a vassoura de zelador por uma armadura, cortassem seus cabelos e trocassem o visual prata pelo dourado, seria praticamente impossível distinguir os dois.

— Bob — chamou ela. — Temos que ir.

— Ouro, não prata — murmurou Bob. — Mas ele parece comigo.

— Bob — chamou Percy. — Ei, parceiro, aqui.

O titã se virou, relutante.

— Sou seu amigo? — perguntou Percy.

— É. — Bob pareceu perigosamente confuso. — Somos amigos.

— Você sabe que alguns monstros são bons. E outros são maus.

— Humm. Tipo... aqueles lindos espíritos de mulheres que servem Perséfone são bons. E zumbis que explodem são maus.

— Isso — disse Percy. — E alguns mortais são bons, e outros, maus. Com os titãs também é assim.

— Titãs...

Bob, imenso, estava parado diante deles, brilhando. Annabeth tinha certeza de que seu namorado havia acabado de cometer um grande erro.

— É isso o que você é — disse calmamente Percy. — Bob, o titã. Você é bom. É incrível, na verdade. Mas alguns titãs não são assim. Esse cara aí, Hiperíon, é totalmente do mal. Ele tentou me matar... tentou matar um monte de gente.

Bob piscou os olhos prateados.

— Mas ele parece... Seu rosto é tão...

— Vocês se parecem — concordou Percy. — Ele também é um titã. Mas não é bom como você.

— Bob é bom. — Os dedos dele apertaram o cabo da vassoura. — É. Sempre existe pelo menos um que é bom... Monstros, titãs, gigantes.

— Hã... — Percy fez uma careta. — Bem, não tenho tanta certeza sobre gigantes.

— Ah, sim. — Bob balançava a cabeça gravemente.

Annabeth sentia que já tinham ficado tempo demais naquele lugar. Seus perseguidores deviam estar se aproximando.

— Precisamos ir — insistiu ela. — O que fazemos em relação a...?

— Bob — disse Percy. — Você decide. Hiperíon é da sua espécie. Nós podemos deixá-lo em paz, mas se ele despertar...

A vassoura-lança de Bob passou em um movimento rápido. Se o titã quisesse atingir Annabeth ou Percy, eles teriam sido cortados ao meio. Em vez disso, Bob furou a bolha, que explodiu em um gêiser de lama quente e dourada.

Annabeth limpou a gosma de titã dos olhos. No lugar onde Hiperíon estivera não havia mais nada, apenas uma cratera fumegante.

— Hiperíon é um titã mau — anunciou Bob, com expressão séria. — Agora não pode mais machucar meus amigos. Ele vai ter que se refazer em outro lugar do Tártaro. Tomara que demore bastante.

Os olhos do titã pareciam brilhar mais que o normal, como se ele estivesse prestes a chorar mercúrio.

— Obrigado, Bob — disse Percy.

Como ele conseguia se manter tão calmo? O modo como conversara com Bob deixou Annabeth pasma... e talvez um pouco desconfortável. Se Percy falara sério sobre deixarem a decisão com Bob, o fato de ele confiar tanto no titã não a agradava. E se manipulara Bob para fazer a escolha que eles queriam... Bem, ela ficaria surpresa por ele agir de modo tão calculista.

Os olhares dos dois se cruzaram, mas ela não conseguiu ler sua expressão. O que também a incomodou.

— É melhor irmos andando — sugeriu ele.

Percy e ela seguiram Bob, e os respingos da explosão da bolha de Hiperíon brilhavam em seu uniforme de zelador.

XXIV

ANNABETH

Depois de algum tempo, Annabeth estava com a impressão que seus pés tinham virado purê de titã. Continuava a seguir Bob, ouvindo o ruído monótono do líquido dentro de sua garrafa de limpeza balançar.

Fique alerta, disse para si mesma, mas era difícil. Sua mente estava tão dormente quanto as pernas. De vez em quando, Percy segurava sua mão ou fazia algum comentário encorajador, mas dava para perceber que a paisagem sombria também o estava afetando. Seus olhos pareciam mais apagados, como se seu ânimo aos poucos estivesse se extinguindo. *Ele se jogou no Tártaro para estar com você*, disse uma voz na cabeça dela. *Se ele morrer, vai ser sua culpa.*

— Pare com isso — disse em voz alta.

Percy franziu a testa.

— O quê?

— Não, você não. — Ela tentou dar um sorriso reconfortante, mas falhou. — Preciso parar de falar comigo mesma. Este lugar… está mexendo com a minha cabeça. Me faz ter pensamentos sombrios.

As linhas de preocupação em torno dos olhos verde-mar de Percy se acentuaram.

— Ei, Bob, para onde exatamente estamos indo?

— Ver a Senhora — respondeu o titã. — Névoa da Morte.

Annabeth tentou conter a irritação.

— Mas o que isso significa? Quem é essa Senhora?

— Dizer o nome dela? — Bob olhou por cima do ombro. — Não é uma boa ideia.

Annabeth deu um suspiro. O titã tinha razão. Nomes tinham poder, e dizê-los ali no Tártaro era provavelmente muito perigoso.

— Sabe pelo menos dizer se estamos muito longe? — perguntou ela.

— Não sei — admitiu Bob. — Só posso sentir. Vamos esperar a escuridão ficar mais escura, aí fazemos um desvio pelo lado.

— Pelo lado — murmurou Annabeth. — É claro.

Estava tentada a pedir para descansarem, mas não queria parar. Não ali naquele lugar escuro e frio. A névoa negra penetrava em seus ossos, transformando-os em isopor úmido.

Ela se perguntou se Rachel Dare receberia sua mensagem. Se Rachel pudesse de algum modo levar sua proposta para Reyna sem ser morta…

Uma esperança ridícula, disse a voz em sua cabeça. *Você só pôs Rachel em perigo. Mesmo que ela encontre os romanos, por que Reyna confiaria em você depois de tudo o que aconteceu?*

Annabeth teve vontade de responder à voz aos gritos, mas se controlou. Mesmo que estivesse enlouquecendo, não queria *parecer* que estava enlouquecendo.

Precisava desesperadamente de algo para animá-la. Um gole de água de verdade. Um momento à luz do sol. Uma cama quente. Uma palavra doce de sua mãe.

De repente, Bob parou e ergueu a mão: *Esperem.*

— O que foi? — sussurrou Percy.

— Shhh — alertou Bob. — Ali na frente. Tem algo se movendo.

Annabeth apurou os ouvidos. De algum lugar na neblina vinha um ronco contínuo, como o giro lento do motor de um grande trator. Ela podia sentir as vibrações em seus sapatos.

— Vamos cercá-lo — murmurou Bob. — Cada um de vocês vá por um lado.

Pela milionésima vez, Annabeth desejou ter sua faca. Pegou um pedaço de obsidiana negra afiada e seguiu pela esquerda. Percy foi pela direita, com a espada na mão.

Bob foi pelo centro com a ponta de sua lança brilhando em meio ao nevoeiro.

O ronco ficou mais alto e começou a sacudir o cascalho sob os pés de Annabeth. O barulho parecia vir de um ponto diretamente à frente deles.

— Prontos? — murmurou Bob.

Annabeth se encolheu, se preparando para saltar.

— No três?

— Um — murmurou Percy. — Dois...

Uma figura surgiu na névoa. Bob ergueu a lança.

— Esperem! — gritou Annabeth.

Bob se deteve bem a tempo. A ponta de sua lança parou a poucos centímetros da cabeça de um pequeno filhote de gato de pelagem bege, laranja e preta.

— Rrrrrriauuuu? — fez o filhote, obviamente nada impressionado com o plano de ataque deles. O animalzinho esfregou a cabeça no pé de Bob e ronronou alto.

Parecia impossível, mas o ronco grave e vibrante vinha do filhote. Quando ronronava, o chão tremia e os seixos dançavam. O gatinho fixou seus olhos amarelos como lâmpadas em uma rocha bem entre os pés de Annabeth e saltou até lá.

O gato podia ser um demônio ou um horrível monstro do Mundo Inferior disfarçado. Mas Annabeth não conseguiu resistir. Ela o pegou e aninhou no colo. O bichinho estava muito magro, mas, fora isso, parecia perfeitamente normal.

— Como ele...? — Ela nem conseguia formular a pergunta direito. — O que um gatinho desses está fazendo...?

O gato foi ficando impaciente e se desvencilhou de seus braços. Caiu no chão com um baque surdo, foi até Bob e começou a ronronar enquanto se esfregava nas botas do titã.

Percy riu.

— Alguém gostou de você, Bob.

— Deve ser um monstro bom. — Bob ergueu os olhos, preocupado. — Não é?

Annabeth sentiu um nó na garganta. Ao ver o titã enorme e aquele gatinho minúsculo lado a lado, de repente, sentiu-se insignificante em comparação à vastidão do Tártaro. Aquele lugar não tinha respeito por nada, bom ou mau, pequeno ou grande, inteligente ou não. O Tártaro engolia titãs, semideuses e gatinhos indiscriminadamente.

Bob se ajoelhou e pegou o filhote. Ele cabia perfeitamente na palma de sua mão, mas queria explorar. Escalou o braço do titã, aninhou-se em seu ombro, fechou os olhos e começou a ronronar como um trator. De repente, seu pelo brilhou. Com um clarão repentino, o gatinho se transformou em um esqueleto fantasmagórico, como se estivesse sendo visto por uma máquina de raios-x. Depois virou um gatinho normal outra vez.

Annabeth piscou.

— Vocês viram…?

— Vi. — Percy franziu a testa. — Ah, cara… Eu *conheço* esse gatinho. É um daqueles do Smithsonian.

Annabeth tentou entender do que Percy estava falando. Ela nunca tinha ido ao Smithsonian com ele… Então se lembrou de quando tinha sido capturada pelo titã Atlas vários anos antes. Percy e Thalia lideraram uma expedição para resgatá-la. Pelo caminho, viram Atlas conjurar esqueletos guerreiros de dentes de dragão no Museu Smithsonian.

Segundo Percy, a primeira tentativa do titã não deu certo. Ele plantou por engano dentes de tigres-dentes-de-sabre, invocando um bando de gatinhos esqueletos.

— Esse é *um* deles? — perguntou Annabeth. — Como chegou aqui?

Percy estendeu as mãos sem saber o que dizer.

— Atlas disse a seus servos que se livrassem dos filhotes. Talvez tenham destruído os gatos e eles renasceram no Tártaro. Não sei.

— É bonitinho — disse Bob enquanto o gatinho cheirava sua orelha.

— Mas não será perigoso? — perguntou Annabeth.

O titã coçou o pescoço do bichinho. Annabeth não sabia se era uma boa ideia sair por aí com um gato criado a partir de um dente pré-histórico, mas isso agora obviamente não importava. O titã e o gato tinham ficado amigos.

— Vou chamá-lo de Bob Pequeno — disse Bob. — Ele é um monstro legal.

Fim de papo. O titã pegou sua lança, e eles continuaram a caminhar para o interior da escuridão.

Annabeth andava quase em transe, tentando não pensar em pizza. Para se manter distraída, observava Bob Pequeno, o gatinho, que andava e ronronava nos ombros de Bob, transformando-se de vez em quando em um esqueleto brilhante de gatinho e em seguida voltando a ser a bola de pelo tricolor.

— Aqui — anunciou Bob.

Ele parou tão de repente que Annabeth quase esbarrou em suas costas. Bob olhou para a esquerda, como se estivesse mergulhado em pensamentos.

— É aqui? — perguntou Annabeth. — Onde nós *desviamos*?

— É — concordou Bob. — Mais escuro, então desviamos para o lado.

Annabeth não sabia dizer se estava realmente mais escuro, mas o ar parecia mais frio e denso, como se tivessem entrado em um microclima diferente. Mais uma vez se lembrou de São Francisco, onde era possível ir de um bairro ao outro e sentir a temperatura cair dez graus. Perguntou-se se os titãs teriam construído seu palácio no Monte Tamalpais porque a região da Baía de São Francisco os lembrava do Tártaro.

Que pensamento deprimente. Só titãs veriam um lugar tão bonito como um potencial posto avançado do Mundo Inferior, um lar infernal longe de casa.

Bob seguiu para a esquerda. Eles foram atrás. O ar definitivamente ficou mais frio. Annabeth se encostou em Percy para se aquecer. O namorado a envolveu com um braço. Era uma sensação boa estar perto dele, mas ela não conseguia relaxar.

Entraram em uma espécie de floresta. Árvores negras muito altas se erguiam na escuridão, perfeitamente redondas e sem galhos, como monstruosos folículos capilares. O chão era liso e claro.

Com a nossa sorte, pensou Annabeth, estamos andando pelo sovaco do Tártaro.

De repente, ela ficou completamente alerta, como se alguém houvesse soltado o elástico do estilingue em sua nuca. Encostou a mão no tronco da árvore mais próxima.

— O que é isso? — perguntou Percy, erguendo a espada.

Bob se virou e olhou para trás, confuso.

— Vamos parar?

Annabeth ergueu a mão para pedir silêncio. Não sabia o que a alertara. Nada parecia diferente. Então se deu conta de que o tronco estava oscilando. Perguntou-se por um instante se era o ronronar do gato. Mas Bob Pequeno continuava adormecido no ombro do Bob Grande.

A alguns metros de distância, outra árvore estremeceu.

— Há algo se movendo acima da gente — murmurou Annabeth. — Vamos ficar juntos.

Bob e Percy se aproximaram, e os três ficaram de costas uns para os outros.

Annabeth forçou a vista para tentar ver acima deles na escuridão, mas nada se moveu.

Tinha quase chegado à conclusão de que estava paranoica quando o primeiro monstro caiu no chão a menos de dois metros de distância.

A primeira coisa que lhe ocorreu foi: *As Fúrias*.

A aparência era praticamente a mesma: uma velha enrugada com asas de morcego, esporões de metal e olhos vermelhos reluzentes. Usava um vestido de seda preta esfarrapado, e seu rosto estava distorcido e com aparência faminta, como uma avó demoníaca pronta para matar.

Bob grunhiu quando outra caiu diante dele, e em seguida mais uma na frente de Percy. Em pouco tempo estavam cercados por meia dúzia das criaturas, e outras mais sibilavam nas árvores acima.

Então não podiam ser fúrias. Só havia *três* delas, e aquelas bruxas aladas não tinham chicotes. Isso não tranquilizou Annabeth. Os esporões dos monstros pareciam perigosos o suficiente.

— O que são vocês? — indagou ela.

As arai, sibilou uma voz. *As maldições!*

Annabeth tentou localizar quem havia falado, mas nenhum dos demônios tinha mexido a boca. Seus olhos pareciam mortos; as expressões, imóveis, como a de um fantoche. A voz simplesmente se propagou no ar como a de um narrador de um filme, como se uma única mente controlasse todas as criaturas.

— O que… o que vocês querem? — perguntou Annabeth, tentando manter um tom confiante.

A voz soltou uma gargalhada maligna. *Amaldiçoá-los, é claro! Destruí-los mil vezes em nome da Mãe Noite!*

— Só mil vezes? — murmurou Percy. — Ah, ainda bem… achei que estávamos com problemas.

O círculo de mulheres demoníacas se fechou.

XXV

HAZEL

Tudo cheirava a veneno. Dois dias depois de sair de Veneza, Hazel ainda não conseguira deixar de sentir o fedor tóxico de *colônia de monstro bovino*.

O enjoo marítimo não ajudava. O *Argo II* navegava pelo Adriático, uma bela imensidão azul brilhante, mas Hazel não conseguia apreciá-la devido ao constante oscilar do navio. No convés, tentava manter os olhos fixos no horizonte, mirando os penhascos brancos que pareciam estar sempre a apenas alguns quilômetros a leste. Que país seria aquele? A Croácia? Não tinha certeza. Hazel só queria voltar a pisar em terra firme.

Mas o que mais lhe provocava náuseas era a doninha.

Na noite anterior, o animal de estimação de Hécate, Gale, aparecera em sua cabine. Hazel acordou de um pesadelo pensando "Que cheiro é esse?" e encontrou o animal peludo em seu peito, observando-a com os olhos negros e redondos.

Nada como acordar gritando, chutar as próprias cobertas e sair pulando pela cabine enquanto uma doninha corre por entre seus pés, chiando e peidando.

Os amigos correram até lá para ver se ela estava bem. Foi difícil explicar a presença da doninha. Hazel sabia que Leo estava se esforçando muito para não fazer uma piada.

Pela manhã, quando tudo se acalmou, Hazel decidiu visitar o treinador Hedge, já que ele podia falar com animais.

Ela encontrou a porta de sua cabine entreaberta e ouviu o treinador lá dentro, falando como se estivesse ao telefone, embora não houvesse aparelhos a bordo. Talvez estivesse mandando uma mensagem mágica de Íris. Hazel ouvira dizer que os gregos as usavam bastante.

— Claro, querida — dizia Hedge. — Sim, eu sei, amor. Não, é uma ótima notícia, mas... — Sua voz falhou de emoção.

De repente, Hazel se sentiu horrível por estar espionando. Teria dado meia--volta, mas Gale chiou em seus calcanhares. Hazel bateu à porta do treinador.

Hedge pôs a cabeça para fora, fazendo cara feia como de costume, mas seus olhos estavam vermelhos.

— O que foi? — resmungou.

— Hum... desculpe — disse Hazel. — Está tudo bem?

O treinador deu uma curta risada amarga e abriu a porta.

— Que raio de pergunta é essa?

Não havia mais ninguém na cabine.

— Eu... — Hazel tentou lembrar por que estava lá. — Gostaria de saber se você poderia falar com a minha doninha.

O treinador a olhou com desconfiança. Então baixou a voz:

— Estamos falando em código? Há um intruso a bordo?

— Bem, mais ou menos.

Gale apareceu entre os pés de Hazel e começou a tagarelar.

O treinador pareceu ofendido. Respondeu à doninha e ambos mantiveram o que pareceu ser uma discussão bastante acalorada.

— O que ela falou? — perguntou Hazel.

— Um bocado de grosserias — resmungou o sátiro. — Resumindo: ela está aqui para ver como será.

— Como será *o quê*?

O treinador Hedge bateu o casco no chão.

— Como vou saber? Ela é uma doninha! Elas *nunca* dão respostas diretas. Agora, se me dá licença, tenho, hã, coisas...

E fechou a porta na cara dela.

* * *

Após o café da manhã, Hazel ficou parada na amurada de bombordo, tentando acalmar o estômago. Ao lado dela, Gale corria para cima e para baixo da amurada, soltando puns, mas o forte vento do Adriático ajudava a afastar o cheiro.

Hazel se perguntou o que tinha acontecido com o treinador Hedge. Ele devia estar mandando uma mensagem de Íris para alguém, mas se recebera boas notícias, por que parecia tão arrasado? Ela nunca o vira tão abalado. Infelizmente, Hazel duvidava que o treinador pedisse ajuda caso precisasse. Não era exatamente do tipo caloroso e aberto.

A garota olhou para a cordilheira branca ao longe e se perguntou por que Hécate enviara a doninha Gale.

Ela está aqui para ver como será.

Algo estava prestes a acontecer. Hazel passaria por um teste.

Não entendia como poderia aprender magia sem qualquer treinamento. Hécate esperava que ela derrotasse uma feiticeira super poderosa, a senhora do vestido de ouro que Leo vira em seu sonho. Mas *como*?

Hazel passava todo o seu tempo livre tentando descobrir isso. Olhava para sua espata, tentando fazê-la tomar a forma de uma bengala. Tentava invocar uma nuvem para ocultar a lua cheia. Concentrava-se até seus olhos ficarem vesgos e seus ouvidos estalarem, mas nada acontecia. Não era capaz de manipular a Névoa.

Nas últimas noites, seus sonhos pioraram. Via-se de volta ao Campo de Asfódelos, vagando sem rumo entre fantasmas. Em seguida, estava na caverna de Gaia, no Alasca, onde Hazel e sua mãe morreram com o desabamento do teto, e a voz da deusa da terra uivou de ódio. Via-se na escada do apartamento da mãe em Nova Orleans, cara a cara com o pai. Os dedos frios de Plutão agarravam o seu braço. O tecido de seu terno de lã preta se retorcia de almas aprisionadas. Ele a encarou com olhos escuros e furiosos e disse: *Os mortos veem o que* acreditam *que verão. Os vivos também. Esse é o segredo.*

Ele nunca dissera aquilo na vida real. Hazel não tinha ideia do que significava.

Os piores pesadelos pareciam vislumbres do futuro. Hazel se via tropeçando por um túnel escuro enquanto a risada de uma mulher ecoava ao seu redor.

Domine isso se puder, filha de Plutão, provocou a mulher.

E sempre sonhava com as imagens que vira na encruzilhada de Hécate: Leo caindo do céu; Percy e Annabeth deitados e inconscientes, possivelmente mortos, diante de portas de metal negro, e uma figura amortalhada diante deles, o gigante Clítio envolto em escuridão.

Ao seu lado, parada na amurada, Gale, a doninha, chiava, impaciente. Hazel sentiu-se tentada a empurrar aquele bicho estúpido no mar.

Não consigo nem controlar os meus próprios sonhos, quis gritar. *Como posso controlar a Névoa?*

Sentia-se tão arrasada que não notou a aproximação de Frank até ele estar ao seu lado.

— Está se sentindo melhor?

Frank segurou sua mão, com os dedos cobrindo completamente os dela. Era inacreditável como o namorado crescera. Ele se transformava em tantos animais que Hazel não entendia por que tinha ficado tão surpresa com mais uma transformação... mas de repente Frank crescera até ficar com uma estatura compatível com o próprio peso. Ninguém mais poderia chamá-lo de gordinho ou fofinho. Parecia um jogador de futebol musculoso com um novo centro de gravidade. Os ombros estavam mais largos. Caminhava com mais segurança.

O que Frank fizera naquela ponte em Veneza... Hazel ainda estava pasma. Nenhum deles testemunhara a batalha, mas ninguém duvidava. Frank estava completamente mudado. Até mesmo Leo parara de fazer piadas às suas custas.

— Eu estou... estou bem. — Hazel conseguiu dizer. — E você?

Ele sorriu, enrugando os cantos dos olhos.

— Eu, hã, estou *mais alto*. Fora isso, tudo bem. Sabe, realmente não mudei por dentro...

Seu tom trazia um pouco de sua antiga insegurança e falta de jeito — era a voz do *seu* Frank, que sempre tinha medo de ser um desastrado e estragar tudo.

Hazel sentiu-se aliviada. *Gostava* dessa parte dele. A princípio, sua nova aparência a chocara. Ficou com medo que sua personalidade também tivesse mudado.

Agora, Hazel estava começando a relaxar quanto a isso. Apesar de toda a sua força, Frank era o mesmo sujeito adorável de sempre. Ainda era vulnerável. Ainda lhe confiava sua maior fraqueza: o pedaço de madeira mágica que ela carregava no bolso do casaco, junto ao coração.

— Eu sei, e estou feliz com isso. — Ela apertou a mão dele. — Não... não é exatamente com *você* que estou preocupada.

— Como vai Nico? — resmungou Frank.

Hazel estava pensando em *si mesma*, mas seguiu o olhar de Frank até o topo do mastro, onde Nico estava empoleirado em uma verga.

O garoto dissera que gostava de vigiar porque tinha uma boa visão. Hazel sabia que não era esse o motivo. O topo do mastro era um dos poucos lugares a bordo onde Nico podia ficar sozinho. Os outros lhe ofereceram a cabine de Percy, uma vez que o amigo estava... bem, ausente. Mas Nico se recusou terminantemente. Passava a maior parte do tempo no cordame, onde não precisava conversar com o resto da tripulação.

Desde que fora transformado em um pé de milho em Veneza, tornara-se ainda mais recluso e taciturno.

— Não sei — admitiu Hazel. — Nico passou por muita coisa. Foi capturado no Tártaro, aprisionado naquele jarro de bronze, viu a queda de Percy e Annabeth...

— E prometeu nos levar a Épiro. — Frank assentiu. — Tenho a sensação de que ele não gosta de trabalhar em equipe.

Frank se aprumou. Usava uma camiseta bege com a figura de um cavalo e as palavras: *PALIO DI SIENA*. Ele a comprara havia alguns dias, mas agora estava muito pequena. Quando se espreguiçou, sua barriga apareceu.

Hazel percebeu que estava olhando fixamente. Ela logo desviou o olhar, enrubescida.

— Nico é meu único parente. Não é fácil gostar dele, mas... obrigada por ser gentil com ele.

Frank sorriu.

— Ei, você aguentou minha avó, em Vancouver. Não precisa nem falar em *não ser fácil de gostar*.

— Eu adorei a sua avó!

Gale, a doninha, correu até eles, peidou e fugiu.

— Eca. — Frank balançou a mão para afastar o cheiro. — Por que esse bicho está aqui, afinal?

Hazel ficou quase feliz por não estarem em terra. Sua agitação era tão grande que com certeza teria ouro e pedras preciosas brotando ao seu redor.

— Hécate enviou Gale para observar.

— Observar o quê?

Hazel tentou tirar forças da presença de Frank, com sua nova aura de solidez e força.

— Não sei — admitiu ela, afinal. — Algum tipo de teste.

De repente, o barco deu um solavanco.

XXVI

HAZEL

Hazel e Frank tropeçaram um no outro. Ela acidentalmente bateu com o punho da espada no peito e ficou encolhida no convés, gemendo e tossindo com gosto de veneno de catóblepa na boca.

Através de uma névoa de dor, ouviu a figura de proa do navio, Festus, o dragão de bronze, ranger em sinal de alarme e cuspir fogo.

Confusa, Hazel se perguntou se haviam atingido um iceberg. Mas como? No mar Adriático, durante o verão?

O navio virou para bombordo produzindo um ruído impressionante, como postes telefônicos partindo-se ao meio.

— Ahh! — gritou Leo em algum lugar atrás dela. — Ela está comendo os remos!

Ela *quem*?, pensou Hazel. Tentou se levantar, mas algo grande e pesado prendia as suas pernas. Percebeu que era Frank, resmungando, enquanto tentava se desvencilhar de uma pilha de cordas.

Estavam todos atrapalhados. Jason saltou sobre os dois, com a espada em punho, e correu em direção à popa. Piper já estava no tombadilho, atirando comida de sua cornucópia e gritando:

— Ei! Ei! Coma isso, sua tartaruga idiota!

Tartaruga?

Frank ajudou Hazel a se levantar.

— Você está bem?

— Estou — mentiu Hazel, apertando a barriga. — Agora vá!

Frank subiu correndo os degraus, tirando do ombro a mochila, que instantaneamente se transformou em um arco e uma aljava. No momento em que chegou ao timão, já havia disparado uma flecha e preparava a segunda.

Leo lutava freneticamente com os controles do navio.

— Não consigo retrair os remos. Tira esse bicho daí! Tira esse bicho daí!

No topo do mastro, Nico estava em choque.

— Pelo Estige... É enorme! — gritou. — Bombordo! Para bombordo!

O treinador Hedge foi o último a chegar ao convés. Compensou seu atraso com entusiasmo. Subiu os degraus, sacudindo o taco de beisebol, sem hesitação, galopou até a popa e saltou sobre a amurada com um alegre:

— Rá-RÁ!

Hazel cambaleou até o tombadilho para se juntar aos amigos. O barco estremeceu. Mais remos se partiram, e Leo gritou:

— Não, não, não! Maldita filha de uma mãe cascuda!

Hazel chegou à popa e não podia acreditar no que via.

Quando ouviu a palavra *tartaruga*, pensou em um animal bonitinho do tamanho de uma caixinha de joias, sentado em uma pedra no meio de um lago. Quando ouviu *tartaruga enorme*, sua mente tentou se adaptar: muito bem, talvez fosse como uma daquelas tartarugas de Galápagos, que vira quando visitou o zoológico, com cascos grandes o bastante para se montar em cima.

Ela *não* imaginara uma criatura do tamanho de uma ilha. Quando viu a enorme e escarpada cúpula de quadrados pretos e pardos, a palavra *tartaruga* simplesmente deixou de fazer sentido. Seu casco era realmente como uma ilha — colinas de ossos, brilhantes vales perolados, florestas de algas e musgos, rios de água do mar escorrendo pelos sulcos de sua carapaça.

No lado boreste do navio, outra parte do monstro emergia como um submarino.

Lares de Roma... seria aquilo a *cabeça*?

Os olhos dourados eram do tamanho de espelhos d'água; as pupilas, fendas horizontais e escuras. A pele brilhava como camuflagem militar molhada, marrom salpicada de verde e amarelo. A boca vermelha e desdentada poderia ter engolido a Atena Partenos em uma única mordida.

Hazel viu quando a criatura partiu meia dúzia de remos.

— Pare com isso! — gritou Leo.

O treinador Hedge estava em cima da tartaruga, batendo inutilmente com o bastão de beisebol e gritando:

— Tome isso! E mais isso!

Jason voou da popa e caiu sobre a cabeça do animal. Golpeou-o bem entre os olhos com a espada dourada, mas a lâmina escorregou para o lado, como se a pele da tartaruga fosse de aço engraxado. Frank lançou flechas nos olhos do monstro, sem sucesso. As pálpebras internas da tartaruga piscavam com incrível precisão, desviando cada disparo. Piper atirou melões na água, gritando:

— Pegue isso, tartaruga idiota! — Mas o animal parecia focado em devorar o *Argo II*.

— Como chegou tão perto? — questionou Hazel.

Leo ergueu as mãos em desespero.

— Deve ser o casco. Acho que não é detectável pelo sonar. Maldita tartaruga invisível!

— O navio pode voar? — perguntou Piper.

— Com metade dos remos quebrados? — Leo socou alguns botões e girou a esfera de Arquimedes. — Tenho que tentar uma coisa diferente.

— Ali! — gritou Nico do alto. — Você pode nos levar até aquela restinga?

Hazel olhou para onde ele apontava. A menos de um quilômetro a leste, existia uma longa faixa de terra que corria paralela aos penhascos costeiros. Era difícil ter certeza ao longe, mas a extensão de água entre eles parecia ser de apenas vinte ou trinta metros, possivelmente larga o bastante para o *Argo II* atravessar, mas definitivamente não era larga o suficiente para uma tartaruga gigante.

— É. Sim. — Leo aparentemente compreendeu. Girou a esfera de Arquimedes. — Jason, fique longe da cabeça desse bicho! Tive uma ideia!

Jason ainda golpeava o rosto da tartaruga, mas quando ouviu Leo dizer "Tive uma ideia", fez a única coisa inteligente que conseguiu pensar. Voou para longe dali o mais rápido possível.

— Treinador, hora de partir! — chamou Jason.

— Não, eu resolvo isso! — disse Hedge, mas Jason o agarrou pela cintura e decolou. Infelizmente, o treinador se debateu tanto que a espada de Jason escorregou e caiu no mar.

— Treinador! — reclamou Jason.

— O quê? — disse Hedge. — Eu a estava dominando!

A tartaruga deu uma cabeçada no casco, quase arremessando toda a tripulação para bombordo. Hazel ouviu um estalo, como se a quilha tivesse se partido.

— Só mais um minuto — disse Leo, com as mãos voando sobre o painel de controle.

— Podemos não estar mais aqui em um minuto!

Frank disparou sua última flecha.

Piper gritou para a tartaruga:

— Vá embora!

Por um momento, realmente funcionou. A tartaruga se afastou do navio e mergulhou a cabeça na água. Mas, então, voltou e bateu com mais força.

Jason e o treinador Hedge aterrissaram no convés.

— Você está bem? — perguntou Piper.

— Tudo bem — murmurou Jason. — Sem minha espada, mas inteiro.

— Fogo no casco! — gritou Leo, girando o controle do Wii.

Hazel pensou que a popa estava explodindo. Jatos de fogo jorraram atrás deles, atingindo a cabeça da tartaruga. O navio deu uma guinada para a frente, derrubando-a novamente.

Ela se ergueu e viu que o *Argo II* saltava sobre as ondas a uma velocidade incrível, deixando para trás um rastro de fogo, como um foguete. A tartaruga já estava a uns cem metros, com a cabeça carbonizada e fumegante.

O monstro urrou de frustração e começou a segui-los; suas nadadeiras cortavam a água com tal poder que ela realmente começou a se aproximar. A entrada da restinga ainda estava meio quilômetro mais à frente.

— Alguma coisa para distraí-la — murmurou Leo. — Não conseguiremos chegar lá a menos que tenhamos alguma coisa para distraí-la.

— Para distraí-la... — repetiu Hazel.

Ela se concentrou e pensou: *Arion!*

Não sabia se aquilo funcionaria. Mas, imediatamente, avistou algo no horizonte, um borrão de luz e vapor atravessando a água. Em um piscar de olhos, Arion estava no tombadilho.

Deuses do Olimpo, pensou Hazel, como eu amo este cavalo.

Arion bufou como se dissesse: Claro que me ama. Você não é burra.

Hazel montou no cavalo.

— Piper, seu charme pode ser útil.

— Teve uma época em que eu gostava de tartarugas — resmungou Piper, aceitando a mão que lhe era oferecida. — Agora não!

Hazel esporeou Arion. Ele saltou para fora do barco, atingindo a água a todo galope.

A tartaruga nadava com rapidez, mas não era tão rápida quanto Arion. Circulavam sobre a cabeça do monstro, Hazel golpeando com sua espada, Piper gritando orientações aleatórias como:

— Mergulhe! Vire à esquerda! Atrás de você!

A espada não causou dano algum e cada orientação só funcionava por um instante, mas estavam irritando a tartaruga. Arion relinchou com desdém quando a criatura tentou abocanhá-lo, apenas para ficar com a boca cheia de vapor.

Logo, o monstro havia esquecido completamente o *Argo II*. Hazel continuou golpeando a cabeça. Piper continuou gritando orientações e usando a cornucópia para atirar cocos e frangos assados nos olhos da tartaruga.

Assim que o *Argo II* adentrou na restinga, Arion interrompeu a perseguição. Aceleraram rumo ao navio, e, pouco depois, estavam de volta ao convés.

O fogo se extinguira, embora os fumegantes escapamentos de bronze ainda se projetassem da popa. O *Argo II* avançava devagar, impulsionado pelas velas, mas seu plano dera certo. Estavam em segurança naquelas águas, com uma ilha longa e rochosa a boreste e os penhascos brancos do continente a bombordo. A tartaruga parou na entrada da restinga e olhou para eles malignamente, mas não tentou segui-los. Obviamente, seu casco era largo demais.

Hazel desmontou e recebeu um grande abraço de Frank.

— Belo trabalho! — parabenizou ele.

Ela enrubesceu.

— Obrigada.

Piper desmontou ao seu lado.

— Leo, desde quando temos propulsão a *jato*?

— Ah, sabem... — Leo tentou parecer modesto e falhou. — Foi uma coisinha que bolei em meu tempo livre. Gostaria de ter conseguido mais do que alguns segundos de queima, mas ao menos nos tirou de lá.

— E assou a cabeça da tartaruga — disse Jason, agradecido. — O que faremos agora?

— Matem-na! — exigiu o treinador. — Você ainda pergunta? Temos distância suficiente. Temos balistas. Preparem as armas, semideuses!

Jason franziu a testa.

— Treinador, para começo de conversa, você me fez perder a minha espada.

— Ei! Não pedi para ser retirado!

— Em segundo lugar, não acho que as balistas sejam eficazes. Essa carapaça é como a pele do leão da Nemeia. E sua cabeça não é mais macia.

— Então, disparamos goela abaixo — disse o treinador. — Como fizeram com aquele camarão monstruoso no Atlântico. Vamos explodi-la de dentro para fora.

Frank coçou a cabeça.

— Poderia funcionar. Mas, então, teríamos uma carcaça de cinco mil toneladas bloqueando a entrada da restinga. Se não podemos voar com os remos quebrados, como tiraríamos o navio daqui?

— Você aguarda e conserta os remos! — disse o treinador. — Ou simplesmente navega na outra direção, seu marinheiro de água doce.

Frank pareceu confuso.

— O que é um marinheiro de água doce?

— Ei, pessoal! — gritou Nico do alto do mastro. — Quanto a navegar na outra direção, não acho que dê certo.

Ele apontou para além da proa.

A meio quilômetro mais à frente, a longa faixa rochosa se curvava e se encontrava com os penhascos. O canal terminava em um V fechado.

— Não estamos em um estreito — disse Jason. — Estamos em um beco sem saída.

Hazel sentiu frio nos dedos das mãos e dos pés. Na amurada de bombordo, Gale, a doninha, estava sentada sobre as patas traseiras. Olhando para ela, ansiosa.

— É uma armadilha — disse Hazel.

Os outros a encararam.

— Não, está tudo bem — disse Leo. — Na pior das hipóteses, fazemos os reparos. Pode durar a noite inteira, mas consigo fazer o navio voar de novo.

À entrada do estreito, a tartaruga rugiu. Não parecia interessada em ir embora.

— Bem. — Piper deu de ombros. — Ao menos ela não pode nos pegar. Estamos protegidos.

Aquilo era algo que nenhum semideus deveria dizer. Piper mal terminou de falar quando uma flecha se cravou no mastro principal, a quinze centímetros de seu rosto.

A tripulação se dispersou em busca de abrigo, com exceção de Piper, que ficou paralisada, boquiaberta, olhando para a flecha que quase fizera um piercing no seu nariz do modo mais difícil.

— Piper, abaixe! — sibilou Jason.

Mas nenhuma outra flecha foi disparada.

Frank estudou o ângulo do projétil no mastro e apontou para o topo dos penhascos.

— Lá em cima — informou ele. — Um único atirador. Estão vendo?

O sol a impedia de ver claramente, mas Hazel percebeu uma pequena figura na borda do penhasco. Sua armadura de bronze brilhava.

— Ai, caramba! Quem será? — perguntou Leo. — Por que está atirando na gente?

— Pessoal? — A voz de Piper soava trêmula. — Tem um bilhete.

Hazel não tinha percebido, mas havia um pergaminho amarrado à haste da flecha. Não sabia por que, mas aquilo a enfureceu. Foi até lá e retirou o bilhete.

— Hã, Hazel? — disse Leo. — Tem certeza de que é seguro?

Hazel leu o bilhete em voz alta.

— Primeira linha: *Parem e entreguem.*

— O que isso quer dizer? — reclamou o treinador Hedge. — *Estamos* parados. Não por querer, mas mesmo assim. Se esse cara está esperando um entregador de pizza, esqueça!

— Tem mais — disse Hazel. — *Isto é um assalto. Envie dois dos seus até o topo do penhasco com todos os objetos de valor. Não mais do que dois. Deixem o cavalo mágico. Nada de voar. Sem truques. Apenas subam.*

— Subir *como*? — perguntou Piper.

Nico apontou.

— Por ali.

Havia no penhasco uma escadaria estreita entalhada, que ia até o topo. A tartaruga, o beco sem saída, o penhasco... Hazel tinha a sensação de que aquela não era a primeira vez que o autor da carta emboscara um navio ali.

Pigarreou e continuou a ler em voz alta:

— *Refiro-me a* todos *os seus valores. Caso contrário, minha tartaruga e eu vamos destruí-los. Vocês têm cinco minutos.*

— Use as catapultas! — gritou o treinador.

— *P.S.* — leu Hazel. — *Nem pensem em usar suas catapultas.*

— Maldição! — exclamou o treinador. — Esse cara é bom.

— O bilhete está assinado? — perguntou Nico.

Hazel balançou a cabeça negativamente. Ouvira uma história no Acampamento Júpiter, sobre um ladrão que trabalhava com uma tartaruga gigante, mas, como sempre, assim que precisava de uma informação, esta ficava irritantemente ocultada em sua memória, fora de seu alcance.

Gale, a doninha, encarou Hazel, esperando para ver o que ela faria.

O teste ainda não acontecera, pensou Hazel.

Distrair a tartaruga não fora suficiente. Hazel não provara poder manipular a Névoa... principalmente porque não *conseguia* manipular a Névoa.

Leo estudou o topo do penhasco e murmurou.

— Não é uma boa trajetória. Mesmo que pudesse armar a catapulta antes que o cara fizesse chover flechas, não acho que conseguiria atingi-lo. Está a centenas de metros, quase em linha reta para cima.

— Sim — resmungou Frank. — Meu arco também é inútil. Ele tem uma enorme vantagem estando acima de nós. Não conseguiria atingi-lo.

— E, hum... — Piper cutucou a flecha que estava cravada no mastro. — Tenho a sensação de que é bom de tiro. Não creio que *pretendesse* me atingir. Mas se quisesse...

Não precisou continuar. Quem quer que fosse o ladrão, podia acertar um alvo a centenas de metros de distância. Poderia matá-los antes que pudessem reagir.

— Eu vou — disse Hazel.

Odiava a ideia, mas tinha certeza de que Hécate planejara aquilo como uma espécie de desafio doentio. Esse seria o teste de Hazel — a *sua* vez de salvar o navio. Como se precisasse de uma confirmação, Gale correu ao longo da amurada e pulou sobre seu ombro, pronta para pegar uma carona.

Os outros olharam para ela.

Frank agarrou seu arco.

— Hazel...

— Não, prestem atenção — disse ela —, esse ladrão quer objetos de valor. Posso ir até lá, invocar ouro, joias, tudo o que ele quiser.

Leo ergueu uma sobrancelha.

— Acha que realmente vai nos deixar ir embora se lhe dermos o que quer?

— Não temos muita escolha — disse Nico. — Entre aquele cara e a tartaruga...

Jason ergueu a mão. Os outros ficaram em silêncio.

— Vou também — disse ele. — A carta exige duas pessoas. Levo Hazel até lá e a trago de volta. Além do mais, não gostei dessa escadaria. Se Hazel cair... bem, posso usar os ventos para evitar que cheguemos ao chão do jeito mais doloroso.

Arion relinchou em protesto, como se dissesse: *Você vai sem mim? Está brincando, certo?*

— É preciso, Arion — disse Hazel. — Jason... Sim. Acho que você está certo. É o melhor plano.

— Só gostaria de ter a minha espada. — Jason olhou feio para o treinador. — Está lá, no fundo do mar, e não temos Percy para recuperá-la.

O nome *Percy* passou por eles como uma nuvem. O clima no convés ficou ainda mais sombrio.

Hazel estendeu um braço. Não pensou. Apenas se concentrou na água e invocou o ouro imperial.

Foi uma ideia idiota. A espada estava muito longe dali, provavelmente a centenas de metros de profundidade. Mas sentiu um puxão rápido em seus dedos, como uma mordida em uma linha de pesca, e a espada de Jason saiu da água e acabou em sua mão.

— Tome — disse ela, entregando-a.

Os olhos de Jason se arregalaram.

— Como...? Estava a quase um quilômetro daqui!

— Tenho praticado — disse ela, embora não fosse verdade.

Esperava não ter acidentalmente amaldiçoado a espada de Jason ao invocá-la, assim como amaldiçoava as joias e os metais preciosos.

De alguma forma, porém, pensou, com armas era diferente. Afinal, Hazel retirara um bocado de equipamento de ouro imperial da baía da geleira e o entregara para a Quinta Coorte. E fora um sucesso.

Hazel decidiu não se preocupar com isso. Estava com tanta raiva de Hécate e tão cansada de ser manipulada pelos deuses que não deixaria que problemas insignificantes a impedissem de continuar.

— Agora, se não há outras objeções, temos que encontrar com um ladrão.

XXVII

HAZEL

Hazel gostava da vida ao ar livre. Mas escalar um penhasco de sessenta metros em uma escadaria sem corrimão com uma doninha mal-humorada no ombro já era exagero. Especialmente quando poderia ter montado em Arion e chegado ao topo em questão de segundos.

Jason caminhava atrás dela para poder pegá-la caso caísse. Hazel gostou da ideia, mas aquilo não tornava a queda menos assustadora.

Ela olhou para a direita, o que foi um erro. Seu pé quase escorregou, lançando um punhado de cascalho pela borda. Gale guinchou, alarmada.

— Você está bem? — perguntou Jason.

— Estou. — O coração de Hazel estava disparado. — Tudo bem.

Não havia espaço para ela se virar e olhar para Jason. Só podia confiar que ele não a deixaria despencar para a morte. Já que conseguia voar, ele era a retaguarda mais lógica. Ainda assim, Hazel preferia estar com Frank, Nico, Piper ou Leo. Até mesmo... bem, certo, talvez não o treinador Hedge. Mas, ainda assim, Hazel não conseguia entender Jason Grace.

Desde que chegara ao Acampamento Júpiter, vinha ouvindo histórias sobre ele. Os campistas falavam com reverência a respeito do filho de Júpiter que surgira das fileiras mais baixas da Quinta Coorte e se tornara pretor, levou-os à vitória na Batalha de Monte Tam e, em seguida, desapareceu. Mesmo agora, depois de tudo o que acontecera nas últimas semanas, Jason parecia mais uma lenda do que uma pessoa. A princípio, Hazel tivera dificuldade em aceitá-lo, com aqueles olhos azuis gélidos e sua cautelosa introspecção, como se calculasse cada palavra antes de dizê-la. Além disso, não conseguia se esquecer de que ele se mostrara disposto a descartar seu irmão Nico quando descobriram que ele era prisioneiro em Roma.

Jason achava que Nico era a isca de uma armadilha. Estava certo. E, talvez, agora que Nico estava em segurança, Hazel pudesse entender por que a cautela de Jason fora uma boa ideia. Ainda assim, não sabia o que pensar sobre aquele cara. E se ambos se metessem em problemas no topo daquele penhasco e Jason decidisse que *salvá-la* não era a melhor estratégia para a missão?

Ela olhou para cima. Não podia ver o ladrão dali, mas sentiu que ele os esperava. Hazel estava certa de que poderia invocar ouro e pedras preciosas suficientes para impressionar até o mais ganancioso dos ladrões. Ela se perguntou se os tesouros que invocava ainda traziam má sorte. Não tinha certeza se aquela maldição fora quebrada quando morrera pela primeira vez. Parecia ser uma boa oportunidade para descobrir. Qualquer um que roubasse semideuses inocentes com uma tartaruga gigante merecia algumas maldições detestáveis.

Gale, a doninha, pulou de seu ombro e saiu em disparada na frente. Ela olhou para trás e chiou, ansiosa.

— Estou indo o mais rápido que posso — murmurou Hazel.

Não conseguia se livrar da sensação de que a doninha estava ansiosa para vê-la fracassar.

— Você teve alguma sorte nesse negócio de, hã, controlar a Névoa? — perguntou Jason.

— Não — admitiu Hazel.

Não gostava de pensar em seus fracassos: na gaivota que não conseguira transformar em dragão, no taco de beisebol do treinador Hedge que teimosamente se recusara a se transformar em um cachorro-quente. Simplesmente não conseguia se convencer de que tais coisas fossem possíveis.

— Você vai conseguir — disse Jason.

Seu tom a surpreendeu. Não era um comentário leviano apenas para ser agradável. Ele parecia realmente convencido daquilo. Hazel continuou a subir, mas o imaginou olhando para ela com aqueles olhos azuis penetrantes, o queixo erguido e confiante.

— Como você pode ter certeza? — perguntou ela.

— Tendo. Sou bom em avaliar aquilo de que as pessoas são capazes. Semideuses, pelo menos. Hécate não a teria escolhido se não acreditasse que você tem poder.

Talvez isso devesse fazer Hazel se sentir melhor. Mas não fez.

Ela também era boa em avaliar as pessoas. Hazel entendia o que motivava a maioria de seus amigos, até mesmo seu irmão, Nico, que não era fácil de decifrar.

Mas Jason? Ela não fazia a menor ideia. Todos diziam que ele era um líder nato. Ela acreditava nisso. Lá estava ele, fazendo-a se sentir como um membro valioso da equipe, dizendo que ela era capaz de qualquer coisa. Mas do que *Jason* era capaz?

Não podia conversar sobre suas dúvidas com ninguém. Frank adorava o cara. Piper, é claro, estava totalmente apaixonada. Leo era seu melhor amigo. Até mesmo Nico parecia não hesitar em seguir sua liderança.

Mas Hazel não podia esquecer que Jason fora o primeiro movimento de Hera na guerra contra os gigantes. A Rainha do Olimpo pusera Jason no Acampamento Meio-Sangue, o que dera início a toda aquela cadeia de eventos para deter Gaia. Por que Jason primeiro? Algo dizia a Hazel que ele tinha um papel central no plano da deusa. E Jason também seria sua cartada final.

Em tempestade ou fogo, o mundo terá acabado. Era o que dizia a profecia. Por mais que Hazel temesse o fogo, ela temia mais as tempestades. Jason Grace podia invocar tempestades bem grandes.

Ela ergueu a cabeça e viu o fim do penhasco apenas alguns metros mais acima.

Chegou ao topo, ofegante e suada. Um vale longo e inclinado se estendia à sua frente, repleto de oliveiras retorcidas e pedras calcárias. Não havia sinais de civilização.

Suas pernas estavam trêmulas por causa da escalada. Gale parecia ansiosa para explorar. A doninha chiou, peidou e correu até os arbustos mais próximos. Lá embaixo, o *Argo II* parecia um barquinho de brinquedo flutuando no canal. Hazel não entendia como alguém poderia atirar uma flecha com precisão daquela altura, levando-se em conta o vento e o reflexo do sol na água. Na enseada, o rígido casco da tartaruga brilhava como uma moeda polida.

Jason se juntou a ela no topo, parecendo não ter sido afetado pela escalada.

Ele começou a dizer:

— Onde…

— Aqui! — disse uma voz.

Hazel deu um pulo. A apenas três metros de distância, um homem com um arco e uma aljava presa ao ombro surgiu, empunhando duas antiquadas pistolas de duelo. Usava botas de couro de cano alto, calça de couro e uma camisa de pirata. O cabelo preto e encaracolado parecia o de uma criança e seus olhos verdes e brilhantes eram bastante amigáveis, embora uma bandana vermelha cobrisse a metade inferior de seu rosto.

— Bem-vindos! — exclamou o bandido, apontando as armas para eles. — O dinheiro ou a vida!

Hazel tinha certeza de que ele não estava ali um segundo antes. Simplesmente se materializou, como se tivesse saído de trás de uma cortina invisível.

— Quem é você? — perguntou ela.

O bandido riu.

— Círon, é claro!

— Quíron? — perguntou Jason. — Como o centauro?

O bandido revirou os olhos.

— *Cí*-ron, meu amigo. Filho de Poseidon! Ladrão extraordinário! Um sujeito incrível! Mas isso não importa. Não estou vendo nada de valor — gritou ele, como se isso fosse uma excelente notícia. — Isso significa que vocês querem morrer?

— Espere — disse Hazel. — Temos objetos de valor. Mas como ter certeza de que você vai nos deixar ir embora assim que os entregarmos?

— Ah, *sempre* perguntam isso — disse Círon. — Juro pelo Rio Estige que, se me entregarem o que quero, eu *não* atirarei em vocês. Eu os mandarei penhasco abaixo.

Hazel lançou a Jason um olhar cauteloso. Rio Estige ou não, o juramento de Círon não a tranquilizou.

— E se lutarmos com você? — perguntou Jason. — Não pode nos atacar e manter nosso navio refém ao mesmo...

Bang! Bang!

Aconteceu tão rápido, que o cérebro de Hazel precisou de um tempo para entender.

Fumaça saia da lateral da cabeça de Jason. Logo acima de sua orelha esquerda, havia um sulco em seu cabelo que parecia uma faixa de carro de corrida. Uma das pistolas de Círon ainda estava apontada para o rosto dele. A outra estava apontada para baixo, para além do penhasco, como se o segundo tiro de Círon tivesse sido disparado contra o *Argo II*.

Hazel engasgou com o susto tardio.

— O que você fez?

— Ah, não se preocupe! — Círon riu. — Se pudesse ver de tão longe, o que você não pode, veria um buraco no convés entre os pés do jovem grandalhão, aquele com o arco.

— Frank!

Círon deu de ombros.

— Se você diz... Isso foi apenas uma demonstração. E *poderia* ter sido muito pior.

Ele girou as pistolas. Os cães voltaram a se armar e Hazel teve a impressão de que as pistolas se recarregavam magicamente.

Círon ergueu as sobrancelhas para Jason.

— Então! Para responder à sua pergunta, sim, eu posso atacá-lo e manter seu navio refém ao mesmo tempo. Munição de bronze celestial. Bem mortal para semideuses. Vocês dois morreriam primeiro: *bang, bang*. Então, eu poderia abater seus amigos no navio com calma. Tiro ao alvo é muito mais divertido com alvos vivos correndo e gritando!

Jason tocou o sulco que a bala fizera em seu cabelo. Pela primeira vez, não parecia muito confiante.

Os tornozelos de Hazel fraquejaram. Frank era o melhor arqueiro que ela conhecia, mas aquele bandido, Círon, era *desumanamente* bom.

— Você é um dos filhos de Poseidon? — Hazel conseguiu perguntar. — Pelo modo como atira, podia jurar que era de Apolo.

As rugas ao redor de seus olhos se aprofundaram.

— Ora, muito obrigado! Mas é apenas prática. A tartaruga gigante, esta sim devo a meu pai. Você não pode sair por aí domesticando tartarugas gigantes se não for um filho de Poseidon! Eu *poderia* afundar seu navio com uma onda, é claro, mas é muito trabalhoso. E nem é tão divertido quanto emboscar e atirar nas pessoas.

Hazel tentou organizar seus pensamentos e ganhar tempo, mas era bem difícil fazer isso encarando os canos fumegantes daquelas pistolas.

— Hã... para que serve a bandana?

— Assim ninguém me reconhece! — respondeu Círon.

— Mas você já se apresentou — disse Jason. — Seu nome é Círon.

Os olhos do bandido se arregalaram.

— Como você... Ah. Verdade, acho que já me apresentei. — Ele baixou uma pistola e coçou a lateral da cabeça com a outra. — Terrível descuido de minha parte. Desculpem. Acho que estou um pouco enferrujado. De volta dos mortos e tudo o mais. Permitam-me tentar outra vez.

Ele ergueu as pistolas.

— Parem e entreguem tudo! Sou um bandido anônimo, e vocês *não* precisam saber meu nome!

Um bandido anônimo. Hazel teve um lampejo de memória.

— Teseu. Ele matou você uma vez.

Os ombros de Círon arriaram.

— Poxa, *por que* você tinha que mencioná-lo? Nós estávamos nos dando tão bem!

Jason franziu a testa.

— Hazel, você conhece a história desse cara?

Ela assentiu, embora lhe fugissem os detalhes.

— Teseu o encontrou no caminho para Atenas. Círon matava suas vítimas quando, hum...

Algo sobre a tartaruga. Hazel não conseguia se lembrar.

— Teseu era um *trapaceiro*! — reclamou Círon. — Não quero falar sobre ele. Voltei dos mortos agora. Gaia prometeu que eu poderia ficar no litoral e roubar todos os semideuses que quisesse, e é isso o que farei! Agora... onde estávamos?

— Você estava prestes a nos deixar ir embora — arriscou Hazel.

— Hum — disse Círon. — Não, tenho certeza de que não era isso. Ah, lembrei! O dinheiro ou a vida. Onde estão seus objetos de valor? Não têm nenhum? Então terei que...

— Espere — disse Hazel. — Tenho objetos de valor. Ao menos, posso consegui-los.

Círon apontou uma das pistolas para a cabeça de Jason.

— Bem, minha querida, então seja rápida ou meu próximo tiro arrancará mais do que o cabelo de seu amigo!

Hazel mal precisou se concentrar. Estava tão aflita que o chão estremeceu embaixo dela e imediatamente rendeu uma abundante colheita: metais preciosos afloraram à superfície, como se a terra estivesse ansiosa para expulsá-los.

Ela se viu rodeada por uma pilha de tesouros que chegava à altura de seus joelhos: denários romanos, dracmas de prata, antigas peças de ouro, diamantes, topázios e rubis, o suficiente para encher vários sacos daqueles bem grandes.

Círon gargalhou de prazer.

— *Como* você fez isso?

Hazel não respondeu. Pensou em todas as moedas que haviam aparecido na encruzilhada de Hécate. Ali havia ainda mais: séculos de riquezas ocultas de cada império que tomara aquela terra para si: gregos, romanos, bizantinos e tantos outros. Os impérios haviam desaparecido, deixando apenas uma árida faixa de litoral para o bandido Círon.

Tal pensamento a fez sentir-se pequena e impotente.

— Basta levar o tesouro — disse ela. — Deixem-nos ir.

Círon riu.

— Ah, mas eu disse *todos* os seus bens. Acredito que vocês estejam levando algo muito especial naquele navio... uma certa estátua de marfim e ouro com, digamos, doze metros de altura?

O suor começou a secar no pescoço de Hazel e ela sentiu um calafrio na espinha.

Jason deu um passo para a frente. Apesar da arma apontada para seu rosto, seus olhos pareciam duros como safiras.

— A estátua não é negociável.

— Você está certo, não é! — concordou Círon. — Ficarei com ela!

— Foi Gaia quem lhe falou sobre ela — adivinhou Hazel. — Mandou que você a roubasse.

Círon deu de ombros.

— Talvez. Mas ela me disse que eu poderia ficar com a estátua. Difícil recusar uma oferta dessas! Não pretendo morrer de novo, meus amigos. Quero viver uma vida longa como um homem muito rico!

— A estátua não lhe servirá de nada — disse Hazel. — Não se Gaia destruir o mundo.

Os canos das pistolas de Círon oscilaram.

— Como é?

— Gaia está usando você — disse Hazel. — Se levar a estátua, não seremos capazes de derrotá-la. Ela pretende exterminar todos os mortais e semideuses do mundo, deixando seus gigantes e monstros no lugar. Então, onde você vai gastar seu ouro, Círon? Isso se Gaia permitir que você viva.

Hazel deixou a ideia assentar. Achava que Círon não teria dificuldade em acreditar na traição, sendo um bandido e tudo o mais.

Ele ficou em silêncio por uns dez segundos.

Finalmente as rugas ao redor de seus olhos reapareceram.

— Tudo bem! — concordou Círon. — Sou um cara razoável. Fiquem com a estátua.

Jason piscou.

— Podemos ir?

— Só mais uma coisa — disse Círon. — Sempre exijo uma demonstração de respeito. Antes de deixar minhas vítimas irem embora, insisto que elas lavem meus pés.

Hazel não tinha certeza se ouvira direito. Então Círon tirou as botas de couro, uma de cada vez. Seus pés eram as coisas mais repugnantes que ela já vira... e já vira coisas *muito* nojentas.

Eram inchados, enrugados e brancos como massa de pão, como se estivessem imersos em formol havia alguns séculos. Tufos de cabelos castanhos brotavam de cada dedo deformado. Suas unhas irregulares eram verdes e amarelas, como o casco de uma tartaruga.

Então o cheiro a atingiu. Hazel não sabia se o palácio de seu pai no Mundo Inferior tinha uma lanchonete para zumbis, mas se *tivesse*, o lugar cheiraria exatamente como os pés de Círon.

— Então! — Círon remexeu os dedos dos pés nojentos. — Quem quer o esquerdo e quem quer o direito?

O rosto de Jason ficou quase tão branco quanto os pés de Círon.

— Você... só pode estar brincando.

— De jeito nenhum! — disse Círon. — Lavem meus pés, e estamos quites. Eu os mandarei penhasco abaixo. Juro pelo Rio Estige.

Círon fez a promessa com tanta facilidade que um alarme soou na mente de Hazel. *Pés. Mandar vocês penhasco abaixo. Casco de tartaruga.*

Ela se lembrou da história e todas as peças que faltavam se encaixaram. Ela se lembrou de como Círon matava suas vítimas.

— Nós dois poderíamos conversar um instante? — perguntou Hazel para o bandido.

Os olhos de Círon se estreitaram.

— Para quê?

— Bem, é uma decisão importante — disse ela. — Pé esquerdo, pé direito. Precisamos discutir.

Dava para ver que ele estava sorrindo sob a bandana.

— É claro — disse ele. — Sou tão generoso que darei a vocês *dois* minutos.

Hazel saiu de cima da pilha de tesouros e levou Jason o mais longe que se atrevia, uns quinze metros mais abaixo no penhasco, onde esperava que Círon não conseguisse ouvi-los.

— Ele chuta suas vítimas do penhasco — sussurrou Hazel.

Jason fez uma careta.

— O quê?

— Quando se ajoelham para lavar os pés dele — disse Hazel. — É assim que ele as mata. Quando estão desequilibrados, tontos pelo cheiro de seus pés, ele as chuta da borda. E elas caem direto na boca da tartaruga gigante.

Jason levou um momento para digerir aquilo. Olhou para além da borda do penhasco, onde o rígido casco da tartaruga brilhava debaixo d'água.

— Então teremos que lutar — disse Jason.

— Círon é muito rápido — replicou Hazel. — Ele nos matará.

— Então estarei pronto para voar. Quando ele me chutar, flutuarei até o meio do penhasco. E, quando chutar você, eu a pegarei.

Hazel balançou a cabeça.

— Se ele chutar com força e rapidez suficientes, você ficará muito tonto para voar. E mesmo que consiga, Círon tem os olhos de um atirador de elite. Ele observará você cair. Se você flutuar, ele vai atirar em você.

— Então... — Jason agarrou o punho da espada. — Espero que você tenha outra ideia.

A poucos metros dali, Gale, a doninha, surgiu em meio aos arbustos. Rangeu os dentes e olhou para Hazel como quem diz: *Então? Você tem?*

Hazel tentou se acalmar e evitar extrair mais ouro do chão. Ela se lembrou do sonho que tivera com o pai. A voz de Plutão: *Os mortos veem o que* acreditam *que verão. Assim como os vivos. Esse é o segredo.*

Percebeu o que tinha que fazer. Hazel odiava a ideia mais do que odiava a doninha peidorreira, mais do que odiava os pés de Círon.

— Infelizmente, sim — disse Hazel. — Precisamos deixar Círon vencer.

— O quê? — perguntou Jason.

Hazel lhe contou seu plano.

XXVIII

HAZEL

— Até que enfim! — exclamou Círon. — Vocês demoraram *bem* mais do que dois minutos!

— Desculpe — disse Jason. — Foi difícil decidir... qual dos pés.

Hazel tentou esvaziar a mente e imaginar a cena através dos olhos de Círon: o que ele desejava, o que esperava.

Essa era a chave para usar a Névoa. Não podia forçar alguém a ver o mundo como ela queria. Não conseguiria fazer a realidade de Círon parecer *menos* crível. Mas caso mostrasse o que ele queria ver... Bem, era filha de Plutão. Passara décadas com os mortos, ouvindo-os ansiar por vidas passadas das quais lembravam apenas vagamente, vidas distorcidas pela nostalgia.

Os mortos viam o que *acreditavam* que veriam. Assim como os vivos.

Plutão era o deus do Mundo Inferior, o deus da riqueza. Talvez essas duas esferas de influência estivessem mais relacionadas do que Hazel pensava. Não havia muita diferença entre anseio e ganância.

Se era capaz de invocar ouro e diamantes, por que não poderia invocar outro tipo de tesouro — uma visão do mundo que as pessoas *quisessem* ver?

Claro, poderia estar errada. Neste caso, ela e Jason estavam prestes a virar comida de tartaruga.

Apoiou a mão no bolso do casaco, onde o graveto de Frank parecia mais pesado do que o habitual. Agora, não estava guardando apenas a vida dele e, sim, a de toda a tripulação.

Jason deu um passo à frente, com as mãos erguidas em sinal de rendição.

— Serei o primeiro, Círon. Lavarei o seu pé esquerdo.

— Excelente escolha! — Círon mexeu os dedos peludos e cadavéricos. — Acho que pisei em algo com esse pé. Estava um tanto melado dentro da bota. Mas sei que vai limpá-lo adequadamente.

As orelhas de Jason ficaram vermelhas. Pela tensão em seu pescoço, Hazel percebeu que o filho de Júpiter estava tentado a abandonar o plano e atacar Círon — um golpe rápido com a sua espada de ouro imperial. Mas Hazel sabia que ele falharia.

— Círon — interrompeu ela. — Você tem água? Sabão? Como vamos lavar...

— Com isto! — Círon rodou a pistola esquerda que, subitamente, transformou-se em um borrifador com um trapo. Ele jogou aquilo para Jason.

Jason leu o rótulo.

— Você quer que eu lave os seus pés com limpador de *vidro*?

— Claro que não! — Círon franziu a testa. — Aí diz limpador *multissuperfície*. Meus pés definitivamente podem ser definidos como uma *multissuperfície*. Além disso, é antibacteriano. Preciso disso. Acredite, água não funcionaria com *estes* bebês.

Círon mexeu os dedos de novo, exalando mais fedor de lanchonete de zumbis pelo penhasco.

Jason engasgou:

— Ah, deuses, não...

Círon deu de ombros.

— Você também pode escolher o que tenho na outra mão.

Ele ergueu a pistola esquerda.

— Ele vai lavar — disse Hazel.

Jason a encarou, mas Hazel ganhou a disputa de quem olhava mais feio.

— Tudo bem — murmurou ele.

— Excelente! Agora...

Círon foi até a pedra calcária mais próxima, que era do tamanho certo para servir de apoio para o pé. Ele olhou para o mar e pousou o pé sobre a pedra, de modo que mais parecia um explorador que acabara de descobrir um novo país.

— Observarei o horizonte enquanto você esfrega os meus joanetes. Será muito mais agradável.

— É — disse Jason. — Aposto que sim.

O garoto se ajoelhou diante do bandido, na borda do penhasco, onde era um alvo fácil. Um chute e ele cairia.

Hazel se concentrou. Imaginou ser Círon, o senhor dos bandidos. Estava olhando para um patético garoto de cabelos louros que não representava qualquer ameaça, era apenas mais um semideus derrotado prestes a se tornar sua vítima.

Em sua mente, visualizou o que aconteceria. Ela invocou a Névoa, chamando-a das profundezas da terra como fazia com ouro, prata ou rubis.

Jason esguichou o produto de limpeza. Seus olhos lacrimejaram. Ele limpou o dedão de Círon com o trapo e virou o rosto com ânsia de vômito. Hazel mal podia olhar. Quando o chute aconteceu, ela quase não o viu.

Círon acertou o peito de Jason, que foi lançado da beira do precipício, agitando os braços e gritando enquanto caía. Quando estava prestes a atingir a água, a tartaruga emergiu, engoliu-o em uma bocada e, em seguida, submergiu.

Alarmes soaram no *Argo II*. Os amigos de Hazel se espalharam pelo convés, preparando as catapultas. Hazel ouviu o grito de Piper.

Foi tão perturbador que ela quase perdeu a concentração. Forçou sua mente a se dividir em duas partes: uma completamente concentrada em sua tarefa enquanto a outra desempenhava o papel que Círon precisava ver.

Gritou, indignada.

— O que você *fez*?

— Ah, querida... — A voz de Círon parecia triste, mas Hazel tinha a impressão de que ele escondia um sorriso sob a bandana. — Foi um acidente, eu juro.

— Agora, meus amigos vão *matar* você!

— Eles podem tentar — disse Círon. — Mas, enquanto isso, acho que você vai ter tempo de lavar o meu outro pé! Acredite em mim, querida. Minha tartaruga está satisfeita agora. Ela não a quer. Você estará segura, a menos que recuse.

Ele apontou a pistola para a sua cabeça.

Hazel hesitou, deixando-o perceber sua angústia. Não poderia concordar com muita facilidade, ou Círon não pensaria que ela estava derrotada.

— Não me chute — implorou ela quase chorando.

Os olhos de Círon brilharam. Era exatamente o que ele esperava. Ela estava derrotada e indefesa. Círon, filho de Poseidon, vencera outra vez.

Hazel mal podia acreditar que aquele cara tinha o mesmo pai que Percy Jackson. Então lembrou-se de que Poseidon tinha uma personalidade mutável, como o mar. Talvez seus filhos refletissem isso. Percy era filho do melhor lado de Poseidon — poderoso, embora gentil e útil, o tipo de mar que leva os navios com segurança para terras distantes. Círon era filho do *outro* lado de Poseidon, o tipo de mar que açoita incansavelmente o litoral até erodi-lo, que arrasta inocentes da praia e os afoga, ou que esmaga navios e mata tripulações inteiras sem misericórdia.

Ela pegou o borrifador que Jason deixara cair.

— Círon, seus pés são a coisa *menos* nojenta em você — resmungou ela.

Seus olhos verdes endureceram.

— Apenas limpe.

Ela se ajoelhou, tentando ignorar o fedor. Foi um pouco para o lado, forçando Círon a ajustar a sua postura, mas imaginou o mar ainda às suas costas. Manteve tal visão em mente enquanto ia de novo para o lado.

— Comece logo a lavar! — exigiu Círon.

Hazel reprimiu um sorriso. Havia conseguido fazê-lo girar cento e oitenta graus, mas ele continuava a ver o mar à sua frente e a paisagem rural às suas costas.

Ela começou a limpar.

Já fizera muito trabalho nojento anteriormente. Limpara os estábulos dos unicórnios no Acampamento Júpiter. Cavara e enterrara latrinas para a legião.

Isso não é nada, disse consigo mesma. Mas era difícil não vomitar quando olhava para os dedos de Círon.

Quando o chute veio, ela foi jogada para trás, mas não foi muito longe. Caiu sentada na grama, a alguns metros dali.

Círon olhou para ela.

— Mas...

De repente, o mundo mudou. A ilusão se desfez, deixando o bandido totalmente confuso. O mar estava às *suas* costas. Apenas chutara Hazel para longe da borda.

Baixou a pistola.

— Como...

— Pare e entregue — disse Hazel.

Jason mergulhou do céu, bem acima da cabeça dela, e deu um encontrão no bandido, lançando-o do penhasco.

Círon gritou enquanto caía, disparando a pistola desesperadamente, mas, pela primeira vez, seus tiros não atingiram nada. Hazel se levantou. Chegou à borda do penhasco a tempo de ver a tartaruga surgir e abocanhar Círon em pleno ar.

Jason sorriu.

— Hazel, isso foi *incrível*. Sério... Hazel? Ei, Hazel?

Hazel caiu de joelhos, subitamente tonta.

Podia ouvir seus amigos comemorando no navio. Jason se aproximou dela, mas se movia em câmera lenta. Sua figura parecia borrada, e era impossível compreender o que dizia.

A geada cobriu as pedras e a grama à sua volta. O monte de tesouros que ela invocara voltou a afundar na terra. A Névoa rodopiou.

O que eu fiz?, pensou em pânico. *Algo deu errado.*

— Não, Hazel — disse uma voz grave às suas costas. — Você se saiu muito bem.

Ela mal se atrevia a respirar. Ouvira aquela voz uma única vez, mas a repetira em sua mente milhares de vezes.

Voltou-se e se viu diante de seu pai.

Ele estava vestido em estilo romano: cabelo escuro cortado bem curto, rosto pálido, anguloso e barbeado. Sua túnica e toga eram de lã preta, bordadas com fios de ouro. Rostos de almas atormentadas agitavam o tecido. A bainha de sua toga tinha uma linha da cor do carmim de um senador ou de um pretor, mas ondulava como um rio de sangue. No dedo anelar de Plutão havia uma enorme opala, como um pedaço polido de Névoa congelada.

O seu anel de casamento, pensou a garota. Mas Plutão nunca se casara com a mãe de Hazel. Deuses não se casam com mortais. Aquele anel deveria ser de seu casamento com Perséfone.

O pensamento a deixou com tanta raiva que ela ignorou a tontura e se levantou.

— O que você quer? — perguntou.

Hazel esperava que seu tom de voz o ferisse, deixasse-o magoado depois de toda a dor que ele lhe causara. Mas um leve sorriso esboçou-se nos lábios de Plutão.

— Minha filha. Estou impressionado. Você ficou mais forte.

Não graças a você, Hazel teve vontade de dizer. Não queria sentir qualquer prazer com aquele elogio, mas ainda assim seus olhos arderam.

— Pensei que vocês, deuses maiores, estivessem incapacitados — conseguiu dizer. — Que as suas personalidades gregas e romanas estivessem lutando umas contra as outras.

— Estamos — concordou Plutão. — Mas você me invocou com tal força que me permitiu aparecer... mesmo que apenas por um instante.

— Não o invoquei.

Contudo, sabia que não era verdade. Pela primeira vez, Hazel aceitava de bom grado ser uma filha de Plutão. Havia tentado entender os poderes de seu pai e aproveitá-los ao máximo.

— Quando vier à minha casa, em Épiro, você deverá estar preparada — avisou Plutão. — Os mortos não vão recebê-la bem. E a feiticeira Pasifae...

— Pacífica? — perguntou Hazel.

Percebeu então que aquele devia ser o nome da mulher.

— Ela não se deixará enganar tão facilmente quanto Círon. — Os olhos de Plutão brilhavam como pedra vulcânica. — Você passou em seu primeiro teste, mas Pasifae pretende reconstruir o seu domínio, o que colocará *todos* os semideuses em risco. A menos que você a detenha na Casa de Hades...

Sua forma bruxuleou. Por um instante, ficou barbudo, usando uma túnica grega e uma coroa de louros dourados na cabeça. A seus pés, mãos esqueléticas romperam a terra.

O deus rangeu os dentes e fez uma careta.

Sua forma romana se estabilizou. As mãos esqueléticas voltaram a se dissolver na terra.

— Não temos muito tempo. — Seu pai parecia um homem sofrendo de uma terrível doença. — Saiba que as Portas da Morte estão no nível mais baixo do *Necromanteion*. Você deve fazer Pasifae ver o que ela deseja ver. Você está certa. Esse é o segredo de toda a magia. Mas não será fácil quando estiver no labirinto dela.

— Como assim? Que labirinto?

— Você vai entender — prometeu Plutão. — E, Hazel Levesque… sei que não acredita em mim, mas estou orgulhoso de sua força. Às vezes… Às vezes, a única maneira de cuidar de meus filhos é me mantendo afastado.

Hazel engoliu um insulto. Plutão era apenas mais um deus pai desnaturado dando desculpas esfarrapadas. Mas seu coração batia forte enquanto repetia mentalmente suas palavras: *Estou orgulhoso de sua força*.

— Vá encontrar os seus amigos — disse Plutão. — Eles vão ficar preocupados. A viagem até o Épiro ainda lhes reserva muitos perigos.

— Espere — disse Hazel.

Plutão ergueu uma sobrancelha.

— Quando conheci Tânatos — disse ela —, você sabe… a *Morte*… ele falou que eu não estava na lista de espíritos extraviados a serem capturados. Disse que talvez por isso você estivesse mantendo distância. Se me reconhecesse, teria que me levar de volta para o Mundo Inferior.

Plutão esperou.

— O que quer saber?

— Você está aqui. Por que não me leva para o Mundo Inferior, de volta para os mortos?

Plutão começou a desaparecer. Ele sorriu, mas Hazel não podia dizer se estava triste ou feliz.

— Talvez isso não seja o que *eu* queira ver, Hazel. Talvez eu nunca tenha estado aqui.

XXIX

PERCY

Foi um alívio para Percy quando as vovós demoníacas se aproximaram para a matança.

Ele estava apavorado, claro. Não gostava da desvantagem de três contra várias dezenas. Mas pelo menos *lutar* lhe era familiar. Caminhar pelas trevas, apenas à espera de ser atacado... Isso o estava deixando maluco.

Além do mais, ele e Annabeth tinham lutado juntos inúmeras vezes. E agora tinham um titã do seu lado.

— Para trás.

Percy brandiu Contracorrente na direção da bruxa enrugada mais próxima, mas ela apenas deu um sorriso de desprezo.

Nós somos as arai, ecoou outra vez a estranha voz, como se a floresta inteira estivesse falando. *Vocês não podem nos destruir.*

Annabeth encostou-se nele.

— Não encoste nelas — alertou a garota. — São os espíritos das maldições.

— Bob não gosta de maldições — disse o zelador, decidido.

O gatinho esqueleto, Bob Pequeno, desapareceu dentro do macacão do titã. Gato esperto.

Bob descreveu um arco amplo com a vassoura e forçou os espíritos a recuarem, mas eles voltaram como uma onda.

Nós servimos aos amargos e derrotados, disseram as *arai. Servimos aos que foram mortos e rezaram por vingança em seu último suspiro. Temos muitas maldições para dividir com vocês.*

O fogo líquido no estômago de Percy começou a subir por sua garganta. Como seria bom se o Tártaro tivesse uma maior opção de bebidas, ou talvez uma árvore de frutos antiácidos.

— Muito obrigado — agradeceu ele. — Mas minha mãe me disse para nunca aceitar maldições de estranhos.

A criatura demoníaca mais próxima deu um bote. Suas garras se projetavam como navalhas de ossos. Percy a cortou ao meio, mas assim que ela se evaporou, os lados do peito dele arderam de dor. Recuou, com as mãos apertando a caixa torácica. Quando viu seus dedos, estavam molhados e vermelhos.

— Percy, você está sangrando! — gritou Annabeth, o que àquela altura era meio óbvio para ele. — Ah, meus deuses, dos *dois* lados.

Era verdade. Sua camisa esfarrapada estava ensopada de sangue dos lados direito e esquerdo, como se ele tivesse sido atravessado por uma lança.

Ou uma flecha...

A sensação de náusea quase o derrubou. *Vingança. Uma maldição dos que foram mortos.*

Ele se lembrou de uma luta no Texas dois anos antes, contra um fazendeiro monstruoso que só podia ser morto se todos os seus três corpos fossem atingidos ao mesmo tempo.

— Geríon — disse Percy. — Foi assim que eu o matei...

Os espíritos mostraram suas presas. Mais *arai* saltaram das árvores negras, batendo suas asas de morcego.

Isso, concordaram elas. *Sinta a dor que você infligiu a Geríon. Tantas maldições foram lançadas contra você, Percy Jackson... De qual você vai morrer? Escolha, ou vamos destruí-lo!*

De algum modo Percy conseguiu continuar de pé. O sangue parou de escorrer, mas ele ainda sentia como se uma barra de metal quente estivesse atravessando suas costelas. O braço da espada estava pesado e fraco.

— Não entendo — murmurou ele.

A voz de Bob parecia muito distante, como se ecoasse do fim de um túnel comprido.

— Se matar uma, ela passa uma maldição para você.

— Mas se nós *não* as matarmos... — disse Annabeth.

— Elas vão matar a gente de qualquer jeito — adivinhou Percy.

Escolha!, gritaram as *arai*. *Quer ser esmagado como Campe? Ou desintegrado como os jovens telquines que matou aos pés do Monte Santa Helena? Você causou muita morte e sofrimento, Percy Jackson. Nós vamos lhe dar o troco!*

As bruxas aladas se aproximaram mais. Tinham um bafo azedo, e seus olhos brilhavam de ódio. Pareciam Fúrias, mas Percy concluiu que eram criaturas ainda piores. Pelo menos as três Fúrias estavam sob o controle de Hades. Essas coisas eram selvagens e não paravam de se multiplicar.

Se elas eram realmente as personificações das maldições lançadas à beira da morte de todos os inimigos que Percy destruíra... então estava com sérios problemas. Tinha enfrentado *muitos* inimigos.

Um dos demônios avançou em Annabeth. Ela se esquivou instintivamente, golpeou a cabeça da velha com sua pedra e a transformou em poeira.

Annabeth não teve escolha, assim como Percy. Instantaneamente, entretanto, Annabeth soltou a pedra e gritou apavorada.

— Não consigo ver!

Ela tocou o rosto, olhando desesperada de um lado para outro. Seus olhos estavam completamente brancos.

Percy correu para seu lado enquanto as *arai* falavam.

Polifemo a amaldiçoou quando você o enganou com sua invisibilidade no Mar de Monstros. Você disse se chamar Ninguém. Ele não podia vê-la. Agora é você que não vai ver quem a atacar.

— Estou aqui — disse Percy.

Ele envolveu Annabeth com um braço, mas quando as *arai* avançassem, ele não sabia como poderia proteger nenhum dos dois.

Uma dúzia de demônios atacou de todas as direções, mas Bob gritou:

— VARRER!

Sua vassoura passou zunindo acima da cabeça de Percy. Toda a linha ofensiva das *arai* foi derrubada como pinos de boliche.

Outras avançaram. Bob acertou uma na cabeça e perfurou outra, transformando-as em pó. As demais recuaram.

Percy prendeu a respiração, à espera de que seu amigo titã fosse derrubado por alguma maldição terrível, mas Bob parecia bem, um guarda-costas enorme e prateado que mantinha a morte a distância com a mais assustadora de todas as ferramentas de limpeza.

— Bob, você está bem? — perguntou Percy. — Sem maldições?

— Nada de maldições para Bob! — confirmou ele.

As *arai* rosnavam e formaram um círculo, atentas à vassoura. *O titã já está amaldiçoado. Por que deveríamos torturá-lo mais? Você, Percy Jackson, já destruiu a memória dele.*

A lança de Bob baixou rapidamente.

— Bob, não dê ouvidos a elas — pediu Annabeth. — Elas são más!

O tempo pareceu ficar mais lento. Percy se perguntou se o espírito de Cronos estaria em algum lugar por perto, espreitando na escuridão e se divertindo tanto com aquele momento que desejara fazê-lo durar para sempre. Percy se sentiu exatamente como quando tinha doze anos, enfrentando Ares naquela praia em Los Angeles, no momento em que a sombra do senhor dos titãs passou pela primeira vez sobre ele.

Bob se virou. Seus cabelos prateados desgrenhados pareciam um halo.

— Minha memória... Foi você?

Amaldiçoe-o, titã!, insistiram as *arai* com os olhos vermelhos e brilhantes. *Aumente nossas maldições!*

O coração de Percy bateu mais rápido.

— Bob, é uma longa história. Não queria que você fosse meu inimigo. Tentei fazer de você um amigo.

Roubando sua vida, disseram as *arai*. *Eles o deixaram no palácio de Hades para limpar o chão!*

Annabeth segurou a mão de Percy.

— Para onde? — sussurrou. — Se tivermos que correr.

Ele entendeu.

Se Bob não os protegesse, sua única chance era correr, o que significava que na verdade não tinham chance.

— Bob, escute — disse, tentando de novo. — As *arai* querem que você fique com raiva. Elas são fruto de pensamentos amargos. Não dê a elas o que querem. Nós *somos* seus amigos.

Mesmo enquanto dizia essas palavras, Percy se sentiu um mentiroso. Ele tinha deixado Bob no Mundo Inferior e nunca mais pensara nele desde então. Por que seriam amigos? Só porque precisava do titã agora? Percy sempre odiava quando os deuses o usavam para realizar suas tarefas. Agora estava tratando Bob do mesmo jeito.

Está vendo o rosto dele?, rosnaram as *arai*. *O garoto não consegue nem se convencer. Ele visitou você alguma vez depois que roubou sua memória?*

— Não — murmurou Bob. Seu lábio inferior estava trêmulo. — O outro visitou.

Percy ficou confuso.

— O outro?

— Nico. — Bob o olhou de cara feia, com uma expressão magoada. — Nico me visitou. Ele me falou de Percy. Disse que Percy era bom. Disse que ele era amigo. Foi por *isso* que Bob ajudou.

— Mas... — A voz de Percy falhou como se alguém o tivesse atingido com uma lâmina de bronze Celestial. Nunca tinha se sentido tão baixo e vil, tão pouco merecedor de uma amizade.

As *arai* atacaram, e dessa vez Bob não as deteve.

XXX

PERCY

— Esquerda! — Percy puxou Annabeth, golpeando as *arai* com a espada para abrir caminho. Provavelmente tinha recebido uma dezena de maldições, mas não as sentiu imediatamente, por isso não parou de correr.

Sentia apenas uma pontada de dor no peito que aumentava a cada passo. Desviava das árvores, conduzindo Annabeth a toda velocidade, apesar da cegueira da garota.

Percy percebeu quanto ela confiava nele para resolver o problema. Não podia decepcioná-la, mas como poderia salvá-la? E se ela ficasse permanentemente cega... Não. Ele se obrigou a ficar calmo. Mais tarde descobriria uma maneira de curá-la. Primeiro tinham que escapar.

Asas coriáceas cortavam o ar acima deles. Sibilos raivosos e o correr de pés com garras deixavam claro que os demônios os perseguiam.

Quando passaram por uma das árvores negras, partiu o tronco com a espada. Ele a ouviu cair, e, logo depois, o agradável barulho de dezenas de *arai* sendo esmagadas.

Se uma árvore cai na floresta e esmaga um demônio, será que a árvore é amaldiçoada?

Percy partiu outro tronco e outro em seguida. Isso atrasou seus perseguidores, mas não o suficiente.

De repente, a escuridão adiante ficou mais densa. Percy percebeu o que era bem a tempo. Agarrou Annabeth antes que os dois caíssem direto em um precipício.

— O que foi? — gritou ela. — O que aconteceu?

— Precipício — respondeu sem fôlego. — Precipício enorme.

— Então para onde vamos?

Percy não conseguia ver a altura do penhasco. Seria de dez ou mil metros. Não dava para saber o que havia no fundo. Podiam saltar e torcer pela melhor das hipóteses, mas duvidava que o "melhor" acontecesse no Tártaro.

Então havia duas opções: direita ou esquerda, acompanhando a borda do penhasco.

Estava prestes a escolher aleatoriamente quando um demônio alado pairou sobre o vazio à sua frente batendo com suas asas de morcego, próximo mas fora do alcance de sua espada.

O passeio foi bom?, perguntou a voz coletiva, ecoando à sua volta.

Percy se virou. As *arai* estavam saindo da floresta e formando uma meia-lua em torno deles. Uma agarrou o braço de Annabeth, que gritou de raiva. Deu um golpe de judô no monstro e pulou no seu pescoço, pondo todo o peso do corpo em um golpe com o cotovelo que teria deixado qualquer lutador profissional orgulhoso.

O demônio se desintegrou, mas, quando Annabeth se levantou, parecia atônita e assustada, além de cega.

— Percy? — chamou com a voz trêmula pelo pânico.

— Estou aqui.

Tentou tocar em seu ombro, mas ela não estava no mesmo lugar. Tentou de novo e descobriu que ela estava alguns metros mais distante. Era como tentar agarrar algo dentro da água, quando a luz fazia a imagem mudar de lugar.

— Percy! — gritou a voz de Annabeth. — Por que você me abandonou?

— Não abandonei! — Ele encarou as *arai*, com os braços trêmulos de raiva. — O que fizeram com ela?

Não fizemos nada, disseram os demônios. *Sua amada liberou uma maldição especial... um pensamento amargo para alguém que você abandonou. Você puniu uma alma inocente deixando-a só. Agora o desejo mais cheio de ódio dessa alma se realizou: Annabeth sente o desespero dela. Também morrerá sozinha e abandonada.*

— Percy? — Annabeth estendeu os braços para tentar localizá-lo. As *arai* recuaram e deixaram que ela andasse cegamente e aos tropeções através delas.

— Quem eu abandonei? — perguntou Percy. — Eu nunca...

De repente, sentiu como se seu estômago tivesse caído no precipício.

As palavras ecoaram em sua mente: *Uma alma inocente. Solitária e abandonada.* Lembrou de uma ilha, uma caverna iluminada pelo brilho suave de cristais, uma mesa de jantar na praia servida por criados invisíveis.

— Ela não... — balbuciou. — Ela jamais iria me amaldiçoar.

Os olhos dos demônios se misturaram como suas vozes. Percy sentiu as laterais do corpo latejarem. A dor no peito estava pior, como se alguém estivesse girando lentamente um punhal.

Annabeth caminhava em meio aos demônios, chamando desesperadamente por ele. Percy ansiava por correr até ela, mas sabia que as *arai* o impediriam. A única razão para não a terem matado ainda era porque estavam desfrutando de sua desgraça.

Percy cerrou os dentes. Não ligava para quantas maldições sofresse. Tinha que manter aquelas decrépitas bruxas coriáceas concentradas nele e proteger Annabeth enquanto conseguisse.

Furioso, gritou e atacou todas elas.

XXXI

PERCY

Por um empolgante minuto, Percy sentiu como se estivesse vencendo. Contracorrente cortava as *arai* como se fossem feitas de manteiga. Uma entrou em pânico, correu e deu de cara com uma árvore. Outra gritou e tentou escapar voando, mas ele cortou suas asas e lançou-a girando para o abismo.

Cada vez que um demônio se desintegrava, Percy recebia uma nova maldição, o que fazia crescer nele uma sensação de medo. Algumas maldições eram cruéis e dolorosas: uma punhalada na barriga, ou uma sensação de queimação como se estivesse sendo atacado por um maçarico. Outras eram sutis: um calafrio na espinha, um tique incontrolável no olho direito.

Fala sério, quem usa o último suspiro para amaldiçoar você com: *Espero que tenha um tique nervoso!*

Percy sabia que tinha matado muitos monstros, mas nunca pensou nisso do ponto de vista de suas vítimas. Agora, toda a dor, raiva e amargura delas se derramavam sobre ele, minando sua resistência.

Mesmo assim as *arai* continuavam a atacar. Para cada uma que derrubava, pareciam surgir mais seis.

O braço que segurava a espada ficou ainda mais cansado. Seu corpo doía, e a visão começou a embaçar. Tentou abrir caminho na direção de Annabeth, mas ela estava longe demais, chamando-o e andando sem rumo entre os demônios.

Enquanto tentava chegar até ela, um demônio deu um bote e cravou os dentes em sua coxa. Percy urrou e transformou o demônio em pó com um golpe, mas caiu de joelhos.

Sua boca queimava mais do que se houvesse engolido fogo líquido do Flegetonte. Ele se curvou, tremendo e com ânsias de vômito, sentindo como se serpentes de chamas descessem por seu esôfago.

Você escolheu, disse a voz das *arai*. *A Maldição de Fineu... uma morte dolorosa excelente.*

Percy tentou falar, mas sua língua parecia estar assando. Lembrou do velho rei cego que tinha perseguido harpias por Portland com um aparador de grama. Percy o desafiou para um confronto, e o perdedor bebeu o fatal sangue de górgona. Percy não se lembrava de ouvir o velho moribundo murmurar uma maldição em seus segundos finais, mas enquanto Fineu se dissolvia e voltava para o Mundo Inferior, provavelmente não desejara a Percy uma vida longa e próspera.

Depois da vitória, Gaia o alertou: *Não abuse da sorte. Quando chegar a hora de sua morte, prometo que ela será muito mais dolorosa que o sangue de górgona.*

Agora estava no Tártaro morrendo por causa do sangue de górgona além de muitas outras maldições torturantes enquanto via a namorada cambalear sem rumo, indefesa, cega e acreditando que fora abandonada. Apertou a espada. As juntas dos dedos começaram a fumegar. Uma fumaça branca veio subindo de seus antebraços.

Não vou morrer assim, pensou ele.

Não apenas por ser um jeito doloroso e extremamente tosco, mas porque Annabeth precisava dele. Quando morresse, os demônios se concentrariam nela. Não podia abandoná-la.

As *arai* se amontoaram em torno dele, rindo, rosnando e sibilando.

Primeiro, a cabeça dele vai explodir, especulou a voz.

Não, a voz respondeu a si mesma de outra direção. *Ele vai entrar em combustão espontânea.*

Estavam fazendo apostas sobre sua morte... sobre o formato da marca calcinada que deixaria no chão.

— Bob — gemeu sem forças. — Preciso de você.

Era uma súplica desesperada. Mal conseguia ouvir a si mesmo. Por que Bob deveria atender seu chamado pela segunda vez? O titã agora sabia a verdade. Percy não era amigo.

Ergueu os olhos uma última vez. Tudo em torno dele parecia tremeluzir. O céu fervia e o solo estava coberto de bolhas.

Percy percebeu que o que *vira* no Tártaro era apenas uma versão diluída de seu verdadeiro horror, apenas aquilo com que seu cérebro de semideus podia lidar. O pior ficava oculto, do mesmo modo que a neblina escondia os monstros de olhos mortais. Agora, enquanto morria, Percy enxergou a verdade.

O ar era a respiração de Tártaro. Todos aqueles monstros eram apenas células sanguíneas que circulavam por seu corpo. Tudo que Percy via era um sonho na mente do deus sombrio das profundezas.

Nico deve ter visto Tártaro assim, e isso quase o enlouquecera. Nico... uma das muitas pessoas que Percy não tinha tratado bem o suficiente. Ele e Annabeth só tinham conseguido chegar tão longe no Tártaro porque Nico di Angelo tornara-se amigo verdadeiro de Bob.

Está vendo o horror das profundezas?, disseram as *arai* em voz tranquilizadora. *Desista, Percy Jackson. Não é melhor morrer do que sofrer aqui?*

— Sinto muito — murmurou Percy.

Ele está se desculpando!, as *arai* riram de prazer. *Ele se arrepende de sua vida fracassada, de seus crimes contra os filhos do Tártaro!*

— Não — disse Percy. — Sinto muito, Bob. Devia ter sido honesto com você. Por favor... me perdoe. Proteja Annabeth.

Não esperava que Bob ouvisse ou se importasse, mas pareceu o certo a fazer para ter a consciência limpa. Não podia culpar mais ninguém por seus problemas. Nem os deuses. Nem Bob. Nem sequer Calipso, a garota que deixara sozinha naquela ilha. Talvez ela houvesse ficado amargurada e, por desespero, amaldiçoado a namorada de Percy. Mesmo assim... ele devia ter buscado informações sobre Calipso e se assegurado de que os deuses a houvessem libertado de seu exílio em Ogígia como prometeram. Não a tratara nem um pouco melhor do que tratara Bob. Nem pensou muito nela, apesar de sua planta de enlace lunar ainda florescer na jardineira da mãe dele.

Usou suas últimas forças e conseguiu se levantar. Todo seu corpo exalava vapor. Suas pernas tremiam. Suas entranhas se revolviam como o interior de um vulcão.

Pelo menos partiria lutando. Percy ergueu Contracorrente.

Mas antes que pudesse atacar, todas as *arai* à sua frente explodiram e viraram pó.

XXXII

PERCY

Bob sabia mesmo como usar uma vassoura.

Golpeava a torto e a direito, destruindo demônios um atrás do outro com o gatinho Bob Pequeno em seu ombro, arqueando as costas e rosnando.

Em poucos segundos, as *arai* desapareceram. A maioria evaporou. As inteligentes tinham voado para a escuridão gritando aterrorizadas.

Percy queria agradecer o titã, mas não conseguiu falar. Suas pernas fraquejaram. Os ouvidos zumbiam. Em meio a um brilho vermelho de dor, viu Annabeth a alguns metros de distância, andando sem rumo e às cegas em direção ao precipício.

— Não! — grunhiu Percy.

Bob acompanhou o olhar dele, correu e tirou Annabeth do chão. Ela gritava, chutava, e socava a barriga do zelador, mas ele não parecia se incomodar. Carregou-a até Percy e a colocou no chão com delicadeza.

O titã tocou a testa dela.

— Ui!

Annabeth parou de lutar. Seus olhos desanuviaram.

— Aonde... o quê...?

Ela viu Percy, e uma série de expressões passaram por seu rosto: alívio, alegria, choque, horror.

— O que houve com ele? — gritou ela. — O que aconteceu?

Ela abraçou Percy e chorou sobre sua cabeça.

Ele queria dizer que estava tudo bem, mas claro que não estava. Não sentia mais o próprio corpo. Sua consciência parecia um balãozinho, amarrado frouxamente no alto de sua cabeça. Não tinha peso, nem força. Apenas continuava a se expandir, ficando cada vez mais leve. Sabia que logo explodiria, ou a linha iria se romper, e sua vida flutuaria para longe.

Annabeth tomou seu rosto nas mãos. Ela o beijou e tentou limpar a poeira e o suor dos olhos dele.

Bob estava parado perto dos dois com a vassoura fincada no chão como uma bandeira. Era impossível compreender o que sentia olhando seu rosto, luminosamente branco no escuro.

— Muitas maldições — explicou Bob. — Percy fez coisas ruins com monstros.

— Você pode curá-lo? — implorou Annabeth. — Como fez com minha cegueira? Cure *Percy*!

Bob franziu o cenho. Cutucou o crachá em seu uniforme como se fosse uma casca de ferida.

Annabeth tentou de novo.

— Bob...

— Jápeto — disse Bob, com uma voz que soava como um ronco grave. — Antes de Bob. Era Jápeto.

Tudo pareceu congelar. Percy se sentia desamparado, mal conectado com o mundo.

— Prefiro o Bob. — A voz da menina estava surpreendentemente calma. — De qual você gosta?

O titã olhou para ela com seus olhos de prata pura.

— Não sei mais.

Ele se agachou ao lado dela e examinou Percy. O rosto do titã parecia exausto e envelhecido, como se de repente sentisse o peso de todos os seus séculos de vida.

— Eu prometi — murmurou ele. — Nico me pediu para ajudar. Acho que nem Jápeto nem Bob gostam de quebrar promessas.

E tocou a testa de Percy.

— Ui — murmurou o titã. — Um Ui muito grande.

Percy voltou para seu corpo. O zumbido nos ouvidos desapareceu, e sua visão clareou. Ainda tinha a sensação de ter engolido uma fritadeira, e suas entranhas borbulhavam. Podia sentir também que o veneno tivera apenas sua velocidade reduzida, não havia sido expurgado.

Mas estava vivo.

Tentou fitar Bob para expressar sua gratidão. Sua cabeça caiu sem forças sobre o peito.

— Bob não consegue curar isso — explicou ele. — Veneno demais. Maldições demais acumuladas.

Annabeth abraçou Percy. Ele queria dizer: *Agora posso sentir. Ai. Apertado demais.*

— O que podemos fazer, Bob? — perguntou Annabeth. — Tem água em algum lugar por perto? Talvez água o cure.

— Não tem água — disse Bob. — Tártaro é mau.

Eu percebi, Percy teve vontade de berrar.

Pelo menos o titã chamava a si próprio de Bob. Mesmo que o culpasse por tirar sua memória, talvez ajudasse Annabeth se Percy não conseguisse.

— Não — insistiu ela. — Não, *tem* que haver um jeito. *Algo* que possa curá-lo.

Bob pôs a mão no peito de Percy. Um formigamento frio como pomada de eucalipto espalhou-se sobre seu esterno. Mas assim que Bob tirou a mão, o alívio parou. Os pulmões de Percy voltaram a queimar como se estivessem cheios de lava.

— Tártaro mata semideuses — disse Bob. — Cura monstros, mas vocês não são. Tártaro não vai curar Percy. As profundezas odeiam sua espécie.

— Não me importa — disse Annabeth. — Mesmo aqui, *tem que* haver algum lugar onde ele possa descansar, algum elixir curativo que possa tomar. Talvez lá atrás, no altar de Hermes, ou...

Ao longe, ouviu-se uma voz alta, grave e profunda, uma voz que Percy reconheceu, infelizmente.

— SINTO O CHEIRO DELE! — ribombou o gigante. — CUIDADO, FILHO DE POSEIDON! EU VIM PEGAR VOCÊ!

— Polibotes — disse Bob. — Ele odeia Poseidon e seus filhos. E agora está muito perto.

Annabeth se esforçou para ajudar Percy a se levantar. Ele odiava dar tanto trabalho, mas se sentia como se fosse um saco de batatas. Mesmo com Annabeth sustentando quase todo o seu peso, mal conseguia se manter de pé.

— Bob, vou seguir em frente, com ou sem você — disse ela. — Você vai ajudar?

Bob Pequeno começou a miar e ronronar, se esfregando contra o queixo de Bob.

Bob, o titã, olhou para Percy, e Percy desejou poder interpretar sua expressão. Estava com raiva, ou apenas pensativo? Será que estava planejando vingança, ou simplesmente se sentindo chateado porque Percy mentira sobre ser seu amigo?

— Tem um lugar — disse Bob por fim. — Tem um gigante que pode saber o que fazer.

Annabeth quase deixou Percy cair.

— Um gigante. Hum, Bob, gigantes são maus.

— Um é bom — insistiu Bob. — Confiem em mim, e eu levo vocês... a menos que Polibotes e os outros nos peguem.

XXXIII

JASON

Jason adormeceu em plena missão. O que era ruim, já que estava a mais de trezentos metros de altura.

Deveria ter imaginado. Era a manhã seguinte de seu encontro com Círon, o bandido, e estava no ar, lutando com alguns *venti* selvagens que ameaçavam o navio. Quando destruiu o último, esqueceu-se de prender a respiração.

Um erro idiota. Quando um espírito do vento se desintegra, cria um vácuo. Se você não estiver prendendo a respiração, o ar é sugado de seus pulmões. A pressão nos ouvidos internos cai tão rápido que a pessoa desmaia.

Foi o que aconteceu com Jason.

Para piorar, ele mergulhou imediatamente em um sonho. Do fundo de seu subconsciente, perguntou-se: *Sério? Agora?*

Precisava acordar ou morreria; mas não conseguiu se concentrar nesse pensamento. No sonho, estava no teto de um edifício alto, a silhueta dos prédios de Manhattan espalhando-se à sua volta na paisagem noturna. Um vento frio açoitava suas roupas.

A poucos quarteirões dali, algumas nuvens se juntavam acima do Empire State — a entrada para o Monte Olimpo. Relâmpagos cortavam o céu. O ar estava metálico, cheirando a chuva iminente. O topo do arranha-céu estava iluminado como de costume, mas as luzes pareciam não estar funcionando direito. Ficavam mudando de roxo para laranja, como se as cores estivessem em uma disputa.

Junto com Jason no teto do prédio estavam seus antigos companheiros do Acampamento Júpiter: uma tropa de semideuses trajando armaduras, suas armas e escudos de ouro imperial brilhando na escuridão. Viu Dakota e Nathan, Leila e Marcus. Octavian estava um pouco afastado, magro e pálido, os olhos avermelhados devido à insônia ou à raiva, com vários bichinhos de pelúcia para sacrifícios presos ao cinto. Usava o manto branco de áugure sobre uma camiseta roxa e uma calça cargo.

No meio da fileira estava Reyna com os cães de metal Aurum e Argentum a seu lado. Ao vê-la, Jason sentiu uma grande pontada de culpa. Ele a deixara crer que os dois tinham um futuro juntos. Nunca fora apaixonado por ela, e não lhe dera esperanças... mas também nunca a desencorajara.

Ele desaparecera, e Reyna teve que liderar o acampamento sozinha. (O.k., aquilo não fora exatamente ideia de Jason, mas mesmo assim...) Então voltou para o Acampamento Júpiter com sua nova namorada, Piper, e um bando de amigos gregos em um navio de guerra. Dispararam contra o Fórum e fugiram, deixando-a com uma guerra nas mãos.

No sonho, ela parecia cansada. Os outros podiam não notar, mas Jason já trabalhara com Reyna por tempo suficiente para reconhecer o cansaço em seus olhos, a tensão em seus ombros sob as tiras da armadura. Seu cabelo escuro estava molhado, como se tivesse tomado um banho rápido.

Os romanos encaravam a porta de acesso ao teto do prédio como se estivessem à espera de alguém.

Quando a porta se abriu, duas pessoas surgiram. Uma delas era um fauno — não, pensou Jason —, um *sátiro*. Aprendera a diferença no Acampamento Meio-Sangue, e o treinador Hedge sempre o corrigia quando ele se confundia. Os faunos romanos vagavam por aí mendigando e comendo. Os sátiros eram mais úteis, mais envolvidos com os assuntos dos semideuses. Jason não acreditava ter visto aquele sátiro em particular antes, mas tinha certeza de que ele estava do lado dos gregos. Nenhum fauno caminharia com tanta segurança em direção a um grupo armado de romanos no meio da noite.

Ele usava uma camiseta verde do Nature Conservancy com imagens de animais ameaçados de extinção, baleias, tigres e outros tantos. Nada cobria seus cascos e suas pernas peludas. Tinha um cavanhaque espesso, cabelos castanhos encaracolados escondidos sob um gorro rastafári e uma flauta de bambu pendurada no pescoço. Ele remexia na barra da camisa, mas, considerando a maneira como estudava os romanos, prestando atenção em suas posições e armas, Jason percebeu que aquele sátiro já estivera em um combate.

Ao seu lado estava uma menina ruiva que Jason reconhecia do Acampamento Meio-Sangue: era o oráculo, Rachel Elizabeth Dare. Ela tinha longos cabelos encaracolados, usava uma blusa branca e uma calça jeans cheia de desenhos feitos à mão. Segurava uma escova de cabelo de plástico azul que batia nervosamente na coxa, como um talismã da sorte.

Jason lembrou-se dela junto à fogueira do acampamento, recitando a profecia que o enviara junto com Piper e Leo em sua primeira missão. Ela era uma adolescente mortal normal — não uma semideusa —, contudo, por razões que Jason jamais entendera, o espírito de Delfos a escolhera como seu porta-voz.

A verdadeira questão era: o que ela estava fazendo com os romanos?

A garota deu um passo à frente, os olhos fixos em Reyna.

— Você recebeu minha mensagem.

Octavian sorriu com desdém.

— Esse é o único motivo de terem chegado vivos até aqui, *graecus*. Espero que tenham vindo para discutir os termos de sua rendição.

— Octavian — advertiu Reyna.

— Ao menos os reviste! — protestou Octavian.

— Não há necessidade — disse Reyna, estudando Rachel Dare. — Vocês estão armados?

Rachel deu de ombros.

— Certa vez, acertei o olho de Cronos com esta escova. Fora isso, não.

Os romanos pareciam não saber como reagir àquela resposta. A mortal não parecia estar brincando.

— E seu amigo? — Reyna apontou para o sátiro. — Pensei que viria sozinha.

— Este é Grover Underwood — disse Rachel. — Ele é um líder do Conselho.

— Qual *conselho*? — questionou Octavian.

— Conselho dos Anciãos de Casco Fendido, cara. — A voz de Grover soava alta e esganiçada, como se estivesse com medo, mas Jason suspeitou que o sátiro era mais corajoso do que deixava transparecer. — Sério, os romanos não têm natureza, árvores e tal? Tenho algumas notícias que vocês precisam ouvir. Além disso, sou um protetor de carteirinha. Estou aqui para, vocês sabem, proteger Rachel.

Reyna parecia estar tentando segurar o riso.

— Sem nenhuma arma?

— Apenas a flauta de bambu. — A expressão de Grover tornou-se melancólica. — Percy sempre disse que meu cover de "Born to be Wild" deveria contar como uma arma perigosa, mas não creio que seja *tão* ruim assim.

Octavian zombou:

— Outro amigo de Percy Jackson. Só *me* faltava essa.

Reyna ergueu a mão pedindo silêncio. Seus cães de ouro e prata farejaram o ar, mas se mantiveram calmos e atentos ao seu lado.

— Até agora nossos visitantes só disseram a verdade — disse Reyna. — Estejam avisados, Rachel e Grover, que, se começarem a mentir, esta conversa terminará muito mal para vocês. Digam o que vieram dizer.

Rachel puxou um guardanapo do bolso da calça jeans.

— Uma mensagem. De Annabeth.

Jason não tinha certeza se ouvira direito. Annabeth estava no Tártaro. Ela não podia mandar um bilhete em um guardanapo para ninguém.

Talvez eu tenha caído na água e morrido, disse seu subconsciente. *Esta não é uma visão real. É uma espécie de alucinação pós-morte.*

Mas o sonho parecia muito real. Ele podia sentir o vento varrendo o teto do prédio. Podia sentir o cheiro da chuva. Relâmpagos cortavam o céu sobre o edifício Empire State, fazendo as armaduras dos romanos brilharem.

Reyna pegou o bilhete. Enquanto lia, suas sobrancelhas se erguiam cada vez mais. Abriu a boca, chocada. Finalmente, olhou para Rachel.

— Isso é uma piada?

— Gostaria que fosse — disse Rachel. — Eles realmente estão no Tártaro.

— Mas como...

— Não sei — respondeu Rachel. — O bilhete apareceu no fogo sacrificial do pavilhão de refeições. Essa é a letra de Annabeth. E ela cita seu nome.

Octavian se intrometeu.

— Tártaro? O que você quer dizer com isso?

Reyna entregou-lhe o bilhete.

Octavian murmurou enquanto lia:

— Roma, Aracne, Atena... *Atena Partenos?* — Ele olhou em volta, indignado, como se esperasse que alguém questionasse o que estava lendo. — Um truque dos gregos! Os gregos são *famosos* por seus truques!

Reyna pegou o bilhete de volta.

— Por que pedir isso a mim?

Rachel sorriu.

— Porque Annabeth é esperta. Acredita que você é capaz, Reyna Avila Ramírez-Arellano.

Jason sentiu como se tivesse levado um tapa. Ninguém *nunca* usava o nome completo de Reyna. Ela odiava ter que dizê-lo a alguém. A única vez em que Jason o dissera em voz alta, apenas para tentar pronunciá-lo corretamente, ela lhe lançou um olhar assassino. *Esse era o nome de uma menininha em San Juan*, dissera para ele. *Deixei-o para trás quando saí de Porto Rico.*

Reyna fez uma careta.

— Como você...

— Hum... — interrompeu Grover Underwood. — Quer dizer que suas iniciais são RA-RA?

A mão de Reyna baixou até sua adaga.

— Mas isso não é importante! — disse o sátiro rapidamente. — Olhe, não teríamos nos arriscado a vir até aqui se não confiássemos nos instintos de Annabeth. Um líder romano devolvendo a mais importante estátua grega para o Acampamento Meio-Sangue... ela sabe que isso pode evitar a guerra.

— Isto não é um truque — acrescentou Rachel. — Não estamos mentindo. Pergunte aos seus cães.

Os cães metálicos não reagiram. Reyna acariciou a cabeça de Aurum, pensativa.

— A Atena Partenos... então a lenda é verdadeira.

— Reyna! — exclamou Octavian. — Você não pode estar considerando isso seriamente! Mesmo que a estátua ainda exista, perceba o que eles estão fazendo. Estamos prestes a atacá-los, a destruir esses gregos cretinos de uma vez por todas, e eles inventam esta missão idiota para desviar sua atenção. Querem que você rume para a própria morte!

Os outros romanos murmuraram entre si, olhando feio para os visitantes. Jason se lembrou de quão persuasivo Octavian poderia ser, e ele estava ganhando o apoio dos oficiais.

Rachel Dare encarou o áugure.

— Octavian, filho de Apolo, você deveria levar isso mais a sério. Até mesmo os romanos respeitam o Oráculo de Delfos de seu pai.

— Há! — disse Octavian. — Você é o Oráculo de Delfos? Certo. E eu sou o imperador Nero!

— Pelo menos Nero entendia de música — murmurou Grover.

Octavian cerrou os punhos.

Subitamente, o vento mudou de direção. Passou a rodopiar em torno dos romanos com um som sibilante, como um ninho de cobras. Rachel Dare emanava uma aura verde, como se tivesse sido iluminada por um suave refletor de luz esmeralda. Então o vento voltou ao normal e a aura se foi.

O desprezo se esvaiu do rosto de Octavian. Os romanos se remexeram, inquietos.

— A decisão é sua — disse Rachel, como se nada tivesse acontecido. — Não tenho nenhuma profecia específica para oferecer a vocês, mas *posso* ter vislumbres do futuro. Vejo a Atena Partenos na Colina Meio-Sangue. E vejo *ela* trazendo a estátua. — Rachel apontou para Reyna. — Além disso, Ella tem murmurado trechos dos livros sibilinos.

— O quê? — interrompeu Reyna. — Os livros sibilinos foram destruídos há séculos.

— Eu *sabia*! — Octavian bateu com o punho na palma da mão. — Aquela harpia que eles trouxeram ao voltarem da missão, *Ella*. Sabia que ela estava recitando profecias! Agora entendo. Ela... de algum modo memorizou uma cópia dos livros sibilinos.

Reyna balançou a cabeça em sinal de descrença.

— Como isso é possível?

— Não sabemos — admitiu Rachel. — Mas, sim, parece ser esse o caso. Ella tem memória eidética. E adora livros. Em algum lugar, de algum modo, ela leu o livro romano de profecias. Agora é a única fonte deles.

— Seus amigos mentiram — disse Octavian. — Eles nos disseram que a harpia apenas murmurava coisas sem sentido. Eles a roubaram!

Grover bufou, indignado.

— Ella não é sua propriedade! É uma criatura livre. Além disso, quer ficar no Acampamento Meio-Sangue. Está namorando um de meus amigos, Tyson.

— O ciclope — lembrou-se Reyna. — Uma harpia namorando um ciclope...

— Isso não é relevante! — disse Octavian. — A harpia conhece profecias romanas valiosas. Se os gregos não a devolverem, devemos tomar seu oráculo como refém! Guardas!

Dois centuriões avançaram com as *pila* em riste. Grover levou a flauta aos lábios, tocou uma rápida melodia, e as lanças se transformaram em árvores de Natal. Os guardas as largaram, surpresos.

— Basta! — gritou Reyna.

Não costumava erguer a voz. Quando o fazia, todos a ouviam.

— Estamos nos desviando do assunto — disse ela. — Rachel Dare, você está me dizendo que Annabeth está no Tártaro. No entanto, ela encontrou um modo de enviar esta mensagem. Quer que *eu* leve essa estátua das terras antigas para o seu acampamento.

Rachel assentiu.

— Apenas um romano pode devolvê-la e restaurar a paz.

— E por que os romanos buscariam a paz depois que seu navio atacou nossa cidade? — perguntou Reyna.

— Você sabe por quê — replicou Rachel. — Para evitar esta guerra. Para reconciliar as personalidades gregas e romanas dos deuses. Precisamos trabalhar juntos para derrotar Gaia.

Octavian se adiantou para falar, mas Reyna lançou-lhe um olhar fulminante.

— De acordo com Percy Jackson — disse Reyna —, a batalha contra Gaia será travada nas terras antigas. Na Grécia.

— É onde estão os gigantes — concordou Rachel. — Seja qual for a magia ou o ritual que os gigantes estejam planejando para despertar a Mãe Terra, sinto que isso vai acontecer na Grécia. Mas... bem, nossos problemas não estão limitados às terras antigas. Por isso trouxe Grover para conversar com vocês.

O sátiro passou a mão pelo cavanhaque.

— Sim... Ao longo dos últimos meses, estive conversando com sátiros e espíritos da natureza por todo o continente. Todos dizem a mesma coisa. Gaia está despertando, quer dizer, está no *limiar* da consciência. Ela está sussurrando nas mentes das náiades, tentando convencê-las a mudar de lado. Está causando terremotos, arrancando as árvores das dríades. Só na semana passada apareceu em sua forma humana em uma dúzia de lugares diferentes, assustando meus amigos até os chifres. No Colorado, um punho de pedra gigante ergueu-se de uma montanha e acertou alguns pôneis de festa como se fossem moscas.

Reyna fez uma careta.

— *Pôneis de festa*?

— É uma longa história — disse Rachel. — O fato é: Gaia vai se erguer em *toda parte*. Já está despertando. Nenhum lugar estará seguro. E sabemos que seus primeiros alvos serão os acampamentos dos semideuses. Ela quer nos destruir.

— É tudo especulação — disse Octavian. — Uma distração. Os gregos temem nosso ataque. Estão tentando nos confundir. É mais um Cavalo de Troia!

Reyna mexeu no anel de prata que sempre usava, com o símbolo da espada e da tocha de sua mãe, Belona.

— Marcus — disse ela. — Traga Cipião dos estábulos.

— Reyna, não! — protestou Octavian.

Ela voltou-se para os gregos.

— Farei isso por Annabeth, pela paz entre nossos acampamentos, mas não pensem que me esqueci dos insultos ao Acampamento Júpiter. Seu navio disparou contra nossa cidade. *Vocês* declararam guerra, não nós. Agora, saiam.

Grover bateu com o casco no chão.

— Percy jamais...

— Grover, vamos — disse Rachel.

Seu tom de voz dizia: *Antes que seja tarde demais*.

Depois que os dois se foram, Octavian voltou-se para Reyna.

— Você ficou *louca*?

— Sou pretora da legião — disse Reyna. — Creio que isso seja do interesse de Roma.

— Morrer? Infringir nossas mais velhas leis e viajar para as terras antigas? Como pretende encontrar o navio deles, supondo-se que sobreviva à jornada?

— Vou encontrá-los — disse Reyna. — Se estão navegando para a Grécia, conheço um lugar que Jason terá que visitar. Para enfrentar os fantasmas na Casa de Hades, precisará de um exército. Há apenas um lugar onde pode conseguir esse tipo de ajuda.

No sonho de Jason, o prédio pareceu se inclinar sob seus pés. Ele se lembrou de uma conversa que tivera com Reyna anos antes, uma promessa que fizeram um ao outro. Sabia ao que ela estava se referindo.

— Isso é loucura — murmurou Octavian. — Já estamos sob ataque. Devemos assumir a ofensiva! Aqueles anões peludos estão roubando nossos suprimentos, sabotando nossos batedores. Você *sabe* que eles foram enviados pelos gregos.

— Talvez — disse Reyna. — Mas você *não* vai lançar um ataque sem que eu ordene. Continue a monitorar o acampamento dos gregos. Mantenha a posição. Reúna todos os aliados que puder e, se capturar os anões, você tem minha autorização para enviá-los de volta ao Tártaro. Mas *não* ataque o Acampamento Meio-Sangue até eu voltar.

Octavian estreitou os olhos.

— Enquanto você estiver fora, o áugure é o oficial sênior. Estarei no comando.

— Eu sei. — Reyna não parecia feliz com aquilo. — Mas você ouviu minhas ordens. Todos ouviram. — Ela examinou o rosto dos centuriões, desafiando-os a questioná-la.

A garota saiu bruscamente, o manto roxo esvoaçando atrás dela, e os cães seguindo-a de perto.

Depois que ela se foi, Octavian voltou-se para os centuriões.

— Reúna todos os oficiais seniores. Quero uma reunião assim que Reyna partir para essa missão ridícula. Haverá algumas mudanças nos planos da legião.

Um dos centuriões abriu a boca para responder, mas, por algum motivo, falou com a voz de Piper:

— *Acorde!*

Jason abriu os olhos e viu a superfície do oceano aproximando-se rapidamente.

XXXIV

JASON

JASON SOBREVIVEU, MAS POR POUCO.

Mais tarde, seus amigos explicaram que não o viram cair até o último segundo. Não houve tempo para Frank se transformar em uma águia e pegá-lo, nem para formular um plano de resgate.

Apenas o raciocínio rápido e o poder das palavras de Piper salvaram sua vida. Ela gritou *ACORDE!* tão alto que Jason sentiu como se tivesse levado um choque de um desfibrilador. No milésimo de segundo que lhe restava, convocou os ventos e evitou se transformar em uma poça flutuante de gordura de semideus no meio do Adriático.

De volta a bordo, Jason puxou Leo para o lado e sugeriu uma mudança de curso. Felizmente, Leo confiava nele o suficiente para não fazer perguntas.

— Lugar estranho para passar as férias — disse Leo, sorrindo. — Mas tudo bem, você que manda!

Agora, sentado com os amigos no refeitório, Jason se sentia *tão* acordado que duvidava que fosse conseguir dormir durante uma semana. Suas mãos estavam irrequietas. Não conseguia parar de balançar os pés. Imaginou que era assim que Leo se sentia o tempo todo. Só que Leo tinha senso de humor.

Depois do que vira em seu sonho, não estava com vontade de contar piadas.

Enquanto almoçavam, Jason contou a eles sobre a visão que teve em pleno ar. Seus amigos ficaram em silêncio por tempo suficiente para o treinador Hedge terminar de comer um sanduíche de manteiga de amendoim com banana, inclusive o prato de cerâmica.

O navio rangia enquanto navegavam pelo Mar Adriático, com os remos restantes ainda desalinhados devido ao ataque da tartaruga gigante. De vez em quando, Festus, a figura de proa, rangia e guinchava pelos alto-falantes, relatando a situação do piloto automático naquela estranha linguagem de máquina que só Leo conseguia entender.

— Um bilhete de Annabeth. — Piper balançou a cabeça, pasma. — Não vejo como isso é possível, mas se for...

— Ela está viva — disse Leo. — Graças aos deuses e me passe o molho de pimenta.

Frank franziu a testa.

— O que isso significa?

Leo limpou as migalhas do rosto.

— Isso significa: me passe o molho de pimenta, Zhang. Ainda estou com fome.

Frank passou o molho.

— Não podia imaginar que Reyna iria tentar nos encontrar. É tabu vir às terras antigas. Ela vai perder a pretoria.

— Se sobreviver — disse Hazel. — Foi muito difícil para nós chegar tão longe com sete semideuses e um navio de guerra.

— E eu — lembrou o treinador Hedge. — Não se esqueça, docinho, vocês tiveram a ajuda de um *sátiro*.

Jason teve que sorrir.

O treinador Hedge podia ser bem ridículo, mas Jason *estava* feliz que ele tivesse vindo. Lembrou-se do sátiro que vira em seu sonho, Grover Underwood. Ele não poderia imaginar um sátiro mais diferente do treinador Hedge, mas ambos pareciam corajosos a seu modo.

Aquilo fez Jason pensar nos faunos do Acampamento Júpiter — se poderiam ser como os sátiros caso os semideuses romanos exigissem mais deles. Outra coisa a acrescentar à sua lista...

Sua lista. Não tinha percebido que *tinha* uma lista até aquele momento, mas, desde que deixara o Acampamento Meio-Sangue, vinha pensando em maneiras de tornar o Acampamento Júpiter mais... *grego*.

Crescera no Acampamento Júpiter e se dera bem por lá. Mas Jason sempre fora um tanto não convencional. Ele se irritava com as regras.

Ingressou na Quinta Coorte porque todos lhe disseram para não fazer isso. Ele foi avisado de que era a pior unidade. Então pensou: *Ótimo, vou transformá-la na melhor*.

Quando se tornou pretor, fez uma campanha para mudar o nome da Décima Segunda Legião para Primeira Legião, simbolizando um novo começo para Roma. Sua ideia quase provocou um motim. Nova Roma era muito apegada à tradição e aos costumes — as regras não mudavam com facilidade. Jason aprendera a conviver com isso e até mesmo chegara ao topo.

Mas agora que vira os dois acampamentos, não conseguia se livrar da sensação de que talvez o Acampamento Meio-Sangue tivesse lhe ensinado mais sobre si mesmo. Caso sobrevivesse àquela guerra contra Gaia e retornasse ao Acampamento Júpiter como pretor, poderia melhorar as coisas?

Esse era seu dever.

Então, por que a ideia o enchia de medo? Sentia-se culpado por deixar Reyna no comando sozinha, mas mesmo assim... parte dele queria voltar para o Acampamento Meio-Sangue com Piper e Leo. Supôs que isso o tornava um péssimo líder.

— Jason? — chamou Leo. — *Argo II* para Jason. Responda.

Ele percebeu que seus amigos o olhavam com expectativa. Precisavam ser tranquilizados. Voltando ou não à Nova Roma depois da guerra, Jason teria que tomar a frente agora e agir como pretor.

— Sim, desculpe. — Tocou o buraco que Círon, o bandido, abrira em seu cabelo. — Cruzar o Atlântico é uma viagem difícil, sem dúvida. Mas jamais apostaria contra Reyna. Se há alguém que pode fazer isso, é ela.

Piper remexeu sua sopa com a colher. Jason ainda ficava um pouco preocupado, temendo que ela tivesse ciúmes de Reyna, mas, ao encará-lo, ela abriu um sorrisinho que parecia mais provocante do que inseguro.

— Bem, eu *adoraria* ver Reyna de novo — disse ela. — Mas como vai nos encontrar?

Frank ergueu a mão.

— Você não pode lhe mandar uma mensagem de Íris?

— Elas não estão funcionando muito bem — intrometeu-se o treinador Hedge. — A recepção anda horrível. Todas as noites, juro, tenho vontade de *chutar* aquela deusa do arco-íris...

Ele hesitou. Seu rosto ficou vermelho.

— Treinador? — Leo sorriu. — Para quem você tem ligado todas as noites, seu bode velho?

— Ninguém! — vociferou Hedge. — Nada! Só quis dizer...

— Ele quis dizer que já tentamos isso — interveio Hazel. O treinador lançou-lhe um olhar agradecido. — Alguma magia está interferindo... talvez seja Gaia. Contatar os romanos é ainda mais difícil. Acho que eles têm algum tipo de proteção.

Jason olhou de Hazel para o treinador, perguntando-se o que estava acontecendo com o sátiro, e como Hazel sabia daquilo. Pensando bem, havia um bom tempo que o treinador não mencionava sua namorada, Mellie, a ninfa das nuvens...

Frank tamborilou os dedos na mesa.

— Será que Reyna tem celular...? Ah. Não importa. Provavelmente teria uma péssima recepção com ela voando sobre o Atlântico em um pégaso.

Jason pensou na viagem pelo mar a bordo do *Argo II*, nas dezenas de encontros quase mortais. Pensar em Reyna fazendo aquela viagem sozinha... não conseguia decidir se era aterrorizante ou inspirador.

— Reyna vai nos encontrar — disse ele. — Ela mencionou algo no sonho. Espera que eu vá a um determinado lugar em nosso caminho para a Casa de Hades. Eu... eu tinha me esquecido dele, na verdade, mas ela está certa. É um lugar que preciso visitar.

Piper se inclinou em sua direção, a trança caindo sobre o ombro. Seus olhos brilhantes não o deixavam pensar direito.

— E onde fica esse lugar? — perguntou ela.

— Em uma... hã... uma cidade chamada Split.

— Split.

Ela cheirava muito bem, como madressilvas florescendo.

— Hum, sim.

Jason se perguntou se Piper estaria usando algum tipo de magia de Afrodite — por exemplo: toda vez que ele mencionasse o nome de Reyna, ela o confundisse a tal ponto que ele não conseguiria pensar em mais nada além de Piper. Não era uma vingança das piores.

— Na verdade, devemos estar perto. Leo?

Leo apertou o botão do interfone.

— Como vão as coisas aí em cima, cara?

Festus, a figura de proa, rangeu e soltou vapor.

— Ele disse que estamos a uns dez minutos do porto — informou Leo. — Embora eu ainda não entenda por que você quer ir para a Croácia, especialmente para uma cidade chamada *Split*. Ora, se você batiza uma cidade de *Split* está praticamente dando um aviso: *se separarem*. É como chamar uma cidade de *Dê o fora!*

— Espere — disse Hazel. — Por que estamos indo para a Croácia?

Jason notou que os outros estavam relutantes em encará-la. Desde seu truque com a Névoa contra Círon, o bandido, até mesmo Jason se sentia um pouco nervoso perto dela. Sabia que isso era injusto com Hazel. Já era muito difícil ser uma filha de Plutão, mas ela fizera magia *de verdade* naquele penhasco. E, depois, de acordo com Hazel, o próprio Plutão aparecera para ela. Isso era algo que os romanos normalmente chamariam de *mau agouro*.

Leo empurrou para o lado o molho de pimenta e as batatinhas chips.

— Bem, tecnicamente, estamos em território croata há mais ou menos um dia. Este litoral pelo qual estamos navegando *é* da Croácia, mas acho que, no tempo dos romanos, chamava-se... como foi mesmo que você disse, Jason? Bodácia?

— Dalmácia — disse Nico, assustando Jason.

Santo Rômulo... Jason desejou poder amarrar um sino no pescoço de Nico di Angelo para lembrá-lo de que o garoto estava por perto. Nico tinha o hábito perturbador de ficar quieto em um canto, misturando-se às sombras.

Deu um passo à frente, os olhos escuros fixos em Jason. Desde que fora resgatado do jarro de bronze em Roma, Nico vinha dormindo muito pouco e comendo menos ainda, como se ainda estivesse sobrevivendo daquelas sementes de romã de emergência do Mundo Inferior. Ele lembrou a Jason um *ghoul* comedor de carne com quem lutara em San Bernardino.

— A Croácia era a Dalmácia — disse Nico. — Uma grande província romana. Você quer visitar o Palácio de Diocleciano, não é?

O treinador Hedge soltou um arroto heroico.

— Palácio de *quem*? E os dálmatas vêm da Dalmácia? Aquele filme dos *101 Dálmatas*... ainda tenho pesadelos.

Frank coçou a cabeça.

— Por que alguém teria pesadelos com isso?

O treinador Hedge parecia estar prestes a iniciar um longo discurso sobre a maldade dos dálmatas de desenho animado, mas Jason decidiu que não queria ouvir.

— Nico está certo — disse ele. — Preciso ir ao Palácio de Diocleciano. É para onde Reyna irá primeiro, porque ela sabe que *eu* iria até lá.

Piper ergueu uma sobrancelha.

— E por que Reyna pensa isso? Você sempre teve um louco fascínio pela cultura croata?

Jason olhou para o sanduíche intocado em seu prato. Era difícil falar sobre sua vida de antes de Juno ter apagado sua memória. Seus anos no Acampamento Júpiter pareciam inventados, como um filme no qual ele houvesse atuado décadas antes.

— Reyna e eu conversávamos sobre Diocleciano — disse ele. — Nós meio que idolatrávamos o cara como um líder. Dizíamos como gostaríamos de visitar o Palácio de Diocleciano. Claro que sabíamos que isso era impossível. Ninguém podia viajar para as terras antigas. Mas, ainda assim, fizemos um pacto de que, se um dia *pudéssemos*, era para lá que iríamos.

— Diocleciano... — Leo pensou no nome, então balançou a cabeça. — Não conheço. Por que ele é tão importante?

Frank pareceu ofendido.

— Foi o último grande imperador pagão!

Leo revirou os olhos.

— Por que não estou surpreso que você saiba disso, Zhang?

— Por que não saberia? Ele foi o último imperador a adorar os deuses do Olimpo antes de Constantino assumir o poder e adotar o cristianismo.

Hazel assentiu.

— Lembro-me de algo sobre isso. As freiras de St. Agnes nos ensinaram que Diocleciano era um grande vilão, como Nero e Calígula. — Ela olhou de soslaio para Jason. — Por que você o idolatra?

— Ele não era um vilão *completo* — disse Jason. — Está certo que perseguiu cristãos, mas, tirando isso, era um bom governante. Diocleciano começou do nada, unindo-se à legião. Seus pais eram ex-escravos... ou pelo menos sua *mãe* era. Os semideuses sabem que ele era filho de Júpiter e foi o último semideus a governar Roma. Foi também o primeiro imperador a se aposentar, tipo, *pacificamente* e a abrir mão de seu poder. Era da Dalmácia, então voltou para lá e construiu um palácio para passar o restante da vida. A cidade de Split cresceu em torno...

Ele vacilou ao olhar para Leo, que fingia estar tomando notas com um lápis invisível.

— Vá em frente, professor Grace! — disse Leo com os olhos arregalados. — Quero tirar dez na prova.

— Cale a boca, Leo.

Piper tomou outra colherada de sopa.

— Mas por que o Palácio de Diocleciano é tão especial?

Nico inclinou-se e pegou uma uva. Provavelmente era tudo o que ele comeria naquele dia.

— Dizem que é assombrado pelo fantasma de Diocleciano.

— Que era filho de Júpiter, como eu — disse Jason. — Seu túmulo foi destruído há séculos, mas Reyna e eu costumávamos imaginar se poderíamos encontrar o fantasma de Diocleciano e perguntar onde ele foi enterrado... bem, de acordo com as lendas, seu cetro foi enterrado com ele.

Nico lançou a Jason um sorriso irônico e assustador.

— Ah... *essa* lenda.

— Que lenda? — perguntou Hazel.

Nico voltou-se para a irmã.

— Supostamente, o cetro de Diocleciano pode convocar os fantasmas de qualquer legião romana que adorasse os deuses antigos.

Leo assobiou.

— O.k., *agora* estou interessado. Seria bom ter um exército de zumbis pagãos da pesada ao nosso lado quando entrarmos na Casa de Hades.

— Eu não colocaria dessa forma — murmurou Jason. — Mas, é isso mesmo.

— Não temos muito tempo — advertiu Frank. — Hoje já é nove de julho. Temos que chegar a Épiro, fechar as Portas da Morte…

— Que são protegidas por um gigante sombrio e uma feiticeira que quer… — Hazel hesitou. — Bem, não tenho certeza. Mas, de acordo com Plutão, ela pretende "reconstruir o seu domínio". Seja lá o que isso signifique, é ruim o suficiente para que meu pai viesse me avisar pessoalmente.

Frank resmungou.

— E, se sobrevivermos a tudo isso, ainda teremos que descobrir onde os gigantes vão despertar Gaia e chegar lá antes de primeiro de agosto. Além disso, quanto mais tempo Percy e Annabeth ficarem no Tártaro…

— Eu sei — disse Jason. — Não vamos demorar muito em Split. Mas vale a pena tentar encontrar o cetro. Enquanto estivermos no palácio, posso deixar uma mensagem para Reyna informando nossa rota para Épiro.

Nico assentiu.

— O cetro de Diocleciano poderia nos dar uma grande vantagem. Você vai precisar da minha ajuda.

Jason tentou não demonstrar seu desconforto, mas sua pele se arrepiou com a ideia de ir a qualquer lugar com Nico di Angelo.

Percy lhe contara algumas histórias perturbadoras sobre o rapaz. Suas lealdades nem sempre eram claras. Ele passava mais tempo com os mortos do que com os vivos. Certa vez, atraíra Percy para uma armadilha no palácio de Hades. Talvez Nico tenha compensado tudo isso ajudando os gregos contra os titãs, mas ainda assim…

Piper apertou a mão dele.

— Ei, parece divertido. Irei também.

Jason queria gritar: *Graças aos deuses!*

Mas Nico balançou a cabeça.

— Você não pode ir, Piper. Apenas Jason e eu. O fantasma de Diocleciano pode aparecer para um filho de Júpiter, mas qualquer outro semideus provavelmente… hum, o *mataria* de medo. E eu sou o único que pode falar com seu espírito. Nem mesmo Hazel seria capaz de fazer isso.

Os olhos de Nico tinham um brilho de desafio. Ele parecia curioso para saber se Jason protestaria ou não.

O sino do navio soou. Festus rangeu e zumbiu no alto-falante.

— Chegamos a Split — anunciou Leo. — Hora de nos s*epararmos*.

Frank gemeu.

— Podemos deixar Valdez na Croácia?

Jason levantou-se.

— Frank é o encarregado de defender o navio. Leo, você tem reparos a fazer. Quanto ao resto de vocês, ajudem sempre que possível. Nico e eu... — Olhou para o filho de Hades. — Precisamos encontrar um fantasma.

XXXV

JASON

Jason viu o anjo pela primeira vez perto do carrinho de sorvete.

O *Argo II* ancorara na baía ao lado de seis ou sete navios de cruzeiro. Como sempre, os mortais não notaram o trirreme, mas, por precaução, Jason e Nico pegaram uma carona no escaler de um dos barcos para se misturarem à multidão de turistas quando desembarcassem na praia.

À primeira vista, Split parecia um lugar legal. Perto do porto havia um extenso calçadão ladeado por palmeiras. Jovens europeus passavam o tempo nas mesas dos cafés na calçada, falando dezenas de idiomas diferentes e aproveitando a tarde ensolarada. O ar cheirava a carne grelhada e a flores recém-colhidas.

Além da avenida principal, a cidade era uma mistura de torres de castelos medievais, muralhas romanas, casas de pedra com telhados vermelhos e modernos edifícios comerciais. Ao longe, colinas verde-acinzentadas iam em direção ao cume de uma montanha, o que deixou Jason um pouco nervoso. Ele continuou olhando para aquela escarpa rochosa, esperando que o rosto de Gaia surgisse das sombras.

Estava com Nico vagando pelo calçadão quando viu o cara com asas comprando um picolé em uma carrocinha. A vendedora parecia entediada enquanto separava o troco. Os turistas circulavam junto às enormes asas do anjo sem nem olhar duas vezes.

Jason cutucou Nico.

— Está vendo aquilo?

— Estou — respondeu Nico. — Talvez devêssemos comprar um sorvete.

Enquanto caminhavam em direção à carrocinha, Jason se perguntou se aquele sujeito alado seria um filho de Bóreas, o Vento Norte. O anjo carregava uma espada de bronze muito parecida com as dos boreadas, e o último encontro de Jason com eles não terminara muito bem.

Mas aquele cara parecia mais *frio* do que a própria frieza. Usava uma regata vermelha, bermudas e sandálias alpercata. Suas asas possuíam vários tons de vermelho, como um galo bantam ou um pôr do sol preguiçoso. A pele era bronzeada, e o cabelo preto quase tão encaracolado quanto o de Leo.

— Ele não é um dos espíritos que voltaram — murmurou Nico. — Nem uma criatura do Mundo Inferior.

— Não — concordou Jason. — Duvido que fossem comer picolés de chocolate.

— Então o que é? — perguntou Nico.

Estavam a uns quatro metros de distância quando o cara alado olhou diretamente para eles. Sorriu, apontou por cima do ombro com o picolé, e se dissolveu no ar.

Jason não podia *vê-lo* de verdade, mas tinha experiência suficiente controlando os ventos para conseguir acompanhar o trajeto do anjo: um fiapo quente vermelho e dourado passando do outro lado da rua, espiralando pela calçada e soprando cartões-postais dos displays em frente às lojas de lembranças para turistas. O vento foi em direção ao final do calçadão, onde se erguia uma grande estrutura parecida com uma fortaleza.

— Aposto que é o palácio — disse Jason. — Vamos.

Mesmo após dois milênios, o palácio de Diocleciano ainda era impressionante. A muralha externa era apenas um muro de granito rosa, com colunas em ruínas e grandes janelas em arco, mas estava quase intacta, e seus quinhentos metros de comprimento por quase vinte e cinco metros de altura faziam as lojas e casas modernas que se amontoavam abaixo dela parecerem peças de uma maquete. Jason imaginou como seria o palácio recém-construído, com guardas imperiais caminhando pelos bastiões e as águias douradas de Roma brilhando nos parapeitos.

O anjo de vento — ou o que quer que ele fosse — entrou e saiu pelas janelas de granito rosa, e então desapareceu do outro lado. Jason procurou uma entrada na fachada do palácio. A única que encontrou estava a vários quarteirões de distância, com um grupo de turistas em fila para comprar ingressos. Não tinham tempo para isso.

— Precisamos alcançá-lo — disse Jason. — Segure-se.

— Mas…

Jason agarrou Nico e se lançou ao ar.

Nico soltou um protesto abafado, e eles voaram por cima da muralha até um pátio onde havia ainda mais turistas tirando fotografias.

Uma criança os encarou quando aterrissaram. Então seus olhos ficaram vidrados e ela balançou a cabeça, como se estivesse afastando uma alucinação induzida por suco de caixinha. Ninguém mais prestou atenção neles.

No lado esquerdo do pátio havia uma fileira de colunas sustentando arcos acinzentados pelo tempo. No lado direito havia uma construção de mármore branco com muitas janelas altas.

— O peristilo — disse Nico. — Esta era a entrada para a residência particular de Diocleciano. — Ele franziu as sobrancelhas. — E, por favor, não gosto que me toquem. Nunca mais me segure assim de novo.

Os ombros de Jason ficaram tensos. Pensou ter ouvido uma ameaça velada, tipo: *a menos que queira levar uma espadada de ferro estígio na cara.*

— Hum, tudo bem. Desculpe. Como você sabe o nome deste lugar?

Nico observou o átrio. Seu olhar se focou em uma escadaria que levava para baixo em um canto afastado.

— Já estive aqui antes. — Seus olhos eram tão escuros quanto a lâmina de sua espada. — Com minha mãe e Bianca. Uma viagem de fim de semana, vindos de Veneza. Eu tinha o quê… seis anos?

— Isso foi quando…? Nos anos trinta?

— Trinta e oito, por aí — disse Nico, distraído. — Que importância isso tem para você? Está vendo aquele cara com asas em algum lugar?

— Não. — Jason ainda estava tentando entender o passado de Nico.

Ele sempre tentou manter um bom relacionamento com as pessoas de sua equipe. Aprendera da maneira mais difícil que se alguém tinha que cuidar de sua retaguarda em uma batalha, era melhor que ambos tivessem alguma afinidade e confiassem um no outro. Mas Nico era difícil de decifrar.

— É que... não posso imaginar quão estranho isso deve ser, vir de outro tempo.

— Não, você não *pode*. — Nico encarou o chão de pedra e inspirou profundamente. — Olhe... Não gosto de falar sobre isso. Na verdade, acho que o caso de Hazel é ainda pior. Ela se lembra muito mais de quando era criança do que eu. E teve que voltar dos mortos e se adaptar ao mundo moderno. Eu... eu e Bianca ficamos confinados no Hotel Lótus. O tempo passou muito depressa. De um jeito estranho, isso tornou a transição mais fácil.

— Percy me falou sobre esse lugar — disse Jason. — Setenta anos... mas pareceu apenas um mês.

Nico cerrou o punho até seus dedos ficarem brancos.

— É. Tenho certeza de que Percy contou tudo a meu respeito.

Sua voz estava cheia de amargura, mais do que Jason conseguia entender. Ele sabia que Nico culpara Percy pela morte da irmã, Bianca, mas supostamente haviam superado aquilo, pelo menos de acordo com Percy. Piper também mencionara um boato de que Nico tinha uma queda por Annabeth. Talvez isso tivesse alguma coisa a ver.

Ainda assim... Jason não entendia por que Nico afastava as pessoas, por que nunca passava muito tempo em nenhum dos dois acampamentos, por que preferia a morte à vida. Ele *realmente* não entendia por que Nico prometera levar o *Argo II* a Épiro se odiava tanto Percy Jackson.

Os olhos de Nico percorreram as janelas acima deles.

— Há romanos mortos por toda parte... Lares. *Lemures*. Estão observando. E estão furiosos.

— Com a gente? — Jason levou a mão à espada.

— Com tudo. — Nico apontou para uma pequena construção de pedra na extremidade oeste do pátio. — Aquilo era um templo para Júpiter. Os cristãos o transformaram em um batistério. Os fantasmas romanos não gostaram.

Jason olhou para o portal sombrio.

Nunca conhecera Júpiter, mas sempre pensava em seu pai como uma pessoa viva — o cara que se apaixonara por sua mãe. Claro que sabia que ele era imortal, mas, de alguma forma, o pleno significado daquilo nunca passara por sua cabeça até então, enquanto olhava para um portal que romanos atravessaram havia milhares de anos para adorar *seu* pai. A ideia lhe deu dor de cabeça.

— E ali… — Nico apontou para o leste, em direção a uma construção hexagonal rodeada de colunas. — Ali era o mausoléu do imperador.

— Mas a tumba não está mais lá — concluiu Jason.

— Há séculos — disse Nico. — Quando o império caiu, o lugar foi transformado em uma catedral cristã.

Jason engoliu em seco.

— Então, se o fantasma de Diocleciano ainda está por aqui…

— Provavelmente não está feliz.

O vento soprava, espalhando folhas e embalagens vazias de comida por todo o peristilo. Pelo canto do olho, Jason teve um vislumbre de movimento — um borrão vermelho e dourado.

Quando se virou, uma única pena cor de ferrugem pousava sobre os degraus que levavam para baixo.

— Por aqui. — Jason apontou. — O cara com asas. Aonde acha que esta escada vai dar?

Nico sacou a espada. Ele era mais inquietante quando sorria do que quando fazia cara feia.

— No subterrâneo — disse. — Meu lugar favorito.

O subterrâneo *não* era o lugar favorito de Jason.

Desde seu passeio sob Roma com Piper e Percy, lutando com aqueles gigantes gêmeos no hipogeu sob o Coliseu, tinha muitos pesadelos com porões, alçapões e bolas gigantes para hamster.

E Nico estar ali ao seu lado não era reconfortante. A espada de ferro estígio parecia tornar as sombras ainda mais densas, como se o metal infernal estivesse absorvendo a luz e o calor a sua volta.

Os dois chegaram a um vasto porão com grossas colunas de sustentação apoiando o teto abobadado. Os blocos de calcário eram tão antigos que haviam se fundido devido a séculos de umidade, fazendo o lugar se parecer muito com uma caverna natural.

Nenhum dos turistas se aventurara ali. Obviamente, eram mais espertos do que semideuses.

Jason empunhou sua *gladius*. Eles caminharam sob as arcadas baixas, seus passos ecoando no chão de pedra. Havia uma fileira de janelas gradeadas no topo de uma parede, no nível da rua, mas isso só deixava o lugar ainda mais claustrofóbico. Os raios de sol pareciam barras de prisão inclinadas, rodopiando com poeira antiga.

Jason passou por uma viga de sustentação, olhou para a esquerda e quase teve um ataque cardíaco. Um busto de mármore de Diocleciano olhava diretamente para ele, o rosto de calcário carrancudo em sinal de desaprovação.

Tratou de controlar a respiração. Aquele parecia ser um ótimo lugar para deixar o bilhete que escrevera para Reyna informando sobre a rota deles para Épiro. Era um lugar meio escondido, mas tinha certeza de que Reyna o encontraria. Ela tinha os instintos de uma caçadora. Ele colocou o bilhete entre o busto e o pedestal, e se afastou.

Os olhos de mármore de Diocleciano o deixavam nervoso. Jason não podia evitar pensar em Término, a estátua falante em Nova Roma. Esperava que Diocleciano não gritasse com ele ou subitamente começasse a cantar.

— Olá!

Antes que Jason pudesse perceber que a voz viera de outro lugar, cortou a cabeça do imperador. O busto caiu e se espatifou no chão.

— Isso não foi muito legal — disse a voz atrás deles.

Jason se virou. O homem alado da carrocinha de sorvete estava encostado em uma coluna próxima, jogando casualmente um pequeno aro de bronze para o ar. Ao lado de seus pés havia uma cesta de piquenique repleta de frutas.

— Quer dizer — disse o sujeito —, o que Diocleciano lhe fez?

O vento soprou ao redor dos pés de Jason. Os pedaços de mármore se reuniram em um minitornado, espiralaram de volta ao pedestal e recompuseram o busto, com o bilhete ainda escondido sob ele.

— Hã... — Jason baixou a espada. — Foi um acidente. Você me assustou.

O cara de asas riu.

— Jason Grace, o Vento Oeste já foi chamado de muitas coisas... quente, gentil, restaurador e diabolicamente atraente. Mas nunca fui chamado de *assustador*. Deixo o comportamento grosseiro para meus irmãos esquentadinhos do norte.

Nico recuou.

— O Vento Oeste? Quer dizer que você...

— Favônio — disse Jason. — Deus do Vento Oeste.

Favônio sorriu e fez uma reverência, nitidamente feliz por ter sido reconhecido.

— Você pode me chamar pelo meu nome romano, é claro, ou Zéfiro, se for grego. Não me importo com isso.

Nico pareceu muito preocupado com esse detalhe.

— Por que suas personalidades grega e romana não estão em conflito, como as dos outros deuses?

— Ah, tenho dores de cabeça às vezes. — Favônio deu de ombros. — Algumas manhãs acordo vestindo uma *chiton* grega quando tenho certeza de que fui dormir com meu pijama SPQR. Mas, principalmente, a guerra não me incomoda. Sou um deus menor, vocês sabem, e nunca fui realmente o centro das atenções. As batalhas entre vocês, semideuses, não me afetam tanto.

— Então... — Jason não tinha certeza se devia embainhar a espada. — O que faz aqui?

— Várias coisas! — disse Favônio. — Saio por aí com minha cesta de piquenique. Sempre carrego uma cesta cheia de frutas. Gostaria de uma pera?

— Estou satisfeito. Obrigado.

— Vejamos... antes eu estava tomando sorvete. Agora estou jogando esta argola de quoits.

Favônio rodou a argola de bronze no dedo indicador.

Jason não tinha ideia do que era *quoit*, mas tentou se concentrar.

— Quer dizer, por que você apareceu para nós? Por que nos trouxe a este porão?

— Ah! — Favônio assentiu. — O sarcófago de Diocleciano. Sim. Este foi o lugar de seu descanso final. Os cristãos o tiraram do mausoléu. Em seguida, alguns bárbaros destruíram o ataúde. Eu só queria lhes mostrar — ele estendeu as mãos, infeliz —, que o que procuram não está aqui. Meu mestre o levou.

— Seu mestre?

Jason lembrou-se de um palácio flutuante em Pikes Peak, no Colorado, onde visitou (e quase não sobreviveu) o estúdio de um meteorologista maluco que alegava ser o mestre de todos os ventos.

— Por favor, me diga que seu mestre não é Éolo.

— *Aquele* cabeça de vento? — Favônio bufou. — Não, claro que não.

— Ele quer dizer Eros. — A voz de Nico soava nervosa. — Cupido, em latim.

Favônio sorriu.

— Muito bom, Nico di Angelo. A propósito, fico feliz em revê-lo. Faz tempo que não nos encontramos.

Nico franziu as sobrancelhas.

— Nunca encontrei você.

— Você nunca me *viu* — corrigiu o deus. — Mas o estive observando. Quando veio aqui, ainda menino, e várias outras vezes desde então. Sabia que acabaria voltando para olhar para o rosto de meu mestre.

Nico ficou ainda mais pálido do que o habitual. Seus olhos vasculharam o porão cavernoso, como se estivesse começando a se sentir em uma armadilha.

— Nico? — disse Jason. — Do que ele está falando?

— Não sei. Nada.

— Nada? — gritou Favônio. — A pessoa mais importante para você... lançada no Tártaro, e ainda assim não vai admitir a verdade?

Subitamente, Jason sentiu como se estivesse bisbilhotando a conversa alheia.

A pessoa mais importante para você.

Ele se lembrou do que Piper lhe contara, sobre Nico gostar de Annabeth. Aparentemente, os sentimentos dele eram *bem* mais profundos do que apenas gostar.

— Só viemos por causa do cetro de Diocleciano — disse Nico, claramente ansioso para mudar de assunto. — Onde ele está?

— Ah... — Favônio meneou a cabeça com tristeza. — Achou que bastava enfrentar o fantasma de Diocleciano? Lamento que não, Nico. Suas provações serão *muito* mais difíceis. Sabe, bem antes disto aqui ser o Palácio de Diocleciano, era a porta de entrada para a corte de meu mestre. Morei aqui durante eras, trazendo à presença de Cupido aqueles que procuravam o amor.

Jason não gostou da menção às difíceis provações. Não confiava naquele deus esquisito com a argola, e as asas e a cesta de piquenique. Mas se lembrou de uma história antiga, algo que ouvira no Acampamento Júpiter.

— Como Psique, a esposa de Cupido. Você a levou para seu palácio.

Os olhos de Favônio brilharam.

— Muito bem, Jason Grace. Deste exato lugar, carreguei Psique com os ventos e a levei até os aposentos de meu mestre. Na verdade, é por isso que Diocleciano construiu o palácio *dele* aqui. Este lugar sempre foi agraciado pelo gentil Vento Oeste. — Ele abriu os braços. — É um local de tranquilidade e amor em um mundo turbulento. Quando o palácio de Diocleciano foi saqueado...

— Você levou o cetro — concluiu Jason.

— Para mantê-lo em segurança — concordou Favônio. — É um dos muitos tesouros de Cupido, uma lembrança de tempos melhores. Se vocês o quiserem... — O deus voltou-se para Nico. — Terão que enfrentar o deus do amor.

Nico encarou os raios de sol que atravessavam a janela, como se desejasse poder escapar por aquelas aberturas estreitas.

Jason não tinha certeza do que Favônio queria, mas se *enfrentar o deus do amor* significava forçar Nico a confessar de alguma forma qual era a garota de quem gostava, não parecia tão ruim.

— Nico, você pode fazer isso — disse Jason. — Talvez seja embaraçoso, mas é pelo cetro.

Nico não parecia convencido. Na verdade, dava a impressão de que ia vomitar. Mas ele endireitou a postura e concordou.

— Tem razão, eu... eu não tenho medo de um deus do amor.

Favônio abriu um largo sorriso.

— Excelente! Gostariam de fazer um lanche antes de irmos? — Pegou uma maçã verde da cesta e franziu as sobrancelhas. — Ah, droga. Sempre esqueço que meu símbolo é uma cesta de frutas *verdes*. Porque o vento da primavera não tem mais crédito? O verão fica com *toda* a diversão.

— Tudo bem — disse Nico rapidamente. — Apenas nos leve até Cupido.

Favônio girou a argola no dedo e o corpo de Jason se dissolveu no ar.

XXXVI

JASON

Jason viajara no vento diversas vezes. *Ser* o vento era outra história.

Sentia-se fora de controle, com os pensamentos dispersos, sem separação entre o seu corpo e o resto do mundo. Imaginou se era assim que os monstros se sentiam quando eram derrotados, explodindo em pó, impotentes e disformes.

Jason podia sentir Nico próximo. O Vento Oeste levou-os ao céu acima de Split. Juntos, sobrevoaram colinas, antigos aquedutos romanos, rodovias e vinhedos. Quando se aproximaram das montanhas, Jason viu as ruínas de uma cidade romana espalhadas em um vale lá embaixo — paredes em ruínas, alicerces quadrados e estradas rachadas, tudo coberto de vegetação — parecendo um gigantesco jogo de tabuleiro coberto de musgo.

Favônio aterrissou-os no meio das ruínas, ao lado de uma coluna quebrada tão alta quanto uma sequoia.

O corpo de Jason se recompôs. Por um momento, pareceu-lhe ainda pior do que ser o vento, como se subitamente tivesse sido enrolado em um casaco de chumbo.

— É, corpos mortais são *terrivelmente* volumosos — disse Favônio, como se lesse seus pensamentos. O deus do Vento Oeste acomodou-se com a sua cesta de frutas em um muro perto e abriu as asas avermelhadas ao sol. — Honestamente, não sei como vocês suportam isso, dia após dia.

Jason investigou o entorno. A cidade aparentava ter sido enorme no passado. Dava para perceber as estruturas de templos e casas de banho, um anfiteatro semienterrado e pedestais vazios que outrora suportaram estátuas. Fileiras de colunas levavam a lugar nenhum. As velhas muralhas da cidade serpenteavam pela encosta como uma linha pedregosa costurando um tecido verde.

Existiam pontos de escavação em algumas áreas, mas a maior parte da cidade estava abandonada, como se tivesse sido abandonada à ação dos elementos nos últimos dois mil anos.

— Bem-vindos a Salona — disse Favônio. — Capital da Dalmácia! Local de nascimento de Diocleciano! Mas antes disso, *muito* antes disso, aqui era a casa de Cupido.

O nome ecoou como se vozes sussurrassem entre as ruínas.

Aquele lugar tinha algo que o fazia parecer ainda mais assustador do que o porão do palácio em Split. Jason nunca pensara muito em Cupido. Certamente nunca pensara em Cupido como *assustador*. Mesmo para os semideuses romanos, o nome trazia a lembrança de um tolo bebê alado com um arco e flecha de brinquedo, voando e sacudindo suas fraldas no Dia dos Namorados.

— Ah, mas ele não é assim — disse Favônio.

Jason estremeceu.

— Pode ler a minha mente?

— Não preciso. — Favônio atirou o aro de bronze para o alto. — *Todos* têm a impressão errada de Cupido... até encontrarem com ele.

Nico encostou-se em uma coluna, as pernas visivelmente trêmulas.

— Ei, cara... — Jason andou em sua direção, mas Nico acenou para que se afastasse.

A grama ficou marrom e murcha sob os pés do semideus. O trecho morto se espalhou ao redor, como se veneno vazasse da sola de seus sapatos.

— Ah... — Favônio balançou a cabeça em sinal de simpatia. — Não o culpo por estar nervoso, Nico di Angelo. Sabe como *eu* acabei servindo a Cupido?

— Não sirvo a ninguém — murmurou Nico. — Especialmente a Cupido.

Favônio continuou como se não tivesse ouvido.

— Eu me apaixonei por uma criatura mortal chamada Jacinto. Ele era *extraordinário*.

— Ele...? — O cérebro de Jason ainda estava confuso por ter se tornado vento, de modo que demorou um segundo para processar aquilo. — Ah...

— É, Jason Grace — disse Favônio, arqueando uma sobrancelha. — Eu me apaixonei por um *homem*. Isso o choca?

Honestamente, Jason não tinha certeza. Tentava não pensar nas minúcias da vida amorosa dos deuses, não importando por *quem* eles se apaixonassem. Afinal, seu pai, Júpiter, não era exatamente um modelo de bom comportamento. Comparado a alguns dos escândalos amorosos do Olimpo sobre os quais ouvira falar, o fato do Vento Oeste se apaixonar por um mortal não lhe parecia muito chocante.

— Acho que não. Então... Cupido o atingiu com sua flecha e você se apaixonou.

Favônio riu com desdém.

— Você faz parecer tão banal. Ah, o amor nunca é banal. Veja, o deus Apolo também gostava de Jacinto. Ele alegava que eram apenas amigos. Não sei, não. Mas, certo dia me deparei com os dois juntos, jogando quoits...

Aquela palavra estranha outra vez.

— Quoits?

— Um jogo com esses aros — explicou Nico, embora sua voz soasse trêmula. — Como lançar ferraduras.

— Mais ou menos — interrompeu Favônio. — De qualquer jeito, fiquei com ciúmes. Em vez de ir falar com eles e descobrir a verdade, mudei o vento e lancei um pesado anel de metal na cabeça de Jacinto e... bem. — O deus do vento suspirou. — Enquanto Jacinto morria, Apolo transformou-o em uma flor, o jacinto. Tenho certeza de que Apolo teria se vingado de mim, mas Cupido me ofereceu sua proteção. Fiz algo terrível, mas enlouqueci por amor, de modo que ele me poupou, com a condição de que trabalhasse eternamente para ele.

CUPIDO.

O nome ecoou entre as ruínas de novo.

— Essa é a minha deixa — disse Favônio, levantando-se. — Pense bem sobre como agir, Nico di Angelo. Não pode mentir para Cupido. Se deixar a raiva governá-lo... bem, o seu destino será ainda mais triste que o meu.

Jason sentia como se seu cérebro estivesse voltando a se transformar em vento. Não compreendia o que Favônio estava dizendo ou por que Nico parecia tão abalado, mas não tinha tempo para pensar naquilo. O deus do vento desapareceu em um redemoinho vermelho e dourado. O ar do verão subitamente tornou-se pesado. O chão estremeceu, e Jason e Nico sacaram as suas espadas.

Então.

A voz passou raspando pelo ouvido de Jason como uma bala. Quando ele se voltou, não havia ninguém ali.

Vocês vieram reivindicar o cetro.

Nico posicionou-se às suas costas, e, pela primeira vez, Jason ficou contente por ter a companhia do garoto.

— Cupido — chamou Jason. — Onde você está?

A voz riu. Definitivamente não *soava* como a de um anjinho bonitinho. Parecia profunda e melodiosa, mas também ameaçadora — como um tremor antes de um forte terremoto.

Onde você menos espera, respondeu Cupido. *Como sempre acontece com o amor.*

Algo trombou com Jason arremessando-o do outro lado da rua. Ele caiu sobre alguns degraus e se esparramou no chão de um porão romano escavado.

Achava que soubesse disso, Jason Grace. A voz de Cupido rodopiou em volta dele. *Você encontrou o verdadeiro amor, afinal de contas. Ou ainda duvida de si mesmo?*

Nico desceu os degraus correndo.

— Você está bem?

Jason aceitou a mão estendida e se levantou.

— Estou. Só fui feito de otário.

Ah, você esperava que eu fosse justo? Cupido riu. *Sou o deus do amor.* Nunca *sou justo.*

Naquele momento, os sentidos de Jason estavam em alerta máximo. Sentiu o ar ondular quando uma flecha se materializou, disparada em direção ao peito de Nico.

Jason interceptou-a com a espada e a desviou para o lado. A flecha explodiu contra a parede próxima, salpicando-os com estilhaços de calcário.

Eles subiram a escada correndo. Jason puxou Nico quando outra rajada de vento derrubou uma coluna que o teria esmagado.

— Esse cara é Amor ou Morte? — rosnou Jason.

Pergunte aos seus amigos, disse Cupido. *Frank, Hazel e Percy conheceram o meu antagonista, Tânatos. Não somos tão diferentes. Só que a morte às vezes é mais gentil.*

— Tudo que queremos é o cetro! — gritou Nico. — Estamos tentando deter Gaia. Você está do lado dos deuses ou não?

Uma segunda flecha atingiu o chão entre os pés de Nico, brilhando incandescente. Ele cambaleou para trás quando a flecha estourou em um gêiser de chamas.

O amor está em todos os lados, disse Cupido. *E do lado de ninguém. Não pergunte o que o amor pode fazer por você.*

— Ótimo — disse Jason. — Agora está recitando músicas bregas.

Movimento atrás dele: Jason girou, golpeando o ar com sua espada. A lâmina atingiu algo sólido. Ouviu um grunhido e atacou novamente, mas o deus invisível já não estava mais lá. Sobre as pedras do calçamento, brilhava um rastro dourado de *icor* — o sangue dos deuses.

Muito bom, Jason, disse Cupido. *Ao menos você pode sentir a minha presença. Um mero relance do amor verdadeiro é mais do que consegue a maioria dos heróis.*

— Então, ganho o cetro? — perguntou Jason.

Cupido riu.

Infelizmente, você não poderia controlá-lo. Apenas um filho do Mundo Inferior poderia convocar as legiões mortas. E apenas um oficial romano poderia liderá-las.

— Mas...

Jason vacilou. Ele *era* um oficial. Era pretor. Então se lembrou de suas dúvidas quanto a que lugar pertencia. Em Nova Roma, oferecera sua posição para Percy Jackson. Será que isso o tornava indigno de liderar uma legião de fantasmas romanos?

Jason decidiu enfrentar o problema quando chegasse a hora.

— Nós resolvemos — disse ele. — Nico pode invocar...

A terceira flecha zuniu sobre o ombro de Jason. Não conseguiu impedi-la. Nico ofegou quando o projétil se alojou no braço que segurava a espada.

— Nico!

O filho de Hades cambaleou. A seta se dissolveu, sem deixar sangue ou ferimento visível, mas o rosto do semideus estava retorcido de raiva e de dor.

— Chega de brincadeira! — gritou Nico. — Apresente-se!

É complicado olhar para a face do amor verdadeiro, disse Cupido.

Outra coluna tombou. Jason afastou-se.

Minha esposa Psique aprendeu esta lição, prosseguiu Cupido. *Ela foi trazida para cá éons atrás, quando aqui era o meu palácio. Só nos encontrávamos no escuro. Ela foi advertida a nunca olhar para mim, e ainda assim não conseguiu suportar o mistério. Temia que eu fosse um monstro. Certa noite, acendeu uma vela e viu o meu rosto enquanto eu dormia.*

— Você era assim *tão* feio?

Jason localizou a voz de Cupido na borda do anfiteatro, a uns vinte metros de distância, mas queria ter certeza.

O deus riu.

Acho que eu era bonito demais. Um mortal não pode contemplar a verdadeira forma de um deus sem sofrer as consequências. Minha mãe, Afrodite, amaldiçoou Psique por sua desconfiança. Minha pobre amante foi atormentada, forçada ao exílio e recebeu tarefas terríveis para provar ser digna. Chegou a ser enviada ao Mundo Inferior em uma missão para provar sua dedicação. Conseguiu voltar para o meu lado, mas sofreu muito.

Agora peguei você, pensou Jason.

Apontou a espada para o céu e um trovão sacudiu o vale. Um raio abriu uma cratera no lugar de onde vinha a voz.

Silêncio. Jason já estava pensando: Cara, isso realmente funcionou, quando uma força invisível o derrubou. Sua espada escorregou até o outro lado da rua.

Boa tentativa, disse Cupido, com a voz já distante, *mas o amor não pode ser detectado tão facilmente*.

Ao lado dele, um muro desabou. Jason conseguiu rolar para o lado por pouco.

— Pare com isso! — gritou Nico. — É a mim que você quer. Deixe-o em paz!

Os ouvidos de Jason zumbiram. Estava tonto de tanto que fora arremessado. Sua boca tinha gosto de pó calcário. Não entendia por que Nico achava ser o alvo principal, mas Cupido pareceu concordar.

Pobre Nico di Angelo. A voz do deus estava repleta de decepção. *Não sabe o que* você *quer, muito menos o que eu quero. Minha amada Psique arriscou tudo em nome do amor. Era a única maneira de expiar a sua falta de fé. E você, o que arriscou em meu nome?*

— Estive no Tártaro e voltei — rosnou Nico. — Você não me assusta.

Eu o assusto muito, muito mesmo. Encare-me. Seja honesto.

Jason se levantou.

Ao redor de Nico, o chão estremeceu. A relva murchou e as pedras racharam como se algo estivesse se movendo embaixo da terra, tentando abrir caminho até a superfície.

— Queremos o cetro de Diocleciano — disse Nico. — Não temos tempo para brincadeiras.

Brincadeiras? Cupido atingiu Nico, jogando-o de lado contra um pedestal de granito. *O amor não é uma brincadeira! Não é a suavidade das flores! É trabalho pesado, uma busca que nunca termina. Exige tudo de você, especialmente a verdade. Somente então lhe concede recompensas.*

Jason resgatou sua espada. Se aquele cara invisível era o Amor, Jason estava começando a pensar que o Amor era algo superestimado. Gostava mais da versão de Piper: atencioso, gentil e belo. Afrodite ele conseguia entender. Já Cupido parecia mais um bandido, um opressor.

— Nico, o que esse cara *quer* de você?

Diga-lhe, Nico di Angelo, replicou Cupido. *Diga-lhe que você é um covarde, com medo de si mesmo e de seus sentimentos. Diga-lhe o verdadeiro motivo pelo qual fugiu do Acampamento Meio-Sangue, e por que está sempre sozinho.*

Nico emitiu um grito gutural. O chão aos seus pés se abriu e esqueletos se arrastaram para fora: romanos mortos sem as mãos, crânios afundados, costelas partidas e mandíbulas soltas. Alguns estavam vestidos com os restos de suas togas. Outros traziam brilhantes peças de armadura penduradas ao peito.

Vai se esconder entre os mortos, como sempre faz?, provocou Cupido.

Ondas de escuridão emanavam do filho de Hades. Quando atingiram Jason, ele quase desmaiou, oprimido pelo ódio, pelo medo, pela vergonha...

Imagens cruzaram sua mente. Viu Nico e sua irmã em um penhasco nevado, no Maine, e Percy Jackson protegendo-os de um manticore. A espada de Percy brilhava no escuro. Fora o primeiro semideus que Nico vira em ação.

Mais tarde, no Acampamento Meio-Sangue, Percy pegou Nico pelo braço e prometeu manter sua irmã Bianca em segurança. Nico acreditou nele. Olhou em seus olhos verde-mar e pensou: *Ele não pode fracassar. É um herói de verdade.* Percy era o jogo favorito de Nico, Mitomagia, trazido à realidade.

Jason viu o momento em que Percy voltou e disse para Nico que Bianca morrera. O garoto gritou e chamou-o de mentiroso. Ele se sentiu traído, mas ainda assim... quando os guerreiros esqueleto atacaram, não pôde deixá-los ferir Percy. Nico invocara a terra para engoli-los, e então fugiu, aterrorizado com seus próprios poderes, suas próprias emoções.

Jason viu mais uma dezena de cenas como esta do ponto de vista de Nico... E elas o atordoaram, deixando-o incapaz de se mover ou de falar.

Enquanto isso, os esqueletos romanos de Nico avançaram e agarraram algo invisível. Cupido lutou, empurrando os mortos, quebrando costelas e crânios, mas eles continuavam a surgir, prendendo os braços do deus.

Interessante!, disse Cupido. *Você tem a força, afinal?*

— Deixei o Acampamento Meio-Sangue por amor — disse Nico. — Annabeth... ela...

Ainda se escondendo, disse Cupido, partindo outro esqueleto em pedaços. *Você não tem a força.*

— Nico — Jason conseguiu dizer —, está tudo bem. Eu entendo.

Nico o encarou com dor e aflição estampadas em seu rosto.

— Não — disse ele. — Você não tem como entender.

E assim você volta a fugir, repreendeu Cupido. *De seus amigos, de si mesmo.*

— Não tenho amigos! — gritou Nico. — Deixei o Acampamento Meio-Sangue porque não pertenço àquele lugar! Nunca pertencerei!

Os esqueletos haviam imobilizado Cupido, mas o deus invisível riu tão cruelmente que Jason desejou invocar outro raio. Infelizmente, duvidava que tivesse força.

— Deixe-o em paz, Cupido — reclamou Jason. — Isto não é...

Sua voz falhou. Queria dizer que aquilo não era problema do deus, mas percebeu que isso era *exatamente* problema de Cupido. Algo que Favônio dissera continuava a zumbir em seus ouvidos: *Você está chocado?*

A história de Psique finalmente fez sentido para ele: entendeu por que uma garota mortal teria tanto medo. Por que correria o risco de burlar as regras para olhar o rosto do deus do amor, temendo que ele pudesse ser um monstro.

Psique tinha razão. Cupido *era* um monstro. O Amor era o mais selvagem de todos os monstros.

A voz de Nico soou dolorida.

— E-eu não estava apaixonado por Annabeth.

— Você estava com ciúmes dela — disse Jason. — É por isso que não queria ficar perto dela. Especialmente, era por isso que não queria ficar perto... dele. Isso explica tudo.

Toda a luta e negação de Nico pareceram se esvair ao mesmo tempo. A escuridão diminuiu. Os romanos mortos desmoronaram em pilhas de ossos e viraram pó.

— Eu me odiava — disse Nico. — Odiava Percy Jackson.

Cupido se tornou visível — um jovem magro, musculoso com asas brancas como a neve, cabelos lisos e negros, uma túnica branca simples e calça jeans. O arco e a aljava pendurados no seu ombro não eram de brinquedo. Eram armas de guerra. Seus olhos eram vermelhos como o sangue, como se todos os corações de Dia dos Namorados do mundo tivessem sido espremidos e destilados em uma mistura venenosa. Seu rosto era belo, mas também duro, tão difícil de olhar quanto um holofote. Observou Nico com satisfação, como se tivesse identificado o local exato onde sua próxima seta garantiria uma morte limpa.

— Tive uma queda por Percy — disse Nico. — Essa é a verdade. Esse é o grande segredo.

Ele olhou para Cupido.

— Feliz agora?

Pela primeira vez, o olhar de Cupido pareceu simpático.

— Ah, eu não diria que o Amor sempre o faz feliz. — Sua voz soava menor, muito mais humana. — Às vezes, ele o faz ficar incrivelmente triste. Mas ao menos agora você *enfrentou* isso. Essa é a única maneira de me vencer.

Cupido dissolveu-se em vento.

No chão, no lugar onde estivera, havia um cajado de marfim de um metro de comprimento, com um globo escuro de mármore polido do tamanho de uma bola de beisebol no topo, aninhado nas costas de três águias romanas de ouro. O cetro de Diocleciano.

Nico se ajoelhou e pegou o cetro. Olhou para Jason, como se à espera de um ataque.

— Se os outros descobrirem...

— Se os outros descobrirem — disse Jason —, você terá mais pessoas a apoiá-lo, capazes de liberar a fúria dos deuses contra quem lhe trouxer problemas.

Nico fez uma careta. Jason ainda sentia a raiva e o ressentimento emanando dele.

— Mas a decisão é sua — acrescentou Jason. — A decisão de compartilhar ou não é sua. Só posso dizer que...

— Não me sinto mais assim — murmurou Nico. — Quer dizer... Desisti de Percy. Eu era jovem e impressionável, e eu, eu não...

Sua voz falhou, e Jason viu que o garoto estava prestes a ficar com os olhos marejados. Se Nico realmente desistira de Percy ou não, Jason não podia imaginar o que ele passara durante todos aqueles anos, mantendo um segredo que teria sido impensável compartilhar na década de 1940, negando quem ele era, sentindo-se completamente sozinho — ainda mais isolado do que os outros semideuses.

— Nico — disse ele gentilmente —, já vi um monte de atos de coragem. Mas o que você fez? Esse talvez tenha sido o mais corajoso de todos.

Nico ergueu a cabeça, incerto.

— Devemos voltar ao navio.

— É. Podemos voar...

— Não — anunciou Nico. — Desta vez viajaremos nas sombras. Quero ficar longe dos ventos por um bom tempo.

XXXVII

ANNABETH

Ficar cega foi bem ruim. Ser separada de Percy foi horrível.

Mas agora que conseguia enxergar de novo, vê-lo morrer lentamente envenenado por sangue de górgona sem poder fazer nada para impedir era a pior maldição de todas.

Bob carregava Percy em seu ombro como se fosse um saco de equipamentos esportivos, e o gatinho esqueleto Bob Pequeno se aninhou nas costas de Percy, ronronando. Bob caminhava a passos rápidos, mesmo para um titã, o que tornava praticamente impossível para Annabeth acompanhá-lo.

Parecia que seus pulmões não iam aguentar mais. Sua pele voltou a ficar coberta por bolhas. Provavelmente precisava de mais um gole de fogo líquido, mas o Rio Flegetonte tinha ficado para trás. Seu corpo estava tão cansado e dolorido que ela havia esquecido como era *não* sentir dor.

— Falta muito?

— Demais — respondeu Bob. — Mas talvez não.

Grande ajuda, pensou Annabeth, mas estava praticamente sem fôlego para falar.

A paisagem mudou de novo. Ainda estavam descendo a encosta, o que deveria facilitar a locomoção; mas o solo se inclinava justamente no ângulo errado; íngreme demais para correr, traiçoeiro demais para poderem baixar a guarda por um momento sequer. A superfície era de cascalho solto em alguns pontos e coberta de limo em outros. Annabeth precisava desviar de pelos curtos afiados o suficiente para atravessarem seu pé, e montes de... bem, não eram exatamente rochas. Pareciam mais verrugas do tamanho de melancias. Se Annabeth tivesse que imaginar onde estava (e não queria fazer isso), diria que Bob a estava conduzindo pelo enorme intestino do Tártaro.

O ar estava mais pesado e fedia a esgoto. Talvez a escuridão não estivesse tão densa quanto antes, mas só conseguia ver Bob por causa do brilho dos cabelos prateados e da ponta de sua lança. Percebeu que ele não a retraíra desde que enfrentaram as *arai*. Isso não a tranquilizou nem um pouco.

Percy não parava quieto, o que fazia o gatinho mudar de posição para se ajeitar nas costas dele. De vez em quando, seu namorado gemia de dor, e Annabeth sentia um forte aperto no coração.

Ela se lembrou de quando tomou chá com Piper, Hazel e Afrodite em Charleston. Deuses, isso parecia ter acontecido havia tanto tempo... Afrodite tinha suspirado de saudade dos bons tempos da velha Guerra Civil, falando sobre como o amor e a guerra sempre caminhavam juntos.

A deusa tinha apontado para Annabeth com orgulho, usando-a como exemplo para as outras garotas:

Uma vez prometi a ela que ia tornar sua vida amorosa interessante. E não foi o que fiz?

Annabeth teve vontade de esganar a deusa do amor. Já vivera coisas *interessantes* mais do que o suficiente. Agora só queria um final feliz. Sem dúvida isso era possível, independentemente do que as lendas diziam sobre heróis trágicos. Tinha que haver exceções, certo? Se o sofrimento fosse recompensado, então ela e Percy mereciam receber o grande prêmio.

Pensou nas fantasias de Percy sobre Nova Roma. Os dois poderiam morar lá e frequentar a faculdade juntos. No início, ficou horrorizada com a ideia de viver entre os romanos. Ainda se ressentia deles por a terem afastado de Percy.

Agora aceitaria essa oferta com prazer.

Se sobrevivessem àquilo. Se Reyna tivesse recebido a mensagem. Se um milhão de coisas impossíveis acontecessem.

Pare com isso, repreendeu-se ela.

Tinha que se concentrar no presente, em pôr um pé na frente do outro, em completar aquela caminhada intestinal morro abaixo uma verruga gigante de cada vez.

Seus joelhos estavam fracos, como se estivessem a ponto de arrebentar. Percy gemia e murmurava algo que ela não conseguia entender.

De repente, Bob parou.

— Vejam.

Mais à frente, no escuro, o terreno se aplainava e terminava em um pântano negro. Pairava no ar uma névoa sulfúrica amarela. Mesmo sem luz solar, havia plantas de verdade: moitas de juncos, árvores esqueléticas sem folhas e até algumas flores de aparência doentia desabrochavam naquele lugar tétrico. Trilhas escorregadias serpenteavam entre os poços de piche borbulhantes. Impressas no lamaçal bem à frente de Annabeth havia pegadas do tamanho de tampas de latas de lixo, com dedos compridos e pontudos.

Desanimada, Annabeth tinha quase certeza de a quem elas pertenciam.

— Drakon?

— É. — Bob sorriu para ela. — Isso é bom.

— Hã... por quê?

— Porque estamos perto.

Bob entrou no pântano.

Annabeth teve vontade de gritar. Odiava estar à mercê de um titã, ainda mais de um que começava a recuperar a memória e os estava levando até um gigante "bom". Não gostava nem um pouco da ideia de atravessar um pântano que era obviamente território de um drakon.

Mas Bob estava com Percy. Se ela hesitasse, ia perdê-los no escuro. Por isso, correu atrás dele, pulando de uma faixa de musgo para outra e rezando a Atena para não cair em algum buraco.

Pelo menos o terreno obrigava Bob a ir mais devagar. Quando Annabeth o alcançou, não foi difícil ficar bem atrás dele e de olho em Percy, que delirava e estava com a testa quente demais. Várias vezes balbuciou *Annabeth*, e ela teve que se segurar para não chorar. O gatinho apenas ronronou mais alto e procurou uma posição mais confortável.

Finalmente a névoa amarela se abriu e revelou uma clareira lamacenta que parecia uma ilha no meio do pântano repugnante. O solo estava pontilhado de árvores decrépitas e montes de verrugas. No meio, havia uma enorme cabana de teto abobadado feita de ossos e couro esverdeado. Uma coluna de fumaça se erguia de um buraco no teto da cabana. A entrada estava coberta por cortinas de pele escamosa de réptil, e era ladeada por duas tochas feitas de fêmures colossais que queimavam com uma luz forte amarela.

O que mais chamou a atenção de Annabeth foi o crânio de drakon. A cinquenta metros, mais ou menos entre eles e a cabana, um carvalho enorme projetava-se do chão a um ângulo de 45 graus. As mandíbulas de um crânio de drakon envolviam o tronco como se a árvore fosse a língua do monstro morto.

— É — murmurou Bob. — Isso é muito bom.

Nada naquele lugar parecia bom para Annabeth.

Antes que ela pudesse protestar, Bob Pequeno arqueou as costas e chiou. Atrás deles, um rugido poderoso ecoou pelo pântano, um som que Annabeth ouvira pela última vez na Batalha de Manhattan.

Ela se virou e viu o drakon correndo na direção deles.

XXXVIII

ANNABETH

A PIOR PARTE?

O drakon com certeza era a coisa mais bonita que Annabeth vira desde que caíra no Tártaro. Suas escamas tinham manchas verdes e amarelas como o chão de uma floresta coberto de folhas salpicadas de luz do sol. Seus olhos reptilianos tinham o tom verde-mar favorito de Annabeth, como os de Percy. Quando as escamas em torno da cabeça se levantaram, ela não pôde deixar de pensar que aquele monstro prestes a matá-los tinha uma aparência nobre e maravilhosa.

Ele era praticamente do tamanho de um trem de metrô. Suas garras enormes afundavam na lama conforme avançava, agitando a cauda. O drakon sibilou e lançou jatos de veneno verde que fumegavam ao cair no repugnante chão lamacento e incendiavam poços de piche, o que deixou o ar com o aroma de pinho fresco e gengibre. O monstro até *cheirava* bem. Como a maioria dos drakons, não tinha asas, era mais longo mais parecido com uma cobra do que com um dragão. E pelo visto, estava faminto.

— Bob — disse Annabeth. — O que vamos ter que enfrentar?

— Um drakon maeônio — disse Bob. — Da Meônia.

Outra informação super útil. Annabeth teria acertado a cabeça de Bob com sua própria vassoura se conseguisse levantá-la.

— Há alguma forma de matá-lo?

— Nós? — disse Bob. — Não.

O drakon rugiu como se quisesse deixar isso bem claro e encheu o ar de mais veneno com cheiro de pinho e gengibre, o que teria sido um excelente perfume para aromatizadores de carros.

— Leve Percy para um lugar seguro — instruiu Annabeth. — Vou distraí-lo.

Não tinha ideia de como ia fazer isso, mas era sua única opção. Não podia deixar Percy morrer, não se ainda estivesse de pé.

— Não precisa — disse Bob. — A qualquer momento…

— ROOOOOOAAARRR!

Annabeth se virou no instante em que o gigante saía de sua cabana.

Ele tinha mais de cinco metros, a altura típica de um gigante. A parte superior de seu corpo era humanoide; e as pernas, escamosas e reptilianas, como as de um dinossauro bípede. Não tinha arma. Em vez de armadura, vestia apenas uma túnica feita com peles de carneiro e retalhos de couro esverdeado. Sua pele era vermelho-cereja; a barba e o cabelo, ruivos, estavam entrelaçados com tufos de grama, folhas e flores do pântano.

Ele gritou em desafio, mas felizmente não estava olhando para *Annabeth*. Bob a tirou do caminho quando o gigante correu na direção do drakon.

Seguiu-se uma bizarra cena natalina de combate, o vermelho contra o verde. O drakon expeliu veneno. O gigante se esquivou com um salto, agarrou o carvalho e o arrancou do chão, com raízes e tudo. O crânio velho se desfez em pó quando o gigante ergueu a árvore como faria com um taco de beisebol.

A cauda do drakon se enroscou na cintura do gigante e o puxou para mais perto de suas presas. Mas assim que o gigante ficou a seu alcance, enfiou a árvore na garganta do monstro.

Annabeth esperava nunca mais ter que testemunhar uma cena tão horrível. A árvore perfurou a garganta do drakon e o empalou no chão. As raízes começaram a se mover e se arraigaram ao tocar o chão, fixando o carvalho de um modo tão firme que a árvore parecia estar naquele mesmo ponto havia séculos. O drakon se sacudia e estrebuchava sem parar, mas foi rapidamente imobilizado.

O gigante, então, socou com toda a força o pescoço do drakon. *CRACK.* O monstro parou imediatamente de se mover. Começou a se desfazer e deixou apenas restos de ossos, carne e escamas, e um novo crânio de drakon passou a envolver o carvalho.

Bob deu um grunhido.

— Boa!

O gatinho ronronou em aprovação e começou a limpar as patas.

O gigante chutou os restos do drakon e os examinou com atenção.

— Não tem ossos bons — reclamou. — Queria uma bengala nova. Hunf. Mas tem pele boa para a latrina.

Arrancou parte das dobras de pele macia que havia em torno do pescoço do drakon e as enfiou no cinto.

— Hã... — Annabeth teve vontade de perguntar se a ideia do gigante era usar couro de drakon como papel higiênico, mas achou melhor não fazê-lo. — Bob, você podia nos apresentar?

— Annabeth... — Bob deu um tapinha nas pernas de Percy. — Este é Percy.

Annabeth esperava que o titã só estivesse brincando com ela, apesar de a expressão de Bob não revelar nada.

Ela cerrou os dentes.

— Estou falando do gigante. Você prometeu que ele ia ajudar.

— Prometeu? — O gigante deixou de lado o crânio e voltou sua atenção para Bob. Seus olhos se apertaram sob as sobrancelhas densas e ruivas. — Uma promessa é algo importante. Por que Bob prometeria que eu ia ajudar?

Bob pareceu desconfortável. Titãs eram assustadores, mas era a primeira vez que Annabeth via um deles ao lado de um gigante. Em comparação ao matador de drakons, Bob parecia um filhotinho desamparado.

— Damásen é um gigante bom — disse Bob. — Ele é pacífico. E sabe curar venenos.

Annabeth observou o gigante Damásen, que agora estava arrancando pedaços de carne sangrenta da carcaça do drakon com as próprias mãos.

— Pacífico. É, estou vendo.

— Carne boa para o jantar. — Damásen se aprumou e estudou Annabeth como se ela fosse outra fonte de proteína em potencial. — Entrem. Hoje vamos ter ensopado. Depois falamos dessa promessa.

XXXIX

ANNABETH

Aconchegante.

Annabeth nunca pensou que descreveria um lugar no Tártaro assim, mas, apesar de a cabana do gigante ser do tamanho de um planetário e feita de ossos, lama e pele de drakon, ela era sem dúvida aconchegante.

No centro queimava uma fogueira feita de ossos e piche; apesar disso, a fumaça era branca e sem cheiro, e saía através da abertura no meio do teto. O chão estava coberto com grama seca do pântano e uns trapos de lã cinza. De um lado havia uma cama enorme feita de peles de carneiro e couro de drakon. Do outro, penduradas em prateleiras e ganchos havia plantas secando, couro curtido e o que pareciam tiras de carne seca de drakon. Todo o lugar cheirava a ensopado, fumaça, manjericão e tomilho.

A única coisa que preocupava Annabeth era o rebanho de carneiros amontoado em um curral nos fundos da cabana.

A garota se lembrou da caverna de Polifemo, o ciclope, que devorava semideuses e carneiros sem distinção. Ela se perguntou se os gigantes teriam um gosto parecido.

Parte dela estava tentada a sair dali correndo, no entanto, Bob já tinha posto Percy na cama do gigante, onde ele quase desaparecia no meio da lã e do couro. Bob Pequeno saltou de cima de Percy e em seguida se enfiou nos cobertores, ronronando com tamanha força que a cama passou a tremer como se fosse uma cadeira massageadora.

Damásen foi até a fogueira. Jogou a carne de drakon em uma panela pendurada que parecia feita com o crânio de um velho monstro, então pegou uma concha e começou a mexer.

Annabeth não queria ser o próximo ingrediente de seu ensopado, mas tinha ido até lá por uma razão. Por isso, respirou fundo e caminhou decidida até o gigante.

— Meu amigo está morrendo. Você pode curá-lo ou não?

A voz dela vacilou na palavra *amigo*. Percy era muito mais que isso. Nem *namorado* era o suficiente para descrever a relação deles. Os dois tinham passado por muita coisa juntos. Àquela altura, Percy *fazia parte* dela, às vezes uma parte irritante, é claro, mas sem dúvida uma parte sem a qual não podia viver.

Damásen olhou para ela, franzindo a testa e as grossas sobrancelhas ruivas. Annabeth tinha conhecido muitos humanoides assustadores antes, mas Damásen a perturbava de um modo diferente. Não parecia hostil. Ele irradiava pesar e amargura, como se estivesse tão ocupado com a própria infelicidade que se ressentia por Annabeth tentar fazê-lo dar atenção a outra coisa.

— Não costumo ouvir essas palavras no Tártaro — resmungou o gigante. — *Amigo. Promessa.*

Annabeth cruzou os braços.

— E *sangue de górgona*? Você conhece uma cura, ou Bob superestimou seus talentos?

Provocar um matador de drakons de mais de cinco metros de altura provavelmente não era uma estratégia muito inteligente, mas Percy estava morrendo. Ela não tinha tempo para diplomacia.

Damásen a olhou de cara feia.

— Você está duvidando de minhas habilidades? Uma humana quase morta chega se arrastando no meu pântano e duvida de minhas habilidades?

— É — disse ela.

— Hunf. — Damásen entregou a concha a Bob. — Mexa.

Enquanto Bob cuidava do ensopado, Damásen remexeu em seus ganchos e prateleiras e pegou várias folhas e raízes. Jogou um punhado de plantas na boca, mastigou-o e então o cuspiu em um pedaço de lã.

— Caneca de caldo — ordenou Damásen.

Bob pôs algumas conchas do caldo do ensopado em uma cabaça vazia. Ele a entregou a Damásen, que jogou a bola nojenta que tinha mastigado no caldo e o mexeu com o dedo.

— Sangue de górgona — murmurou ele. — Isso está longe de ser um desafio para *meus* talentos.

Foi devagar até a cama e pôs Percy sentado com apenas uma das mãos. Bob Pequeno, o gatinho, farejou o caldo e chiou. Arranhou os lençóis como se quisesse enterrá-lo.

— Você vai dar *isso* para ele beber? — perguntou Annabeth.

O gigante olhou irritado para ela.

— Quem é o curandeiro aqui? Você?

Annabeth calou a boca. Observou enquanto o gigante fez Percy beber o caldo. Damásen o tratava com uma delicadeza surpreendente, murmurando palavras de encorajamento que ela não conseguia entender direito.

A cada gole, a cor de Percy melhorava. Ele bebeu tudo, e seus olhos piscaram e abriram. Ele olhou ao redor com uma expressão atônita, viu Annabeth e lhe deu um sorriso bêbado.

— Me sinto ótimo.

Seus olhos giraram nas órbitas. Caiu de costas na cama e começou a roncar.

— Algumas horas de sono — anunciou Damásen. — Ele vai ficar como novo.

Annabeth deu um suspiro aliviado.

— Obrigada.

Damásen a encarou com tristeza.

— Não me agradeça. Vocês ainda estão condenados. E eu cobro por meus serviços.

Annabeth engoliu em seco.

— Hã... que tipo de pagamento?

— Uma história. — Os olhos do gigante brilharam. — O Tártaro é muito entediante. Você pode me contar a história enquanto comemos, hein?

Annabeth se sentiu desconfortável contando seus planos a um gigante.

Mesmo assim, Damásen era um bom anfitrião. Ele salvara Percy. O ensopado de carne de drakon estava excelente (especialmente quando comparado ao fogo líquido). Sua cabana era quente e confortável, e pela primeira vez, desde que caíram no Tártaro, Annabeth sentiu que podia relaxar. O que era irônico, já que estava jantando com um titã e um gigante.

Contou a Damásen sobre sua vida e as aventuras com Percy. Explicou como Percy tinha conhecido Bob, apagado sua memória no Rio Lete e o deixado sob os cuidados de Hades.

— Percy estava tentando fazer uma coisa boa — garantiu a Bob. — Ele nunca pensou que Hades fosse ser tão canalha.

Aquilo não soou convincente nem para ela. Hades *sempre tinha sido um canalha.*

Ela pensou no que as *arai* haviam dito, em como Nico di Angelo foi a única pessoa a visitar Bob no palácio do Mundo Inferior. Nico era um dos semideuses menos amistosos e extrovertidos que Annabeth conhecia. Mesmo assim, tinha sido bom com Bob. E ao convencer o titã de que Percy era seu amigo, Nico sem querer salvara a vida deles. Annabeth se perguntou se *algum dia* ia conseguir entender aquele cara.

Bob lavou sua tigela com o produto de limpeza e um trapo.

Damásen gesticulou com sua colher encorajadoramente.

— Continue a história, Annabeth Chase.

Ela contou sobre sua jornada no *Argo II,* mas quando chegou na parte sobre como deveriam impedir o despertar de Gaia, vacilou.

— Ela é, hum... ela é sua mãe, certo?

Damásen raspou sua tigela. Seu rosto era coberto por velhas queimaduras de veneno, marcas profundas e cicatrizes grossas, por isso parecia a superfície de um asteroide.

— É. E Tártaro é meu pai. — Ele fez um gesto amplo mostrando a cabana. — Como pode ver, fui uma decepção para meus pais. Eles esperavam... *mais* de mim.

Annabeth ainda não conseguia acreditar que estava tomando sopa com um homem de pernas de lagarto de cinco metros de altura que era filho da Terra e das Profundezas do Tártaro.

Já era difícil imaginar os deuses olimpianos como pais, mas pelo menos eles tinham aparência humana. Já os deuses primordiais, como Gaia e Tártaro... Como você podia sair de casa e ser independente de seus pais quando eles, literalmente, englobavam o mundo inteiro?

— Então... Você não se importa que a gente esteja em guerra com sua mãe?

Damásen bufou como um touro.

— Boa sorte. No momento é com meu pai que devem se preocupar. Se ele está contra vocês, então não têm a menor chance de sobreviver.

De repente, Annabeth perdeu a fome. Pôs sua tigela no chão. Bob Pequeno se aproximou para investigá-la.

— Como assim, contra nós? — perguntou ela.

— *Tudo* isso. — Damásen quebrou um osso de drakon e usou uma lasca para palitar os dentes. — Tudo o que você vê é o corpo de Tártaro, ou pelo menos uma manifestação dele. Ele sabe que vocês estão aqui, e tenta deter seu avanço a cada passo. Meus irmãos estão caçando vocês. É incrível que tenham sobrevivido até agora, mesmo com a ajuda de Jápeto.

Bob franziu a testa ao ouvir seu nome.

— Os derrotados estão atrás de nós, é. Agora devem estar chegando bem perto.

Damásen cuspiu fora o palito de dentes.

— Posso ocultar seu rastro por algum tempo, o suficiente para vocês descansarem. Tenho poder neste pântano. Mas, no fim, eles vão alcançar vocês.

— Meus amigos precisam chegar às Portas da Morte — disse Bob. — É lá que fica a saída.

— Impossível — murmurou Damásen. — As portas são bem guardadas demais.

Annabeth inclinou-se para a frente.

— Mas você sabe onde elas ficam?

— É claro. Todo o Tártaro corre para um lugar: seu coração. É onde ficam as Portas da Morte. Mas vocês não vão conseguir chegar lá vivos só com Jápeto.

— Então venha com a gente — pediu Annabeth. — Ajude.

— Ha!

Annabeth sobressaltou-se.

Na cama, Percy delirava em seu sono:

— Ha, ha, ha.

— Filha de Atena — disse o gigante. — Não sou seu amigo. Já ajudei mortais uma vez, e veja o que me aconteceu.

— Você ajudou mortais? — Annabeth sabia muito sobre lendas gregas, mas o nome Damásen não lhe dizia nada. — Eu... eu não entendo.

— História ruim — explicou Bob. — Gigantes bons têm histórias ruins. Damásen foi criado para se opor a Ares.

— É — confirmou o gigante. — Como todos os meus irmãos, nasci para reagir a determinado deus. Meu inimigo era Ares. Mas Ares era o deus da guerra. Por isso, quando nasci...

— Você era o seu oposto — arriscou Annabeth. — Você era pacífico.

— Pelo menos para um gigante — respondeu Damásen com um suspiro. — Andei sem rumo pelos campos da Meônia, a terra que vocês agora chamam de Turquia. Cuidava de meus carneiros e colhia minhas ervas. Era uma vida boa. Mas não queria combater os deuses. Minha mãe e meu pai me amaldiçoaram por isso. E o insulto final: certo dia, um drakon maeônio matou um pastor humano, um amigo meu, por isso cacei a criatura e a matei, cravando uma árvore em sua garganta. Usei o poder da terra para fazer as raízes da árvore tornarem a crescer, e plantei o drakon firmemente no chão. Queria garantir que ele não aterrorizasse mais os mortais. Foi um feito que Gaia não poderia perdoar.

— O fato de ter ajudado alguém?

— É. — Damásen pareceu envergonhado. — Gaia abriu a terra e fui consumido, exilado aqui na barriga do meu pai, Tártaro, onde se juntam todos os destroços inúteis... todas as criações com as quais ele não se importa. — O gigante tirou uma flor do cabelo e a olhou distraído. — Eles me deixaram viver, cuidando de meus carneiros e colhendo minhas ervas, para que eu aprendesse como era desprezível a vida que havia escolhido. Todos os dias... ou o que conta como dia neste lugar sem luz... o drakon maeônio se recompõe e me ataca. Matá-lo é minha tarefa por toda a eternidade.

Annabeth olhou ao redor da cabana, tentando imaginar há quantas eras Damásen estava exilado ali, matando o drakon e recolhendo seus ossos, couro e carne, sabendo que ele voltaria a atacar no dia seguinte. Mal conseguia imaginar sobreviver a uma *semana* no Tártaro. Exilar o próprio filho ali por séculos... era de uma crueldade inimaginável.

— Desfaça a maldição — disse de repente. — Venha com a gente.

Damásen riu com amargura.

— Pensa que é tão fácil? Não acha que já tentei deixar este lugar? É impossível. Não importa para que direção eu viaje, sempre acabo voltando. O pântano é a única coisa que conheço... o único destino que consigo imaginar. Não, pequena semideusa. Fui vencido por minha maldição. Não me resta nenhuma esperança.

— Nenhuma esperança — repetiu Bob.

— Deve haver um modo. — Annabeth não podia aguentar a expressão no rosto do gigante, que lembrava a de seu pai, nas poucas vezes em que confessara ainda amar Atena. Ele ficava extremamente triste e abatido, desejando algo que sabia ser impossível.

— Bob tem um plano para chegar às Portas da Morte — insistiu ela. — Ele disse que podíamos nos esconder em algum tipo de Névoa da Morte.

— Névoa da Morte? — Damásen olhou de cara feia para Bob. — Você os levaria até *Akhlys*?

— É o único jeito — defendeu-se Bob.

— Vocês vão morrer — disse Damásen. — Uma morte dolorosa. No escuro. Akhlys não confia em ninguém, não ajuda ninguém.

Bob parecia querer discutir, mas cerrou os lábios e ficou em silêncio.

— Há algum outro jeito? — perguntou Annabeth.

— Não — admitiu Damásen. — A Névoa da Morte... esse é o melhor plano. Infelizmente, é um péssimo plano.

Annabeth sentia como se estivesse pendurada no abismo outra vez, sem conseguir se içar pela borda, sem conseguir continuar se segurando... sem boas opções.

— Mas não acha que vale a pena tentar? — perguntou ela. — Você podia voltar para o mundo mortal. Podia ver o sol outra vez.

Os olhos de Damásen pareciam as órbitas do crânio do drakon: escuros e vazios, destituídos de qualquer esperança. Ele jogou um osso quebrado no fogo e ficou de pé com as costas bem retas, um enorme guerreiro vermelho vestindo pele de carneiro e couro de drakon, com flores secas e ervas nos cabelos. Annabeth podia ver como ele era o *anti*Ares. Ares era o pior deus, temperamental e violento. Damásen era o melhor gigante, bondoso e prestativo... e por isso tinha sido condenado ao tormento eterno.

— Durmam um pouco — disse o gigante. — Vou preparar suprimentos para sua viagem. Sinto muito, mas não posso fazer mais nada.

Annabeth quis contestar, mas assim que ouviu a palavra *dormir* foi traída por seu corpo, apesar de sua decisão anterior de nunca mais dormir no Tártaro. Estava de barriga cheia. O crepitar do fogo era agradável. As ervas penduradas a faziam lembrar das colinas em torno do Acampamento Meio-Sangue no verão, quando os sátiros e náiades colhiam plantas silvestres nas tardes tranquilas.

— Talvez dormir um pouco — concordou ela.

Bob a pegou como se fosse uma boneca de pano. Ela não protestou. Ele a pôs ao lado de Percy na cama do gigante, e ela fechou os olhos.

XL

ANNABETH

Annabeth acordou olhando para as sombras que dançavam no teto da cabana. Não tivera nenhum sonho. Isso era tão estranho que não sabia se estava realmente acordada.

Deitada ali, com Percy roncando a seu lado, e Bob Pequeno ronronando em cima de sua barriga, ouviu Bob e Damásen conversando.

— Você não contou a ela — disse Damásen.

— Não — admitiu Bob. — Ela já está com medo.

O gigante resmungou.

— E é para estar. E se você não conseguir guiá-los além da Noite?

Damásen disse "Noite" como se fosse um nome próprio... um nome *maligno*.

— Tenho que conseguir.

— Por quê? O que os semideuses fizeram por você? Apagaram seu velho eu, tudo o que você era. Nós, titãs e gigantes... devíamos ser os inimigos dos deuses e de seus filhos. Não devíamos?

— Então por que você curou o garoto?

Damásen suspirou.

— Nem eu sei. Talvez porque a garota tenha me desafiado, ou talvez porque... acho esses dois semideuses intrigantes. São muito resistentes para terem chegado tão longe. Isso é admirável. Mesmo assim, como podemos ajudá-los mais? Não é nosso destino.

— Talvez — disse Bob, sentindo-se desconfortável. — Mas… você gosta de seu destino?

— Que pergunta. Será que alguém gosta de seu destino?

— Eu gostava de ser Bob — murmurou. — Antes de começar a me lembrar…

— Hum.

Annabeth ouviu um ruído, como se Damásen estivesse enchendo uma bolsa de couro.

— Damásen, você se lembra do sol? — perguntou o titã.

O ruído parou. Annabeth ouviu o gigante suspirar outra vez.

— Lembro. Era amarelo. Quando tocava o horizonte, deixava o céu com cores bonitas.

— Tenho saudade do sol — disse Bob. — Das estrelas, também. Queria dar um oi para as estrelas outra vez.

— Estrelas… — Damásen pronunciou a palavra como se tivesse esquecido seu significado. — Ah, é. Elas criavam formas no céu noturno. — Ele jogou no chão algo que caiu com um baque surdo. — Ah. Essa conversa não vai levar a nada. Não podemos…

A distância, o drakon maeônio rugiu.

Percy acordou e se sentou imediatamente.

— O quê? O que… onde… o quê?

— Está tudo bem.

Annabeth tocou seu braço.

Quando o garoto compreendeu que estavam deitados na cama de um gigante com um gato esqueleto, pareceu mais confuso que nunca.

— Esse barulho… onde estamos?

— Do que consegue lembrar?

Percy franziu a testa. Seus olhos pareciam alertas. Todos os seus ferimentos haviam desaparecido. Tirando as roupas esfarrapadas e algumas camadas de terra e fuligem, ele parecia nunca ter caído no Tártaro.

— Eu… as velhas demônios… e depois… Pouca coisa.

Damásen surgiu ao lado da cama.

— Não há tempo, pequenos mortais. O drakon está voltando. Temo que seu rugido atraia os outros, meus irmãos que estão atrás de vocês. Vão chegar aqui em poucos minutos.

O coração de Annabeth passou a bater mais rápido.

— O que vai dizer a eles quando chegarem aqui?

Damásen torceu a boca.

— O que eu poderia contar? Nada importante, desde que vocês já tenham partido.

Jogou para eles duas sacolas de couro de drakon.

— Roupas, comida e bebida.

Bob levava uma sacola parecida, mas maior. Estava apoiado em sua vassoura, olhando para Annabeth como se ainda estivesse refletindo sobre as palavras de Damásen: *O que os semideuses fizeram por você?* Eram inimigos, inimigos imortais.

De repente, Annabeth foi surpreendida por um pensamento tão claro e afiado que parecia uma lâmina da própria Atena.

— A Profecia dos Sete — disse ela.

Percy já tinha descido da cama gigantesca e estava colocando a sacola no ombro. Ele a olhou com expressão séria.

— O que tem ela?

Annabeth segurou a mão de Damásen, o que fez o gigante se sobressaltar. Ela franziu a testa. Sua pele era áspera como pedra.

— Você *precisa* vir com a gente — suplicou ela. — A profecia diz *inimigos com armas às Portas da Morte*. Achava que isso significava gregos e romanos, mas não. Somos *nós*, semideuses, um titã e um gigante. *Precisamos* de você para fechar as Portas!

O drakon rugiu lá fora, cada vez mais perto. Damásen retirou a mão da de Annabeth com delicadeza.

— Não, menina — murmurou ele. — Minha maldição é aqui. Não posso escapar dela.

— Pode, pode, sim — disse Annabeth. — Não enfrente o drakon. Pense em um modo de romper o ciclo! Encontre *outro* destino.

Damásen sacudiu a cabeça.

— Mesmo que pudesse, não consigo deixar este pântano. É o único destino que consigo visualizar.

A mente de Annabeth era um turbilhão.

— *Existe* outro destino. Olhe para mim! Lembre-se do meu rosto. Quando estiver pronto, me procure. Vamos levá-lo para o mundo mortal conosco. Você vai poder ver a luz do sol e as estrelas.

O chão estremeceu. O drakon estava perto, atravessando o pântano com passos pesados, destruindo árvores e musgo com seu jato de veneno. Mais longe, Annabeth ouviu a voz do gigante Polibotes, incentivando seus seguidores.

— O FILHO DO DEUS DO MAR! ELE ESTÁ PERTO!

— Annabeth — insistiu Percy. — É a nossa deixa para ir embora.

Damásen pegou algo em seu cinto. Em sua mão enorme, a pequena lasca branca parecia outro palito de dentes, mas quando ele a entregou a Annabeth, a garota percebeu que era uma espada... uma lâmina de osso de dragão mortalmente afiada, com uma empunhadura simples de couro.

— Um último presente para a filha de Atena — disse o gigante com sua voz retumbante. — Não posso mandá-la para a morte desarmada. Agora vão! Antes que seja tarde demais.

Annabeth teve vontade de chorar. Pegou a espada, mas não conseguiu nem articular um agradecimento... Sabia que o gigante deveria lutar ao lado deles. Era essa a resposta, mas Damásen se afastou.

— Temos que ir — disse Bob, apressando-os, enquanto o gatinho voltava para seu ombro.

— Ele tem razão, Annabeth — acrescentou Percy.

Eles correram para a entrada. Annabeth não olhou para trás enquanto seguia Percy e Bob pântano adentro, mas ouviu Damásen atrás deles soltar seu grito de guerra para o drakon que o atacava, com a voz vacilante devido ao desespero de enfrentar seu velho inimigo mais uma vez.

XLI

PIPER

Piper não sabia muito sobre o Mar Mediterrâneo, mas tinha certeza de que ele não devia congelar em julho.

Depois de dois dias em mar aberto após saírem de Split, nuvens negras dominaram o céu. As ondas ficaram mais fortes, lançando no convés uma chuva fina, que formava uma camada de gelo sobre amuradas e cordas.

— É o cetro — murmurou Nico, erguendo o cajado antigo. — Só pode ser.

Piper ficou desconfiada. Desde que Jason e Nico voltaram do palácio de Diocleciano, estavam agindo de maneira nervosa e reservada. Algo importante tinha acontecido lá, algo que Jason não queria contar a ela.

Tinha lógica o cetro ter provocado aquela mudança de tempo. A orbe negra no topo parecia drenar a cor do ar, e as águias douradas na base tinham um brilho frio. O cetro supostamente controlava os mortos, e ele *definitivamente* emitia vibrações ruins. Quando o treinador Hedge viu aquela coisa, ficou pálido e avisou que ia para o quarto se consolar com vídeos de Chuck Norris. (Mas Piper desconfiava que, na verdade, ele estava mandando mensagens de Íris para sua namorada, Mellie; o treinador andava muito agitado em relação a ela, apesar de não contar a Piper qual era o problema.)

Então, sim... *Talvez* o cetro pudesse provocar uma tempestade de gelo assustadora. Mas Piper não achava que fosse isso. Temia que o motivo fosse outro... Algo ainda pior.

— Não podemos conversar aqui — decidiu Jason. — Vamos adiar a reunião.

Todos tinham se reunido no tombadilho superior para discutir estratégias conforme se aproximavam de Épiro. Agora estava evidente que lá não era um bom lugar para ficar: o vento varria o gelo pelo convés, o mar se revolvia sob eles.

Piper não se incomodava muito com isso. O balanço e a movimentação das ondas a faziam lembrar das vezes em que fora surfar com o pai na costa da Califórnia. Mas notou que Hazel não estava passando bem. A pobre garota ficava enjoada até com o mar tranquilo. Ela parecia estar tentando engolir uma bola de sinuca.

— Preciso...

Hazel teve ânsia de vômito e apontou para baixo.

— Claro, desça.

Nico beijou-a no rosto, o que surpreendeu Piper. Ele raramente dava demonstrações de carinho, nem mesmo com a irmã. Parecia odiar qualquer contato físico. Beijar Hazel... era quase como se fosse uma despedida.

— Vou com você.

Frank passou um braço pela cintura de Hazel e a ajudou a descer as escadas.

Piper torcia para que Hazel ficasse bem. Nas últimas noites, depois daquela luta contra Círon, tinham conversado muito. Serem as únicas meninas a bordo era meio complicado. Dividiam histórias, reclamavam sobre os hábitos nojentos dos meninos e choravam juntas por Annabeth. Hazel contou como era controlar a Névoa, e Piper se surpreendeu ao descobrir que era muito parecido com usar o charme. Piper se ofereceu para ajudá-la com o que precisasse. Em troca, Hazel prometeu ensiná-la a lutar com espadas, uma habilidade na qual Piper era péssima. Sentia que ganhara uma nova amiga, o que era maravilhoso... supondo que vivessem tempo o bastante para desfrutarem dessa amizade.

Nico espanou um pouco de gelo dos cabelos e franziu o cenho diante do cetro de Diocleciano.

— Eu devia guardar essa coisa. Se está mesmo provocando esse tempo, talvez levá-lo lá para baixo ajude...

— Claro — disse Jason.

Nico olhou para Piper e Leo, como se estivesse preocupado com o que poderiam dizer na sua ausência. Piper percebeu que ele estava mais na defensiva, como se estivesse se encolhendo em uma bola psicológica, como quando entrara no transe de morte dentro do jarro de bronze.

Quando ele desceu, Piper estudou a expressão de Jason. Seus olhos estavam carregados de preocupação. O que *acontecera* na Croácia?

Leo pegou uma chave de fenda no cinto.

— Que grande reunião de equipe. Parece que é só a gente de novo.

Só a gente de novo.

Piper recordou de um dia de inverno em Chicago, em dezembro do ano anterior, quando os três aterrissaram no Millennial Park em sua primeira missão.

Leo não mudara muito, exceto por parecer mais à vontade em seu papel de filho de Hefesto. Ele sempre tivera um excesso de energia nervosa. Agora sabia como usá-la. Suas mãos estavam sempre em movimento. Pegava coisas em seu cinto, mexia nos controles, brincava com sua adorada esfera de Arquimedes. Hoje a havia retirado do painel de controle e desligado Festus, a figura de proa, para manutenção, algo sobre reprogramar seu processador para aprimorar o controle do motor com a esfera, o que quer que isso significasse.

Quanto a Jason, parecia mais magro, mais alto e mais desgastado. O cabelo, antes bem curto, no estilo romano, agora era comprido e desgrenhado. O sulco que Círon fizera do lado esquerdo do couro cabeludo também era interessante, acrescentava um toque de rebeldia. Seus olhos azuis como o céu pareciam de algum modo mais velhos, cheios de preocupação e responsabilidade.

Piper sabia o que seus amigos murmuravam sobre Jason: era perfeito *demais*, rigoroso demais. Se isso um dia fora verdade, não era mais. A missão tinha acabado com ele, e não apenas fisicamente. As dificuldades que enfrentou não o enfraqueceram, mas ele ficou curtido e amaciado como couro, como se estivesse se tornando uma versão mais afável de si mesmo.

E Piper? Só podia imaginar o que Leo e Jason pensavam quando olhavam para ela. Com certeza não se sentia mais a mesma pessoa que era no inverno anterior.

Aquela primeira missão para resgatar Hera parecia ter ocorrido séculos atrás. Tanta coisa havia mudado em sete meses… ela se perguntou como os deuses aguentavam viver milhares de anos. Quantas mudanças *eles* teriam presenciado? Talvez não fosse de surpreender o fato de os olimpianos parecerem um pouco loucos. Se Piper tivesse vivido por três milênios, teria ficado doidinha.

Ela olhou para a chuva fria. Daria tudo para voltar ao Acampamento Meio-Sangue, onde o clima era controlado até no inverno. As imagens que vira em sua adaga ultimamente... bem, não lhe davam muitos motivos para ficar animada.

Jason apertou seu ombro.

— Ei, vai ficar tudo bem. Estamos perto de Épiro. Só mais um dia, se as indicações de Nico estiverem corretas.

— É. — Leo brincava com sua esfera, batendo e apertando as joias. — Amanhã de manhã, mais ou menos, vamos chegar na costa leste da Grécia. Depois mais uma hora de caminhada e pronto, a Casa de Hades! Vou comprar uma camiseta de lembrança!

— Oba — murmurou Piper em voz baixa.

Não estava muito ansiosa para mergulhar novamente na escuridão. Ainda tinha pesadelos com o *ninfeu* e o *hipogeu* sob Roma. Na lâmina de Katoptris, vira imagens parecidas com as que Leo e Hazel descreveram a partir de seus sonhos, uma feiticeira pálida em um vestido dourado, cujas mãos teciam luz dourada no ar como seda em um tear, e um gigante envolto em sombras descendo por um corredor comprido iluminado por tochas nas paredes. Conforme ele passava, as chamas se apagavam. Ela viu uma caverna enorme cheia de monstros (ciclopes, nascidos da terra e coisas mais estranhas) cercando a ela e a seus amigos em tamanha superioridade numérica que não lhes dava qualquer esperança.

Cada vez que via essas imagens, uma voz interior não parava de repetir a mesma frase.

— Gente — disse ela. — Tenho pensado sobre a Profecia dos Sete.

Era preciso muito para desviar a atenção de Leo de seu trabalho, mas isso foi suficiente.

— O que pensou? — perguntou ele. — Tipo... coisas boas, certo?

Ela reajustou a alça que prendia sua cornucópia ao ombro. Às vezes a trompa da fartura parecia tão leve que se esquecia dela. Em outras, parecia tão pesada quanto uma bigorna, como se o deus do Rio Aqueloo estivesse enviando energias ruins para puni-la por pegar seu chifre.

— Na Katoptris — começou ela. — Não paro de ver aquele gigante Clítio, o cara sempre envolto em sombras. Sei que o ponto fraco dele é o fogo, mas em minhas visões ele assopra as chamas aonde quer que vá. Todo tipo de luz é sugado por sua nuvem de escuridão.

— Parece o Nico — disse Leo. — Será que são parentes?

Jason fechou a cara.

— Ei, dá um tempo pro Nico, o.k.? Então, Piper, o que tem esse gigante? O que você está pensando?

Ela e Leo trocaram um olhar intrigado, tipo: *Desde quando Jason defende Nico di Angelo?* Ela preferiu não comentar.

— Não paro de pensar em fogo — respondeu Piper. — Como esperamos que Leo derrote esse gigante porque ele é…

— Um cara quente? — sugeriu Leo com um sorriso.

— Humm, acho que a melhor definição é *inflamável*. Enfim, esse trecho da profecia me incomoda: *Em tempestade ou fogo, o mundo terá acabado.*

— É, já sabemos isso — afirmou Leo. — Você vai dizer que sou fogo. E que Jason é a tempestade.

Piper assentiu com relutância. Sabia que nenhum deles gostava de discutir o assunto, mas todos deviam ter *sentido* que era verdade.

O navio lançou-se abruptamente para estibordo. Jason agarrou a amurada congelada.

— Então você está preocupada que um de nós prejudique a missão e acidentalmente destrua o mundo?

— Não — disse Piper. — Acho que temos interpretado esse trecho do modo errado. O *mundo*… a Terra. Em grego, a palavra para isso seria…

Ela hesitou, sem querer dizer o nome em voz alta, mesmo no mar.

— Gaia. — Os olhos de Jason cintilaram com um interesse súbito. — Você quer dizer que *Em tempestade ou fogo, Gaia terá acabado*?

— Ah… — Leo deu um sorriso ainda maior. — Sabe, gosto muito mais da sua versão. Porque se Gaia não resistir a mim, o sr. Fogo, vai ser muito maneiro.

— Ou a mim… a tempestade. — Jason a beijou. — Piper, isso é incrível! Se estiver certa, são ótimas notícias. Só precisamos descobrir qual de nós destrói Gaia.

— Pode ser. — Ela se sentiu desconfortável por deixá-los tão esperançosos. — Mas, vejam, é tempestade *ou* fogo…

Desembainhou Katoptris e a pôs sobre o painel. Imediatamente a lâmina piscou e acendeu, mostrando a forma escura do gigante Clítio caminhando por um corredor e apagando as tochas.

— Estou preocupada com Leo e essa luta contra Clítio — afirmou ela. — Aquele trecho na profecia pode dar a entender que só *um* de vocês conseguirá. E se o trecho "em tempestade ou fogo" estiver relacionado com o terceiro verso, "Um juramento a manter com um alento final"...

Não concluiu o raciocínio, mas pelas expressões de Jason e Leo, percebeu que eles tinham entendido. Se estivesse interpretando a profecia corretamente, ou Leo ou Jason iria derrotar Gaia. O outro morreria.

XLII

PIPER

Leo olhou para a adaga.

— O.k.... então não gosto tanto da sua interpretação quanto pensava. Você acha que um de nós vai derrotar Gaia, e o outro morrer? Ou talvez um de nós morra *enquanto* a derrota? Ou...

— Gente — disse Jason. — Vamos ficar loucos se pensarmos muito nisso. Vocês sabem como são as profecias. Os heróis sempre se ferram quando tentam mudá-las.

— É — murmurou Leo. — E nós *odiaríamos* isso. Porque as coisas estão indo perfeitamente bem até agora.

— Você sabe o que quero dizer. O trecho do *alento final* pode não estar ligado à parte da *tempestade ou fogo*. Pelo que sabemos, nós dois podemos nem mesmo ser a tempestade e o fogo. Percy pode criar furacões.

— E eu sempre posso incendiar o treinador Hedge — observou Leo com humor. — Então *ele* seria o fogo.

A ideia de um sátiro em chamas gritando "Morra, sua vaca!" enquanto atacava Gaia quase conseguiu fez Piper rir... Quase.

— Espero estar enganada — disse com cautela. — Mas a missão começou com a gente: encontramos Hera e despertamos o rei dos gigantes, Porfírio. Tenho a sensação de que nós também vamos terminar esta guerra. Para o bem ou para o mal.

— Ei — disse Jason. — Eu, pessoalmente, *gosto* do nós.

— Concordo — acrescentou Leo. — *Nós* são minhas pessoas favoritas.

Piper conseguiu sorrir. Amava mesmo aqueles dois. Queria poder usar seu charme nas Parcas, descrever um final feliz e forçá-las a torná-lo realidade.

Infelizmente, era difícil imaginar um final feliz com todos aqueles pensamentos sombrios na cabeça. Temia que o gigante Clítio tivesse sido mandado atrás deles para tirar Leo do caminho. Se isso fosse verdade, significaria que Gaia também ia tentar eliminar Jason. Sem tempestade ou fogo, a missão deles fracassaria.

E aquele frio também a incomodava... tinha certeza de que estava sendo provocado por algo além do cetro de Diocleciano. O vento frio e a chuva de granizo pareciam agressivos e hostis. E, de algum modo, familiares.

Aquele cheiro no ar, um cheiro forte de...

Piper devia ter percebido o que estava acontecendo antes, mas morara durante a maior parte da vida no sul da Califórnia, com temperaturas amenas o ano todo. Não tinha crescido com aquele cheiro... o cheiro de neve iminente.

Todos os músculos em seu corpo se contraíram.

— Leo, toque o alarme!

Piper não tinha percebido que estava usando o charme, mas Leo largou a chave de fenda imediatamente e apertou o botão do alarme. Franziu a testa quando nada aconteceu.

— Hum, não está funcionando — lembrou Leo. — Festus está desligado. Me dê um minuto para colocar o sistema on-line de novo.

— Não temos um minuto! Fogo, precisamos de frascos de fogo grego. Jason, convoque os ventos. Ventos quentes, do sul.

— Como é? — Jason olhou para ela, confuso. — Piper, qual o problema?

— É ela! — respondeu Piper já empunhando a adaga. — Ela voltou! Temos que...

Antes que pudesse terminar, o barco guinou para bombordo. A temperatura caiu tão rápido que as velas congelaram imediatamente. Os escudos de bronze ao longo das amuradas saltaram como uma rolha de champanhe.

Jason sacou a espada, mas era tarde demais. Uma onda de partículas de gelo caiu sobre ele, cobrindo-o como a calda de uma maçã do amor e paralisando-o no lugar. Sob a camada de gelo, seus olhos estavam arregalados de surpresa.

— Leo! Fogo! Agora! — berrou Piper.

A mão direita de Leo pegou fogo, mas o vento girou em torno dele e apagou as chamas. Ele segurou a esfera de Arquimedes com força quando um redemoinho de chuva e neve o ergueu do chão.

— Ei! — gritou ele. — Ei! Me solte!

Piper correu em sua direção, mas uma voz na tempestade disse:

— Ah, sim, Leo Valdez. Vou soltar você, e vai ser *para sempre*.

Leo disparou para o alto tão rápido que pareceu ter sido arremessado por uma catapulta, e desapareceu nas nuvens.

— Não! — Piper ergueu a adaga, mas não havia nada para atacar.

Olhou desesperada para as escadas, torcendo para ver os amigos chegando para resgatá-los, mas um bloco de gelo havia selado a escotilha. Tudo abaixo do convés principal devia estar completamente congelado.

Ela precisava de uma arma melhor para lutar — algo melhor que sua voz, uma adaga que dizia o futuro e uma cornucópia da qual saíam presunto e frutas frescas.

Piper se perguntou se conseguiria chegar à balista.

Então seus inimigos surgiram, e ela se deu conta de que nenhuma arma seria suficiente.

No meio do navio, Piper viu uma garota usando um vestido esvoaçante de seda branca, o cabelo negro preso com um arco cravejado de diamantes. Tinha olhos escuros como café, mas sem qualquer calor.

Atrás dela estavam seus irmãos — dois rapazes com asas de penas roxas, cabelos muito brancos e espadas denteadas de bronze celestial.

— É tão bom vê-la outra vez, *ma chère* — disse Quione, a deusa da neve. — Já era tempo de termos um reencontro congelante.

XLIII

PIPER

Piper não tinha planejado atirar muffins de mirtilo. A cornucópia deve ter sentido seu desconforto e achou que ela e os visitantes gostariam de coisas assadas e quentinhas.

Meia dúzia de muffins suculentos voou do chifre da fartura como tiros de espingarda. Não era um ataque inicial dos mais eficazes.

Quione simplesmente deu um passo para o lado. A maioria dos muffins passou por ela e caiu amurada abaixo. Cada um de seus irmãos, os boreadas, pegou um bolinho e começou a comer.

— Muffins — disse o maior deles. Cal, Piper lembrou-se, apelido de *Calais*. Estava vestido exatamente como em Quebec, com chuteiras de couro, calças largas e uma jaqueta vermelha de hóquei, e tinha olhos pretos e vários dentes quebrados. — Muffins são gostosos.

— Ah, *merci* — disse o irmão magrelo, que estava parado na plataforma da catapulta com as asas abertas. Ela lembrou de seu nome, Zetes. Os cabelos brancos ainda eram daquele estilo *mullet* horroroso dos tempos da discoteca. O colarinho de sua camisa de seda aparecia acima do peitoral da armadura. Suas calças de poliéster verde-limão eram grotescamente justas, e sua acne só tinha piorado. Apesar disso, ele ergueu as sobrancelhas sugestivamente e sorriu como se fosse um guru da pegação. — Eu sabia que a garota bonita ia sentir minha falta.

Falava o francês do Quebec, que Piper entendia sem esforço. Graças a sua mãe, Afrodite, ela tinha a mente programada para a língua do amor, apesar de não querer usá-la com Zetes.

— O que está fazendo? — questionou Piper. E depois disse usando o charme: — Solte meus amigos.

Zetes piscou.

— Devíamos soltar os amigos dela.

— É — concordou Cal.

— Não, seus idiotas! — disse Quione bruscamente. — Ela está utilizando o charme. Usem o cérebro!

— Cérebro… — Cal franziu o cenho como se não tivesse certeza do que ela estava falando. — Muffins são mais gostosos.

Ele botou o bolinho inteiro na boca e começou a mastigar.

Zetes pegou um mirtilo da cobertura de seu muffin e o mordeu com delicadeza.

— Ah, minha bela Piper… esperei tanto tempo para revê-la. Infelizmente, minha irmã tem razão. Não podemos soltar seus amigos. Na verdade, devemos levá-los para o Quebec, onde vão ser motivo eterno de chacota. Sinto muito, mas são nossas ordens.

— Ordens?

Desde o inverno anterior, Piper esperava que cedo ou tarde Quione mostrasse sua cara congelada. Quando a derrotaram na Casa dos Lobos em Sonoma, a deusa da neve jurara vingança. Mas por que Zetes e Cal estavam ali? No Quebec, os boreadas pareceram quase amistosos — pelo menos comparados a sua irmã glacial.

— Meninos, escutem — disse Piper. — Sua irmã desobedeceu Bóreas. Ela está trabalhando com os gigantes, tentando despertar Gaia. Planeja tomar o trono do pai de vocês.

Quione riu, um riso suave e frio.

— Querida Piper McLean. Você tenta manipular meus irmãos de mente fraca com seus encantamentos, como uma verdadeira filha da deusa do amor. Que boa mentirosa você é.

— *Mentirosa?* — gritou Piper. — Você tentou nos matar! Zetes, ela está trabalhando para Gaia!

Zetes se encolheu.

— Ah, bela garota. Estamos todos trabalhando para Gaia agora. Infelizmente, essas ordens foram de nosso pai, o próprio Bóreas.

— O quê? — Piper não queria acreditar naquilo, mas o sorriso convencido de Quione mostrou a ela que era verdade.

— Finalmente meu pai aceitou meu sábio conselho — disse Quione, satisfeita. — Ou pelo menos ele *fez isso* antes que sua personalidade romana entrasse em conflito com a grega. Uma pena, pois agora está um tanto incapacitado, mas me deixou no comando. Ordenou que as forças do Vento Norte fossem usadas a serviço do rei Porfírio. E, é claro… da Mãe Terra.

Piper engoliu em seco.

— Mas como vocês conseguiram chegar até aqui? — Com um gesto, mostrou o gelo que cobria todo o navio. — Estamos no verão!

Quione deu de ombros.

— Nossos poderes aumentaram. As leis da natureza estão de cabeça para baixo. Quando a Mãe Terra despertar, vamos refazer o mundo como desejarmos!

— Com hóquei — disse Cal, ainda de boca cheia. — E pizza. E muffins.

— Tá, tá — desdenhou Quione. — Tive que prometer algumas coisas a este grandalhão simplório. E para Zetes…

— Ah, minhas vontades são simples. — Zetes passou a mão no cabelo e piscou para Piper. — Eu devia tê-la mantido em nosso palácio quando nos conhecemos, querida Piper. Mas logo voltaremos para lá, juntos, e vamos viver um romance incrível.

— Obrigada, mas não, obrigada — disse Piper. — Agora *solte Jason.*

Ela concentrou todo seu poder nas palavras, e Zetes obedeceu. Estalou os dedos, e Jason descongelou imediatamente. Ele desabou no chão, sem fôlego e exalando vapor. Mas pelo menos estava vivo.

— Seu imbecil! — Quione estendeu a mão, e Jason recongelou, agora deitado no convés como um tapete de pele de urso. Ela repreendeu Zetes. — Se quer a garota como recompensa, deve provar que pode controlá-la. Não o contrário!

— Sim, é claro. — Zetes parecia envergonhado.

— E em relação a Jason… — Os olhos castanhos de Quione brilharam. — Ele e o resto de seus amigos vão se unir à nossa corte de estátuas de gelo no Quebec. Jason Grace vai ficar uma *graça* no salão do trono.

— Que inteligente — murmurou Piper. — Você levou o dia inteiro para pensar nessa piada?

Pelo menos Piper sabia que Jason ainda estava vivo, o que diminuiu um pouco seu pânico. O congelamento podia ser revertido. Isso significava que seus outros amigos provavelmente ainda estavam vivos sob o convés. Ela só precisava de um plano para libertá-los.

Infelizmente, não era Annabeth. Não era tão boa em elaborar planos do nada. Precisava de tempo para pensar.

— E Leo? — disse abruptamente. — Para onde você o mandou?

A deusa da neve caminhou com passos leves em torno de Jason, observando-o como se ele fosse uma escultura.

— Leo Valdez merecia um castigo especial — disse ela. — Eu o mandei para um lugar do qual nunca poderá voltar.

Piper mal conseguia respirar. Pobre Leo. A ideia de nunca mais voltar a vê-lo quase acabou com ela. Quione deve ter visto isso em seu rosto.

— Ah, minha querida Piper! — Ela deu um sorriso triunfante. — Mas isso é por um bem maior. Não podia tolerar Leo nem mesmo como uma estátua de gelo... não depois que me insultou. O tolo se recusou a reinar ao meu lado! E seu poder sobre o fogo... — Ela sacudiu a cabeça. — Não podemos deixá-lo se aproximar da Casa de Hades. Lorde Clítio gosta ainda menos de fogo do que eu.

Piper agarrou sua adaga.

Fogo, pensou. *Obrigada por me lembrar, sua bruxa.*

Ela examinou o convés. Como fazer fogo? Havia uma caixa cheia de frascos de fogo grego perto de uma das balistas, mas estava longe demais. Mesmo que conseguisse chegar lá sem ser transformada em uma estátua de gelo, o fogo grego queimaria tudo, incluindo o navio e todos os seus amigos. Tinha que haver outra maneira. Seus olhos se dirigiram à proa.

Ah.

Festus, a figura de proa, podia expelir muitas chamas. Infelizmente, estava desligado. E Piper não tinha ideia de como reativá-lo. Nunca teria tempo de descobrir os botões certos no painel de controle do navio. Tinha uma vaga lembrança de Leo mexendo no interior da cabeça do dragão de bronze, resmungando sobre um disco de controle; mas mesmo que Piper conseguisse chegar à proa, não saberia o que fazer.

Apesar disso, seu instinto lhe disse que Festus era sua melhor chance. Só precisava convencer seus captores a deixá-la chegar perto o suficiente…

— Bem! — Quione interrompeu seus pensamentos. — Sinto que nosso tempo aqui esteja no fim. Zetes, por favor…

— Espere! — disse Piper.

Era um comando simples, e funcionou. Os boreadas e Quione encararam a garota, atentos.

Piper estava quase certa de que poderia controlar os irmãos com o charme, mas Quione era um problema. Seu poder não funcionava muito bem se a pessoa não estivesse atraída por ela, ou se fossem seres poderosos como os deuses ou se a vítima *soubesse* sobre o charme e estivesse esperando por ele. Todas as alternativas se aplicavam a Quione.

O que Annabeth faria?

Enrolaria, pensou Piper. *Na dúvida, continue falando.*

— Você tem medo de meus amigos — disse ela. — Então por que simplesmente não os mata?

Quione riu.

— Você não é uma deusa, ou iria entender. A morte é tão curta, tão… insatisfatória. Suas almas mortais insignificantes vão para o Mundo Inferior, e o que acontece? O *melhor* que posso esperar é vocês serem mandados para os Campos de Punição ou Asfódelos, mas semideuses são insuportavelmente nobres. A chance de irem para o Elísio ou renascerem é muito grande. Por que iria querer recompensar seus amigos se posso castigá-los por toda a eternidade?

— E eu? — Piper odiou perguntar. — Por que ainda estou viva e não fui congelada?

Quione olhou com aborrecimento para os irmãos.

— Um dos motivos é Zetes ter pedido você como recompensa.

— Eu beijo magnificamente bem — declarou Zetes. — Você vai ver, querida.

A ideia embrulhou o estômago de Piper.

— Mas esta não é a única razão — disse Quione. — A outra é que eu *odeio* você, Piper. Profundamente. Sem você, Jason teria ficado comigo no Quebec.

— Isso não é muita pretensão sua?

Os olhos de Quione ficaram duros como os diamantes do arco em seu cabelo.

— Você é um peso morto, a filha de uma deusa que não serve para nada. O que pode fazer sozinha? Nada. De todos os sete semideuses, você não tem objetivo, não tem poder. Quero que você fique neste navio, à deriva e desamparada, enquanto Gaia desperta e o mundo acaba. E só para garantir que você permaneça fora do caminho...

Ela gesticulou para Zetes, que pegou alguma coisa no ar — uma esfera do tamanho de uma bola de tênis coberta de pontas de gelo.

— Uma bomba — explicou Zetes. — Especialmente para você, meu amor.

— Bombas! — Cal riu. — Um dia bom! Bombas e muffins!

— Hã... — Piper baixou a adaga, que parecia ainda mais inútil do que o normal. — Flores já bastariam.

— Ah, a bomba não vai matar a garota bonita. — Zetes franziu o cenho. — Bem... estou *quase certo* disso. Mas quando o invólucro frágil se romper em... ah, daqui a pouco... ele vai liberar a força dos ventos do norte. O barco vai ser levado para longe de sua rota. Para muito, muito longe.

— Isso mesmo. — A voz de Quione estava carregada de falsa simpatia. — Vamos levar seus amigos para nossa coleção de estátuas, liberar os ventos e lhe dar adeus! Você pode assistir ao fim do mundo do... bem, do fim do mundo! Talvez consiga usar o charme nos peixes e se alimentar com sua cornucópia. Pode andar de um lado para outro no convés deste barco e assistir a nossa vitória na lâmina de sua adaga. Quando Gaia tiver despertado, e o mundo que você conhece estiver morto, *aí* Zetes pode retornar e torná-la sua esposa. O que vai fazer para nos deter, Piper? Uma heroína? Há! Você é uma piada.

Aquelas palavras doeram como chuva de granizo, principalmente porque Piper tinha pensado exatamente as mesmas coisas. O que ela podia fazer? Como podia salvar seus amigos?

Estava quase surtando — pulando enfurecida sobre seus inimigos e sendo morta por eles.

Olhou para a expressão arrogante de Quione e percebeu que a deusa estava torcendo por isso. Queria que Piper surtasse. Queria diversão.

A garota reuniu toda sua coragem. Lembrou-se das colegas que zombavam dela na Escola da Vida Selvagem. Lembrou-se de Drew, a cruel conselheira-chefe que ela substituíra no chalé de Afrodite; de Medeia, que enfeitiçara Jason e Leo em Chicago; e Jane, a velha assistente de seu pai, que sempre a tratara como uma criança mimada e inútil. Por toda sua vida foi menosprezada, chamada de inútil por todos.

Isso nunca foi verdade, murmurou outra voz, uma voz parecida com a de sua mãe. *Todos eles repreenderam você por temê-la e invejá-la. Assim como Quione. Use isso!*

Piper não estava com vontade, mas forçou uma risada. Tentou de novo, e a risada saiu com mais facilidade. Logo, estava às gargalhadas, se dobrando de rir.

Calais se juntou a ela, até ser cutucado com o cotovelo por Zetes.

O sorriso de Quione vacilou.

— O que foi? Qual é a graça? Acabei de condenar você!

— Me condenar! — Piper voltou a rir. — Ah, deuses... desculpe. — Tentou recuperar o fôlego e parar de rir. — Ah, nossa... está bem. Você acha mesmo que não tenho poder nenhum? Acha *mesmo* que não sirvo para nada? Deuses do Olimpo! Seu cérebro deve ter ressecado com o frio. Você não sabe do meu segredo, não é?

Os olhos de Quione se estreitaram.

— Você não tem segredo nenhum — disse ela. — Está mentindo.

— Está bem, como quiser — disse Piper. — Vá em frente e leve meus amigos. Me deixe aqui... *sem poder fazer nada.* — Ela resfolegou. — Sim. Gaia vai ficar *muito* satisfeita com você.

Um turbilhão de neve girou em torno da deusa. Nervosos, Zetes e Calais olhavam um para o outro.

— Irmã — disse Zetes. — Se ela tem mesmo algum segredo...

— Pizza? — arriscou Cal. — Hóquei?

— ...precisamos descobrir qual é — continuou Zetes.

Quione obviamente não tinha acreditado. Piper tentava se manter séria, mas fez os olhos dançarem travessos e bem-humorados.

Vá em frente, desafiou ela. *Pague para ver.*

— Que segredo? — perguntou Quione. — Conte para nós!

Piper deu de ombros.

— Como quiser. — Apontou despreocupadamente para a proa. — Por aqui, pessoal do gelo.

XLIV

PIPER

Ela abriu caminho entre os boreadas, o que foi como passar por um grande freezer. O ar em torno deles era extremamente frio e queimava o rosto dela. Parecia até que estava respirando neve pura.

Piper tentou não olhar para o corpo congelado de Jason quando passou. Tentou não pensar nos amigos lá embaixo, ou em Leo lançado para o céu, para um lugar sem volta. Ela *com certeza* tentava não pensar nos boreadas nem na deusa da neve, que a estavam seguindo.

Fixou os olhos na figura de proa.

O barco sacudia sob seus pés. Um único sopro de ar de verão infiltrou-se em meio ao frio, e Piper inspirou, considerando isso um bom presságio. Ainda era verão lá fora. Quione e os irmãos não pertenciam àquele lugar.

Piper sabia que não podia vencer uma luta direta contra Quione e dois caras alados que carregavam espadas. Não era tão inteligente quanto Annabeth, nem tão boa para solucionar problemas quanto Leo. Mas *possuía* poder. E pretendia usá-lo.

Na noite anterior, durante a conversa com Hazel, Piper se dera conta de que o domínio do charme era muito parecido com o do uso da Névoa. No passado, tivera muitas dificuldades para fazer seu charme funcionar, porque sempre mandava inimigos fazerem o que *ela* queria. Ela berrava "Não nos mate" quando o maior desejo do monstro era matá-los. Botava todo seu poder na voz e torcia para que fosse suficiente para superar a vontade do inimigo.

Às vezes funcionava, mas era exaustivo e incerto. Afrodite não era conhecida por seus confrontos diretos. Ela era sutileza, inteligência e sedução. Piper decidiu não se concentrar em mandar as pessoas fazerem o que ela queria. Precisava levá-los a fazer o que *eles* queriam.

Excelente na teoria, mas tinha dúvidas quanto à prática...

Parou no mastro principal e olhou para Quione.

— Uau, acabei de entender porque você nos odeia tanto — afirmou, enchendo a voz de piedade. — A gente a humilhou feio em Sonoma.

Os olhos de Quione brilharam como café congelado, e ela lançou um olhar desconfortável para os irmãos.

Piper riu.

— Ah, você não contou para eles! — deduziu. — Não a culpo. Você tinha um gigante do seu lado, além de um exército de lobos e nascidos da terra e nem assim conseguiu nos derrotar.

— Cale a boca! — sibilou a deusa.

O ar ficou enevoado. Piper sentiu o gelo se acumular em suas sobrancelhas e congelar seus ouvidos, mas fingiu sorrir.

— Não importa. — Ela piscou para Zetes. — Mas *foi* bem engraçado.

— A garota bonita deve estar mentindo — disse Zetes. — Quione não foi *derrotada* na Casa dos Lobos. Ela disse que foi um... ah, qual foi a expressão? Uma retirada estratégica.

— Estra... o quê? — perguntou Cal. — Isso é de comer?

Piper empurrou o peito enorme do cara de maneira bem-humorada.

— Não, Cal. Isso significa que sua irmã fugiu.

— Não fugi! — gritou Quione.

— Do que foi mesmo que Hera chamou você? — Piper parou pensativa. — Ah, claro, uma deusa de meia-tigela!

Caiu novamente na gargalhada, e estava realmente se divertindo tanto que Zetes e Cal começaram a rir também.

— Isso é *très bon!* — disse Zetes. — Deusa de meia-tigela. Há!

— Há! — disse Cal. — A irmã fugiu! Há!

O vestido branco de Quione começou a emitir vapor. Uma camada de gelo se formou sobre a boca de Zetes e Cal para calá-los.

— Mostre-nos seu segredo, Piper McLean — grunhiu Quione. — E *reze* para que eu a deixe ilesa neste navio. Se estiver brincando conosco, vou lhe mostrar os horrores das queimaduras provocadas pelo frio. Duvido que Zetes ainda a queira sem os dedos das mãos ou dos pés... talvez sem nariz ou orelhas.

Zetes e Cal cuspiram as tampas de gelo da boca.

— A moça bonita ia ficar menos bonita sem nariz — admitiu Zetes.

Piper tinha visto fotos de vítimas de queimaduras provocadas pelo frio. A ameaça a assustou, mas não deixou que isso transparecesse.

— Venham, então. — Ela os conduziu na direção da popa, cantarolando uma das canções favoritas do pai, "Summertime".

Quando chegou à proa, pôs a mão no pescoço de Festus. Suas escamas de bronze estavam frias. Não havia ruído de engrenagens em funcionamento. Seus olhos de rubi estavam escuros e sem brilho.

— Lembra de nosso dragão? — perguntou Piper.

Quione riu com desdém.

— Esse não pode ser seu segredo. O dragão está quebrado. Seu fogo se extinguiu.

— Bem, sim... — Piper acariciou o focinho do dragão.

Não tinha o poder de Leo para ligar motores ou acionar circuitos. Não entendia nada sobre o funcionamento de máquinas. Tudo o que podia fazer era falar com sentimento e honestidade e dizer ao dragão o que ele *mais* queria ouvir.

— Mas Festus é mais que uma máquina. É uma criatura viva.

— Ridículo — respondeu a deusa com raiva. — Zetes, Cal... peguem os semideuses congelados lá embaixo. Depois vamos destruir a esfera dos ventos.

— Podem fazer isso, rapazes — concordou Piper. — Mas aí não vão ver Quione humilhada. Sei que gostariam disso.

Os boreadas hesitaram.

— Hóquei? — perguntou Cal.

— Quase tão bom — prometeu Piper. — Você lutou do lado de Jasão e os Argonautas, não lutou? Em um barco como este, o primeiro *Argo*.

— É — concordou Zetes. — O *Argo*. Bem parecido com este, mas não tínhamos um dragão.

— Não preste atenção nela! — repreendeu Quione.

Piper sentiu o gelo se formando sobre seus lábios.

— Você pode me calar — disse depressa. — Mas quer saber meu poder secreto... como vou destruir você, Gaia e os gigantes.

O ódio fervilhava nos olhos de Quione, mas a deusa conteve seu poder de congelamento.

— Você... não... tem... nenhum... poder — insistiu.

— Falou como uma deusa de meia-tigela — disse Piper. — Uma que nunca é levada a sério, que *sempre* quer mais poder.

Ela se virou para Festus e passou a mão por trás de suas orelhas de metal.

— Você é um bom amigo, Festus. Ninguém pode realmente desativá-lo. É mais que uma máquina. Quione não entende isso.

Piper se virou para os boreadas.

— Ela também não valoriza vocês, sabiam? Acha que pode mandar nos dois porque são semideuses, não são totalmente deuses. Ela não entende que formam uma equipe poderosa.

— Uma equipe — grunhiu Cal. — Como os ca-na-den-ses.

Cal se esforçou para dizer a palavra, já que possuía mais de duas sílabas. Ele sorriu e pareceu muito satisfeito consigo mesmo.

— Exatamente — concordou Piper. — Igual a um time de hóquei. O todo é maior que as partes.

— Como uma pizza — acrescentou Cal.

Piper riu.

— Você *é* esperto, Cal! Até eu subestimei você.

— Espere aí — protestou Zetes. — Também sou esperto. E bonito.

— Muito esperto — concordou Piper, ignorando a parte do *e bonito*. — Então largue essa bomba de vento e veja Quione ser humilhada.

Zetes sorriu. Ele se agachou e jogou a esfera de gelo rolando pelo convés.

— Seu tolo! — berrou Quione.

Antes que a deusa pudesse ir atrás da esfera, Piper gritou.

— Nossa arma secreta, Quione! Não somos só um bando de semideuses. Somos uma equipe. Assim como Festus é mais que um monte de peças. Ele tem *vida*. Ele é *meu amigo*. E quando seus amigos estão com problemas, especialmente Leo, ele desperta *por conta própria*.

Pôs toda confiança na voz, todo seu amor pelo dragão de metal e a lembrança de tudo o que ele fez por eles.

A parte racional dela sabia que era uma tentativa fadada ao fracasso. Como podia acionar uma máquina usando emoções?

Mas Afrodite não era racional. Ela exercia seus poderes através das emoções. Era a mais velha e mais primordial dos olimpianos, nascida do sangue de Urano em agitação no mar. Seu poder era mais antigo que o de Hefesto, de Atena ou mesmo de Zeus.

Por um minuto terrível, nada aconteceu. Quione apenas olhava para ela. Os boreadas, então, começaram a sair de seu transe e pareciam decepcionados.

— Esqueçam nosso plano — rosnou Quione. — Matem-na!

Quando os boreadas ergueram suas espadas, a pele metálica do dragão esquentou sob a mão de Piper. Ela saiu do caminho e saltou sobre a deusa da neve, enquanto Festus virou a cabeça cento e oitenta graus, explodiu os boreadas e os vaporizou no ato. Por algum motivo, a espada de Zetes foi poupada. Ela caiu no convés, ainda fumegante.

Piper conseguiu ficar de pé. Viu a esfera dos ventos na base do mastro principal. Correu para pegá-la, mas antes que conseguisse chegar perto, Quione se materializou a sua frente em um redemoinho de gelo. Sua pele reluzia com brilho o bastante para cegar.

— Sua *desgraçada* — rosnou. — Acha que pode me derrotar? A mim, uma *deusa?*

Atrás de Piper, Festus rugiu e expeliu vapor, mas a garota sabia que ele não podia lançar fogo de novo sem acertá-la também.

Cerca de cinco metros atrás da deusa, a esfera de gelo começou a rachar e emitir um chiado.

Piper não tinha mais tempo para detalhes. Berrou, ergueu a adaga e atacou a deusa.

Quione agarrou seu pulso, e o braço de Piper se cobriu de gelo. A lâmina de Katoptris ficou branca.

O rosto da deusa estava a vinte centímetros do dela. Quione sorria, sabendo que tinha vencido.

— Uma filha de Afrodite — repreendeu-a. — Você não é *nada.*

Festus tornou a crepitar. Piper podia jurar que ele estava tentando gritar palavras de estímulo.

De repente, seu peito se aqueceu, não devido à raiva ou ao medo, mas ao amor por aquele dragão; e por Jason, que dependia dela; e por seus amigos congelados; e Leo, que estava perdido e ia precisar de sua ajuda.

Talvez o amor não fosse páreo para o gelo... mas Piper o havia usado para despertar um dragão de metal. Mortais eram capazes de feitos sobre-humanos em nome do amor o tempo todo. Mães erguiam carros para salvar seus filhos. E Piper era mais que uma simples mortal. Era uma semideusa. Uma heroína.

O gelo em sua lâmina derreteu. Seu braço soltava vapor onde Quione a segurava.

— Ainda está me subestimando — disse Piper para a deusa. — Você precisa reavaliar isso.

A expressão arrogante de Quione perdeu forças quando Piper golpeou para baixo com sua adaga.

A lâmina tocou o peito de Quione, e a deusa explodiu numa tempestade de neve em miniatura. Piper desmoronou, sem forças por causa do frio. Ouviu o ruído de Festus em funcionamento, e o som dos alarmes foi reativado.

A bomba.

Piper se esforçou para levantar. A esfera estava a uns três metros de distância, chiando e girando à medida que os ventos em seu interior começavam a se agitar.

Piper pulou para pegá-la.

Seus dedos se fecharam ao redor da bomba no momento exato em que o gelo se despedaçou e os ventos explodiram.

XLV

PERCY

Percy sentia saudade do pântano.

Nunca imaginou que sentiria falta de dormir na cama de couro de um gigante no interior de uma cabana construída com ossos de drakon em um lugar nojento, mas naquele momento isso parecia até o Elísio.

Ele, Annabeth e Bob avançavam com dificuldade pela escuridão. O ar estava denso e frio, e ora passavam por trechos de rochas afiadas, ora por poças gosmentas. O terreno parecia feito especialmente para que Percy jamais pudesse baixar a guarda. Mesmo caminhar dois metros era um sacrifício.

Começara se sentindo revigorado. Estava com a cabeça limpa e a barriga cheia de carne-seca de drakon de seus sacos de provisões. Agora suas pernas doíam. Todos os músculos latejavam. Vestiu uma túnica improvisada de couro de drakon por cima da camiseta esfarrapada, mas isso de nada adiantou para protegê-lo do frio.

Sua atenção estava toda concentrada no chão à sua frente. Não existia nada além disso e de Annabeth ao seu lado.

Sempre que tinha vontade de desistir, desabar no chão e morrer (o que acontecia a aproximadamente cada dez minutos), Percy segurava a mão dela, só para poder se lembrar de que ainda havia calor no mundo.

Depois da conversa de Annabeth com Damásen, Percy ficou preocupado com a namorada. Apesar de quase nunca se render ao desespero, ela secava lágrimas enquanto andavam, tentando evitar que Percy notasse. Ele sabia que Annabeth odiava quando seus planos não funcionavam. Estava convencida de que precisavam da ajuda de Damásen, mas o gigante não atendera ao seu pedido.

Parte de Percy ficou aliviada. Já se preocupava o suficiente se Bob ficaria do seu lado quando chegassem às Portas da Morte. Não sabia se queria um gigante como aliado, mesmo que esse gigante soubesse preparar um belo caldeirão de ensopado.

Ele se perguntou o que havia acontecido depois que deixaram a cabana de Damásen. Fazia horas que não ouviam seus perseguidores, mas Percy podia sentir seu ódio... especialmente o de Polibotes. O gigante estava lá atrás em algum lugar, perseguindo-os e empurrando-os cada vez mais para as profundezas do Tártaro.

Percy tentava pensar em coisas boas para não se deixar abater, como o lago no Acampamento Meio-Sangue ou a primeira vez em que beijou Annabeth debaixo da água. Tentou imaginar os dois juntos em Nova Roma, caminhando de mãos dadas pelas colinas. Mas tanto o Acampamento Júpiter quanto o Acampamento Meio-Sangue pareciam sonhos distantes. Tinha a impressão de que só existia o Tártaro. Aquele era o mundo real: morte, trevas, frio, sofrimento. Todo o resto era só fruto de sua imaginação.

Percy estremeceu. Não. Aquele era o Tártaro tentando fazê-lo desistir. Ele se perguntou como Nico tinha sobrevivido ali sozinho sem ficar maluco. Aquele garoto era mais forte do que Percy imaginara. Quanto mais fundo chegavam, mais difícil ficava manter a concentração.

— Este lugar é pior que o Rio Cócito — murmurou.

— É — retrucou Bob alegremente. — Muito pior! Isso quer dizer que estamos chegando.

Chegando onde? Mas Percy não teve forças para perguntar em voz alta. Percebeu que Bob Pequeno havia se escondido de novo no uniforme de Bob, o que reforçou suas suspeitas de que o gato era o mais esperto do grupo.

Annabeth entrelaçou os dedos nos dele. O rosto dela ficava lindo à luz de sua espada de bronze.

— Estamos juntos — lembrou ela. — Vamos sair dessa.

Ele tinha ficado tão preocupado em não deixá-la se abater, e era Annabeth quem estava ali reconfortando-o.

— É. Vai ser moleza.

— Mas no próximo encontro quero ir a outro lugar.

— Paris foi legal.

Ela conseguiu sorrir. Havia alguns meses, antes da amnésia de Percy, eles jantaram em Paris com os cumprimentos de Hermes. Isso parecia ter acontecido em outra vida.

— Eu me contento com Nova Roma — sugeriu ela. — Desde que você esteja lá comigo.

Cara, Annabeth era maravilhosa. Por um instante, Percy se lembrou de como era se sentir feliz de verdade. Sua namorada era fantástica. Eles podiam ter um futuro juntos.

Então a escuridão se dissipou em uma lufada, como o último suspiro de um deus moribundo. Havia uma clareira diante deles, um campo estéril de pedra e poeira. No centro, a uns vinte metros de distância, estava ajoelhada uma mulher repulsiva. Ela usava roupas esfarrapadas, tinha membros macilentos e sua pele parecia couro esverdeado. Com a cabeça pendendo sobre o peito, chorava baixinho, e aquele som destruiu as esperanças de Percy.

Ele se deu conta de como a vida não tinha sentido. Seus esforços eram em vão. Aquela mulher chorava como se pranteasse a morte do mundo inteiro.

— Chegamos — anunciou Bob. — Akhlys pode ajudar.

XLVI

PERCY

Se aquela criatura chorosa era a ideia que Bob tinha de ajuda, Percy com certeza não queria ser ajudado.

Mesmo assim, o titã avançou a passos largos. Percy se sentiu obrigado a segui-lo. Pelo menos aquela área era menos escura. Não exatamente clara, mas havia ali um tipo de neblina branca e espessa.

— Akhlys! — chamou Bob.

A criatura levantou a cabeça, e o estômago de Percy gritou: *Socorro!*

O corpo dela já era horrível. Parecia extremamente desnutrida. Os braços e as pernas eram finos como varetas, com joelhos e cotovelos ossudos. Estava vestida com farrapos e tinha as unhas das mãos e dos pés quebradas. Havia terra incrustada em sua pele e amontoada em seus ombros, como se tivesse ficado parada na parte de baixo de uma ampulheta.

O rosto era a imagem da miséria. Os olhos fundos e congestionados vertiam lágrimas. O nariz escorria como um chafariz. Os cabelos prateados, ralos e desgrenhados, estavam grudados à cabeça em mechas sebosas, e suas bochechas tinham cortes e sangravam como se ela tivesse arranhado o próprio rosto.

Percy não conseguia encará-la, por isso desviou o olhar. A mulher tinha no colo um escudo antigo de madeira e bronze, amassado e desgastado, pintado com a imagem dela mesma segurando um escudo. Havia uma imagem dentro da outra, infinitamente.

— O escudo — murmurou Annabeth. — É *dele*. Achei que fosse apenas uma lenda.

— Ah, não — disse a velha repulsiva. — O escudo de Hércules. Ele pintou minha imagem em seu escudo para que a última visão de seus inimigos fosse eu, a deusa da miséria. — Ela tossiu com tanta força que até o peito de Percy doeu. — Como se Hércules soubesse o que é miséria de verdade. A pintura não ficou nem parecida comigo!

Percy engoliu em seco. Quando ele e os amigos encontraram Hércules no Estreito de Gibraltar o resultado não fora nada bom. Terminara em muitos gritos, ameaças de morte e torrentes de abacaxis.

— O que o escudo dele está fazendo aqui? — perguntou Percy.

A deusa o encarou com seus olhos úmidos e leitosos. O sangue que escorria de suas bochechas pingava e manchava o vestido esfarrapado de pontinhos vermelhos.

— Ele não precisa mais dele, precisa? Veio parar aqui quando seu corpo mortal foi queimado. Um lembrete, imagino, de que nenhum escudo é suficiente. No fim, a miséria vence todos vocês. Até Hércules.

Percy chegou mais para perto de Annabeth. Tentou se lembrar do porquê de terem ido até ali, mas o desespero que sentia prejudicava seu raciocínio. Depois de ouvir Akhlys falar, não achou mais estranho que ela tivesse arranhado o próprio rosto. A deusa irradiava sofrimento.

— Bob — disse Percy. — Não devíamos ter vindo aqui.

De algum lugar dentro do uniforme de Bob, o gatinho esqueleto concordou com um miado.

O titã parecia desconfortável e fez uma careta de dor, como se Bob Pequeno estivesse afiando as garras em suas axilas.

— Akhlys controla a Névoa da Morte — insistiu ele. — Ela pode esconder vocês.

— *Escondê-los?* — Akhlys emitiu um som gorgolejante. Ou ela estava rindo, ou estava morrendo sufocada. — Por que eu faria isso?

— Eles precisam chegar às Portas da Morte — disse Bob. — Para retornar ao mundo mortal.

— Impossível! — disse Akhlys. — As forças do Tártaro vão encontrá-los. E matá-los.

Annabeth girou a lâmina de sua espada de osso de drakon, o que, Percy teve que admitir, a deixou intimidante e sensual, como uma princesa bárbara.

— Então acho que essa sua Névoa da Morte não serve para nada — disse a garota.

A deusa mostrou os dentes amarelos e deteriorados.

— *Para nada?* Quem é você?

— Uma filha de Atena. — Annabeth soava corajosa. Percy não entendia como ela conseguia fazer isso. — Não caminhei por meio Tártaro para uma deusa menor qualquer vir me dizer o que é ou não impossível.

O chão estremeceu. Uma névoa começou a subir, e eles ouviram um pranto agonizante.

— Deusa menor? — As unhas retorcidas de Akhlys se cravaram no escudo de Hércules, perfurando o metal. — Eu era velha antes do nascimento dos titãs, sua ignorante. Era velha antes de Gaia despertar. A miséria é *eterna.* A existência é uma miséria. Sou filha dos mais antigos, o Caos e a Noite. Eu era…

— Sim, sim — disse Annabeth. — Tristeza e miséria, blá-blá-blá. O que importa é que você não tem poder suficiente para esconder dois semideuses com sua Névoa da Morte. Como eu falei: não serve para nada.

Percy pigarreou.

— Hã, Annabeth…

A filha de Atena lhe lançou um olhar de advertência que dizia: *colabore*. Percy percebeu que Annabeth estava apavorada, mas não havia alternativa. Aquela era a melhor chance que tinham de convencer a deusa a fazer alguma coisa.

— Quer dizer… Annabeth tem razão! — arriscou Percy. — Bob nos fez vir até tão longe porque achava que você podia ajudar. Mas parece que está ocupada demais olhando para esse escudo e chorando. Não posso culpá-la. É a sua cara.

Akhlys deu um gemido de sofrimento e olhou para o titã.

— Por que trouxe essas crianças irritantes até aqui?

Bob emitiu um ruído que era uma mistura de rugido com choramingo.

— Eu achei… achei…

— A Névoa da Morte não existe para *ajudar*! — gritou Akhlys. — Ela envolve mortais em miséria enquanto suas almas penetram no Mundo Inferior. É a própria respiração do Tártaro, da morte, do desespero!

— Maravilha — disse Percy. — Será que podemos levar duas porções para viagem?

Akhlys sibilou:

— Peçam algo mais razoável. Também sou a deusa dos venenos. Posso lhes oferecer a morte... Milhares de maneiras de morrer menos dolorosas do que a que escolheram ao decidir seguir para o coração do Tártaro.

Flores brotaram na poeira em torno da deusa... botões roxo-escuro, laranja e vermelhos que tinham um aroma doce e enjoativo. Percy ficou tonto.

— Erva-moura — ofereceu Akhlys. — Cicuta. Beladona, meimendro ou estricnina. Posso dissolver suas entranhas, fazer seu sangue ferver.

— É muita gentileza sua — disse Percy. — Mas já tomei bastante veneno para uma viagem só. Agora, você pode nos esconder em sua Névoa da Morte ou não?

— É, vai ser divertido — incentivou Annabeth.

A deusa os observou com desconfiança.

— *Divertido?*

— Claro — assegurou Annabeth. — Se falharmos, pense como vai ser ótimo para você poder se vangloriar quando morrermos em agonia. Vai poder dizer "*Eu avisei! Eu avisei!*" por toda a eternidade.

— Ou, se tivermos sucesso... — completou Percy. — Pense em como os monstros aqui embaixo vão sofrer. Nosso objetivo é fechar as Portas da Morte. Isso vai provocar muitos gemidos e lamentos.

Akhlys pareceu considerar a ideia.

— Gosto de sofrimento. E também de lamentos.

— Então está combinado — disse Percy. — Faça a gente ficar invisível.

Akhlys levantou com dificuldade. O escudo de Hércules caiu para o lado e rolou até um arbusto de plantas venenosas.

— Não é tão simples assim — explicou a deusa. — A Névoa da Morte chega no momento em que se está perto do fim. Só então seus olhos ficam nublados. E o mundo desaparece.

Percy sentiu a boca seca.

— Tudo bem. Mas… isso vai nos esconder dos monstros?

— Ah, vai — disse Akhlys. — Se sobreviverem ao processo, vão passar despercebidos pelas forças do Tártaro. Não há a menor esperança de sobreviverem, claro, mas, se estão mesmo decididos, podem vir. Vou mostrar o caminho.

— O caminho para onde, exatamente? — perguntou Annabeth.

A deusa já estava se arrastando para a escuridão.

Percy virou-se, à procura de Bob, mas o titã havia desaparecido. Como é que um cara prateado de três metros de altura com um gatinho muito barulhento desaparece do nada?

— Ei! — gritou Percy para Akhlys. — Onde está nosso amigo?

— Ele não pode seguir este caminho — retrucou a deusa. — Ele não é mortal. Venham, tolinhos. Venham experimentar a Névoa da Morte.

Annabeth suspirou e segurou a mão de Percy.

— Bem… Não pode ser tão ruim assim, não é?

O comentário era tão ridículo que Percy riu, apesar de isso fazer seus pulmões doerem.

— Verdade. Mas no próximo encontro, vamos jantar em Nova Roma.

Juntos, seguiram as pegadas da deusa entre as plantas venenosas, rumo às profundezas da névoa.

XLVII

PERCY

Percy sentia falta de Bob.

Tinha se acostumado a ter o titã ao seu lado, iluminando o caminho com seus cabelos prateados e a temível vassoura de guerra.

Agora, seu único guia era uma senhora cadavérica com sérios problemas de autoestima.

À medida que avançavam devagar pela planície poeirenta, a névoa foi ficando tão densa que Percy teve que resistir ao impulso de afastá-la com as mãos. Só conseguia seguir a trilha de Akhlys porque por onde a deusa passava brotavam plantas venenosas.

Se aquele ainda era o corpo de Tártaro, Percy achava que deviam estar na sola do pé, uma área áspera e calosa onde cresciam apenas as plantas mais nojentas.

Finalmente chegaram ao fim do dedão. Pelo menos era o que parecia ser. A névoa, então, se dissipou, e eles se viram em uma península em meio a um vazio negro como breu.

— Chegamos. — Akhlys se virou e lançou um olhar maligno para eles.

O sangue de suas bochechas escorria e pingava na veste. Os olhos doentios da deusa pareciam úmidos e inchados, mas de algum modo entusiasmados. Será que a miséria consegue parecer entusiasmada?

— Hã… ótimo. Mas chegamos *onde*? — perguntou Percy.

— À beira da morte final — disse Akhlys. — Onde a Noite encontra o vazio abaixo do Tártaro.

Annabeth avançou alguns centímetros e espiou o precipício.

— Pensei que não existisse nada abaixo do Tártaro.

— Mas há, com certeza há… — Akhlys tossiu. — Até o Tártaro teve que surgir de algum lugar. Este é o limite da escuridão mais antiga, que era minha mãe. Abaixo ficam os domínios de Caos, meu pai. Aqui vocês estão mais perto do nada do que qualquer mortal jamais esteve. Não conseguem sentir?

Percy percebia o que a deusa queria dizer. O vazio parecia atraí-lo, roubando o ar de seus pulmões e o oxigênio de seu sangue. Ele olhou para Annabeth e viu que os lábios dela estavam ficando azuis.

— Não podemos ficar parados aqui — disse o semideus.

— Não mesmo! — disse Akhlys. — Vocês não sentem a Névoa da Morte? Estão passando por ela agora mesmo. Vejam!

Havia uma fumaça branca se acumulando aos pés de Percy. Conforme aquilo o envolvia e subia por seu corpo, ele se deu conta de que a fumaça não o estava cercando, mas emanava *dele*. Todo seu corpo estava se dissolvendo. Examinou as mãos e viu que estavam turvas e indistintas. Nem conseguia dizer quantos dedos tinha. Esperava que ainda fossem dez.

Ele se virou para Annabeth e sufocou um gemido.

— Você… hã…

Não conseguiu falar. Ela parecia *morta*.

Estava pálida, com os olhos escuros e fundos. Seus lindos cabelos tinham secado e se transformado em um emaranhado feito teias de aranha. Parecia ter ficado presa em um mausoléu frio e escuro por décadas, secando e murchando devagar até virar uma casca ressecada. Quando se virou para olhar para ele, seus traços momentaneamente se turvaram em uma névoa.

O sangue de Percy circulava como seiva em suas veias.

Por anos ele se preocupara com a morte de Annabeth. Quando você é um semideus, isso vem no pacote. A maioria dos meios-sangues não vivia muito. Você já sabia que o próximo monstro que enfrentasse poderia ser o último. Mas ver Annabeth daquele jeito era doloroso demais. Percy preferiria pular no Rio Flegetonte, ou ser atacado por *arai*, ou pisoteado por gigantes.

— Ah, deuses — soluçou Annabeth. — Percy, você...

Percy olhou para os próprios braços. Viu apenas bolhas de névoa branca, mas para Annabeth ele devia estar parecendo um cadáver. Deu alguns passos, apesar de não ser fácil. Seu corpo parecia não ter substância, como se fosse feito de gás hélio e algodão-doce.

— Já estive melhor — reconheceu. — Não consigo me mexer direito. Mas estou bem.

Akhlys riu.

— Ah, com certeza você *não* está bem.

Percy franziu a testa.

— Mas agora vamos passar sem ser vistos? Podemos chegar às Portas da Morte?

— Bem, talvez vocês conseguissem — respondeu a deusa. — Se sobrevivessem. O que não vai acontecer.

Akhlys abriu os dedos retorcidos. Mais plantas brotaram na beira do precipício: cicutas, ervas-mouras e oleandros avançaram na direção dos pés de Percy como um tapete letal.

— A Névoa da Morte não é simplesmente um disfarce, sabiam? É um estado. Eu não poderia lhes dar esse presente a menos que ele fosse seguido pela morte, morte de verdade.

— É uma armadilha — disse Annabeth.

A deusa deu uma gargalhada.

— Vocês não *esperavam* que eu os traísse?

— Esperávamos — responderam Percy e Annabeth ao mesmo tempo.

— Ora, então nem foi realmente uma armadilha, não é? Foi mais um acontecimento inevitável. A miséria é inevitável. A dor...

— É, é — rosnou Percy. — Vamos logo à luta.

Ele sacou a Contracorrente, mas a lâmina tinha virado fumaça. Quando golpeou Akhlys, a espada apenas esvoaçou ao redor dela como uma brisa suave.

A boca arruinada da deusa se abriu em um sorriso.

— Ah, será que me esqueci de dizer? Vocês agora são apenas névoa, uma sombra anterior à morte. Talvez, se tivessem tempo, pudessem aprender a controlar sua nova forma. Mas *não têm*. E como não podem me tocar, temo que qualquer luta contra a miséria seja causa perdida.

Suas unhas cresceram e viraram garras. Sua mandíbula se deslocou, e os dentes amarelados se alongaram em presas.

XLVIII

PERCY

Akhlys se lançou sobre Percy, e por uma fração de segundo o semideus pensou: *Ora, eu sou apenas fumaça. Ela não pode me atingir, certo?*

Ele imaginou as Parcas no Olimpo rindo de sua ingenuidade: *LOL, seu noob!*

As garras da deusa arranharam seu peito e queimaram como água fervente.

Percy cambaleou para trás, mas não estava acostumado ao corpo de fumaça. As pernas se moviam muito devagar. Os braços pareciam lenços de papel. Desesperado, arremessou a mochila nela, pensando que talvez ficasse sólida quando saísse de suas mãos, mas não teve essa sorte. Ela fez um ruído baixo e abafado ao cair.

Akhlys rosnou e se agachou, preparando-se para saltar. Teria arrancado o rosto de Percy com uma mordida se Annabeth não tivesse avançado e gritado bem no ouvido da deusa:

— Ei!

Akhlys levou um susto e se virou na direção do som.

Ela atacou, mas Annabeth era mais ágil que Percy. Talvez não estivesse se sentindo tão feita de fumaça, ou talvez simplesmente tivesse mais treinamento de combate. Vivia no Acampamento Meio-Sangue desde os sete anos. Provavelmente tivera aulas que Percy nunca frequentara, como Técnicas de Luta para Quando se Estiver em Forma de Fumaça.

Annabeth deu uma cambalhota, passando por baixo das pernas da deusa, e voltou a ficar de pé. Akhlys se virou e atacou, mas Annabeth estava preparada e se esquivou, como uma toureira.

Percy estava tão atônito que desperdiçou alguns segundos preciosos. Ficou olhando para o cadáver de Annabeth, envolto em névoa, mas se movendo com a rapidez e a confiança de sempre. Então, entendeu por que ela estava fazendo aquilo: para ganhar tempo. O que significava que ele precisava ajudar.

Tentou raciocinar, desesperado, querendo bolar um plano para derrotar a miséria. Como ele poderia lutar se não conseguia tocar em nada?

No terceiro ataque de Akhlys, Annabeth não teve a mesma sorte. Tentou se virar de lado, mas a deusa agarrou seu pulso, puxou-a com força e jogou-a longe.

Antes que a deusa pudesse dar o bote, Percy avançou, gritando e brandindo a espada. Ainda se sentia tão sólido quanto um lenço de papel, mas a raiva pareceu deixá-lo mais ágil.

— E aí, feliz? — gritou ele.

Akhlys se voltou para ele, largando o braço de Annabeth.

— Feliz?

— É! — Ele se agachou quando a deusa tentou golpear sua cabeça. — Você está que é pura alegria!

— Argh! — Ela atacou de novo, mas estava sem equilíbrio.

Percy deu um passo para o lado e recuou, atraindo a deusa para mais longe de Annabeth.

— Simpática! — chamou ele. — Agradável!

A deusa rosnou, estremeceu e partiu na direção de Percy. Cada elogio parecia atingi-la como uma bofetada.

— Vou matá-lo bem devagar! — grunhiu ela com os olhos e o nariz escorrendo, e sangue pingando das bochechas. — Vou cortá-lo em pedaços em um sacrifício para a Noite!

Annabeth conseguiu ficar de pé. Começou a remexer em sua sacola, com certeza à procura de algo que pudesse ser útil.

Percy queria lhe dar mais tempo. Ela era o cérebro. Era melhor que ele fosse atacado enquanto a filha de Atena bolava um plano brilhante.

— Fofa! — berrou Percy. — Tão macia e quentinha que dá vontade de abraçar!

Akhlys emitiu um grunhido engasgado, como um gato tendo uma convulsão.

— Uma morte lenta! — gritou ela. — Uma morte por mil venenos!

Ao redor dela cresciam plantas venenosas que se avolumavam e explodiam como balões de gás. Uma seiva verde e branca se acumulava em poças e começava a se espalhar pelo chão na direção de Percy. Os vapores de aroma adocicado o deixavam tonto.

— Percy! — A voz de Annabeth pareceu distante. — Hã, ei, Miss Simpatia! Felicíssima! Sorriso encantador! Aqui!

Mas a deusa da miséria estava concentrada em Percy. O garoto tentou recuar outra vez. Infelizmente, estava cercado pelo icor venenoso, que corroía o chão e fazia o ar arder. Percy se viu preso em uma ilha de poeira não muito maior que um escudo. A alguns metros de distância, sua mochila virou fumaça e desapareceu em uma poça repugnante. Percy não tinha para onde ir.

Ele se agachou, apoiando-se em um joelho. Queria mandar Annabeth correr, mas não conseguia falar. Sua garganta estava seca como folhas mortas.

Desejou que houvesse água no Tártaro, um belo lago em que pudesse mergulhar para se curar, ou talvez um rio que conseguisse controlar. Já ficaria satisfeito só com uma garrafa de água mineral.

— Você vai alimentar a escuridão eterna — prometeu Akhlys. — Vai morrer nos braços da Noite!

Percy ouvia Annabeth ao longe, gritando e arremessando pedaços de carne-seca de drakon na deusa. O veneno verde e branco continuava a se acumular. Pequenos filetes escorriam das plantas, aumentando o lago venenoso ao seu redor.

Lago, pensou. *Rio. Água.*

Provavelmente era só o seu cérebro fritando com os vapores venenosos, mas Percy riu. O veneno era líquido. Se aquilo escorria como água, devia ser parcialmente feito de água.

Ele se lembrou de uma aula de ciências em que aprendeu que a maior parte do corpo humano era composta de água. Ele se lembrou de quando fez sair a água dos pulmões de Jason, em Roma... Se tinha conseguido controlar *aquilo*, então por que não outros líquidos?

Era uma ideia maluca. Poseidon era o deus do mar, não de todos os líquidos.

Entretanto, o Tártaro tinha suas próprias regras. O fogo era bebível. O chão era o corpo de um deus sombrio. O ar era ácido, e semideuses podiam ser transformados em cadáveres de fumaça.

Então por que não tentar? Não tinha mais nada a perder.

Encarou fixamente a grande poça de veneno que o cercava. Concentrou-se tanto que algo em seu interior estalou, como se uma bola de cristal tivesse se espatifado em seu estômago.

Sentiu o calor fluir por seu corpo. A poça de veneno parou de se aproximar. Os vapores foram soprados para longe dele, na direção da deusa. O lago de veneno fluiu na direção dela com pequenas ondas e marolas.

Akhlys gritou.

— O que é isso?

— Veneno. É sua especialidade, não?

Ele levantou. Ficou cada vez mais furioso, sentindo a raiva fervendo dentro de si. O veneno continuou a correr na direção da deusa, e os vapores começaram a fazê-la tossir. Os olhos dela lacrimejaram ainda mais.

Ah, ótimo, pensou Percy. Mais água.

Percy imaginou o nariz e a garganta dela se enchendo com as próprias lágrimas.

Akhlys não conseguia falar.

— Eu... — A onda de veneno alcançou seus pés e começou a borbulhar como gotas de água em uma superfície quente de metal. Ela gemeu e recuou, trôpega.

— Percy! — chamou Annabeth.

Ela havia se aproximado da beira do precipício, apesar de o veneno não estar indo em sua direção. Parecia estar morrendo de medo. Demorou para Percy se dar conta de que ela estava com medo *dele*.

— Pare... — suplicou ela com voz rouca.

Ele não queria parar. Queria sufocar aquela deusa. Queria vê-la se afogar no próprio veneno. Queria ver quanta miséria a deusa Miséria poderia aguentar.

— Percy, por favor... — O rosto de Annabeth ainda estava pálido e cadavérico, mas seus olhos eram os mesmos de sempre.

A angústia neles fez a raiva de Percy desaparecer.

Ele se virou para a deusa. Fez a poça retroceder e escorrer pela beira do penhasco.

— Vá embora! — gritou ele.

Para um quase esqueleto ambulante, Akhlys podia correr bem rápido quando queria. A deusa se afastou aos tropeços, caiu de cara e se levantou de novo, uivando enquanto corria escuridão adentro.

Assim que foi embora, as poças de veneno evaporaram. As plantas venenosas viraram pó e foram levadas pelo vento.

Annabeth cambaleou na direção dele. Parecia um cadáver envolto em névoa, mas Percy sentiu seu toque quando ela agarrou os braços dele.

— Percy, por favor, não, nunca mais... — A voz dela falhou. — Algumas coisas não são feitas para serem controladas. Por favor.

Ele ainda se sentia poderoso, mas a raiva estava desaparecendo. O vidro estilhaçado dentro dele estava começando a perder o corte.

— É — concordou. — É, tudo bem.

— Temos que sair de perto deste precipício — disse Annabeth. — Se Akhlys nos trouxe aqui como algum tipo de sacrifício...

Percy tentou raciocinar. Estava ficando acostumado a se mexer com a Névoa da Morte ao seu redor. Sentia-se mais sólido, mais parecido com seu antigo eu. Mas seu cérebro ainda parecia feito de algodão-doce.

— Ela falou algo sobre nos dar à noite como alimento — lembrou ele. — O que queria dizer com isso?

A temperatura caiu. O abismo diante deles parecia respirar.

Percy agarrou Annabeth e juntos se afastaram da beirada quando uma presença emergiu do vazio, uma forma tão vasta e sombria que ele teve a impressão de só então compreender o significado de *escuro*.

— Imagino — disse a escuridão, em uma voz feminina tão suave quanto um forro de caixão — que ela se referia à Noite com N maiúsculo. Afinal de contas, eu sou a única.

XLIX

LEO

Na opinião de Leo, ele passava mais tempo caindo do que voando.

Se existisse um programa de fidelidade para pessoas que caem sempre, ele seria, tipo, cliente VIP.

Recobrou consciência enquanto estava em queda livre entre as nuvens. Tinha uma vaga lembrança de Quione insultando-o antes de ele ser lançado no céu. Não a vira, mas jamais esqueceria a voz daquela bruxa da neve. Leo não sabia por quanto tempo ganhara altitude, mas em algum momento desmaiara com o frio e a falta de oxigênio. Agora estava caindo, rumo à maior de todas as suas quedas.

As nuvens se abriram em volta dele. Viu o mar brilhando muito, *muito* lá embaixo. Nenhum sinal do *Argo II*. Nenhum sinal de qualquer litoral, conhecido ou não, a não ser uma ilhota no horizonte.

Leo não conseguia voar. Tinha no máximo dois minutos antes de bater na água e *plaft*!

Decidiu que não gostaria de um final assim para a Balada Épica de Leo.

Ainda estava agarrado à esfera de Arquimedes, o que não o surpreendeu. Inconsciente ou não, jamais largaria seu bem mais precioso. Com alguma dificuldade, conseguiu puxar uma tira de fita adesiva de seu cinto de ferramentas e prender a esfera ao peito. Aquilo o fez parecer um Homem de Ferro de baixo orçamento, mas ao menos ficou com as mãos livres. Começou a mexer furiosamente na esfera, tirando de seu cinto de ferramentas mágico tudo o que achava que pudesse ajudar: uma lona, extensores de metal, um pouco de corda e argolas.

Trabalhar enquanto caía era quase impossível. O vento rugia em seus ouvidos. Arrancava ferramentas, parafusos e telas de suas mãos, mas, finalmente, ele conseguiu construir uma armação improvisada. Abriu um compartimento na esfera, puxou dois fios e conectou-os à armação.

Quanto tempo até atingir a água? Talvez um minuto?

Girou o botão de controle da esfera, que zumbiu ao entrar em ação. Mais fios de bronze saíram, sentindo intuitivamente o que Leo necessitava. Cabos fixaram a lona. A estrutura começou a se expandir por conta própria. Leo tirou uma lata de querosene e um tubo de borracha e uniu-os ao novo e sedento motor que a esfera o estava ajudando a montar.

Finalmente, fez um cabresto de corda e moveu-se para que a estrutura em X se adaptasse às suas costas. O mar se aproximava cada vez mais, uma superfície brilhante de morte dolorosa.

Ele gritou de um jeito desafiador e socou o interruptor de ativação da esfera.

O motor engasgou e ganhou vida. O rotor improvisado girou. As lâminas de lona rodaram, mas muito lentamente. A cabeça de Leo estava apontada para baixo, na direção do mar. Talvez faltassem uns trinta segundos até o impacto.

Pelo menos não tem ninguém por perto, pensou amargamente, ou eu seria uma eterna piada para os semideuses. *Qual foi a última coisa que passou pela cabeça de Leo? O Mediterrâneo.*

Subitamente, a esfera se aqueceu junto a seu peito. As lâminas giraram mais rapidamente. O motor engasgou e Leo inclinou-se para o lado, cortando o céu.

— Isso! — gritou.

Criara o helicóptero pessoal mais perigoso do mundo.

Disparou em direção à ilha distante, mas ainda perdia altitude muito rapidamente. As lâminas estremeciam. A tela rangia.

A praia estava a apenas algumas centenas de metros quando a esfera ficou quente como lava e o helicóptero explodiu, lançando chamas em todas as direções. Se não fosse imune ao fogo, Leo teria virado carvão. Contudo, a explosão em pleno ar provavelmente salvou-lhe a vida. O impacto lançou-o para o lado enquanto a maior parte de sua engenhoca em chamas colidia com a praia em alta velocidade com um enorme *CABUM!*

Leo abriu os olhos, surpreso por ainda estar vivo. Estava sentado em uma cratera na areia do tamanho de uma banheira. A poucos metros de distância havia uma cratera muito maior, de onde se erguia uma coluna de fumaça negra e densa. A praia em volta estava repleta de destroços menores em chamas.

— Minha esfera.

Leo tateou o peito. Ela não estava mais lá. A fita adesiva e a corda haviam se desintegrado.

Ele levantou com dificuldade. Nenhum osso parecia estar quebrado, o que era bom, mas estava realmente preocupado com sua esfera de Arquimedes. Se tivesse destruído seu artefato de valor inestimável para fazer um helicóptero flamejante que durara trinta segundos, Leo perseguiria aquela estúpida deusa da neve, Quione, e a espancaria com uma chave inglesa.

Cambaleou pela praia, perguntando-se por que não havia turistas, hotéis ou barcos à vista. A ilha parecia perfeita para um resort, com água cristalina e areia branca e fofa. Talvez não fosse conhecida. Será que ainda existiam ilhas não descobertas no mundo? Talvez tivesse sido lançado para longe do Mediterrâneo. Ao que tudo indicava, estava em Bora Bora.

A cratera maior tinha cerca de dois metros e meio de profundidade. No fundo, as pás do helicóptero ainda tentavam girar. O motor soltava fumaça. O rotor resmungava como um sapo pisoteado, mas, caramba!, era bem impressionante para um trabalho feito às pressas.

Aparentemente o helicóptero caíra *sobre* algo. A cratera estava repleta de madeira de mobília despedaçada, pratos de porcelana quebrados, algumas taças de estanho meio derretidas e guardanapos de linho flamejantes. Leo não sabia por que todas aquelas coisas elegantes estavam na praia, mas ao menos isso significava que, afinal de contas, o local era habitado.

Finalmente avistou a esfera de Arquimedes — fumegante e enegrecida, mas ainda intacta, emitindo cliques de insatisfação em meio aos destroços.

— Esfera! — gritou ele. — Vem com o papai!

Leo desceu ao fundo da cratera e pegou a esfera. Sentou de pernas cruzadas, e aninhou o dispositivo nos braços. A superfície de bronze estava muito quente, mas ele não se importou. Estava inteira, o que significava que ainda poderia usá-la.

Agora, se Leo ao menos pudesse descobrir onde estava e como voltar até seus amigos...

Listava mentalmente as ferramentas de que poderia precisar quando uma voz feminina o interrompeu:

— O que você está *fazendo*? Você explodiu a minha mesa de jantar!

Imediatamente, Leo pensou: *Opa...*

Ele já conhecera um monte de deusas, mas a menina que o olhava feio da borda da cratera realmente *parecia* uma deusa.

Usava um vestido branco estilo grego, sem mangas, com um cinto de ouro trançado. Seu cabelo era longo, liso e castanho-claro, quase da mesma cor de churros com canela que tinha o cabelo de Hazel, mas a semelhança com a amiga terminava ali. O rosto da menina era pálido como leite, com olhos escuros e amendoados e lábios carnudos. Parecia ter uns quinze anos, a idade de Leo, e, com certeza, era bonita, mas aquela expressão furiosa o fazia lembrar de cada garota popular de cada escola que já frequentara — aquelas que zombavam dele, faziam muita fofoca, achavam-se muito superiores e, basicamente, faziam tudo o que podiam para tornar a vida dele horrível.

Leo desgostou dela à primeira vista.

— Ah, me desculpe — disse ele. — Acabo de cair do céu. Construí um helicóptero em pleno ar que explodiu em chamas no meio do caminho, caiu, e eu quase não sobrevivi. Mas, claro, vamos falar sobre a sua mesa de jantar!

Ele pegou uma taça meio derretida.

— Quem põe uma mesa de jantar na praia, onde pode ser atingida por semideuses inocentes em queda livre? Quem *faz* uma coisa dessas?

A menina cerrou os punhos. Ele tinha certeza de que ela desceria até o fundo da cratera e lhe daria um soco na cara. Em vez disso, ela olhou para o céu.

— VERDADE? — Gritou para o vazio azul. — Vocês querem *piorar* ainda mais a minha maldição? Zeus! Hefesto! Hermes! Vocês não têm vergonha?

— Hã...

Leo percebeu que ela só escolhera três deuses a quem culpar, e um era o pai dele. Não achou que aquilo fosse um bom sinal.

— Duvido que estejam ouvindo — prosseguiu ele. — Você sabe, todo esse negócio de personalidade dividida...

— Apareçam! — gritou a menina para o céu, ignorando Leo. — Não basta estar exilada? Não basta tirarem de mim os poucos *bons* heróis que estou autorizada a encontrar? Acham engraçado enviar este... este menino nanico e chamuscado para arruinar a minha tranquilidade? Isso NÃO É ENGRAÇADO! Levem-no de volta!

— Ei, flor do dia — disse Leo. — Estou bem aqui, sabia?

Ela rosnou como um animal encurralado.

— *Não* me chame assim! Saia desse buraco e venha comigo agora para que eu o tire de minha ilha!

— Bem, já que está pedindo com tanto carinho...

Leo não sabia por que a menina maluca estava tão alterada, mas realmente não se importava. Se ela pudesse ajudá-lo a sair daquela ilha, tudo bem. Pegou a esfera carbonizada e saiu da cratera. Quando chegou ao topo, ela já se afastava pela praia. Teve que correr para alcançá-la.

A menina gesticulou para os destroços em chamas, desgostosa.

— Esta era uma praia imaculada! Olhe como está agora.

— É, foi mal — murmurou Leo. — Eu deveria ter caído em uma das outras ilhas. Ah, espere... não há nenhuma!

Ela rosnou e continuou andando junto ao mar. Leo sentiu cheiro de canela. Seria o perfume dela? Não que ele se importasse. O cabelo da menina caía pelas costas de um modo fascinante, e, é claro, ele também não se importava com isso.

Leo examinou o mar. Assim como vira durante a queda, não havia nem terra nem navios à vista. Olhando para a ilha, viu colinas verdejantes repletas de árvores. Uma trilha através de um bosque de cedros. Ele se perguntou aonde aquilo levaria: provavelmente ao esconderijo secreto da garota, onde ela assava seus inimigos para comê-los em sua mesa de jantar na praia.

Estava tão ocupado pensando nisso, que não percebeu quando a menina parou e acabou trombando nela.

— Ai!

Ela se virou e se segurou em seus braços para não cair na água. As mãos eram fortes, como se as usasse para se sustentar. No acampamento, as garotas do chalé de Hefesto tinham mãos fortes assim, mas aquela não parecia ser uma filha de Hefesto.

Ela olhou feio para Leo, os olhos escuros e amendoados a apenas alguns centímetros dos dele. O cheiro de canela o fez lembrar do apartamento de sua *abuela*. Cara, não pensava naquele lugar havia anos.

A menina o afastou.

— Tudo bem. Aqui está bom. Agora, diga que quer ir embora.

— O quê?

O cérebro de Leo ainda estava meio confuso desde o pouso forçado. Não tinha certeza se ouvira direito.

— Você quer ir embora? — perguntou ela. — Certamente tem um lugar aonde quer ir!

— Hã... sim. Meus amigos estão em apuros. Preciso voltar para o meu navio e...

— Tudo bem — retrucou a menina. — Basta dizer: *Quero ir embora de Ogígia.*

— Hã, tudo bem. — Leo não tinha certeza do porquê, mas o tom de voz dela meio que o entristeceu; o que era uma idiotice, já que ele não se importava com o que aquela garota pensava.

— Quero ir embora de... seja lá o lugar que você disse.

— O-gí-gia — pronunciou a menina lentamente, como se Leo tivesse cinco anos de idade.

— Quero ir embora de O-gí-gia — disse ele.

Ela suspirou, claramente aliviada.

— Ótimo. A qualquer momento, aparecerá uma jangada mágica. Ela o levará para onde quiser ir.

— Quem é você?

Ela pareceu estar prestes a responder, mas se conteve.

— Isso não importa. Logo você irá embora. Obviamente você é um erro.

Essa doeu, pensou Leo.

Passara tempo bastante pensando que era um erro: como semideus, naquela missão, na vida em geral. Não precisava de uma deusa louca para reforçar essa ideia.

Lembrava-se de uma lenda grega sobre uma menina em uma ilha... Talvez um de seus amigos a tivesse mencionado. Não importava. Desde que ela o deixasse ir embora.

— A qualquer momento agora...

A menina olhou para a água.

Nenhuma jangada mágica apareceu.

— Talvez tenha ficado presa no trânsito — disse Leo.

— Isso está errado. — Ela olhou feio para o céu. — Isso está totalmente errado!

— Então... plano B — disse Leo. — Você tem um telefone, ou...

— Argh!

A menina voltou-se e caminhou resoluta para o interior da ilha. Quando chegou à trilha, correu pelo bosque e desapareceu.

— Tudo bem — disse Leo. — Ou você pode simplesmente fugir.

Dos bolsos do cinto de ferramentas ele tirou uma corda e um gancho e, em seguida, atou a esfera de Arquimedes ao cinto.

Olhou para o mar. Ainda nenhuma jangada mágica à vista.

Leo poderia ficar ali e esperar, mas estava com fome, sede, e cansado. E estava bastante dolorido por causa da queda.

Não queria seguir aquela garota maluca, não importava quanto fosse bom seu perfume.

Por outro lado, não tinha para onde ir. A menina dispunha de uma mesa de jantar, portanto tinha comida. E parecia achar a presença de Leo irritante.

— Irritá-la será uma espécie de bônus — decidiu.

Ele a seguiu em meio às colinas.

L

LEO

— Santo Hefesto — disse Leo.

A trilha levava ao mais belo jardim que já vira. Não que tenha passado muito tempo em jardins, mas, caramba. À esquerda havia um pomar e um vinhedo: árvores de pêssego com frutas vermelho-dourado que cheiravam deliciosamente sob o sol quente, vinhedos cuidadosamente podados repletos de uvas, caramanchões de jasmins florescentes e uma infinidade de outras plantas que Leo não sabia nomear.

À direita havia maravilhosos canteiros de legumes e ervas, dispostos como raios ao redor de uma grande fonte borbulhante onde sátiros de bronze cuspiam água em um chafariz.

Nos fundos do jardim, onde terminava a trilha, abria-se uma caverna na encosta de uma colina gramada. Comparada ao bunker 9 do acampamento, a entrada era pequena, mas era impressionante à sua maneira. Em ambos os lados, a rocha cristalina fora esculpida em forma de colunas gregas brilhantes. Os topos das colunas eram unidos por uma vara de bronze que sustentava cortinas de seda branca.

O nariz de Leo foi tomado por aromas deliciosos: cedro, zimbro, jasmim, pêssego e ervas frescas. O cheiro que vinha da caverna realmente chamou sua atenção: parecia que havia um ensopado de carne no fogo.

Começou a andar em direção à entrada. Sério, como poderia evitar? Mas parou quando viu a menina. Estava ajoelhada em sua horta, de costas para Leo. Murmurava para si mesma enquanto cavava furiosamente com uma espátula de jardinagem.

Leo se aproximou pelo lado, para que ela pudesse vê-lo. Não pretendia surpreendê-la uma vez que a menina estava armada com um afiado instrumento de jardinagem.

Ela continuou xingando em grego antigo e esfaqueando o solo. Tinha torrões de terra nos braços, no rosto e em seu vestido branco, mas parecia não se importar.

Leo gostou do que viu. Ela ficava melhor com um pouco de lama. Menos com cara de rainha da beleza, mais parecida com o tipo de pessoa que mete a mão na massa.

— Acho que você já castigou a terra o suficiente — disse Leo.

Ela olhou feio para ele, com olhos vermelhos e lacrimejantes.

— Vá embora.

— Você está chorando — disse ele, o que era estupidamente óbvio, mas vê-la dessa forma o desconsertou, por assim dizer. Era difícil ficar bravo com alguém que estava chorando.

— Isso não é da sua conta — murmurou ela. — A ilha é grande. Apenas... encontre o seu lugar. Deixe-me em paz. — Ela acenou vagamente em direção ao sul. — Vá por ali talvez.

— Então, nada de jangada mágica — afirmou Leo. — Não existe nenhuma outra maneira de sair desta ilha?

— Aparentemente, não!

— O que devo fazer? Ficar sentado nas dunas de areia até morrer?

— Seria bom... — Calipso baixou a espátula e amaldiçoou o céu. — Só que acho que ele não pode morrer aqui, não é mesmo? Zeus! Isso não é engraçado!

Não pode *morrer* aqui?

— Espere um pouco.

A cabeça de Leo girou como um eixo de manivela. Não conseguia traduzir muito bem o que a garota estava dizendo, como quando ouvia espanhóis ou sul-americanos falando espanhol. Sim, conseguia entender mais ou menos. Mas soava tão diferente que era quase outro idioma.

— Preciso de algumas informações — disse ele. — Você não me quer por perto, tudo bem. Também não quero ficar aqui. Mas não vou morrer em um canto. Preciso sair desta ilha. Tem de haver um meio. Todo problema tem uma solução.

Ela riu amargamente.

— Se ainda acredita nisso, não viveu muito tempo.

O modo como disse aquilo provocou-lhe um calafrio. Ela parecia ter a mesma idade que ele, mas Leo se perguntou quantos anos realmente teria.

— Você falou algo sobre uma maldição.

Ela flexionou os dedos, como se estivesse praticando a sua técnica de estrangulamento.

— É. Não posso deixar Ogígia. Meu pai, Atlas, lutou contra os deuses, e eu o apoiei.

— Atlas — disse Leo. — O titã Atlas?

A garota revirou os olhos.

— Sim, seu pequeno impossível... — Fosse lá o que ia dizer, guardou para si. — Fiquei presa aqui, onde não poderia causar problemas para os olimpianos. Há cerca de um ano, depois da Segunda Guerra dos Titãs, os deuses prometeram perdoar os seus inimigos e ofereceram anistia. Supostamente Percy os fez prometer...

— Percy — disse Leo. — Percy Jackson?

Ela fechou os olhos. Uma lágrima escorreu pelo seu rosto.

Ah, pensou Leo.

— Percy esteve aqui — murmurou ele.

Ela enterrou os dedos no solo.

— E-eu pensei que seria libertada. Atrevi-me a ter esperança... mas ainda estou aqui.

Leo lembrava-se agora. A história era para ser um segredo, mas é claro que isso significava que se espalharia como fogo pelo acampamento. Percy contou para Annabeth. Meses mais tarde, quando ele desapareceu, Annabeth contou para Piper. Piper contou para Jason...

Percy dissera ter visitado aquela ilha. Encontrara uma deusa que se apaixonou por ele e queria mantê-lo por lá, mas acabou deixando-o partir.

— Você é aquela moça — disse Leo. — Aquela que tem nome de música caribenha.

Os olhos dela faiscaram de ódio.

— Música caribenha…

— É. Reggae? — Leo balançou a cabeça. — Merengue? Espere, vou me lembrar… — Ele estalou os dedos. — Calipso! Mas Percy disse que você era incrível. Disse que era doce e útil, e prestativa, não, hum…

Ela se levantou:

— Sim?

— Hã, nada — cortou Leo.

— Você seria doce — perguntou ela —, se os deuses esquecessem de sua promessa de deixá-lo partir? Seria doce se debochassem de você enviando um outro herói, mas um herói parecido com… com você?

— Isso é uma pegadinha?

— *Di Immortales*!

Ela se virou e entrou em sua caverna.

— Ei!

Leo correu atrás dela.

Ao entrar, ficou atônito. As paredes eram feitas de pedaços de cristal colorido. Cortinas brancas dividiam a caverna em diferentes cômodos decorados com confortáveis almofadas, tapeçarias e pratos de frutas frescas. Viu uma harpa em um canto, um tear em outro, e uma grande panela no fogo, onde o ensopado borbulhava, preenchendo a caverna com aromas deliciosos.

O mais estranho? As tarefas se executavam por conta própria. Toalhas flutuavam pelo ar, dobravam-se e empilhavam-se caprichosamente. Colheres lavavam a si mesmas em uma pia de cobre. A cena fez Leo lembrar dos espíritos invisíveis que serviam o almoço no Acampamento Júpiter.

Calipso estava diante de um lavatório, limpando a terra de seus braços.

Olhou feio para Leo, mas não gritou para que saísse. Sua raiva parecia estar perdendo a força.

Leo pigarreou. Se pretendia obter qualquer ajuda daquela mulher, precisava ser agradável.

— Então… Entendo por que está com raiva. Provavelmente deseja não ver nunca mais outro semideus. Acho que não ficou muito bem quando, hã, Percy a deixou…

— Ele foi apenas o mais recente — rosnou Calipso. — Antes dele, foi Drake, o pirata. E antes dele, Odisseu. São todos iguais! Os deuses me enviam os melhores heróis, aqueles que não me dão alternativa senão...

— Você se apaixonar por eles — completou Leo. — E então eles a abandonam.

O queixo da garota tremia.

— Essa é a minha maldição. Tinha a esperança de me livrar disso agora, mas ainda estou aqui, presa em Ogígia há três mil anos.

— Três mil. — A boca de Leo formigou, como se tivesse acabado de comer aquelas balinhas que estouram. — Hã, você está inteiraça para alguém que tem três mil anos.

— E agora... o pior insulto de todos. Os deuses zombam de mim enviando você.

A raiva borbulhou no estômago de Leo.

Sim, típico. Se Jason estivesse ali, Calipso se jogaria nos braços dele. Imploraria para que ficasse, mas ele se faria de nobre, falaria sobre retomar seus deveres, e deixaria Calipso de coração partido. E a jangada mágica *certamente* chegaria.

Mas Leo? Era o convidado chato de quem ela não podia se livrar. Calipso nunca se apaixonaria por ele, porque ela definitivamente não era para o seu bico. Não que se importasse. Afinal, a moça não fazia o seu tipo. Era muito chata, e bonita, e — bem, isso não importava.

— Tudo bem — disse ele. — Eu a deixarei em paz. Vou construir algo sozinho e sair desta ilha estúpida sem a sua ajuda.

Ela balançou a cabeça com tristeza.

— Você não entende, não é? Os deuses estão rindo de nós dois. Se a jangada não aparecer, significa que fecharam Ogígia. Você está preso aqui, assim como eu. Nunca irá embora.

LI

LEO

Os primeiros dias foram os piores.

Leo dormia ao ar livre, em uma cama de trapos sob as estrelas. Fazia frio à noite, mesmo estando na praia e durante o verão, então acendia fogueiras com os restos da mesa de jantar de Calipso. Isso o animava um pouco.

Durante os dias, caminhava por toda a ilha mas nada despertava seu interesse — a menos que gostasse de praias e de mar sem fim cercando-o. Tentou enviar uma mensagem de Íris nos arco-íris que se formavam na espuma das ondas, mas não conseguiu. Não tinha nenhuma dracma para fazer o pagamento e, aparentemente, a deusa Íris não estava interessada em porcas e parafusos.

Nem estava sonhando, o que era incomum para ele — ou para qualquer semideus — de modo que não tinha a mínima ideia do que estava acontecendo no mundo exterior. Teriam os seus amigos se livrado de Quione? Estariam procurando por ele ou navegaram para Épiro para completar a missão?

Ele sabia o que esperar.

O sonho que tivera no *Argo II* finalmente fazia sentido: a feiticeira malvada lhe dissera para pular de um penhasco entre as nuvens ou descer em um túnel escuro onde vozes fantasmagóricas sussurravam. Aquele túnel deveria representar a Casa de Hades, que Leo jamais veria. Preferira o precipício — caindo do céu naquela ilha idiota. Mas, no sonho, uma escolha lhe fora oferecida. Na vida real, não tivera uma. Quione simplesmente arrancara-o de seu navio e o lançara em órbita. Totalmente injusto.

A pior parte de estar preso ali? Estava perdendo a noção dos dias. Certa manhã, ao acordar, não conseguia se lembrar se estava em Ogígia há três ou quatro noites.

Calipso ajudou muito. Leo confrontou-a no jardim, mas ela apenas balançou a cabeça.

— O tempo é complicado por aqui.

Ótimo. Para Leo, um século poderia ter se passado no mundo real, e a guerra com Gaia acabado, para o bem ou para o mal. Ou talvez só estivesse em Ogígia por cinco minutos. Poderia passar a sua vida inteira, tempo em que seus amigos no *Argo II* levariam para tomar o café da manhã.

De qualquer maneira, precisava sair daquela ilha.

Calipso teve pena dele. Enviou seus servos invisíveis para deixar tigelas de ensopado e taças de sidra de maçã na entrada do jardim. Chegou a enviar-lhe algumas mudas de roupa — simples, calças de algodão cru e camisas que ela devia ter feito em seu tear. Cabiam tão bem que Leo se perguntou como ela conseguira suas medidas. Talvez tenha apenas usado o seu molde genérico para MOLEQUE MAGRICELA.

De qualquer modo, estava feliz por ter roupas novas, uma vez que as antigas estavam queimadas e muito fedorentas. Geralmente, conseguia evitar que as roupas queimassem quando pegava fogo, mas aquilo exigia concentração. Às vezes, no acampamento, quando se distraía trabalhando em algum projeto de metal na forja, olhava para baixo e percebia que suas roupas tinham queimado, com exceção de seu cinto de ferramentas mágico e uma cueca fumegante. Era meio constrangedor.

Apesar dos presentes, obviamente Calipso não queria encontrá-lo. Certa vez, enfiou a cabeça dentro da caverna e ela ficou furiosa, gritando e atirando panelas em sua cabeça.

Sim, ela *definitivamente* era Time Leo.

Ele acabou montando acampamento perto da trilha, onde a praia e as colinas se encontravam. Assim, ficaria perto o bastante para pegar suas refeições, mas Calipso não o veria, evitando acessos de raiva e arremessos de panelas.

Construiu uma cabana com madeira e lona. Cavou uma vala para a fogueira. Chegou a fazer um banco e uma mesa de trabalho com alguns troncos e galhos mortos de cedro. Passou horas consertando a esfera de Arquimedes, limpando-a e reparando seus circuitos. Construiu uma bússola, mas a agulha girava enlouquecida, não importando o que ele fizesse. Avaliou que um GPS também seria inútil. Aquela ilha fora projetada para ser indetectável, impossível de ser abandonada.

Ele se lembrou do velho astrolábio de bronze que pegara em Bolonha — um dos anões lhe dissera que fora Odisseu quem o construíra. Suspeitava que Odisseu estava pensando naquela ilha quando o construiu, mas, infelizmente, Leo teve que deixá-lo no navio com Buford, a Mesa Maravilha. Além disso, os anões afirmaram que o astrolábio não funcionava. Algo sobre um cristal que estava faltando…

Caminhava pela praia, perguntando por que Quione o enviara até ali — supondo-se que seu desembarque na ilha não fora um acidente. Por que não apenas matá-lo? Talvez Quione quisesse que ele ficasse no limbo para sempre. Talvez soubesse que os deuses estavam incapacitados demais para prestarem atenção em Ogígia, de modo que a magia da ilha fora desfeita. Talvez por isso Calipso ainda estivesse presa ali e a jangada mágica não apareceria para Leo.

Ou, talvez, a magia daquele lugar estivesse funcionando muito bem. Os deuses puniam Calipso enviando-lhe caras corajosos que a abandonavam assim que ela se apaixonava por eles. Talvez esse fosse o problema. Calipso *nunca* se apaixonaria por Leo. Queria que ele fosse embora. Então, estavam presos em um ciclo vicioso. Se esse era o plano de Quione… uau. Era um super plano do mal.

Então, certa manhã, ele fez uma descoberta, e tudo ficou ainda mais complicado.

Leo caminhava pelas colinas, seguindo um pequeno riacho que corria entre duas grandes árvores de cedro. Gostava de lá, pois era o único lugar em Ogígia onde não dava para ver o mar e conseguia fingir que não estava preso em uma ilha. À sombra das árvores, quase sentia como se estivesse de volta ao Acampamento Meio-Sangue, caminhando pela floresta em direção ao bunker 9.

Ele pulou o riacho. Em vez de aterrissar em terra macia, seus pés atingiram algo muito mais duro.

CLANG.

Metal.

Empolgado, Leo cavou o musgo até ver brilho de bronze.

— Uau, cara.

Ria como um louco enquanto escavava.

Não sabia por que aquele material estava ali. Hefesto sempre se desfazia de peças quebradas de sua oficina divina e enchia a terra de sucata, mas quais as chances de algumas delas terem atingido Ogígia?

Leo encontrou um punhado de fios, algumas engrenagens empenadas, um pistão que ainda poderia funcionar, e várias lâminas de bronze celestial martelado — a menor era do tamanho de um porta-copos, a maior, do tamanho de um escudo de guerra.

Não era muito se comparado ao bunker 9 ou até mesmo ao seu estoque a bordo do *Argo II*. Mas era melhor do que só areia e pedras.

Olhou para a luz do sol brilhando através dos ramos de cedro.

— Pai? Se você enviou isto para mim, obrigado. Se não... bem, obrigado mesmo assim.

Reuniu seu tesouro e o arrastou de volta ao acampamento.

Depois disso, os dias passaram mais rapidamente e com muito mais barulho.

Primeiro, Leo construiu um forno com tijolos de barro, que cozinhou um a um com as suas próprias mãos fumegantes. Encontrou uma pedra grande que poderia usar como base de bigorna, e tirou pregos de seu cinto de ferramentas até ter o suficiente para derretê-los em forma de uma superfície para martelar.

Feito isso, começou a fundir a sucata de bronze celestial novamente. A cada dia, seu martelo golpeava o bronze até a pedra da bigorna quebrar, suas pinças dobrarem, ou ele ficar sem lenha.

Todas as noites, ele caía na cama encharcado de suor e coberto de fuligem; mas sentia-se ótimo. Ao menos estava trabalhando, tentando resolver o seu problema.

A primeira vez que Calipso veio vê-lo, foi para reclamar do barulho.

— Fumaça e fogo — disse ela. — Retinir de metal o dia inteiro. Você está assustando os pássaros!

— Ah, não, pobres pássaros! — resmungou Leo.

— O que você espera fazer?

Ele ergueu os olhos e quase esmagou o polegar com o martelo. Vinha olhando para metal e fogo por tanto tempo que se esquecera de quão bela era Calipso. *Irritantemente* bela. Ela ficou ali, com a luz do sol em seu cabelo, a saia branca ondulando em torno de suas pernas, uma cesta com uvas e um pão recém-assado debaixo do braço.

Leo tentou ignorar que seu estômago roncava.

— *Espero* sair desta ilha — respondeu ele. — É isso o que você quer, certo?

Calipso franziu a testa. Colocou a cesta perto de sua cama de trapos.

— Você não come há dois dias. Faça uma pausa e *coma*.

— Dois dias? — Leo nem notara, o que o surpreendeu já que gostava de comer. Estava ainda mais surpreso que Calipso *tivesse* notado.

— Obrigado — murmurou ele. — Eu, hã, vou tentar fazer menos barulho com o martelo.

— Hum.

Ela não pareceu acreditar.

Depois disso, Calipso não reclamou mais do barulho ou da fumaça.

Na vez seguinte em que o visitou, Leo dava os retoques finais em seu primeiro projeto. Não a viu se aproximar até Calipso falar bem atrás dele:

— Trouxe isso para você…

Leo deu um pulo, deixando cair os seus fios.

— Touros de bronze, garota! Não me assuste!

Ela estava usando vermelho naquele dia, a cor favorita de Leo. Aquilo era completamente irrelevante. Ela ficava muito bem de vermelho. Também irrelevante.

— Não estava tentando *assustar* — afirmou ela. — Vim lhe entregar isso.

Ela mostrou as roupas que trazia dobradas: uma nova calça jeans, uma camiseta branca, uma jaqueta militar… espere, aquelas eram as *suas* roupas, só que não poderiam ser. Sua jaqueta do exército queimara meses antes. Ele não a estava *usando* quando desembarcou em Ogígia. Mas as roupas que Calipso trouxera eram exatamente como aquelas que usava no primeiro dia em que chegou ao Acampamento Meio-Sangue, só que essas eram maiores, redimensionadas para caberem melhor.

— Como? — perguntou.

Calipso colocou as roupas no chão e se afastou como se ele fosse um animal perigoso.

— Sei um pouco de magia, sabe? Você vive queimando as roupas que lhe dou, então pensei em tecer algo menos inflamável.

— Essas não vão queimar?

Leo pegou a calça jeans que parecia ser feita de tecido normal.

— São completamente à prova de fogo — prometeu Calipso. — Elas se manterão limpas e crescerão para se adaptarem a você, caso se torne menos magrelo.

— Obrigado.

Queria soar sarcástico, mas estava sinceramente impressionado. Podia fazer muitas coisas, mas uma roupa autolimpante e não inflamável não estava na lista.

— Então... você fez uma réplica exata de minhas roupas favoritas. Será que me pesquisou no Google ou algo assim?

Ela franziu a testa.

— Não conheço essa palavra.

— Você me pesquisou — disse ele. — Quase como se tivesse algum interesse em mim.

Ela torceu o nariz.

— Tenho interesse em não ter que lhe fazer uma nova muda de roupas diariamente. Tenho interesse que não cheire tão mal e que pare de andar pela minha ilha em trapos fumegantes.

— Ah, sim. — Leo sorriu. — Você realmente está se interessando por mim.

O rosto dela ficou ainda mais vermelho.

— Você é a pessoa mais insuportável que já conheci! Só estava retribuindo o favor. Você consertou a minha fonte.

— Aquilo?

Leo riu. O problema fora tão simples que quase se esquecera. Um dos sátiros de bronze virara de lado e a pressão da água estava baixa, de modo que a estátua começou a produzir um tique-taque irritante, balançando para cima e para baixo e jorrando água para fora do chafariz. Ele pegou um par de ferramentas e consertou em dois minutos.

— Não foi nada de mais. Não gosto quando as coisas não funcionam direito.

— E as cortinas na entrada da caverna?

— A vara não estava nivelada.

— E as minhas ferramentas de jardinagem?

— Veja, só afiei as tesouras. Cortar vinhas com uma lâmina cega é perigoso. As tesouras de poda precisavam de lubrificação nas juntas e...

— Ah, sim — disse Calipso, com uma boa imitação da voz de Leo. — Você realmente está se interessando por mim.

Pela primeira vez, Leo ficou sem palavras. Os olhos de Calipso brilhavam. Sabia que ela estava debochando dele, mas de alguma forma não parecia maldosa.

Calipso apontou para a mesa de trabalho.

— O que está construindo?

— Ah.

Leo olhou para o espelho de bronze, que ele acabara de ligar à esfera de Arquimedes. Na superfície polida da tela, seu próprio reflexo o surpreendeu. O cabelo crescera e estava mais encaracolado. O rosto estava mais magro e definido, talvez porque não estivesse comendo. Seus olhos estavam sombrios e pareciam um tanto ferozes quando não sorria — uma espécie de olhar de Tarzan, se Tarzan fosse um latino tamanho PP. Não podia culpar Calipso por rejeitá-lo.

— Hã, é um dispositivo para ver — explicou. — Encontramos um como este em Roma, na oficina de Arquimedes. Se eu puder fazer isso funcionar, talvez descubra o que está acontecendo com os meus amigos.

Calipso balançou a cabeça.

— Isso é impossível. Esta ilha está escondida, afastada do mundo por uma magia poderosa. Nem o tempo flui da mesma forma por aqui.

— Bem, você deve ter algum tipo de contato com o exterior. Como descobriu que eu tinha uma jaqueta assim?

Ela torceu o cabelo entre os dedos, como se a pergunta a incomodasse.

— Ver o passado é magia simples. Já ver o presente ou o futuro... não.

— Bem — disse Leo. — Veja e aprenda, gata. Acabei de ligar estes dois últimos fios e...

A placa de bronze piscou. Fumaça exalou da esfera. A manga da camisa de Leo pegou fogo. Tirou a camisa, jogou-a no chão e a pisoteou.

Dava para ver que Calipso estava tentando não rir, mas ela tremia com o esforço.

— Nem começa — advertiu Leo.

Ela olhou para seu peito nu, suado, ossudo, marcado por velhas cicatrizes de acidentes na fabricação de armas.

— Não há nada que mereça comentário — assegurou ela. — Se você quiser que o dispositivo funcione, talvez deva tentar uma invocação musical.

— Certo — disse ele. — Quando um aparelho não funciona, gosto de sapatear ao redor dele. Sempre dá certo.

Ela inspirou profundamente e começou a cantar.

Sua voz atingiu-o como uma brisa fresca, como a primeira frente fria no Texas, quando o calor do verão finalmente vai embora e você começa a acreditar que tudo pode melhorar. Leo não compreendia as palavras, mas a música era melancólica e agridoce, como se ela estivesse descrevendo um lar para o qual nunca pudesse retornar.

Seu canto era mágico, sem dúvida, mas não era como a voz indutora ao transe de Medeia, nem mesmo semelhante aos encantamentos de Piper. A música nada queria dele. Simplesmente evocava suas melhores lembranças: construindo coisas com sua mãe na oficina, sentado ao sol com seus amigos no acampamento. Aquilo fazia com que sentisse saudades de casa.

Calipso parou de cantar. Leo percebeu que estava olhando para ela como um idiota.

— Algum avanço? — perguntou ela.

— Hã... — Leo forçou os olhos de volta ao espelho de bronze. — Nada. Espere...

A tela brilhou. No ar acima, imagens holográficas surgiram.

Leo reconheceu o refeitório do Acampamento Meio-Sangue.

Não havia som, mas Clarisse La Rue do chalé de Ares gritava ordens para os campistas, reunindo-os em fileiras. Os irmãos de Leo do chalé 9 corriam, entregando armaduras e distribuindo armas para todos.

Até mesmo Quíron, o centauro, estava vestido para a guerra. Trotava para cima e para baixo nas fileiras, com o capacete emplumado reluzente, suas cernelhas dotadas de protetores de bronze. Seu sorriso simpático habitual desaparecera, substituído por um olhar de sombria determinação.

Ao longe, trirremes gregos flutuavam no mar em Long Island, preparados para a guerra. Ao longo das colinas, catapultas estavam sendo preparadas. Sátiros patrulhavam os campos, e os cavaleiros em pégasos circulavam no céu, atentos a ataques aéreos.

— Seus amigos? — perguntou Calipso.

Leo assentiu. Seu rosto estava dormente.

— Eles estão se preparando para a guerra.

— Contra quem?

— Veja — disse Leo.

A cena mudou. Uma falange de semideuses romanos marchava através de um vinhedo iluminado pelo luar. Em um letreiro luminoso ao longe, lia-se: ADEGA GOLDSMITH.

— Já vi esse letreiro — disse Leo. — Não fica longe do Acampamento Meio-Sangue.

Subitamente, as fileiras romanas se deterioraram no caos. Os semideuses se espalharam. Escudos caíram. Dardos oscilaram loucamente, como se todo o grupo tivesse pisado em saúvas.

Movendo-se sob o luar com rapidez havia duas pequenas criaturas cabeludas vestindo roupas descombinadas e chapéus extravagantes. Pareciam estar em todos os lugares ao mesmo tempo, batendo na cabeça dos romanos, roubando suas armas, cortando os cintos fazendo com que as calças caíssem.

Leo não pôde deixar de sorrir.

— Esses encrenqueiros adoráveis! Eles cumpriram a promessa.

Calipso inclinou-se, observando os cércopes.

— Primos seus?

— Muito engraçado... não — disse Leo. — Dois anões que conheci em Bolonha. Pedi que atrasassem os romanos, e eles estão fazendo exatamente isso.

— Mas por quanto tempo? — perguntou Calipso.

Boa pergunta. A cena mudou novamente. Leo viu Octavian — aquele áugure louro com cara de espantalho. Estava no estacionamento de um posto de gasolina, rodeado por SUVs pretas e semideuses romanos. Ele ergueu um longo mastro envolto em tela. Quando o descobriu, uma águia dourada brilhava no topo.

— Ah, isso não é bom — disse Leo.

— Um estandarte romano — observou Calipso.

— É. E esse atira raios, de acordo com Percy.

Assim que disse o nome de Percy, Leo se arrependeu. Olhou para Calipso e viu em seus olhos o quanto ela estava lutando, tentando organizar suas emoções em fileiras ordenadas, como fios em seu tear. O que mais surpreendeu Leo foi a onda de raiva que sentiu. Não era apenas aborrecimento ou ciúme. Estava *furioso* com Percy por ter magoado aquela menina.

Voltou a se concentrar nas imagens holográficas. Agora, via um único cavaleiro: Reyna, pretora do Campo Júpiter, voando através de uma tempestade montada em um pégaso castanho-claro. O cabelo escuro de Reyna balançava ao vento. Seu manto roxo flutuava, revelando a armadura brilhante. Sangue escorria de cortes nos braços e no rosto. Os olhos de seu pégaso estavam arregalados, a boca tensa pela difícil cavalgada. Mas Reyna avançava com firmeza em meio à tempestade.

Enquanto Leo observava, um grifo selvagem mergulhou das nuvens. Arranhou as costelas do cavalo, quase derrubando Reyna. Ela sacou a espada e matou o monstro. Segundos depois, apareceram três *venti*: espíritos da tempestade rodopiando como tornados em miniatura, enfeitados por raios. Reyna avançou contra eles, gritando em desafio.

Então, o espelho de bronze escureceu.

— Não! — gritou Leo. — Não, agora não. Mostre-me o que vai acontecer! — Ele bateu no espelho. — Calipso, pode cantar outra vez ou algo assim?

Ela olhou feio para ele.

— Suponho que seja a sua namorada. Sua Penélope? Sua Elizabeth? Sua Annabeth?

— O quê? — Leo não conseguia entender aquela garota. Metade das coisas que ela dizia não faziam sentido. — Essa é Reyna. Não é minha namorada! Preciso ver mais! Preciso...

Preciso, uma voz ressoou no chão sob seus pés. Leo cambaleou, subitamente sentindo como se estivesse sobre um trampolim.

Preciso é uma palavra utilizada em excesso. Uma figura humana rodopiante irrompeu da areia: a deusa menos favorita de Leo: a Dama da Lama, a Princesa da Fossa Sanitária, a própria Gaia.

Leo atirou um alicate em sua direção. Infelizmente, a figura não era sólida, e o alicate a atravessou. Seus olhos estavam fechados, mas não parecia exatamente adormecida. Tinha um sorriso estampado em seu rosto de redemoinho, como se estivesse ouvindo atentamente à sua música favorita. Suas roupas de areia se moviam e dobravam, lembrando as barbatanas ondulantes daquele estúpido e monstruoso Camarãozilla com quem lutaram no Atlântico. Mas Gaia certamente era mais feia.

Você quer viver, disse Gaia. *Quer se juntar a seus amigos. Mas não* precisa *disso, meu pobre menino. Não faria diferença. Seus amigos morrerão de qualquer maneira.*

As pernas de Leo bambearam. Odiava aquilo, mas, sempre que aquela bruxa aparecia, sentia ter oito anos novamente, preso no estacionamento da oficina mecânica de sua mãe, ouvindo a voz calma e maldosa de Gaia enquanto sua mãe, trancada dentro do armazém em chamas, morria vítima do calor e da fumaça.

— O que eu *não* preciso — rosnou —, é de mais mentiras vindas de você, Cara de Lama. Você falou que meu bisavô morreu na década de 1960. Errado! Você falou que eu não poderia salvar meus amigos em Roma. Errado! Você falou demais.

O riso de Gaia era um farfalhar suave, como terra escorregando por uma colina nos primeiros momentos de uma avalanche.

Tentei ajudá-lo a fazer melhores escolhas. Você poderia ter se salvado. Mas me desafiou a cada passo. Construiu o seu navio. Juntou-se àquela missão tola. Agora está preso aqui, impotente, enquanto o mundo mortal morre.

As mãos de Leo explodiram em chamas. Queria derreter o rosto de areia de Gaia em vidro. Então, sentiu a mão de Calipso sobre o seu ombro.

— Gaia. — A voz dela soava severa e firme. — Você não é bem-vinda.

Leo desejou poder soar tão confiante quanto Calipso. Então lembrou-se de que aquela garota irritante de quinze anos era na verdade a filha imortal de um titã.

Ah, Calipso. Gaia ergueu os braços como se fosse abraçá-la. *Ainda aqui, pelo jeito, apesar das promessas dos deuses. Por que será, minha neta querida? Os olimpianos estão sendo vingativos, deixando-a sem nenhuma companhia afora esse bai-*

xinho idiota? Ou será que simplesmente se esqueceram de você porque não significa nada para eles?

Calipso olhou diretamente através do rosto rodopiante de Gaia, em direção ao horizonte.

Sim, murmurou Gaia com simpatia. *Os olimpianos são infiéis. Eles não dão segundas chances. Por que manter a esperança? Você apoiou seu pai, Atlas, em sua grande guerra. Sabia que os deuses deviam ser destruídos. Por que hesita agora? Eu lhe ofereço uma chance que Zeus jamais lhe daria.*

— Onde esteve nesses últimos três mil anos? — perguntou Calipso. — Se você se preocupa tanto com o meu destino, por que só veio me visitar agora?

Gaia voltou as palmas das mãos para cima.

A terra demora a despertar. A guerra virá no momento certo. Mas não pense que esquecerá Ogígia. Quando refizer o mundo, esta prisão também será destruída.

— Ogígia destruída? — Calipso balançou a cabeça, como se não pudesse imaginar essas duas palavras juntas.

Você não precisa estar aqui quando isso acontecer, prometeu Gaia. *Junte-se a mim agora. Mate esse menino. Derrame o sangue dele sobre a terra e me ajude a despertar. Eu a libertarei e lhe concederei qualquer desejo. Liberdade. Vingança contra os deuses. Até mesmo um prêmio. Você ainda quer o semideus Percy Jackson? Eu o pouparei para você. Eu o ressuscitarei do Tártaro. Ele será seu, para ser punido ou amado, como desejar. Apenas mate esse menino invasor. Mostre a sua lealdade.*

Vários cenários passaram pela cabeça de Leo, nenhum deles bom. Tinha certeza de que Calipso o estrangularia ali mesmo, ou mandaria seus servos invisíveis de vento o transformarem em purê.

Por que não o faria? Gaia estava lhe propondo o acordo ideal: mate um cara chato e ganhe um bonitão de graça!

Calipso ergueu a mão em direção a Gaia em um gesto de três dedos que Leo lembrava do Acampamento Meio-Sangue: o antigo sinal grego contra o mal.

— Esta não é apenas a minha prisão, avó. É a minha casa. E *você* é a invasora.

O vento dissolveu a forma de Gaia em nada, espalhando a areia pelo céu azul.

Leo engoliu em seco.

— Hã, não me leve a mal, mas você não me matou. Enlouqueceu?

Os olhos de Calipso brilhavam de ódio, mas pela primeira vez Leo não achou que aquele ódio fosse destinado a ele.

— Seus amigos devem precisar de você, ou Gaia não pediria a sua morte.

— Eu… hã, sim. Acho que sim.

— Então, temos trabalho a fazer — disse ela. — Precisamos levá-lo de volta ao seu navio.

LII

LEO

Leo se achava um sujeito ocupado. Mas quando Calipso cismava com alguma coisa, transformava-se em uma máquina.

Em um dia, ela reuniu material suficiente para uma viagem de uma semana: comida, garrafas de água e ervas medicinais de seu jardim. Teceu uma vela grande o bastante para um pequeno iate e fez cordas suficientes para todo o cordame.

Fizera tanto que, no segundo dia, perguntou se Leo precisava de alguma ajuda em seu projeto.

Ele ergueu a cabeça da placa de circuitos que lentamente montava.

— Se não a conhecesse, acharia que está ansiosa para se livrar de mim.

— Isso é um bônus — admitiu ela.

Calipso estava vestida para trabalhar, com um jeans e uma camiseta branca encardida. Quando ele perguntou sobre a mudança de guarda-roupa, ela respondeu que percebera quão práticos eram aqueles trajes após fazer alguns para Leo.

Vestindo calça jeans, não parecia muito com uma deusa. Sua camiseta estava coberta de grama e manchas de terra, como se tivesse acabado de passar por uma Gaia rodopiante. Estava descalça e o cabelo cor de caramelo estava amarrado em um rabo de cavalo, o que fazia seus olhos amendoados parecerem ainda maiores e mais surpreendentes. As mãos estavam calejadas, repletas de bolhas pelo trabalho com as cordas.

Olhando para ela, Leo sentiu um inexplicável frio no estômago.

— Então — disse ela.

— Então… o quê?

Calipso apontou para o circuito.

— Posso ajudar? Como está indo?

— Ah, hã, estou indo bem. Eu acho. Se conseguir ligar essa coisa ao barco, devo ser capaz de navegar de volta para o mundo.

— Agora tudo que precisa é de um barco.

Tentou ler a expressão no rosto de Calipso. Leo não tinha certeza se ela estava irritada por ele ainda estar ali, ou triste por não estar indo embora também. Então olhou para todos os suprimentos que ela empilhara, mais do que o suficiente para duas pessoas durante vários dias.

— Aquilo que Gaia disse… — ele hesitou. — Sobre você sair desta ilha. Gostaria de tentar?

Ela franziu a testa.

— Como?

— Bem, não estou dizendo que seria divertido tê-la ao meu lado, sempre reclamando e me olhando de cara feia e tudo o mais. Mas suponho que posso suportar, se quiser tentar.

Sua expressão ficou um pouco mais amena.

— Como é nobre — murmurou Calipso. — Mas não, Leo. Se tentasse ir com você, sua pequena chance de fuga se reduziria a nenhuma. Os deuses colocaram magia antiga nesta ilha para me manter presa aqui. Um herói pode sair. Eu não. O mais importante é libertá-lo para que possa deter Gaia. Não que eu me importe com o que aconteça com você — acrescentou ela rapidamente. — Mas o destino do mundo está em jogo.

— Por que se preocuparia com isso? — perguntou Leo. — Quer dizer, depois de ter ficado afastada do mundo por tanto tempo?

Ela arqueou as sobrancelhas, como se estivesse surpresa ao vê-lo fazer uma pergunta sensata.

— Suponho que é porque não gosto que me digam o que fazer, seja Gaia ou qualquer outra pessoa. Por mais que odeie os deuses às vezes, ao longo dos últimos três milênios percebi que são melhores do que os Titãs. Eles *definitivamente* são melhores que os gigantes. Ao menos os deuses mantêm contato. Hermes sempre foi gentil comigo. E seu pai, Hefesto, vem me visitar frequentemente. Ele é uma boa pessoa.

Leo não tinha certeza do que significava seu tom distante. Ela parecia quase estar ponderando o valor *dele*, não o de seu pai.

Calipso estendeu a mão e fechou a boca de Leo. Ele não tinha percebido que estava aberta.

— Agora, como posso ajudar? — perguntou.

— Hã...

Ele olhou para o seu projeto, mas, quando falou, deixou escapar uma ideia que vinha se formando desde que Calipso fizera as suas roupas novas.

— Sabe aquele pano à prova de fogo? Acha que poderia me fazer um saquinho daquele tecido?

Ele deu as dimensões. Calipso acenou com a mão, impaciente.

— Isso só levará alguns minutos. Vai ajudar em sua missão?

— É. Pode salvar uma vida. E, hum, poderia pegar um pedaço de cristal de sua caverna? Não preciso de muito.

Ela franziu a testa.

— Esse é um pedido estranho.

— Confie em mim.

— Tudo bem. Considere feito. Farei a bolsa à prova de fogo hoje à noite no tear, após me lavar. Mas o que posso fazer agora, enquanto minhas mãos estão sujas?

Ergueu os dedos sujos e calejados. Leo não pôde deixar de pensar que não havia *nada* mais excitante do que uma garota que não se importava em sujar as mãos. Mas, claro, aquela era apenas uma observação generalizada, não se aplicava a Calipso. Obviamente.

— Bem — disse ele —, você poderia enrolar mais algumas bobinas de bronze. Mas esse é um tipo de trabalho especializado...

Ela se sentou no banco ao seu lado e começou a trabalhar, enrolando os fios de bronze mais rápido do que ele seria capaz de fazer.

— É como tecer — disse ela. — Não é tão difícil.

— Hum — disse Leo. — Bem, se você algum dia sair desta ilha e quiser um emprego, me procure. Não é totalmente desajeitada.

Ela sorriu.

— Um emprego, hein? Fazer coisas na sua forja?

— Não. Poderíamos abrir nossa própria oficina — disse Leo, surpreendendo a si mesmo.

Abrir uma oficina mecânica sempre fora um de seus sonhos, mas ele nunca dissera aquilo para ninguém.

— Garagem do Leo e da Calipso: Conserto de Automóveis e Monstros Mecânicos.

— Frutas e vegetais frescos — sugeriu Calipso.

— Sidra e ensopado — acrescentou Leo. — Poderíamos até proporcionar entretenimento. Você poderia cantar e eu poderia, tipo, irromper em chamas de vez em quando.

Calipso riu, um som claro, feliz, que fez o coração de Leo disparar.

— Viu? — disse ele. — Sou engraçado.

Ela conseguiu parar de rir.

— Você *não* é engraçado. Agora, de volta ao trabalho, ou nada de cidra e ensopado.

— Sim, senhora — disse ele.

E trabalharam em silêncio, lado a lado, o resto da tarde.

Duas noites depois, o console de orientação estava concluído.

Leo e Calipso estavam sentados na praia, perto do local onde ele destruíra a mesa de jantar, participando de um piquenique noturno. A lua cheia transformava as ondas em prata. A fogueira que fizeram lançava faíscas cor de laranja para o céu. Calipso usava uma camisa branca limpa e uma calça jeans, que aparentemente decidira nunca mais tirar.

Atrás deles, nas dunas, os suprimentos estavam cuidadosamente embalados, prontos para a viagem.

— Tudo o que precisamos agora é de um barco — disse Calipso.

Leo assentiu. Sentiu-se tentado a usar a palavra *nós*. Calipso deixara claro que não iria com ele.

— Amanhã posso começar a cortar a madeira em tábuas — disse Leo. — Em alguns dias, teremos o suficiente para um pequeno casco.

— Você já fez um navio antes — lembrou Calipso. — O *Argo II*.

Leo assentiu. Pensou em todos os meses que passara para criar o *Argo II*. De algum modo, fazer um barco para sair de Ogígia parecia uma tarefa ainda mais difícil.

— Então, quanto tempo até ir embora? — O tom de Calipso era casual, mas ela não o fitou nos olhos.

— Hã, não tenho certeza. Mais uma semana?

Por algum motivo, dizer aquilo fez Leo se sentir menos agitado. Quando chegara, não via a hora de ir embora. Agora, estava feliz por ter mais alguns dias. Estranho.

Calipso correu os dedos sobre a placa de circuitos terminada.

— Isso demorou muito tempo para ser feito.

— Você não pode apressar a perfeição.

Um sorriso brotou nos cantos dos lábios dela.

— Sim, mas será que vai funcionar?

— Para eu ir embora, claro — disse Leo. — Mas, para voltar, precisarei de Festus e...

— *O quê?*

Leo piscou.

— Festus. Meu dragão de bronze. Assim que descobrir como reconstruí-lo, vou...

— Você me falou sobre Festus — disse Calipso. — Mas o que quer dizer com *voltar*?

Leo sorriu nervosamente.

— Bem... para voltar aqui, oras! Tenho certeza de que falei sobre isso.

— Você obviamente não falou.

— Não vou deixá-la aqui! Depois do tanto que me ajudou? É claro que voltarei. Assim que reconstruir Festus, ele poderá lidar com um sistema de orientação aperfeiçoado. Há esse astrolábio que eu, hã...

Ele parou de falar, decidindo que era melhor não mencionar que fora construído por uma das antigas paixões de Calipso.

— ...que eu encontrei em Bolonha. Enfim, acho que com esse cristal que você me deu...

— Você não pode voltar — insistiu Calipso.

O coração de Leo quase parou.

— Porque não sou bem-vindo?

— Porque não *pode*. É impossível. Nenhum homem encontra Ogígia duas vezes. Essa é a regra.

Leo revirou os olhos.

— Sim, bem, você já deve ter notado que não sou muito bom com esse negócio de seguir regras. Voltarei aqui com o meu dragão, e a resgataremos. Nós a levaremos para onde você quiser ir. É mais do que justo.

— Justo... — A voz de Calipso estava quase inaudível.

À luz do fogo, seus olhos pareciam tão tristes que Leo não conseguia encará-los. Será que Calipso achava que ele estava mentindo apenas para fazê-la se sentir melhor? Ele tinha certeza de que voltaria e a libertaria daquela ilha. Como poderia não fazê-lo?

— Como montaria a Oficina Mecânica Leo e Calipso sem Calipso? — perguntou ele. — Não sei fazer cidra e ensopado e *certamente* não sei cantar.

Ela olhou para a areia.

— Bem, de qualquer forma, amanhã começarei com a madeira — acrescentou Leo. — E, em alguns dias...

Ele olhou para a água. Algo oscilava sobre as ondas. Leo assistiu, incrédulo, quando uma grande jangada de madeira foi trazida pela maré e deslizou até parar na praia.

Ele estava atordoado demais para se mover, mas Calipso se ergueu.

— Depressa!

Ela correu pela praia, pegou alguns sacos de suprimentos e levou-os até a jangada.

— Não sei quanto tempo ficará aqui!

— Mas...

Leo se levantou. Suas pernas pareciam ter se tornado pedra. Acabara de se convencer de que tinha mais uma semana em Ogígia. Agora, não tinha nem tempo para terminar o jantar.

— Essa é a jangada mágica?

— Dã! — gritou Calipso. — *Talvez* funcione como deve e o leve para onde quer ir. Mas não podemos ter certeza. A magia da ilha obviamente está instável. Você deve levar o seu dispositivo de orientação para navegar.

Ela pegou o console e correu em direção à jangada, o que fez Leo se mover. Ele a ajudou a prendê-lo à jangada e passar os fios até o pequeno leme na popa. A jangada já era equipada com um mastro, de modo que Leo e Calipso arrastaram a vela para bordo e começaram a trabalhar no cordame.

Trabalharam lado a lado em perfeita harmonia. Nem mesmo entre os campistas de Hefesto, Leo trabalhara com alguém tão intuitiva como aquela jardineira imortal. Em pouco tempo, puseram a vela no lugar e todos os suprimentos a bordo. Leo apertou os botões na esfera de Arquimedes, murmurou uma prece ao seu pai, Hefesto, e o console de bronze celestial ganhou vida.

O cordame se esticou. A vela se voltou. A jangada começou a se arrastar pela areia, forcejando para alcançar as ondas.

— Vá — disse Calipso.

Leo virou. Ela estava tão perto que ele não conseguia suportar. Calipso cheirava a canela e a lenha queimada, e achou que nunca voltaria a sentir um aroma tão bom.

— A jangada finalmente chegou — disse ele.

Calipso bufou. Seus olhos podiam estar vermelhos, mas era difícil dizer ao luar.

— Você notou?

— Mas se ela só aparece para os caras de quem você gosta...

— Não abuse da sorte, Leo Valdez — disse ela. — Eu *ainda* o odeio.

— Tudo bem.

— E você *não* voltará — insistiu Calipso. — Então não me faça promessas vazias.

— Que tal uma promessa *cheia*? — disse ele. — Porque eu, definitivamente...

Ela agarrou o rosto de Leo e puxou-o para um beijo, o que efetivamente o calou.

Apesar de todas as suas brincadeiras e flertes, Leo nunca beijara uma garota antes. Bem, já dera beijinhos fraternais no rosto de Piper, mas aquilo não contava. Aquele era um beijo verdadeiro, de língua. Se Leo tivesse engrenagens e fios em seu cérebro, teriam entrado em curto-circuito.

Calipso o afastou.

— Isso não aconteceu.

— Tudo bem.

A voz de Leo soou mais aguda que o habitual.

— Saia daqui.

— Tudo bem.

Ela deu as costas enxugando os olhos furiosamente e saiu correndo pela areia, a brisa despenteando seu cabelo.

Leo desejou chamá-la, mas a vela se inflou e a jangada deixou a praia. Ele se dedicou a alinhar o console de orientação. Quando voltou a olhar para trás, a ilha de Ogígia era uma linha escura ao longe, a fogueira pulsando como um pequeno coração cor de laranja.

Seus lábios ainda formigavam pelo beijo.

Isso não aconteceu, disse para si mesmo. *Não posso estar apaixonado por uma menina imortal. Ela definitivamente não pode estar apaixonada por mim. Não é possível.*

Enquanto a jangada deslizava sobre a água, levando-o de volta ao mundo mortal, entendeu melhor um verso da Profecia: *Um juramento a manter com um alento final.*

Entendeu quão perigosos podem ser os juramentos. Mas Leo não se importava.

— Voltarei para você, Calipso — disse ele ao vento da noite. — Juro pelo Rio Estige.

LIII

ANNABETH

ANNABETH JAMAIS TIVERA MEDO DO escuro.

Mas normalmente a escuridão não tinha mais de dez metros de altura, asas negras, um chicote feito de estrelas e uma biga sinistra puxada por cavalos vampiros.

Nix era quase demais para se assimilar por inteiro. Pairando sobre o abismo, a figura era indefinida, como se feita de cinza e fumaça, e quase tão alta quanto a estátua de Atena Partenos, só que viva. Seu vestido era negro feito o vácuo, com as cores de uma nebulosa espacial, como se galáxias nascessem de seu corpete.

Era difícil ver o rosto em detalhes, exceto pelos pequenos pontos de seus olhos que brilhavam como quasares. Quando batia as asas, ondas de escuridão emanavam do abismo, fazendo com que Annabeth se sentisse pesada e sonolenta, e sua visão se turvasse.

A biga da deusa era feita do mesmo material da espada de Nico di Angelo, ferro estígio, puxada por dois cavalos pretos enormes com caninos prateados e bem afiados. Os animais flutuavam acima do abismo, e suas pernas se transformavam em fumaça quando se moviam.

Os cavalos relincharam e mostraram as presas para Annabeth. A deusa estalou seu chicote, uma fina fileira de estrelas que pareciam farpas de diamante, e os cavalos empinaram.

— Sombra, não! — repreendeu ela. — Calma, Trevas. Essas presas pequenas não são para vocês.

Percy olhou para os cavalos que relinchavam e bufavam. Continuava envolto na Névoa da Morte, então ainda parecia um cadáver embaçado, o que deixava Annabeth arrasada sempre que olhava para ele. Além disso, a camuflagem não devia ser muito boa, já que Nix obviamente podia vê-los.

Annabeth não conseguia decifrar a expressão no rosto fantasmagórico de Percy. Aparentemente, seu namorado não tinha gostado do que os cavalos estavam dizendo.

— Hã... Então não vai deixar que eles nos comam? — perguntou à deusa. — Eles querem muito nos devorar.

Os olhos de quasar de Nix flamejaram.

— É claro que não. Não deixaria meus cavalos devorarem vocês, assim como não deixaria Akhlys derrotá-los. São prêmios tão especiais que me mataria se não pudesse dar cabo de vocês eu mesma.

Annabeth não se sentia particularmente sagaz ou corajosa, mas seus instintos lhe disseram para tomar a iniciativa, ou aquela seria uma conversa muito curta.

— Ah, não se mate! — gritou ela. — Não somos assim *tão* assustadores.

A deusa baixou o chicote.

— O quê? Não, não foi isso que eu quis dizer... Eu...

— Ainda bem! — Annabeth olhou para Percy e deu um riso forçado. — Não queremos assustá-la, não é mesmo?

— Ha, ha. — Percy riu, sem forças. — Não, de jeito nenhum.

Os cavalos vampiros pareciam confusos. Empinavam, bufavam e batiam a cabeça negra uma na outra. Nix puxou as rédeas.

— Vocês sabem quem eu sou?

— Bem, acho que você é Noite — disse Annabeth. — Quer dizer, consegui reconhecê-la porque é cheia de *escuridão* e tudo mais, apesar de o folheto não falar muito sobre você.

Nix piscou, atordoada.

— Que folheto?

Annabeth tateou os bolsos.

— Nós tínhamos um, não tínhamos?

Percy umedeceu os lábios.

— Aham.

Ainda estava atento aos cavalos, com a mão no punho da espada, mas era inteligente o bastante para acompanhar o raciocínio de Annabeth. Agora ela tinha que torcer para não estar piorando as coisas... se bem que, para ser sincera, não conseguia ver como as coisas *poderiam* piorar.

— Enfim — continuou ela —, acho que o folheto não dava detalhes porque você não era uma das atrações principais do *tour*. Vimos o Rio Flegetonte, o Cócito, as *arai*, a clareira venenosa de Akhlys, e até alguns titãs e gigantes aleatórios, mas Nix... humm, não, você não estava no programa.

— *Atração principal? Programa?*

— É — disse Percy, entrando na onda. — Viemos aqui para fazer uma excursão pelo Tártaro... tipo um destino exótico, sabe? O Mundo Inferior todo mundo já conhece. O Monte Olimpo é uma armadilha para turistas...

— Deuses, e como! — concordou Annabeth. — Então compramos o pacote com uma excursão ao Tártaro, mas ninguém mencionou que íamos encontrar Nix. Ah, bem, acho que não acharam que você era importante.

— Não sou importante!

Nix estalou o chicote no ar de novo. Os cavalos empinaram e bateram as presas prateadas. Ondas violentas de escuridão emanaram do abismo, deixando Annabeth apavorada, mas não podia demonstrar o medo.

Agarrou o braço de Percy e o forçou a baixar a espada. Aquela era uma deusa diferente de qualquer coisa que jamais tinham enfrentado. Nix era mais velha que todos os olimpianos, titãs e gigantes, mais velha até que Gaia. Não podia ser derrotada por dois semideuses, pelo menos não pela *força* de dois semideuses.

Annabeth se obrigou a olhar para o rosto enorme e escuro da deusa.

— Bem, quantos outros semideuses que fizeram o *tour* vieram ver você? — perguntou com ar inocente.

Nix afrouxou as rédeas.

— Nenhum. Ninguém. Isso é inaceitável!

Annabeth deu de ombros.

— Talvez seja porque você na verdade não tenha *feito* nada para ficar famosa. Quer dizer, entendo que Tártaro seja importante! Todo esse lugar foi nomeado em sua homenagem. Ou se pudéssemos conhecer Dia...

— Ah, sim — intrometeu-se Percy. — Dia? Seria incrível. Queria muito vê-la e, quem sabe, pedir seu autógrafo.

— Dia! — Nix agarrou a lateral de sua biga. O veículo estremeceu. — Está falando de Hémera? Ela é minha filha! A Noite é muito mais poderosa!

— Ah — disse Annabeth. — Gostei mais das *arai*, até mesmo de Akhlys.

— Elas também são minhas filhas!

Percy fingiu bocejar.

— Você tem muitos filhos, hein?

— Sou a mãe de todos os terrores! — gritou Nix. — Das próprias Parcas! De Hécate! Da Velhice! Da Dor! Do Sono! Da Morte! E de todas as maldições! Estão vendo como mereço ser famosa?

LIV

ANNABETH

NIX CHICOTEOU O AR OUTRA VEZ. A escuridão ao seu redor se intensificou. Dos dois lados da deusa surgiu um exército de sombras, mais *arai* de asas pretas, que Annabeth não ficou muito animada em ver, um velho caquético que devia ser Geras, o deus da velhice, e uma mulher mais jovem de toga preta, com olhos brilhantes e o sorriso de um assassino em série; sem dúvida Éris, a deusa da discórdia. E outras figuras continuavam a aparecer: dezenas de demônios e deuses menores, cada um deles gerado pela Noite.

Annabeth queria correr. Estava diante de uma linhagem de criaturas horríveis que podiam destruir a sanidade de qualquer um. Mas se tentasse correr, morreria.

A seu lado, a respiração de Percy se acelerou. Apesar de sua aparência de cadáver embaçado, Annabeth sabia que o namorado estava quase entrando em pânico. Ela tinha que manter a calma pelos dois.

Sou filha de Atena, pensou. Controlo minha própria mente.

Imaginou uma espécie de moldura enquadrando a cena à sua frente. Disse a si mesma que estava apenas vendo um filme. Um filme assustador, verdade, mas que não podia feri-la. Estava no controle.

— É, nada mal — reconheceu. — Acho que podíamos tirar uma foto para o álbum da viagem, mas não sei. Vocês são tão... *escuros*, sabe? Mesmo que a gente usasse o flash, não sei se ia sair direito.

— É-é... — balbuciou Percy com certa dificuldade. — Vocês não são nada fotogênicos.

— Seus turistas malditos! — rosnou Nix. — Como ousam não tremer diante de mim? Como ousam não gemer de medo e implorar por meu autógrafo e uma foto para seu álbum? Querem ouvir uma história impressionante? Meu filho Hipnos uma vez fez Zeus dormir! Quando Zeus o perseguiu pela Terra em busca de vingança, Hipnos se refugiou em *meu* palácio, e Zeus não o seguiu. Até o rei do Olimpo me teme!

— Ah, tá. Legal. — Annabeth se virou para Percy. — Bem, está ficando tarde. Acho que a gente podia almoçar em um dos restaurantes recomendados pelo guia. Depois achamos as Portas da Morte.

— Ahá! — gritou Nix, triunfante.

Sua prole de sombras se agitou e repetiu:

— Ahá! Ahá!

— Vocês querem ver as Portas da Morte? — perguntou Nix. — Elas ficam no coração do Tártaro. Mortais como vocês nunca conseguiriam chegar até elas, a não ser passando pelos salões de meu palácio... a Mansão da Noite!

Ela gesticulou, apontando para algo atrás de si. Pairando sobre o abismo, cerca de cem metros abaixo, havia um pórtico de mármore negro que dava para um grande salão.

O coração de Annabeth estava tão acelerado que ela sentia sua batida até nos dedos dos pés. Aquele era o caminho a seguir, mas a entrada ficava muito longe, e era um salto quase impossível. Se não conseguissem, cairiam no caos e se desintegrariam: uma morte definitiva, sem chance de volta. Mesmo que conseguissem pular, teriam que passar pela deusa da Noite e suas crias mais assustadoras.

De repente, Annabeth se deu conta do que precisava acontecer. Como tudo o que já havia feito, as possibilidades eram pequenas. De algum modo, isso a acalmou. Mais uma ideia maluca diante da morte?

Tudo bem, seu corpo pareceu dizer, relaxando. *Estamos em território familiar.*

Ela conseguiu fingir um bocejo de tédio.

— Acho que podíamos tirar uma foto, mas o grupo todo não vai dar certo. Nix, que tal uma com seu filho favorito? Desses aí, qual é?

A prole se agitou. Dezenas de horríveis olhos brilhantes se voltaram para Nix.

A deusa ficou irrequieta, como se a biga estivesse esquentando sob seus pés. Seus cavalos de sombra bufaram e bateram as patas no vazio.

— Meu filho favorito? *Todos* os meus filhos são aterrorizantes!

— Sério? — questionou Percy com desdém. — Conheci as Parcas. Conheci Tânato. Não eram assim tão assustadores. Tem que haver alguém aí pior que eles.

— O mais tenebroso — prosseguiu Annabeth. — O mais parecido com você.

— Eu sou a mais tenebrosa — sibilou Éris. — Guerras e discórdia! Já causei todas as formas de morte!

— Sou ainda pior! — rosnou Geras. — Enfraqueço a visão e confundo a mente. Todo mortal teme a velhice!

— É, é — disse Annabeth, tentando ignorar seus dentes que batiam sem parar. — Não estou vendo ninguém sombrio o bastante. Quer dizer, vocês são filhos da Noite! Quero ver trevas de verdade!

A horda de *arai* urrou e bateu as asas de morcego, gerando ondas negras. Geras estendeu as mãos enrugadas e escureceu todo o abismo. Éris exalou sombras compridas que acentuaram as trevas.

— Sou o mais sinistro! — rosnou um dos demônios.

— Não, eu sou!

— Não! Vejam só as minhas trevas!

Nem se mil polvos gigantes expelissem nanquim ao mesmo tempo, no fundo da fenda mais profunda e obscura do oceano, a escuridão poderia ser maior. Era como se Annabeth estivesse cega. A garota agarrou a mão de Percy e tentou se acalmar.

— Esperem! — gritou Nix, entrando em um pânico repentino. — Não consigo ver nada.

— É! — gritou orgulhoso um de seus rebentos. — Eu fiz isso!

— Não, fui eu!

— Idiota, fui eu!

Dezenas de vozes discutiam na escuridão.

Os cavalos relincharam, assustados.

— Parem com isso! — berrou Nix. — De quem é este pé?

— Éris está me batendo! — gritou alguém. — Mãe, mande ela parar.

— Não fui eu! — berrou Éris. — Ai!

O barulho de brigas e discussões aumentou. Apesar de parecer impossível, a escuridão ficou ainda mais profunda. Os olhos de Annabeth estavam tão abertos que pareciam estar sendo arrancados de suas órbitas.

Ela apertou a mão de Percy.

— Pronto?

— Para quê? — Depois de um instante, ele grunhiu, nada satisfeito. — Pelas cuecas de Poseidon, você não pode estar falando sério.

— Alguém me dê um pouco luz! — gritou Nix. — Argh! Não posso acreditar que disse isso!

— É um truque! — berrou Éris. — Os semideuses estão fugindo.

— Eu os peguei — gritou uma *arai.*

— Não, isso é meu pescoço! — exclamou Geras, quase sufocando.

— Pule! — disse Annabeth a Percy.

Eles saltaram na escuridão na direção do portal bem, bem abaixo.

LV

ANNABETH

Depois de ter caído no Tártaro, pular cem metros até a Mansão da Noite devia ter passado rápido.

Em vez disso, o coração de Annabeth pareceu desacelerar. Entre as batidas, teve tempo de escrever o próprio obituário.

Morreu Annabeth Chase, aos dezessete anos.

Tum-tum.

(Supondo-se que seu aniversário, doze de julho, tivesse passado enquanto estava no Tártaro, mas, na verdade, não tinha a menor ideia.)

Tum-tum.

Annabeth faleceu em decorrência de ferimentos graves sofridos ao pular como uma idiota no abismo do Caos e se estatelar no hall de entrada da mansão de Nix.

Tum-tum.

Deixou pai, madrasta e dois meios-irmãos que mal a conheceram.

Tum-tum.

Em vez de flores, favor enviar donativos para o Acampamento Meio-Sangue, se é que Gaia já não o destruiu.

Seus pés tocaram o chão. O impacto fez suas pernas doerem, mas cambaleou para a frente e logo estava correndo, puxando Percy atrás de si.

Acima deles, no escuro, Nix e seus filhos ainda discutiam e gritavam.

— Eu os peguei! Ai! Meu Pé! Parem!

Annabeth continuou a correr. Já que não conseguiria enxergar de qualquer jeito, fechou os olhos. Resolveu recorrer aos outros sentidos: ouvir à procura do eco de espaços abertos, sentir as correntes de ar que sopravam em seu rosto em busca de algum cheiro de perigo, fumaça, veneno ou do fedor de demônios.

Não era a primeira vez que mergulhava na escuridão. Imaginou-se de volta aos túneis subterrâneos de Roma, à procura de Atena Partenos. Em comparação, sua jornada à caverna de Aracne parecia uma viagem à Disneylândia.

Os sons das discussões dos filhos de Nix foram ficando mais distantes. Isso era bom. Percy ainda corria a seu lado, segurando sua mão. O que também era bom.

A distância, à frente deles, Annabeth começou a ouvir um som pulsante como se fosse o eco das batidas de seu coração, tão amplificado que fazia o chão tremer. O barulho a encheu de medo, então imaginou que era o caminho certo a seguir. Correu em direção ao ruído.

À medida que as batidas ficavam mais altas, sentiu cheiro de fumaça e ouviu o crepitar de tochas à sua esquerda e direita. Achou que em breve haveria luz, mas um arrepio que subia por sua nuca a alertava que seria um erro abrir os olhos.

— Não olhe — advertiu ela a Percy.

— Não pretendia fazer isso. Você também está sentindo, certo? Ainda estamos na Mansão da Noite. Eu *não* quero vê-la.

Garoto esperto, pensou Annabeth. Costumava provocar Percy dizendo que era burro, mas na verdade os instintos de seu namorado em geral acertavam na mosca.

Quaisquer que fossem os horrores abrigados na Mansão da Noite, não eram feitos para olhos mortais. Vê-los seria pior que olhar para o rosto de Medusa. Era melhor correr no escuro.

A pulsação ficou mais alta, enviando vibrações que subiam pela coluna de Annabeth. Parecia que alguém estava batendo no fundo do mundo, exigindo que o deixassem entrar. Sentiu portas se abrirem diante deles. O aroma do ar estava mais fresco, ou pelo menos não tão carregado de enxofre. Havia outro ruído, também, mais próximo do que a pulsação profunda... o som de água corrente.

O coração de Annabeth se acelerou. Sabia que a saída estava por perto. Se conseguissem sair da Mansão da Noite, talvez deixassem aquela família de demônios sombrios para trás.

Começou a correr mais rápido, o que teria significado sua morte se Percy não a tivesse detido.

LVI

ANNABETH

— **Annabeth! — Percy a puxou para** trás no exato instante em que ela alcançou a beira de um penhasco.

Quase despencou para o interior de sabe-se lá o quê, mas Percy a segurou e envolveu em seus braços.

— Está tudo bem — tranquilizou-a.

Annabeth pressionou o rosto contra o peito dele e manteve os olhos bem fechados. Tremia, mas não de medo. O abraço de Percy era tão quente e reconfortante que queria ficar ali para sempre, segura e protegida... mas era apenas uma ilusão. Não podia se dar ao luxo de relaxar. Não podia se apoiar em Percy mais do que o necessário. Ele também precisava *dela*.

— Obrigada... — Ela se soltou de seus braços com delicadeza. — Sabe dizer o que há à nossa frente?

— Água — disse ele. — Ainda não estou olhando. Acho que ainda não é seguro.

— Concordo.

— Posso sentir um rio... ou talvez um fosso. Está no caminho e corre para a direita em um canal aberto na rocha. A outra margem fica a uns cinco metros de distância.

Annabeth se repreendeu mentalmente. Ouvira o barulho de água, mas nem imaginou que podia estar correndo direto para ela.

— Tem alguma ponte, ou...

— Acho que não. E há algo estranho com a água. Escute.

Annabeth se concentrou. De dentro da água, milhares de vozes gritavam, gemendo em agonia e suplicando por misericórdia.

Ajudem!, gemiam. *Foi um acidente!*

A dor!, uivavam. *Façam com que pare!*

Annabeth não precisava olhar para saber como devia ser o rio: um córrego negro e salgado de almas torturadas, arrastadas cada vez mais para as profundezas do Tártaro.

— O Rio Aqueronte — supôs. — O quinto rio do Mundo Inferior.

— Eu preferia o Flegetonte — murmurou Percy.

— É o Rio da Dor. O castigo final para as almas dos condenados, especialmente os assassinos.

Assassinos!, lamentou o rio. *Isso, iguais a vocês!*

Juntem-se, murmurou outra voz. *Vocês não são melhores que nós.*

Inúmeras imagens dos monstros que Annabeth havia matado ao longo dos anos surgiram em sua cabeça. *Aquilo não era assassinato*, protestou ela. *Eu estava me defendendo!*

O rio mudou de curso em sua mente, mostrando Zoë Doce-Amarga, que tinha sido morta no Monte Tamalpais porque fora resgatar Annabeth dos titãs.

Viu a irmã de Nico morrer quando Talos, o gigante de metal, desabou sobre Bianca enquanto ela também tentava salvá-la.

Michael Yew e Silena Beauregard... que morreram na Batalha de Manhattan.

Você podia ter evitado isso, disse o rio a Annabeth. *Devia ter pensado em alguma coisa.*

O mais doloroso de todos: Luke Castellan. Annabeth se lembrava do sangue de Luke em sua faca depois que ele se sacrificou para impedir que Cronos destruísse o Olimpo.

O sangue dele está em suas mãos!, gemeu o rio. *Devia haver outra maneira!*

Annabeth tinha remoído essa ideia muitas vezes. Tentava se convencer de que a morte de Luke não tinha sido culpa dela. O garoto tinha escolhido seu destino. Mesmo assim... não sabia se a alma dele encontrara paz no Mundo Inferior, se ele tinha renascido, ou se havia sido jogado no Tártaro por causa de seus crimes.

O semideus podia ser uma das vozes torturadas que passavam por eles naquele instante.

Você o assassinou!, gritou o rio. *Pule para cá e compartilhe a punição dele!*

Percy segurou o braço dela.

— Não escute.

— Mas...

— Eu sei. — A voz dele quase falhou. — Estão me dizendo a mesma coisa. Eu acho... acho que esse fosso deve ficar nos limites do território de Noite. Se conseguirmos atravessar, acho que vamos ficar bem. Mas vamos ter que pular.

— Mas você disse que eram uns cinco metros!

— É. Você vai ter que confiar em mim. Segure bem em meu pescoço com os dois braços.

— Como você vai conseguir...

— Ali! — gritou uma voz às costas deles. — Matem os turistas ingratos!

Tinham sido encontrados pelos filhos de Nix. Annabeth imediatamente agarrou o pescoço de Percy.

— Vai!

De olhos fechados, só podia imaginar como ele conseguira. Talvez tivesse usado a força do rio de alguma forma. Talvez estivesse apenas apavorado e sob o efeito da adrenalina. Percy saltou mais alto do que Annabeth achava que fosse possível. Passaram por cima do rio enquanto suas águas se agitavam e emitiam lamentos, molhando os tornozelos dela, que arderam com a água salgada.

E então... PLUNC. Estavam em terra firme de novo.

— Pode abrir os olhos — disse Percy, ofegante. — Mas não vai gostar do que vai ver.

Annabeth piscou. Depois da escuridão de Nix, até a penumbra do halo vermelho do Tártaro parecia cegante.

Diante deles se estendia um vale grande o bastante para abrigar a Baía de São Francisco. O barulho ritmado vinha de todos os lugares, como se trovejasse sob a terra. Sob as nuvens venenosas, o terreno aberto tinha um brilho roxo, com cicatrizes escuras vermelhas e azuis.

— Parece... — Annabeth tentou conter a repulsa. — Parece um coração gigante.

— O coração de Tártaro — murmurou Percy.

No centro do vale havia um aglomerado irregular de incontáveis pontos pretos. Estavam tão longe que Annabeth demorou um pouco para se dar conta de que estava olhando para um exército de milhares, talvez dezenas de milhares, de monstros agrupados em torno de um ponto escuro central. Não conseguia distinguir bem por conta da distância, mas não tinha dúvidas do que era o ponto. Mesmo da extremidade do vale, Annabeth podia sentir seu poder atraindo a alma dela.

— As Portas da Morte.

— É. — A voz de Percy estava rouca.

Ele ainda estava com o aspecto pálido e ressecado de um cadáver... o que significava que parecia tão bem quanto Annabeth se sentia.

A garota percebeu que havia se esquecido completamente de seus perseguidores.

— O que aconteceu com Nix?

Ela se virou. De algum modo, eles haviam aterrissado a centenas de metros das margens do Aqueronte, que corria por um leito recortado em colinas vulcânicas negras. Depois disso, não havia nada além de escuridão.

Não havia sinal de ninguém vindo atrás deles. Aparentemente, até os seguidores de Noite não gostavam de cruzar o Aqueronte.

Quando ia perguntar a Percy como ele tinha conseguido saltar tão longe, ouviu o ruído de uma pedra caindo na colina à sua esquerda. Ela sacou a espada de osso de drakon. Percy ergueu Contracorrente.

Cabelos brancos reluzentes surgiram acima da crista do morro e, em seguida, avistaram um rosto sorridente e familiar com olhos prateados.

— Bob? — Annabeth ficou tão feliz que começou a pular. — Ah, meus deuses!

— Amigos!

O titã caminhou na direção deles. As cerdas de sua vassoura estavam queimadas. O uniforme de zelador estava rasgado com marcas de garras, mas ele parecia contentíssimo. No ombro, o gatinho Bob Pequeno ronronava quase tão alto quanto o coração pulsante de Tártaro.

— Achei vocês! — Bob envolveu os dois em um abraço de quebrar ossos. — Vocês parecem gente morta enfumaçada. Isso é bom.

— Uff — disse Percy, sem ar. — Como você chegou aqui? Pela Mansão da Noite?

— Não, não. — Bob sacudiu a cabeça com firmeza. — Aquele lugar é muito assustador. Outro caminho... só para titãs e coisas assim.

— Deixe-me adivinhar — disse Annabeth. — Você foi pelos lados.

Bob coçou o queixo, claramente sem palavras.

— Humm... não, não pelos lados. Mais... pela *diagonal*.

Annabeth riu. Lá estavam eles no coração do Tártaro, diante de um exército inacreditável. Tinha que aproveitar todo o conforto que pudesse conseguir. Estava ridiculamente feliz por ter novamente a companhia do titã Bob.

Ela beijou o nariz do imortal, o que o fez piscar.

— Ficamos juntos agora? — perguntou ele.

— Claro — concordou Annabeth. — É hora de ver se a Névoa da Morte funciona.

— E se não funcionar... — Percy não terminou a frase.

Não fazia sentido levantar dúvidas. Estavam prestes a passar no meio de um exército inimigo. Se fossem vistos, morreriam.

Apesar disso, Annabeth conseguiu sorrir. Seu objetivo estava à vista. Tinham um titã com uma vassoura e um gatinho muito barulhento ao seu lado. Isso devia servir para alguma coisa.

— Portas da Morte — disse ela. — Aí vamos nós.

LVII

JASON

Jason não sabia bem o que esperar: tempestade ou fogo.

Enquanto aguardava por sua audiência diária com o senhor do Vento Sul, tentou decidir qual das personalidades do deus, a romana ou a grega, era a pior. Mas após cinco dias no palácio, Jason estava certo de apenas uma coisa: era pouco provável que ele e sua tripulação saíssem vivos dali.

Encostou-se no guarda-corpo da varanda. O ar estava tão quente e seco que parecia sugar a umidade de seus pulmões. Durante a última semana, sua pele escurecera e o cabelo ficara branco como palha de milho. Sempre que se olhava no espelho, ele se assustava com seu olhar selvagem e vazio, como se tivesse ficado cego ao vagar a esmo em um deserto.

Trinta metros abaixo, o mar da baía brilhava junto à praia de areia vermelha. Estavam em algum lugar da costa norte da África. E essa foi a única informação que os espíritos do vento deram a ele.

De onde Jason estava, o palácio se estendia para ambos os lados, uma colmeia de salas, túneis, varandas, colunas e quartos cavernosos esculpidos nos penhascos de arenito, tudo projetado para que o vento soprasse através deles e fizesse o maior barulho possível. Os constantes sons de órgão lembraram a Jason o covil flutuante de Éolo, no Colorado, exceto que aqui os ventos pareciam não ter pressa.

O que era parte do problema.

Em seus melhores dias, os *venti* do sul eram lentos e preguiçosos. Nos piores, eram tempestuosos e raivosos. A princípio deram boas vindas ao *Argo II*, já que qualquer inimigo de Bóreas era amigo do Vento Sul, mas pareciam ter se esquecido de que os semideuses eram seus hóspedes. Os *venti* rapidamente perderam o interesse em ajudar a consertar o navio. E o humor de seu rei piorava a cada dia.

No cais, os amigos de Jason trabalhavam no *Argo II*. A vela principal fora reparada, o cordame, substituído. Naquele momento, eles remendavam os remos. Sem Leo, ninguém sabia como consertar as partes mais complicadas do navio, mesmo com a ajuda de Buford, a mesa, e Festus (que agora estava permanentemente ligado graças ao charme de Piper — e *ninguém* entendia isso). Mas continuavam tentando.

Hazel e Frank estavam ao leme, mexendo nos controles. Piper transmitia as ordens deles para o treinador Hedge, que estava pendurado na lateral do navio, martelando as mossas nos remos. Hedge era a pessoa certa para martelar coisas.

Não pareciam estar fazendo muito progresso, mas, considerando o que tinham passado, era um milagre que o navio ainda estivesse inteiro.

Jason estremeceu ao se lembrar do ataque de Quione. Ele ficara impotente — congelado não uma, mas duas vezes, enquanto Leo era lançado para o céu e Piper foi obrigada a salvar a todos sozinha.

Graças aos deuses eles tinham Piper. Ela se considerava um fracasso por não ter evitado a explosão da bomba de vento, mas a verdade é que salvara toda a tripulação de virar esculturas de gelo em Quebec.

Ela também conseguiu direcionar a explosão da esfera de gelo, de modo que, embora o navio tivesse sido arremessado até o meio do Mediterrâneo, não sofrera grandes danos.

Lá do cais, Hedge gritou:

— Tentem agora!

Hazel e Frank puxaram algumas alavancas. Os remos a bombordo ficaram enlouquecidos, subindo e descendo como se estivesse fazendo uma ola. O treinador Hedge tentou se esquivar, mas um remo o atingiu no traseiro e o lançou para o alto. Ele caiu gritando nas águas da baía.

Jason suspirou. Naquele ritmo, jamais seriam capazes de navegar, mesmo que os *venti* do sul permitissem. Em algum lugar ao norte, Reyna estava voando para Épiro, supondo-se que ela tivesse encontrado seu bilhete no palácio de Diocleciano. Leo estava perdido e em perigo. Percy e Annabeth... bem, na melhor das hipóteses ainda estavam vivos, tentando chegar às Portas da Morte. Jason não podia deixá-los na mão.

Um farfalhar o fez se virar. Nico di Angelo estava à sombra da coluna mais próxima. Ele tirara a jaqueta. Agora vestia apenas uma camiseta e um jeans preto. Trazia sua espada e o cetro de Diocleciano pendurados no cinto.

Os vários dias sob o sol quente não bronzearam a pele *dele*. Se muito, parecia ainda mais pálida. O cabelo escuro caía em seus olhos. O rosto ainda estava magro, mas ele definitivamente parecia estar em melhor forma do que quando deixaram a Croácia. Nico recuperara peso suficiente para não parecer desnutrido. Os músculos de seus braços estavam surpreendentemente firmes, como se tivesse passado a semana anterior treinando com a espada. Jason achava que ele vinha praticando escondido como invocar espíritos com o cetro de Diocleciano para, em seguida, lutar com eles. Após a expedição em Split, nada o surpreenderia.

— Alguma palavra do rei? — perguntou Nico.

Jason balançou a cabeça.

— A cada dia ele me recebe mais tarde.

— Precisamos ir embora — disse Nico. — Logo.

Jason tinha a mesma sensação, mas ouvir Nico dizendo aquilo o deixou ainda mais tenso.

— Está sentindo alguma coisa?

— Percy está perto das Portas — respondeu. — Ele precisará de nós para atravessá-las com vida.

Jason percebeu que ele não mencionara Annabeth, mas decidiu não comentar.

— Tudo bem — falou. — Mas se não conseguirmos consertar o navio...

— Prometi levá-los à Casa de Hades — disse Nico. — De um jeito ou de outro, é o que farei.

— Você não pode viajar nas sombras com todos nós. E *precisamos* de todos nós para chegar às Portas da Morte.

A esfera no topo do cetro de Diocleciano brilhou na cor roxa. Na última semana, ela parecia estar sintonizada com o humor de Nico di Angelo. Jason não tinha certeza se aquilo era uma coisa boa.

— Então você *precisa* convencer o rei do Vento Sul a ajudar. — A voz de Nico fervia de raiva. — Eu não vim até aqui e sofri tantas humilhações...

Jason teve que se forçar a não levar a mão à espada. Sempre que Nico ficava com raiva, todos os instintos de Jason berravam: *Perigo!*

— Veja, Nico — disse ele. — Eu estou aqui se você quiser conversar sobre, você sabe, o que aconteceu na Croácia. Entendo como é difícil...

— Você não entende nada.

— Ninguém vai julgá-lo.

A boca de Nico se contorceu em um sorriso de escárnio.

— Sério? Seria uma novidade. Sou o filho de *Hades*, Jason. Pela forma como as pessoas me tratam, parece que ando por aí coberto de sangue ou água de esgoto. Não pertenço a lugar algum. Nem mesmo sou deste *século*. Mas parece que isso não é suficiente para me excluir. Preciso ser... ser...

— Cara, não é como se você tivesse escolha! É apenas quem você é.

— Apenas quem eu sou... — A varanda estremeceu. Padrões formaram-se no chão de pedra, como ossos subindo à superfície. — Para você é fácil dizer. O menino de ouro, o filho de *Júpiter*. A única pessoa que *me* aceitou foi Bianca, e ela *morreu*! Não escolhi nada disso. Meu pai, o que sinto...

Jason tentou pensar em algo para dizer. Ele queria ser amigo de Nico. Sabia que era a única maneira de ajudá-lo. Mas Nico não facilitava as coisas.

Ele ergueu as mãos em submissão.

— É, está bem. Mas, Nico, é *você* quem escolhe como viver a sua vida. Você quer confiar em alguém? Então arrisque acreditar que sou seu amigo de verdade e que vou aceitá-lo. É melhor do que se esconder.

O piso entre os dois rachou. A fenda sibilou. O ar ao redor de Nico tremulou com luz espectral.

— Esconder? — A voz de Nico soava mortalmente calma.

Os dedos de Jason coçavam para sacar a espada. Ele conhecera muitos semideuses assustadores, mas estava começando a perceber que Nico di Angelo — pálido e magro como era — podia ser mais poderoso do que imaginara.

Contudo, não desviou o olhar do de Nico.

— Sim, se esconder. Você fugiu dos dois acampamentos. Está com tanto medo de ser rejeitado que nem mesmo tenta. Talvez seja hora de parar de se esconder nas sombras.

No momento em que a tensão tornou-se insuportável, Nico desviou os olhos. A fissura se fechou no piso da varanda. A luz fantasmagórica desapareceu.

— Honrarei minha promessa — disse Nico, não mais alto do que um sussurro. — Vou levá-los a Épiro. Ajudarei vocês a fechar as Portas da Morte. E só. Então vou embora... para sempre.

Atrás deles, as portas da sala do trono se abriram com uma rajada de ar escaldante.

Uma voz sem corpo disse: *O sr. Austro o receberá agora.*

Por mais que temesse aquela audiência, Jason sentiu-se aliviado. Naquele momento, discutir com um deus do vento caduco parecia mais seguro do que fazer amizade com um filho de Hades furioso. Ele virou-se para se despedir de Nico, mas o outro já desaparecera — misturando-se novamente à escuridão.

LVIII

JASON

Então era dia de *tempestade*. Austro, a versão romana do Vento Sul, estava dando audiência.

Nos dois dias anteriores, Jason lidara com Noto. Embora a versão grega do deus fosse inflamada e ficasse com raiva rapidamente, ao menos era *rápida*. Austro... bem, nem tanto.

Colunas de mármore branco e vermelho contornavam a sala do trono. O piso áspero de arenito soltava fumaça sob os sapatos de Jason. Vapor pairava no ar, como nas termas do Acampamento Júpiter, só que elas normalmente não tinham tempestades estalando no teto, iluminando o ambiente com relâmpagos desorientadores.

Venti do sul rodopiavam pelo salão em nuvens de poeira vermelha e ar superaquecido. Jason teve o cuidado de não tocar em nenhum. Em seu primeiro dia ali, acidentalmente roçara a mão em um deles e ficara com tantas bolhas que seus dedos pareciam tentáculos.

Nos fundos da sala ficava o trono mais estranho que Jason já vira — feito de partes iguais de fogo e água. O estrado era uma fogueira. Chamas e fumaça se misturavam para formar o assento. O encosto era uma agitada nuvem de tempestade. Os braços do trono chiavam nos pontos em que a água se encontrava com o fogo. Não parecia muito confortável, mas Austro estava relaxado como se estivesse pronto para uma tarde tranquila assistindo a uma partida de futebol.

De pé, o deus teria cerca de três metros de altura. Uma coroa de vapor envolvia seu cabelo branco e desgrenhado. A barba era feita de nuvens que constantemente relampejavam e derramavam chuva no peito do deus, encharcando sua toga cor de areia. Jason se perguntou se era possível fazer uma barba de nuvem de tempestade. Imaginou que deveria ser irritante chover sobre si mesmo o tempo todo, mas Austro não parecia se importar. Lembrava a Jason um Papai Noel encharcado, embora mais preguiçoso do que alegre.

— Então — a voz do deus ribombou como uma frente fria se aproximando. — O filho de Júpiter retorna.

Austro fez parecer que Jason estava atrasado. Jason sentiu-se tentado a lembrar àquele estúpido deus do vento que ele passara várias horas por dia lá fora esperando ser chamado, mas apenas fez uma reverência.

— Meu senhor, já recebeu alguma notícia de meu amigo? — perguntou.

— Amigo?

— Leo Valdez. — Jason tentou ser paciente. — Aquele que foi levado pelos ventos.

— Ah… sim. Ou melhor, não. Não tivemos nenhuma notícia. Ele não foi levado por *meus* ventos. Sem dúvida, isso foi trabalho de Bóreas ou de suas crias.

— Hã, sim. Já sabíamos disso.

— Este é o único motivo de tê-los hospedado aqui, é claro. — As sobrancelhas de Austro ergueram-se em direção à coroa de vapor. — Bóreas deve ser combatido! Os ventos do norte devem ser repelidos!

— Sim, meu senhor. Mas, para combater Bóreas, precisamos tirar nosso navio do porto.

— Navio no porto! — O deus se inclinou para trás e riu, a chuva pingando de sua barba. — Sabe o que aconteceu na *última* vez que navios de mortais entraram no meu porto? Foi um rei da Líbia… Psilo. Ele culpava a *mim* pelos ventos escaldantes que queimavam suas plantações. Dá para acreditar?

Jason trincou os dentes. Ele sabia que Austro não devia ser apressado. Em sua forma de tempestade, ele era lento, quente e esporádico.

— E você queimou essas plantações, meu senhor?

— Óbvio! — Austro sorriu, bem-humorado. — Mas o que Psilo esperava com plantações no limiar do Saara? O idiota lançou toda a sua frota contra mim. Tinha a intenção de destruir minha fortaleza para que o vento sul nunca pudesse soprar outra vez. Eu destruí a frota, é claro.

— É claro.

Austro estreitou os olhos.

— Você não veio com Psilo, veio?

— Não, sr. Austro. Sou Jason Grace, filho de...

— Júpiter! Sim, claro. Eu gosto de filhos de Júpiter. Mas por que seu navio ainda está no meu porto?

Jason conteve um suspiro.

— Não temos sua permissão para partir, meu senhor. Além disso, o navio está danificado. Precisamos de nosso mecânico, Leo Valdez, para consertar o motor, a menos que o senhor conheça outra maneira.

— Hum... — Austro ergueu os dedos e um redemoinho de poeira se formou entre eles, como uma batuta. — Sabe, as pessoas me acusam de ser inconstante. Às vezes, sou um vento escaldante, destruidor de plantações, o siroco da África! Em outras, sou calmo, anunciando as chuvas quentes de verão e os frescos nevoeiros do sul do Mediterrâneo. E fora de temporada, tenho um lugar encantador em Cancún! De qualquer forma, nos tempos antigos, os mortais tanto me temiam quanto me amavam. Para um deus, a imprevisibilidade pode ser uma força.

— Então o senhor deve ser muito forte — disse Jason.

— Obrigado! Sim! Mas o mesmo não se aplica aos semideuses. — Austro se inclinou para a frente, perto o suficiente para que Jason pudesse sentir o cheiro de terra molhada e praias de areia quente. — Você me lembra de meus próprios filhos, Jason Grace. Sempre vagando de um lugar a outro. Indeciso. Mudando a cada dia. Se pudesse escolher a direção do vento, para onde sopraria?

O suor escorria pelas costas de Jason.

— Perdão?

— Você diz que precisa de um navegador. Que precisa da minha permissão. Eu digo que você não precisa de nada disso. É hora de tomar uma decisão. Um vento que sopra à toa não serve para nada.

— Eu não... Eu não estou entendendo.

Mas enquanto dizia isso, ele *entendeu*. Nico falara sobre não pertencer a lugar algum. Ao menos Nico estava livre de vínculos. Ele poderia ir para onde quisesse.

Jason estava tentando decidir a qual lugar pertencia durante meses. Ele sempre se irritara com as tradições do Acampamento Júpiter, os jogos de poder e a luta interna. Mas Reyna era uma boa pessoa. Ela precisava de sua ajuda. Se ele desse as costas para ela... alguém como Octavian poderia assumir e destruir tudo o que Jason *amava* em Nova Roma. Poderia ser tão egoísta a ponto de partir? Só de pensar nisso sentia-se esmagado pela culpa.

Contudo, no fundo de seu coração, ele *queria* ficar no Acampamento Meio-Sangue. Os meses que passara ali com Piper e Leo lhe pareceram mais gratificantes, *melhores* do que todos os anos no Acampamento Júpiter. Além disso, no Acampamento Meio-Sangue havia ao menos uma *chance* de ele finalmente conhecer o pai. Os deuses quase nunca apareciam no Acampamento Júpiter para dar um oi.

Jason inspirou profundamente.

— Sim. Sei qual direção desejo seguir.

— Ótimo! E o que mais?

— Hã, ainda precisamos consertar o navio. Existe alguma...?

Austro ergueu o dedo indicador.

— Ainda esperando a orientação dos senhores do vento? Um filho de Júpiter deveria ser mais esperto.

Jason hesitou.

— Iremos embora, sr. Austro. Hoje.

O deus do vento sorriu e abriu os braços.

— Finalmente anunciou seu propósito! Então têm minha permissão para partir, embora não precisem dela. Como navegarão sem o seu mecânico, sem os motores consertados?

Jason sentiu os ventos do sul sibilando ao seu redor, relinchando em desafio como garanhões teimosos testando sua vontade.

Durante toda a semana ele esperara que Austro decidisse ajudá-los. Durante meses se preocupara com suas obrigações com o Acampamento Júpiter, esperando que seu caminho se tornasse mais claro. Agora percebia que devia simplesmente fazer o que quisesse. Ele tinha que controlar os ventos, e não o contrário.

— Você vai nos ajudar — disse Jason. — Seus *venti* podem assumir a forma de cavalos. Você nos dará uma tropa para puxar o *Argo II*. Eles nos levarão até Leo.

— Maravilhoso! — exclamou Austro, sua barba carregada de eletricidade. — Agora... você pode cumprir o que suas palavras corajosas prometem? Pode controlar o que deseja, ou será feito em pedacinhos?

O deus bateu palmas. Os ventos rodopiaram ao redor de seu trono e assumiram a forma de cavalos. Não eram escuros e frios como o amigo de Jason, Tempestade. Os cavalos do Vento Sul eram feitos de fogo, areia e água fervente. Quatro passaram perto do garoto, o calor chamuscando os pelos de seus braços. Galoparam em torno das colunas de mármore, cuspindo chamas, relinchando com o som das tempestades de areia. Quanto mais corriam, mais selvagens se tornavam. Eles começaram a encarar Jason.

Austro coçou a barba chuvosa.

— Você sabe por que os *venti* podem aparecer como cavalos, meu rapaz? De vez em quando nós, deuses do vento, viajamos pela terra na forma de equinos. Em algumas ocasiões, já fomos conhecidos por termos gerado os cavalos mais rápidos de todos.

— Obrigado — murmurou Jason, embora seus dentes batessem de medo. — Muita informação.

Um dos *venti* atacou Jason. Ele desviou para o lado, suas roupas fumegando com a proximidade do cavalo.

— Às vezes — continuou Austro alegremente —, mortais reconhecem nosso sangue divino. Dizem: *Este cavalo corre como o vento*. E por um bom motivo. Assim como os garanhões mais rápidos, os *venti* são nossos filhos!

Os cavalos de vento começaram a circular Jason.

— Como meu amigo, Tempestade — arriscou ele.

— Ah, bem... — Austro fez uma careta. — Infelizmente ele é um filho de Bóreas. Como você conseguiu domá-lo, jamais saberei. Mas estes são meus filhos, uma bela tropa de ventos do sul. Controle-os, Jason Grace, e eles tirarão seu navio do porto.

Controlá-los, pensou Jason. *Sei.*

Os *venti* corriam para todos os lados, frenéticos. Como seu mestre, o Vento Sul, estavam em conflito — metade um siroco quente e seco, metade um tempestuoso cúmulo nimbus.

Preciso de velocidade, pensou Jason, preciso de propósito.

Ele se concentrou em Noto, a versão grega do Vento Sul — escaldante, mas muito rápido.

Naquele momento, ele *escolheu* o grego. Apostou no Acampamento Meio-Sangue, e os cavalos mudaram. As nuvens de tempestade dentro deles se dissiparam, restando apenas poeira vermelha e ondas de vapor, como miragens no Saara.

— Muito bem — disse o deus.

Noto estava sentado no trono agora, um velho de pele bronzeada usando uma *chiton* grega de fogo e uma coroa de cevada seca e fumegante na cabeça.

— O que está esperando? — perguntou.

Jason voltou-se para os cavalos de vento e fogo. Subitamente, não tinha mais medo deles. Estendeu a mão. Um redemoinho de poeira disparou em direção ao cavalo mais próximo. Um laço — uma corda de vento, mais poderosa do que qualquer tornado — enrolou-se em torno do pescoço do animal. O vento formou um arreio e o cavalo parou.

Jason invocou outra corda de vento. Ele laçou um segundo cavalo, submetendo-o à sua vontade. Em menos de um minuto, tinha amarrado os quatro *venti*. Ele os refreou. Ainda relinchavam e resistiam, mas não podiam romper as cordas. O garoto parecia estar empinando quatro pipas em um dia de vento forte — difícil, sim, mas não impossível.

— Muito bem, Jason Grace — disse Noto. — Você é um filho de Júpiter, mas mesmo assim escolheu o próprio caminho, como todos os grandes semideuses fizeram antes de você. Não pode controlar a sua ascendência, mas *pode* escolher sua herança. Agora vá. Amarre seus cavalos à proa e direcione-os para Malta.

— Malta? — Jason tentou se concentrar, mas o calor dos cavalos o estava deixando tonto. Ele não sabia nada sobre Malta, apenas uma vaga história sobre um falcão maltês. Será que o malte foi inventado lá?

— Assim que chegarem à cidade de Valetta — disse Noto —, não precisarão mais destes cavalos.

— Quer dizer que... vamos encontrar Leo?

O deus tremulou, lentamente se dissipando em ondas de calor.

— Seu destino está mais claro, Jason Grace. Quando tiver que escolher novamente entre tempestade ou fogo, lembre-se de mim. E não entre em pânico.

As portas da sala do trono se abriram. Ao sentirem o cheiro da liberdade, os cavalos dispararam em direção à saída.

LIX

JASON

Aos dezesseis anos, a maioria dos jovens se preocupa com a prova de baliza, tirar a carteira de motorista e ter dinheiro para comprar um carro.

Jason se preocupava em controlar uma tropa de cavalos de fogo com cordas de vento.

Depois de se certificar que seus amigos estavam a bordo e em segurança sob o convés, ele atou os *venti* à proa do *Argo II* (coisa que Festus *não* gostou nem um pouco), montou na figura de proa e gritou:

— Upa, lelê!

Os *venti* dispararam pelas ondas. Não galopavam tão rápido quanto o cavalo de Hazel, Arion, mas eram muito mais quentes. Levantavam uma nuvem de vapor que tornava quase impossível que ele enxergasse para onde iam. O navio disparou para fora da baía. Em pouco tempo, a África era apenas uma linha nebulosa no horizonte atrás deles.

Manter as cordas de vento exigia toda a concentração de Jason. Os cavalos faziam força para se libertarem. Apenas a determinação dele os mantinha sob controle.

Malta, ordenou. *Para Malta.*

Quando finalmente viu terra ao longe — uma ilha montanhosa coberta de pequenas construções de pedra —, Jason estava encharcado de suor. Seus braços pareciam feitos de borracha, como se tivesse sustentado um haltere sem dobrar o cotovelo por muito tempo.

Ele esperava que tivessem chegado ao lugar certo porque não conseguiria manter aqueles cavalos juntos por mais tempo. Jason soltou as rédeas de vento. Os *venti* se dissolveram em partículas de areia e vapor.

Exausto, ele desceu da proa e se apoiou no pescoço de Festus. O dragão virou-se e recostou a cabeça no ombro dele.

— Obrigado, cara — disse Jason. — Dia difícil, hein?

Atrás dele, as tábuas do convés rangeram.

— Jason — chamou Piper. — Ah, deuses, seus braços...

Ele não percebera, mas sua pele estava repleta de bolhas.

Piper pegou um pedaço de ambrosia.

— Coma isso.

Ele mastigou. Sua boca se encheu com o sabor de brownies recém-assados — seu doce favorito nas padarias de Nova Roma. As bolhas desapareceram de seus braços. Sua força voltou, mas o brownie de ambrosia parecia mais amargo do que o habitual, como se soubesse de alguma forma que Jason estava dando as costas para o Acampamento Júpiter. Aquele gosto não o fazia mais se lembrar de casa.

— Obrigado, Pipes — murmurou ele. — Por quanto tempo estive...?

— Umas seis horas.

Uau, pensou Jason. Não é de se admirar que estivesse dolorido e com fome.

— E os outros?

— Estão bem. Cansados de ficarem parados. Posso dizer que é seguro subir ao convés?

Jason lambeu os lábios secos. Apesar da ambrosia, sentia-se trêmulo. Ele não queria que os outros o vissem assim.

— Me dê um segundo para recuperar o fôlego.

Piper se encostou ao lado dele. Estava usando uma regata verde, short bege e botas de caminhada, parecia pronta para escalar uma montanha e então encarar um exército quando chegasse lá em cima. Trazia sua adaga presa ao cinto e a cornucópia pendurada no ombro. Ela tinha decidido ficar com a espada dentada de bronze que tirara de Zetes, o boreada, que era apenas um pouco menos intimidadora do que um rifle.

Durante o tempo em que ficara no palácio de Austro, Jason observara Piper e Hazel treinando com as espadas durante horas, algo por que Piper jamais se interessara anteriormente. Desde seu encontro com Quione, ela parecia mais nervosa, tensa como uma catapulta armada, como se estivesse determinada a nunca mais ser pega de surpresa.

Jason entendia o sentimento, mas tinha medo de que ela estivesse sendo muito severa consigo mesma. Ninguém podia estar pronto para qualquer situação o tempo todo. Ele devia saber: passara a última batalha como um tapete congelado no chão.

Jason devia estar encarando Piper, porque ela acabou lançando-lhe um sorriso compreensivo.

— Ei, eu estou bem. *Nós* estamos bem.

Ela ficou na ponta dos pés e o beijou, e foi tão bom quanto a ambrosia. Seus olhos tinham tantas tonalidades que Jason poderia ficar olhando para eles o dia inteiro, da mesma forma que as pessoas assistem às auroras boreais.

— Eu tenho sorte de ter você — disse ele.

— Sim, você tem. — Ela empurrou seu peito com delicadeza. — Agora, como é que vamos levar este navio até o cais?

Jason franziu a testa e olhou para a ilha. Ainda estavam a cerca de um quilômetro de distância. Ele não fazia ideia se conseguiriam ligar os motores ou içar as velas...

Felizmente, Festus estava ouvindo. Ele olhou para a frente e cuspiu fogo. O motor do navio roncou e vibrou. Parecia uma enorme motocicleta com a corrente partida, mas o barco começou a se mover. Lentamente, o *Argo II* seguia em direção ao litoral.

Piper deu um tapinha no pescoço de Festus.

— Bom menino.

Os olhos de rubi do dragão brilharam como se ele estivesse satisfeito consigo mesmo.

— Festus parece diferente depois que você o ligou — disse Jason. — Mais... vivo.

— Do modo como ele *deveria* ser. — Piper sorriu. — Acho que todos nós precisamos ser despertados por alguém que nos ama de vez em quando.

Perto dela, Jason se sentia tão bem que quase podia imaginar seu futuro juntos no Acampamento Meio-Sangue quando a guerra terminasse — supondo-se que fossem sobreviver e que ainda houvesse um acampamento para onde voltar.

Quando tiver que escolher novamente entre tempestade ou fogo, dissera Noto, *lembre-se de mim. E não entre em pânico.*

Quanto mais se aproximavam da Grécia, mais nervoso Jason ficava. Estava começando a pensar que Piper estava certa sobre o trecho da *tempestade ou fogo* da profecia: um deles, Jason ou Leo, não voltaria vivo daquela viagem.

E era por isso que *tinham* que encontrar Leo. Por mais que desejasse viver, Jason não poderia deixar seu amigo morrer por causa dele. Não poderia viver com a culpa.

É claro que esperava estar enganado. Ele queria que ambos saíssem daquela missão inteiros. Mas tinha que estar preparado. Ele protegeria seus amigos e deteria Gaia — a qualquer custo.

Não entre em pânico.

Sim. Fácil para um deus do vento imortal falar.

À medida que a ilha se aproximava, Jason viu as docas repletas de barcos. Da costa rochosa elevavam-se paredões de uns quinze metros de altura parecidos com fortalezas. Acima deles, erguia-se uma cidade de aparência medieval com torres de igreja, domos e prédios amontoados, todos feitos da mesma pedra dourada. De onde Jason estava, parecia que a cidade cobria cada centímetro da ilha.

Ele examinou os barcos no porto. Cem metros à frente, amarrado na ponta da maior doca, havia uma jangada improvisada, com um mastro e uma simples vela quadrada de lona. Na proa, o leme estava ligado a algum tipo de máquina. Mesmo a distância, podia ver o brilho do bronze celestial.

Ele sorriu. Somente um semideus faria um barco como aquele e atracaria o mais perto possível do porto, onde o *Argo II* não poderia deixar de notá-lo.

— Chame os outros — disse Jason para Piper. — Leo está aqui.

LX

JASON

Encontraram Leo no topo das fortificações da cidade. Ele estava sentado em uma cafeteria ao ar livre, com vista para o mar, bebendo café e vestindo... uau. *Déjà-vu*. A roupa de Leo era idêntica à que ele usava no dia de sua chegada ao Acampamento Meio-Sangue: calça jeans, camisa branca e uma velha jaqueta militar. Só que aquela jaqueta havia sido queimada meses antes.

Piper quase o derrubou da cadeira com um abraço.

— Leo! Deuses, onde você esteve?

— Valdez! — O treinador Hedge sorriu. Então, pareceu se lembrar de que tinha uma reputação a zelar e forçou uma carranca. — Se você voltar a desaparecer assim, seu moleque, vou espancá-lo!

Frank deu um tapa tão forte nas costas dele que Leo fez uma careta de dor. Até mesmo Nico apertou-lhe a mão.

Hazel beijou-o na bochecha.

— Pensamos que você estivesse morto!

Leo conseguiu esboçar um leve sorriso.

— Oi, galera. Que isso, estou bem.

Jason podia perceber que ele *não* estava bem. Leo não os olhava nos olhos. As mãos dele estavam perfeitamente imóveis sobre a mesa. As mãos de Leo *nunca* ficavam paradas. Toda a energia parecia ter sido drenada de seu corpo e substituída por uma espécie de tristeza melancólica.

Jason se perguntou por que sua expressão lhe parecia familiar. Então percebeu que Nico di Angelo ficara da mesma forma após confrontar Cupido nas ruínas de Salona.

Leo estava com dor de cotovelo.

Enquanto os outros foram puxar cadeiras das mesas próximas, Jason se inclinou e apertou o ombro do amigo.

— Ei, cara, o que aconteceu? — perguntou.

Os olhos de Leo se voltaram para o grupo. A mensagem era clara: *Aqui não. Não na frente de todos.*

— Virei um náufrago — disse Leo. — É uma longa história. E quanto a vocês? O que aconteceu com Quione?

O treinador Hedge riu com desdém.

— O que aconteceu? *Piper* aconteceu! Estou lhe dizendo, esta garota tem talento!

— Treinador... — protestou Piper.

Hedge começou a contar a história, mas na versão dele Piper era uma assassina lutadora de kung fu e havia muito mais boreadas.

Enquanto o treinador falava, Jason observou Leo com preocupação. Aquela cafeteria tinha uma vista perfeita para o porto. Leo deve ter visto o *Argo II* chegar à costa. No entanto, ficara ali bebendo café — algo de que ele nem mesmo *gostava* —, esperando que eles o encontrassem. Leo não era assim. O navio era a coisa mais importante de sua vida. Quando viu que tinham ido resgatá-lo, Leo deveria ter corrido até as docas, gritando com toda a força em comemoração.

O treinador estava descrevendo como Piper derrotara Quione com um chute à Chuck Norris quando ela o interrompeu:

— Treinador! Não foi nada disso que aconteceu. Não poderia ter feito *nada* sem Festus.

Leo ergueu as sobrancelhas.

— Mas Festus está desligado.

— Hum, então — disse Piper. — Eu meio que o ativei.

Piper explicou sua versão dos acontecimentos — como ela reiniciara o dragão de metal com o charme.

Leo tamborilou os dedos na mesa, como se um pouco de sua antiga energia estivesse retornando.

— Não deveria ser possível — murmurou ele. — A menos que as atualizações permitam que ele responda a comandos de voz. Mas se agora ele está permanentemente ligado, isso significa que o sistema de navegação e o cristal...

— Cristal? — perguntou Jason.

Leo fez uma careta.

— Hum, esquece. De qualquer forma, o que aconteceu depois que a bomba de vento explodiu?

Hazel continuou a história. Uma garçonete se aproximou e ofereceu os cardápios. Logo estavam mastigando sanduíches, bebendo refrigerantes e aproveitando o dia ensolarado quase como um grupo de adolescentes normais.

Frank pegou um panfleto turístico, preso sob o suporte de guardanapos, e começou a lê-lo. Piper deu um tapinha no braço de Leo, como se não pudesse acreditar que ele estivesse realmente ali. Nico estava na ponta da mesa, observando os pedestres em busca de possíveis inimigos. O treinador Hedge mastigava os saleiros e pimenteiros.

Apesar da reunião feliz, todos pareciam mais abatidos — como se estivessem refletindo o humor de Leo. Jason nunca percebera de fato quão importante era o senso de humor dele para o grupo. Mesmo quando as coisas estavam superdifíceis, sempre podiam contar com Leo para alegrar o ambiente. Agora, parecia que toda a equipe perdera o ânimo.

— Então Jason domou os *venti* — terminou Hazel. — E aqui estamos.

Leo assobiou.

— Cavalos de ar quente? Caramba, Jason. Então, basicamente, você acumulou um bocado de gás até chegar a Malta, e então soltou.

Jason franziu a testa.

— Sabe, não soa tão heroico quando você fala desse jeito.

— Sim, bem. Quando dou o ar da minha graça, pode ter certeza de que ele vai ser quente. E ainda estou me perguntando, por que Malta? Eu meio que cheguei aqui na jangada, mas isso foi uma coisa aleatória, ou...

— Talvez por causa disto. — Frank bateu no panfleto. — Diz aqui que Calipso morou em Malta.

Leo ficou pálido.

— O-o quê?

Frank deu de ombros.

— De acordo com isto, ela morava na ilha de Gozo, ao norte daqui. Calipso é um mito dos gregos, não é?

— Ah, um mito dos gregos! — O treinador Hedge esfregou as mãos. — Talvez tenhamos que lutar com ela! Temos que lutar com ela? Porque eu estou pronto.

— Não — murmurou Leo. — Não temos que lutar com ela, treinador.

Piper franziu a testa.

— Leo, o que há de errado? Você parece…

— Não há nada de errado! — Leo se levantou. — Ei, precisamos ir. Temos trabalho a fazer!

— Mas… onde você esteve? — perguntou Hazel. — De onde você tirou essas roupas? Como…

— Caramba, moças! — exclamou Leo. — Agradeço a preocupação, mas não preciso de duas mães extras!

Piper sorriu, hesitante.

— Tudo bem, mas…

— Temos navios para consertar! — disse Leo. — Festus para regular! Deusas da terra para ganhar socos na cara! O que estamos esperando? Leo está de volta!

Ele abriu os braços e sorriu.

Leo estava fazendo uma tentativa corajosa, mas Jason podia ver resquícios de tristeza em seus olhos. Algo acontecera com ele… algo relacionado a Calipso.

Jason tentou se lembrar da história. Ela era um tipo de feiticeira, talvez como Medeia ou Circe. Mas se Leo escapara do covil de uma feiticeira malvada, por que parecia tão triste? Jason teria que conversar com ele mais tarde para se assegurar de que seu amigo estava bem. Por enquanto Leo claramente não queria ser interrogado.

Jason se levantou e colocou a mão no ombro dele.

— Leo está certo. Devemos ir.

Todos entenderam a deixa e começaram a embrulhar a comida e a terminar as bebidas.

Subitamente, Hazel ofegou.

— Pessoal...

Ela apontou para o nordeste. A princípio, Jason não viu nada além do mar. Então, um risco de escuridão cortou o ar como um raio negro — como se noite cerrada tivesse rompido através do dia.

— Não vejo nada — resmungou o treinador Hedge.

— Também não — disse Piper.

Jason olhou para o rosto dos amigos. A maioria estava confusa. Nico era o único que parecia ter notado o raio negro.

— Não pode ser... — murmurou Nico. — A Grécia ainda está a centenas de quilômetros de distância.

A escuridão apareceu de novo, momentaneamente desbotando as cores do horizonte.

— Você acha que é Épiro?

Todo o corpo de Jason formigava como quando tomou um choque de mil volts. Ele não sabia por que conseguia ver os raios de escuridão. Não era um filho do Mundo Inferior. Mas estava com uma sensação muito ruim.

Nico assentiu.

— A Casa de Hades está aberta para negócios.

Poucos segundos depois, um ruído estrondoso chegou até eles, como tiros distantes.

— Já começou — disse Hazel.

— O quê? — perguntou Leo.

Quando o raio seguinte apareceu, os olhos dourados de Hazel escureceram como uma folha no fogo.

— O esforço final de Gaia — respondeu ela. — As Portas da Morte estão trabalhando a todo vapor. O exército de Gaia está entrando no mundo mortal em massa.

— Nunca conseguiremos — disse Nico. — Até chegarmos lá, já haverá muitos monstros.

Jason estava determinado.

— Podemos vencê-los. Nós viajaremos rápido. Encontramos Leo, ele nos dará a velocidade de que precisamos. — Jason olhou para o amigo. — Ou você só apareceu para dar o ar da sua graça?

Leo deu um sorriso torto. Seus olhos pareciam dizer: *Obrigado*.

— Hora de voar, crianças — disse ele. — Tio Leo ainda tem alguns truques na manga!

LXI

PERCY

Percy ainda não tinha morrido, mas já estava cansado de ser um cadáver.

Enquanto seguiam penosamente para o coração do Tártaro, o garoto não parava de olhar para o próprio corpo, perguntando-se como aquele podia ser ele. Os braços eram como duas varetas envoltas em couro descolorido. Suas pernas esqueléticas se dissolviam em fumaça a cada passo. Tinha aprendido, mais ou menos, a se mover dentro da Névoa da Morte, mas a mortalha mágica ainda parecia uma camada de gás hélio.

Estava preocupado que a Névoa da Morte ficasse presa a ele para sempre, mesmo que de algum modo conseguissem sobreviver ao Tártaro. Não queria passar o resto da vida parecendo um figurante de *The Walking Dead*.

Percy tentou se concentrar em outra coisa, mas não havia nenhuma boa opção.

Sob seus pés, o chão reluzia em um roxo nojento, com veias pulsando. À luz mortiça das nuvens de sangue e envolta na Névoa da Morte, Annabeth parecia um zumbi recém-saído da tumba.

A vista mais deprimente do mundo estava bem diante deles.

Um exército de monstros se estendia até o horizonte: bandos de *arai aladas*, tribos de ciclopes, espíritos malignos esvoaçantes. Milhares de vilões, talvez *dezenas* de milhares, todos aguardando irrequietos e espremidos uns contra os outros. A visão lembrava o corredor principal superlotado de uma escola no intervalo entre duas aulas, mas neste caso os estudantes eram mutantes *muito* fedidos que exageraram nos esteroides.

Bob os conduziu na direção do exército. Não tentou se esconder. Não que isso fosse adiantar. Como uma figura prateada de três metros de altura, Bob não era bom em passar despercebido.

A uns trinta metros dos monstros mais próximos, Bob se virou para Percy.

— Fiquem quietos e atrás de mim. Eles não vão notar vocês.

— Tomara — murmurou Percy.

No ombro do titã, Bob Pequeno acordou de seu cochilo, ronronou um pouco, quase provocando um terremoto, e arqueou as costas, tornando-se esquelético por um segundo e voltando ao normal logo em seguida. Pelo menos *ele* não parecia nervoso.

Annabeth examinou as próprias mãos de zumbi.

— Bob, se estamos invisíveis... como você consegue nos ver? Quer dizer, tecnicamente você é, você sabe...

— Sei. Mas nós somos amigos.

— Nix e seus filhos podiam nos ver — lembrou Annabeth.

Bob deu de ombros.

— Aquilo foi nos domínios de Nix. É bem diferente.

— Hã... está bem.

Annabeth não pareceu muito convencida, mas já tinham chegado. Não havia escolha.

Percy olhou fixamente para o enxame de monstros malignos.

— Bem, pelo menos não vamos ter que nos preocupar em esbarrar com nenhum outro *amigo* nesta multidão.

Bob sorriu.

— É! Isso é uma boa notícia! Agora, vamos. A Morte está perto.

— As *Portas da Morte* estão perto — corrigiu Annabeth. — Cuidado com o que diz.

Enfiaram-se na multidão. Percy tremia tanto que teve medo de acabar tirando a Névoa da Morte de cima de si. Não era a primeira vez que via um grande grupo de monstros. Já havia lutado contra um exército deles durante a Batalha de Manhattan. Mas aquilo era diferente.

Sempre que lutara contra monstros no mundo mortal, Percy pelo menos sabia que estava defendendo seu lar. Isso lhe dava coragem, por pior que estivesse a situação. Ali, *Percy* era o invasor. Estava tão deslocado no meio daquela multidão de monstros quanto o Minotauro estaria na estação central de Nova York na hora do *rush*.

A poucos metros, um grupo de *empousai* devorava a carcaça de um grifo enquanto os companheiros do animal morto voavam ao redor, grasnando furiosos. Um nascido da terra de seis braços e um ogro lestrigião se atacavam com pedras, mas Percy não soube ao certo se era sério ou se só estavam brincando. Um fio escuro de fumaça, que o garoto imaginou ser um eidolon, possuiu um ciclope e fez com que o monstro batesse na própria cara, em seguida o deixou e partiu em busca de outra vítima.

— Percy, veja — sussurrou Annabeth.

A alguns metros, havia uma figura com roupas de vaqueiro chicoteando cavalos que exalavam fogo. O sujeito usava um chapéu de caubói por cima dos cabelos oleosos, jeans GG e botas de couro pretas. De lado, podia passar por humano, até que se virou, e Percy viu que a parte superior de seu corpo era dividida em três tóraces, cada um vestido em uma camisa de faroeste de cor diferente.

Sem sombra de dúvida, aquele era Geríon, que tinha tentado matar Percy dois anos antes no Texas. Aparentemente, o rancheiro maligno queria um novo rebanho. A ideia de esse cara sair cavalgando pelas Portas da Morte fez com que o corpo de Percy voltasse a doer. As costelas latejavam onde as *arai* o haviam acertado com a maldição que Geríon lançou à beira da morte na floresta. Ele queria ir até o vaqueiro de três troncos, dar um soco na cara dele e berrar: *Muito obrigado, Tex!*

Infelizmente, não podia.

Quantos outros velhos inimigos estariam naquela multidão? Percy começou a se dar conta de que cada um de seus triunfos tinha sido apenas uma vitória temporária. Por mais forte ou sortudo que fosse, não importava quantos monstros destruísse, Percy um dia seria derrotado. Era apenas um mortal. Ia ficar velho demais, fraco demais ou lento demais. Ia morrer. E aqueles monstros… eles eram *eternos*. Sempre voltavam. Talvez demorasse meses ou anos para se reconstituírem, talvez até séculos. Mas *iam* renascer.

Ao vê-los reunidos no Tártaro, Percy se sentiu tão desamparado quanto as almas no Rio Cócito. E daí que era um herói? E daí que realizara feitos corajosos? O mal sempre estava presente, regenerando-se, fervilhando sob a superfície. Percy não passava de um pequeno estorvo para aqueles seres imortais. Eles só precisavam esperar. Um dia, os filhos ou filhas de Percy poderiam ter que enfrentar todos aqueles monstros novamente.

Filhos e filhas.

O pensamento o atingiu em cheio. O desespero se foi tão rápido quanto havia surgido. Olhou para Annabeth. Sua namorada ainda parecia um cadáver enevoado, mas Percy a imaginou com sua verdadeira aparência: os olhos cinza determinados, os cabelos louros presos para trás com uma bandana, o rosto abatido e coberto de fuligem, mas linda como sempre.

Tudo bem, talvez os monstros sempre voltassem. Mas os semideuses faziam o mesmo. O Acampamento Meio-Sangue tinha sobrevivido por muitas gerações. Assim como o Acampamento Júpiter. Mesmo separados, os dois locais tinham sobrevivido. Agora, se gregos e romanos pudessem se unir, ficariam ainda mais fortes.

Ainda havia esperança: ele e Annabeth tinham chegado até ali. As Portas da Morte estavam quase ao seu alcance.

Filhos e filhas. Uma ideia ridícula. Um pensamento maravilhoso. Bem ali no meio do Tártaro, Percy sorriu.

— Qual o problema? — murmurou Annabeth.

Com seu disfarce de zumbi da Névoa da Morte, Percy provavelmente parecia estar fazendo uma careta de dor.

— Nada — disse ele. — Eu estava só…

De algum lugar mais à frente, ouviram uma voz profunda e retumbante:

— JÁPETO!

LXII

PERCY

Um titã caminhava na direção deles, chutando despreocupadamente monstros menores de seu caminho. Tinha mais ou menos a mesma altura que Bob e usava uma armadura trabalhada de ferro estígio, com um único diamante brilhando no centro do peitoral. Tinha olhos branco-azulados, que lembravam uma geleira, e pareciam igualmente frios. Carregava embaixo do braço um elmo de combate na forma de uma cabeça de urso. No cinto pendia uma espada do tamanho de uma prancha de surfe.

Apesar das cicatrizes de batalhas, o rosto do titã era belo e estranhamente familiar. Percy estava quase certo de nunca ter visto o sujeito antes, mas seus olhos e seu sorriso lembravam alguém…

O titã parou na frente de Bob e o segurou pelo ombro.

— Jápeto! Não diga que não reconhece o próprio irmão?!

— Não! — respondeu nervosamente Bob. — Não diria isso.

O outro titã deu uma grande gargalhada.

— Ouvi dizer que havia sido atirado nas águas do Rio Lete, irmão. Deve ter sido terrível! Mas sabíamos que, com o tempo, você se reestabeleceria. Sou eu, Coio! Coio!

— É claro — disse Bob. — Coio, titã do…

— Do Norte! — completou Coio.

— Eu sei! — gritou Bob.

Riram juntos e deram socos no braço um do outro.

Aparentemente incomodado por todo aquele empurra-empurra, Bob Pequeno subiu na cabeça de Bob e começou a se aninhar nos cabelos prateados do titã.

— Pobre Jápeto — disse Coio. — Que vil humilhação! Olhe só para você! Uma vassoura? Um uniforme de criado? Um gato no cabelo? Hades sem dúvida terá de pagar por esses insultos. Qual é o nome daquele semideus que roubou sua memória? Temos que dar cabo dele. Eu e você, hein?

— Ha, ha. — Bob engoliu em seco. — É mesmo. Dar cabo.

Percy apertou sua caneta. Mesmo antes da ameaça de *dar cabo dele*, não tinha gostado muito do irmão do amigo. Em comparação ao modo simples de falar de Bob, Coio parecia recitar Shakespeare. Só isso foi suficiente para irritar Percy.

Estava pronto para tirar a tampa da Contracorrente se fosse necessário, mas até então Coio não parecia tê-lo notado. E Bob ainda não os havia traído, apesar de ter tido muitas oportunidades.

— Ah, como é bom vê-lo... — Coio tamborilou os dedos no elmo de cabeça de urso. — Lembra como nos divertíamos antigamente?

— É claro! — disse Bob, animado. — Quando nós... Hã...

— Seguramos Urano, nosso pai, no chão — disse Coio.

— É! A gente adorava lutar com papai...

— Nós o imobilizamos.

— Foi o que eu quis dizer!

— Para Cronos despedaçá-lo com sua foice.

— É, ha, ha, ha. — Bob parecia um pouco enjoado. — Foi engraçado.

— Você agarrou o pé direito de nosso pai, se bem me lembro — disse Coio. — E Urano deu um chute na sua cara enquanto lutava para se soltar. Como implicamos com você por causa disso!

— Fui um bobo! — concordou Bob.

— Infelizmente, nosso irmão Cronos foi desintegrado por aqueles semideuses insolentes. — Coio deu um suspiro. — Ainda restaram alguns pedaços e partes de sua essência, mas nada que permita que ele se forme outra vez. Há ferimentos que nem o Tártaro pode curar.

— Infelizmente.

— Mas o resto de nós tem mais uma chance de brilhar, hein? — Ele se inclinou para a frente de modo conspiratório. — Esses gigantes podem *achar* que vão ficar com o poder. Deixemos que sejam nossa tropa de choque e destruam os olimpianos, todos eles, completamente. Mas assim que a Mãe Terra despertar, vai se lembrar de que *nós* somos seus filhos mais velhos. Guarde minhas palavras. Os titãs ainda vão dominar o cosmo.

— Humm — disse Bob. — Os gigantes podem não gostar disso.

— Não me importo com o que *eles* possam gostar — disse Coio. — Eles, de qualquer modo, já atravessaram as Portas da Morte. Voltaram ao mundo mortal. Polibotes foi o último. Foi há meia hora. Ainda estava resmungando por ter perdido sua presa. Parece que um semideus que ele perseguia foi engolido por Nix. Nunca mais tornaremos a vê-lo, aposto!

Annabeth agarrou o pulso de Percy. Ele não conseguia interpretar muito bem a expressão dela por conta da Névoa da Morte, mas percebeu que estava alarmada.

Se os gigantes já haviam passado pelas Portas, então pelo menos não estavam mais à caça de Percy e Annabeth pelo Tártaro. Infelizmente, isso também significava que seus amigos no mundo mortal estavam correndo um perigo ainda maior. Todas as lutas anteriores com os gigantes haviam sido em vão. Seus inimigos iam renascer fortes como sempre.

— Bem! — Coio sacou a espada enorme. A lâmina irradiava um frio mais profundo do que a Geleira Hubbard. — Tenho que ir. Letó já deve ter se regenerado. Vou convencê-la a lutar.

— Claro — murmurou Bob. — Letó.

Coio riu.

— Também se esqueceu de minha filha? Bem, faz tempo que não a vê. Os pacíficos como ela sempre levam mais tempo para se reformar. Desta vez, entretanto, tenho certeza de que Letó vai lutar por vingança. O modo como Zeus a tratou depois que ela lhe deu os gêmeos foi revoltante!

Percy quase grunhiu alto.

Os gêmeos.

Ele se lembrou do nome Letó: a mãe de Apolo e Ártemis. Esse tal de Coio era vagamente familiar porque tinha os olhos frios de Ártemis e o sorriso de Apolo. Aquele titã era o avô deles, o pai de Letó. Percy ficou com dor de cabeça.

— Então é isso! Eu o encontro no mundo mortal! — Coio bateu em Bob com o peito e quase derrubou o gato de sua cabeça. — Ah, e dois *outros* de nossos irmãos estão guardando este lado das Portas, por isso vai vê-los em breve!

— Vou?

— Sem a menor dúvida! — Coio foi embora com passos pesados e quase derrubou Percy e Annabeth, que por pouco conseguiram sair de seu caminho.

Antes que a multidão de monstros ocupasse o espaço deixado pelo titã, Percy fez um gesto para que Bob se abaixasse para falar com eles.

— Você está bem, grandão? — murmurou Percy.

Bob pareceu confuso.

— Não sei. No meio disso aqui... — Ele fez um gesto amplo para indicar o que estava em torno deles. — O que significa *estar bem*?

Faz sentido, pensou Percy.

Annabeth olhou na direção das Portas da Morte, apesar de a multidão de monstros bloquear a visão delas.

— Será que ouvi direito? Tem mais dois titãs vigiando nossa saída? Isso não é bom.

Percy olhou para Bob. A expressão distante do titã o deixou preocupado.

— Você se lembrou de Coio? — perguntou em um tom gentil. — De todas aquelas coisas que ele contou?

Bob segurou a vassoura com mais força.

— Quando ele contou, eu lembrei. Ele me devolveu meu passado... de um jeito rápido como uma lança. Mas não sei se devo aceitá-lo. Ele ainda será meu mesmo que eu não queira?

— Não — disse Annabeth com firmeza. — Bob, agora você é diferente. Ficou *melhor*.

O gatinho pulou da cabeça do titã. Andou em torno dos pés dele, batendo e esfregando o focinho na barra das calças de Bob, que não pareceu notar.

Percy queria estar tão seguro quanto Annabeth. Queria poder dizer a Bob com toda a confiança que ele deveria esquecer seu passado.

Mas o garoto entendia a confusão do titã. Ele se lembrou do dia em que abriu os olhos na Casa dos Lobos, na Califórnia, com a memória apagada por Hera. Se alguém estivesse esperando Percy acordar... se o tivessem convencido de que seu nome era Bob e que ele era amigo dos titãs e dos gigantes... será que Percy teria acreditado? Será que teria se sentido traído quando descobrisse sua verdadeira identidade?

É diferente, disse a si mesmo. *Nós somos os mocinhos.*

Mas eram mesmo? Percy tinha deixado Bob no palácio de Hades, à mercê de um novo mestre que o odiava. Agora, não achava ter muito direito de dizer a Bob o que fazer... mesmo que suas vidas dependessem disso.

— Acho que você pode escolher, Bob — arriscou Percy. — Pegar as partes do passado de Jápeto que quer guardar e abandonar o resto. O que importa é seu futuro.

— Futuro... — refletiu Bob. — Esse é um conceito mortal. Não fui feito para mudar, Percy, meu amigo. — Ele olhou para a horda de monstros em sua volta. — Nós somos os mesmos... para sempre.

— Se você fosse o mesmo, eu e Annabeth já estaríamos mortos — argumentou Percy. — Talvez não devêssemos ter ficado amigos, mas *ficamos*. Você tem sido o melhor amigo que eu poderia querer.

Os olhos de Bob pareceram mais escuros que o normal. Ele estendeu a mão, e Bob Pequeno pulou para ela. O titã se ergueu e ficou de pé.

— Então, vamos, amigos. Falta pouco.

Pisar no coração de Tártaro não era nem de longe tão divertido quanto poderia parecer.

O chão arroxeado era escorregadio e pulsava de modo regular. A distância, parecia liso, mas de perto era cheio de dobras e elevações que dificultavam cada vez mais o avanço do trio. Emaranhados de artérias e veias serviam de apoio para o pé de Percy, mas eles iam adiante bem devagar.

E, é claro, havia monstros por toda parte. Matilhas de cães infernais caçavam pela planície, latindo, rosnando e atacando qualquer monstro que baixasse a guarda. *Arai* voavam em círculos com suas asas de morcego, e suas silhuetas negras eram visíveis contra as nuvens venenosas.

Percy tropeçou. Ele se apoiou em uma artéria, e uma sensação de formigamento subiu por seu braço.

— Tem água aqui — disse ele. — Água de verdade.

Bob deu um grunhido.

— Um dos cinco rios. O sangue dele.

— Sangue dele? — Annabeth se afastou do amontoado de veias mais próximo. — Eu sabia que todos os rios do Mundo Inferior desaguavam no Tártaro, mas...

— É — concordou Bob. — Todos correm por seu coração.

Percy deslizou a mão por uma teia de vasos capilares. Será que era a água do Estige que corria sob seus dedos? Seria o Lete? E se uma daquelas veias estourasse quando pisasse nela? Percy estremeceu. Ele se deu conta de que estava caminhando pelo sistema circulatório mais perigoso do universo.

— Vamos logo — disse Annabeth. — Se não conseguirmos...

Não pôde terminar a frase.

Diante deles, riscos irregulares rasgavam o ar, como raios, só que completamente negros.

— As Portas — disse Bob. — Um grupo grande deve estar passando.

Percy sentiu gosto de sangue de górgona na boca. Mesmo que seus amigos do *Argo II* conseguissem encontrar o outro lado das Portas da Morte, como poderiam enfrentar as ondas de monstros que estavam passando por elas, especialmente se os gigantes já estivessem à espera deles?

— Todos os monstros passam pela Casa de Hades? — perguntou ele. — *De que tamanho* é esse lugar?

Bob deu de ombros.

— Talvez sejam mandados para outro local quando passam. A Casa de Hades fica na terra, não é? Lá é domínio de Gaia. Ela pode enviar seus súditos para onde quiser.

Percy ficou arrasado. Já era ruim demais que os monstros passassem pelas Portas da Morte para ameaçar seus amigos em Épiro. Depois disso, passou a imaginar o solo no lado mortal como um enorme sistema de metrô que despejava gigantes e outras criaturas malignas onde quer que Gaia desejasse: no Acampamento Meio-Sangue, no Acampamento Júpiter, ou no caminho do *Argo II* antes mesmo que o navio chegasse a Épiro.

— Se Gaia tem tanto poder, ela não poderia controlar onde *nós* vamos parar? — perguntou Annabeth.

Percy não gostou nada daquela pergunta. Às vezes desejava que Annabeth não fosse tão inteligente.

Bob coçou o queixo.

— Vocês não são monstros. Talvez seja diferente com vocês.

Ótimo, pensou Percy.

Ele não gostou nada da ideia de Gaia esperando por eles do outro lado, pronta para teletransportá-los para o meio de uma montanha. Mas pelo menos as Portas eram uma chance de sair do Tártaro. Não era como se tivessem uma alternativa melhor.

Bob os ajudou a subir até o topo de mais uma elevação. De repente, as Portas da Morte surgiram diante deles: um retângulo de escuridão gigantesco no topo da colina-músculo seguinte, a cerca de quinhentos metros de distância, cercado por monstros tão apinhados que Percy poderia percorrer todo o caminho andando em cima de suas cabeças.

Ainda estavam longe demais para vê-la em detalhes, mas os titãs plantados de cada lado da porta eram bem reconhecíveis. O da esquerda usava uma armadura dourada reluzente que emitia calor.

— Hiperíon — murmurou Percy. — Esse cara não consegue ficar morto.

O da direita usava uma armadura azul-escura, com chifres de carneiro projetando-se nas laterais de seu elmo. Percy só o havia visto em sonhos, mas com certeza era Crios, o titã que Jason tinha matado na batalha pelo Monte Tam.

— Os outros irmãos de Bob — disse Annabeth. A Névoa da Morte tremeluziu em torno dela, transformando por um breve instante seu rosto em um crânio sorridente. — Bob, você consegue lutar com eles, se precisar?

Bob ergueu a vassoura como se estivesse pronto para fazer uma faxina pesada.

— Precisamos ir logo — disse ele, o que, Percy percebeu, não respondia a pergunta. — Sigam-me.

LXIII

PERCY

Até ali, o plano de se camuflar com a Névoa da Morte parecia estar funcionando. Então, naturalmente, Percy esperava que alguma coisa desse muito errado no último minuto.

Quando faltavam apenas dez metros para chegar às Portas, ele e Annabeth congelaram.

— Ah, deuses — murmurou Annabeth. — Elas são *idênticas*.

Percy entendeu o que ela queria dizer. Emoldurado com ferro estígio, o portal mágico era um elevador — as portas decoradas com painéis prateados e negros com desenhos *art déco*. Tirando o fato de as cores serem invertidas, eram exatamente iguais às dos elevadores do Edifício Empire State, a entrada do Olimpo.

Ao vê-las, Percy sentiu tanta saudade de casa que perdeu o fôlego. Não sentia saudade apenas do Monte Olimpo. Sentia falta de tudo que deixara para trás: a cidade de Nova York, o Acampamento Meio-Sangue, a mãe e o padrasto. Seus olhos arderam. Não tentou falar por medo que a voz o traísse.

As Portas da Morte pareciam um insulto pessoal, criadas para lembrá-lo de tudo que não podia ter.

Assim que superou o choque inicial, Percy reparou em outros detalhes: o gelo que se espalhava a partir das portas, o brilho arroxeado em torno delas e as correntes que as prendiam no chão.

Correntes de ferro negro pendiam das laterais do portal, como os cabos de sustentação de uma ponte suspensa. Estavam presas a ganchos fixados no solo carnoso. Os dois titãs, Crios e Hiperíon, montavam guarda próximos a eles.

Enquanto Percy observava, o portal estremeceu. Um raio negro atravessou o céu. As correntes sacudiram, e os titãs pisaram com força nos ganchos para mantê-las presas. As portas do elevador deslizaram, revelando o interior dourado.

Percy se preparou para avançar, mas Bob colocou a mão em seu ombro.

— Espere — alertou ele.

Hiperíon gritou para a multidão ao redor.

— Grupo A-22! Depressa, suas lesmas!

Uma dúzia de ciclopes se aproximou, sacudindo bilhetes vermelhos e gritando de empolgação. Eles não deveriam conseguir passar pelas portas de tamanho humano, mas quando se aproximaram, seus corpos se distorceram e encolheram, e as Portas da Morte os sugaram para dentro.

O titã Crios apertou com o polegar o botão SUBIR do lado direito do elevador. As portas se fecharam.

O portal tornou a estremecer. O relâmpago negro se esvaiu.

— Vocês precisam entender como funciona — murmurou Bob. Ele estava se dirigindo ao gatinho em sua mão, talvez para que os outros monstros não ficassem se perguntando com quem estava falando. — Cada vez que as Portas se abrem, elas tentam teletransportar para um lugar diferente. Tânatos as fez assim para que apenas ele pudesse localizá-las. Mas agora elas foram acorrentadas. As portas não conseguem sair dali.

— Então precisamos cortar as correntes — sussurrou Annabeth.

Percy olhou para a forma reluzente de Hiperíon. Da última vez que lutara com o titã, ele precisara de toda a sua força. E mesmo assim quase morrera. Agora tinham que enfrentar *dois* titãs, com milhares de monstros como reforço.

— Nossa camuflagem... — disse Percy. — Ela vai desaparecer se fizermos alguma coisa agressiva, como cortar as correntes?

— Não sei — disse Bob para seu gatinho.

— Miau — respondeu Bob Pequeno.

— Bob, você vai precisar distraí-los — disse Annabeth. — Percy e eu vamos dar a volta sem sermos vistos e cortar as correntes por trás.

— Está bem — disse Bob. — Mas ainda tem um problema. Quando alguém passa pelas Portas, outra pessoa tem que ficar do lado de fora para apertar o botão e defendê-lo.

Percy engoliu em seco.

— Hã... defender o botão?

Bob assentiu enquanto acariciava o queixo do gatinho.

— Alguém precisa continuar apertando o botão SUBIR por doze minutos, ou a viagem não termina.

Percy olhou para as Portas. Era verdade, Crios ainda estava apertando o botão SUBIR com o polegar. Doze minutos... De alguma forma, teriam que afastar os titãs daquelas portas. Depois Bob, Percy ou Annabeth teria que manter o botão apertado por doze longos minutos, no meio de um exército de monstros no coração do Tártaro, enquanto os outros dois subiam para o mundo mortal. Era impossível.

— Por que doze minutos? — perguntou Percy.

— Não sei — disse Bob. — Por que doze Olimpianos ou doze titãs?

— É, faz sentido — disse Percy, sentindo um gosto amargo na boca.

— O que quer dizer com "a viagem não termina"? — perguntou Annabeth. — O que acontece com os passageiros?

Bob não respondeu. A julgar por sua expressão aflita, Percy decidiu que não queria estar naquele elevador se ele ficasse parado entre o Tártaro e o mundo mortal.

— Se *apertarmos* o botão por doze minutos — disse Percy — e cortarmos as correntes...

— As Portas deverão se restaurar — disse Bob. — Pelo menos é isso que deviam fazer. Vão desaparecer do Tártaro e ressurgir em outro lugar, onde Gaia não possa usá-las...

— Tânatos pode tomá-las de volta — disse Annabeth. — A morte volta ao normal, e os monstros perdem seu atalho para o mundo mortal.

Percy deu um suspiro.

— Molezinha. Exceto por... bem, tudo.

Bob Pequeno ronronou.

— Posso ficar e apertar o botão — ofereceu Bob.

Uma mistura de sentimentos dominou Percy: tristeza, pesar, gratidão e culpa. Aquilo tudo pesava tanto quanto cimento em seu estômago.

— Bob, não podemos pedir que faça isso. Você também quer passar pelas Portas. Quer ver o céu de novo, e as estrelas, e...

— Eu ia gostar disso — concordou Bob. — Mas alguém tem que apertar o botão. E quando as correntes forem cortadas... meus irmãos vão lutar para impedir sua passagem. Não vão querer que as Portas desapareçam.

Percy olhou para a horda infinita de monstros. Mesmo se deixasse Bob se sacrificar, como um único titã poderia se defender contra tantos por doze minutos sem tirar o dedo do botão?

O cimento assentou dentro dele. Percy sempre desconfiara de como aquilo ia acabar. Ele teria que ficar para trás. Enquanto Bob enfrentava o exército, Percy pressionaria o botão do elevador para garantir que Annabeth chegasse em segurança.

De algum modo, tinha que convencê-la a ir sozinha. Enquanto ela estivesse a salvo e as Portas desaparecessem, ele podia morrer sabendo que tinha feito a coisa certa.

— Percy...? — Annabeth o encarou, um tom desconfiado na voz.

Ela era inteligente demais. Se seus olhos se encontrassem, saberia exatamente o que Percy estava pensando.

— Uma coisa de cada vez — disse ele. — Vamos cortar estas correntes.

LXIV

PERCY

— Jápeto — gritou Hiperíon. — Ora, ora. Achei que você estivesse se escondendo embaixo de um balde em algum lugar.

Bob, de cara amarrada, caminhou pesadamente até ele.

— Eu não estava me escondendo.

Percy foi discretamente para o lado direito das Portas e Annabeth, para o esquerdo. Os titãs não pareceram reparar neles, mas Percy não queria arriscar. Manteve Contracorrente na forma de caneta. Andava bem agachado, fazendo o mínimo de barulho possível. Os monstros inferiores mantinham uma distância respeitosa dos titãs, por isso havia espaço vazio suficiente para se mover ao redor das Portas; mas Percy estava bem consciente da multidão que rosnava às suas costas.

Annabeth decidira ir para o lado guardado por Hiperíon, pois imaginara que o titã sentiria a presença de Percy mais facilmente. Afinal de contas, o garoto fora o último a matá-lo no mundo mortal. Ele não se opôs. Depois de tanto tempo no Tártaro, mal conseguia olhar para a armadura dourada de Hiperíon sem que pontos escuros surgissem em sua visão.

Do outro lado das Portas, Crios estava parado, sombrio e silencioso, com o elmo de cabeça de carneiro cobrindo seu rosto. Mantinha um pé no gancho das correntes e o polegar no botão subir.

Bob encarou os irmãos. Plantou a lança no chão e tentou parecer o mais feroz possível com um gatinho no ombro.

— Hiperíon e Crios. Eu me lembro de vocês.

— É mesmo, Jápeto? — O titã dourado riu, olhando na direção de Crios para dividir a piada. — É bom saber disso! Soube que Percy Jackson fez uma lavagem cerebral em você e o transformou em uma empregadinha. Como ele rebatizou você... Betty?

— Bob — rosnou ele.

— Bem, já era hora de você aparecer, *Bob*. Crios e eu estamos presos aqui há *meses*...

— Semanas — corrigiu Crios.

Sua voz era um retumbar profundo no interior do elmo.

— Não importa! — disse Hiperíon. — É um trabalho entediante: guardar estas portas, fazer os monstros passarem por elas e seguir as ordens de Gaia. Falando nisso... Crios, qual é o próximo grupo?

— Vermelho Duplo — respondeu Crios.

Hiperíon deu um suspiro. As chamas brilharam mais quentes em seus ombros.

— Vermelho Duplo. Por que vamos de A-22 para Vermelho Duplo? Que espécie de sistema é esse? — Ele olhou para Bob. — Isso não é trabalho para mim... o Senhor da Luz! O titã do leste! Mestre do Alvorecer! Por que sou obrigado a esperar na escuridão enquanto os *gigantes* vão para a batalha e ficam com toda a glória? Agora, *Crios* eu posso até entender...

— Sempre fico com as piores tarefas — murmurou Crios sem tirar o dedo do botão.

— Mas *eu*? — disse Hiperíon. — Ridículo! Este devia ser seu trabalho, Jápeto. Venha, fique no meu lugar.

Bob encarava as Portas, mas seu olhar estava distante, perdido no passado.

— Nós quatro seguramos Urano — recordou ele. — Eu, Coio e vocês dois. Cronos nos prometeu os quatro cantos do mundo por ajudá-lo a assassinar nosso pai.

— É verdade — disse Hiperíon. — E eu gostei muito de fazer aquilo! Teria usado a foice eu mesmo se tivesse tido a chance! Mas você, *Bob*... você sempre esteve em dúvida sobre matá-lo, não é? O titã *gentil* do oeste, fraco como o pôr do sol! Nunca vou conseguir entender por que nossos pais o chamaram de *Empalador*. Está mais para *Chorão*.

Percy se abaixou ao lado do gancho. Tirou a tampa da caneta e Contracorrente voltou à forma original. Crios não reagiu. Sua atenção estava muito concentrada em Bob, que tinha apontado a lança para o peito de Hiperíon.

— Ainda posso empalar — disse Bob, com a voz baixa e firme. — Você se gaba demais, Hiperíon. É forte e bravo, mas Percy Jackson o derrotou mesmo assim. Soube que você virou uma árvore linda no Central Park.

Os olhos de Hiperíon flamejaram.

— Cuidado, irmão.

— Pelo menos o trabalho de zelador é honesto — disse Bob. — Eu limpo a lambança dos outros. Deixo o palácio mais bonito do que quando o encontro. Mas você... você não liga para as cagadas que faz. Seguiu Cronos cegamente. Agora recebe ordens de Gaia.

— Ela é nossa *mãe*! — berrou Hiperíon.

— Mas não despertou para *nossa* guerra no Olimpo — lembrou Bob. — Ela prefere seus outros filhos, os gigantes.

Crios resmungou.

— Isso é bem verdade. Os filhos das profundezas.

— Vocês dois, calem a boca! — A voz de Hiperíon estava cheia de medo. — Nunca se sabe quando ele está ouvindo.

A campainha do elevador soou. Os três titãs pularam de susto.

Já tinham se passado doze minutos? Percy havia perdido a noção do tempo. Crios tirou o dedo do botão e chamou:

— Vermelho Duplo! Onde está o Vermelho Duplo?

Grupos de monstros se agitaram e empurraram uns aos outros, mas nenhum deles se aproximou.

Crios suspirou.

— Eu *disse* a eles para conferirem os bilhetes. Vermelho Duplo! Vocês vão perder o lugar na fila!

Annabeth estava pronta, posicionada bem atrás de Hiperíon. Ela ergueu a espada de osso de drakon acima da base das correntes. Sob a luz brilhante da armadura do titã, a Névoa da Morte a deixava parecida com um *ghoul* em chamas.

Ela ergueu três dedos, pronta para fazer a contagem regressiva. Tinham que cortar as correntes antes que o grupo seguinte tentasse entrar no elevador, mas também precisavam se assegurar de que os titãs estivessem o mais distraídos possível.

Hiperíon praguejou baixinho.

— Que *maravilha*! Isso vai atrapalhar completamente o cronograma. — Ele sorriu com desdém para Bob. — Faça sua escolha, irmão. Lute contra nós ou nos ajude. Não tenho tempo para suas lições de moral.

Bob olhou de esguelha para Annabeth e Percy. Percy achou que ele fosse começar uma briga, mas em vez disso, levantou a lança.

— Está bem. Eu fico de vigia. Qual de vocês quer tirar uma folga primeiro?

— Eu, é claro — disse Hiperíon.

— Eu! — rebateu Crios. — Estou segurando este botão há tanto tempo que meu polegar vai cair.

— Estou em pé aqui há mais tempo — resmungou Hiperíon. — Vocês dois vigiem as Portas enquanto *eu* vou para o mundo mortal. Tenho que me vingar de alguns heróis gregos!

— Ah, não! — reclamou Crios. — Aquele garoto romano está a caminho de Épiro, aquele que me matou no Monte Otris. Ele teve muita sorte. Agora é minha vez.

— Ah! — Hiperíon sacou a espada. — Vou arrancar suas tripas antes, cabeça de carneiro!

Crios ergueu a própria espada.

— Você pode tentar, mas não vou ficar mais tempo preso neste buraco fedorento!

Annabeth olhou nos olhos de Percy e falou sem emitir nenhum som: *Um, dois...*

Antes que ele pudesse acertar as correntes, um silvo agudo perfurou seus ouvidos, como o som de um foguete se aproximando. Percy só teve tempo de pensar: *Ah, ah*, antes de uma explosão abalar toda a encosta. Uma onda de calor o derrubou no chão. Estilhaços pretos atravessaram Crios e Hiperíon, despedaçando-os tão facilmente como papel em um triturador.

Uma voz inexpressiva ecoou pela vastidão, abalando o solo quente e carnoso.

Buraco fedorento.

Bob cambaleou, mas conseguiu permanecer de pé. De alguma forma, a explosão não atingira o titã. Ele agitava a lança à sua frente, tentando localizar a origem da voz. Bob Pequeno, o gatinho, desceu de seu ombro e se escondeu dentro do uniforme.

Annabeth tinha aterrissado a uns cinco metros das Portas. Quando conseguiu se levantar, Percy ficou tão aliviado ao vê-la viva que levou um tempo para se dar conta de que ela estava com sua aparência normal. A Névoa da Morte tinha evaporado.

Ele olhou para as próprias mãos. Seu disfarce também tinha desaparecido.

Titãs, disse a voz, cheia de desdém. *Seres inferiores. Imperfeitos e fracos.*

Em frente às Portas da Morte, o ar escureceu e se solidificou. O ser que apareceu era tão grande e irradiava tanta maldade que Percy teve vontade de rastejar para longe e se esconder.

Em vez disso, forçou-se a olhar para o deus, começando por suas botas de ferro negro, grandes como um caixão. As pernas estavam protegidas por grevas negras; o corpo era musculoso e a pele, roxa e grossa como o chão. O saiote da armadura era feito de milhares de ossos retorcidos e enegrecidos, unidos como os elos de uma corrente. Ele era preso por um cinto de braços monstruosos entrelaçados.

No peitoral do guerreiro, gigantes, ciclopes, górgonas e drakons se comprimiam, suas faces borradas se alternando na superfície como se tentassem sair.

Os braços do guerreiro — musculosos, roxos e reluzentes — estavam nus, as mãos grandes como pás de escavadeira.

Mas o pior de tudo era a cabeça: um elmo de rocha e metal retorcidos e sem forma aparente, apenas pontas irregulares e pedaços pulsantes de magma. Todo o seu rosto era um redemoinho; uma espiral de escuridão. Enquanto Percy observava, as últimas partículas da essência de titã de Hiperíon e Crios foram aspiradas pelo guerreiro.

De algum modo, Percy conseguiu falar:

— Tártaro.

O guerreiro produziu um som como o de uma montanha se partindo ao meio. Percy ficou na dúvida se aquilo era um rugido ou uma risada.

Esta forma é apenas uma pequena manifestação de meu poder, disse o deus. *Mas é o suficiente para lidar com vocês. Não costumo interferir, pequeno semideus. Lidar com insetos como vocês não está à minha altura.*

— Hã... — As pernas de Percy estavam à beira do colapso. — O senhor... hum... não precisa se incomodar.

Vocês demonstraram ser surpreendentemente resistentes, disse Tártaro. *Chegaram muito longe. Não posso mais apenas observar seu progresso.*

Tártaro abriu os braços. Por todo o vale, milhares de monstros uivaram e rugiram, batendo suas armas e gritando em triunfo. As Portas da Morte estremeceram nas correntes.

Sintam-se honrados, pequenos semideuses, disse o deus das profundezas. *Nem mesmo os olimpianos mereceram minha atenção. Mas vocês...* Vocês *serão destruídos pelo próprio Tártaro!*

LXV

FRANK

Frank esperava fogos de artifício.

Ou ao menos um grande cartaz dizendo: Bem-vindo ao lar!

Três mil anos antes, seu ancestral grego — o bom e velho Periclimeno, o metamorfo — navegara para o leste com os Argonautas. Séculos mais tarde, os descendentes de Periclimeno serviram nas legiões romanas orientais. Então, devido a uma série de desventuras, a família acabou na China, finalmente emigrando para o Canadá no século xx. Agora, Frank estava de volta à Grécia, o que significava que a família Zhang fizera a volta ao mundo.

Parecia ser motivo de comemoração, embora o único comitê de boas-vindas fosse um bando de harpias selvagens e famintas que atacaram o navio. Frank se sentiu mal ao abatê-las com seu arco. Não parava de pensar em Ella, a amiga harpia assustadoramente inteligente de Portland. Mas aquelas harpias não eram Ella e alegremente teriam arrancado seu rosto. Assim, ele as reduziu a nuvens de poeira e penas.

A paisagem grega abaixo era tão inóspita quanto as harpias. As colinas eram cobertas de pedras e cedros atrofiados que tremulavam no ar nebuloso. O sol ardia como se estivesse tentando transformar o campo em um escudo de bronze celestial. Mesmo a trinta metros de altura, podia ouvir as cigarras zumbindo nas árvores, um barulho sonolento e sobrenatural que fazia seus olhos pesarem.

Até mesmo as vozes do deus da guerra dentro de sua cabeça pareciam ter cochilado. Mal incomodaram Frank desde que a tripulação chegara à Grécia.

O suor escorria pelo seu pescoço. Após ter sido congelado no convés inferior pela louca deusa da neve, Frank pensou que nunca voltaria a se aquecer outra vez, mas agora as costas de sua camisa estavam encharcadas.

— Quente e úmido! — Leo sorriu ao leme. — Isso me dá saudades de Houston! O que me diz, Hazel? Tudo o que precisamos agora são alguns mosquitos gigantes e sentiremos como se estivéssemos na Costa do Golfo!

— Muito obrigada, Leo — resmungou Hazel. — Provavelmente agora seremos atacados por mosquitos monstros da Grécia Antiga.

Frank os observou, admirando silenciosamente como a tensão entre os dois desaparecera. Não sabia o que tinha acontecido com Leo durante seus cinco dias de exílio, mas aquilo o mudara. Ainda fazia brincadeiras, mas Frank sentia que o filho de Hefesto estava diferente, como um navio com uma nova quilha. Talvez não pudesse ver a quilha, mas sabia que estava lá pela maneira como o barco fendia as ondas.

Leo não parecia tão focado em provocá-lo. Conversava com mais facilidade com Hazel, sem os olhares melancólicos e vagos que tanto incomodavam Frank.

A garota indicara o problema em uma conversa entre os dois:

"Ele está apaixonado por alguém."

Frank estava incrédulo.

"Como? Onde? Como você pode saber?"

Hazel sorrira.

"Apenas sei."

Como se fosse uma filha de Vênus em vez de Plutão. Frank não entendeu.

É claro que ficou aliviado por Leo não estar dando em cima de sua namorada, mas Frank também estava um tanto preocupado com ele. Claro, tinham as suas diferenças, mas depois de tudo o que passaram juntos, não queria ver Leo ter seu coração partido.

— Ali!

A voz de Nico tirou Frank de seu devaneio. Como sempre, Di Angelo estava empoleirado no topo do mastro. Apontou para um rio verde e brilhante que serpenteava pelas colinas a um quilômetro de distância.

— Leve-nos até lá. Estamos perto do templo. Muito perto.

Como que para confirmar sua informação, um raio negro atravessou o céu, deixando manchas escuras diante dos olhos de Frank e eriçando os pelos de seus braços.

Jason atou o cinto da espada.

— Pessoal, peguem suas armas. Leo, leve-nos para perto, mas não aterrisse. Nenhum contato com o solo além do necessário. Piper e Hazel, peguem os cabos de ancoragem.

— Agora mesmo! — exclamou Piper.

Hazel deu um beijinho na bochecha de Frank e correu para ajudar.

— Frank — disse Jason. — Vá lá embaixo e chame o treinador Hedge.

— O.k.!

Ele desceu as escadas e dirigiu-se à cabine de Hedge. Ao se aproximar da porta, diminuiu os passos. Não queria surpreender o sátiro com barulho. O treinador Hedge tinha o hábito de pular no corredor sacudindo seu taco de beisebol se achasse que havia invasores a bordo. Frank quase teve a cabeça arrancada algumas vezes a caminho do banheiro.

Ergueu a mão para bater. Então, percebeu que a porta estava entreaberta. Ouviu o treinador Hedge falando lá dentro.

— Vamos lá, meu bem! — disse o sátiro. — Sabe que não é assim!

Frank congelou. Não queria bisbilhotar, mas não sabia o que fazer. Hazel mencionara estar preocupada com o treinador. Insistia em dizer que algo o estava incomodando, mas Frank não tinha pensado muito naquilo até então.

Nunca ouvira o treinador falar com tanta *delicadeza*. Normalmente, os únicos sons que Frank ouvia sair da cabine do treinador eram de eventos esportivos na tevê, ou o treinador gritando: "É! Pegue todos eles!" enquanto assistia a seus filmes favoritos de artes marciais. Frank tinha certeza de que o treinador não estaria chamando Chuck Norris de *meu bem*.

Ouviu-se outra voz. Feminina, embora quase inaudível, como se viesse de muito longe.

— Eu vou — prometeu o treinador Hedge. — Mas, hã, estamos a caminho de uma batalha — pigarreou. — E pode ser feia. Apenas *fique em segurança*. Eu voltarei. Prometo.

Frank não conseguiu aguentar mais. Bateu com força.

— Ei, treinador?

A conversa parou.

Frank contou até seis. A porta foi aberta com violência.

O treinador Hedge olhou feio para ele, com olhos injetados de sangue, como se estivesse vendo muita tevê. Usava o boné de beisebol de costume e um short de ginástica, com uma armadura de couro sobre a camisa e o apito pendurado ao pescoço, talvez para marcar uma falta contra os exércitos de monstros.

— Zhang. O que você quer?

— Hã... estamos nos preparando para a batalha. Precisamos de você no convés.

O cavanhaque do treinador estremeceu.

— É. Claro que precisam.

Parecia estranhamente indiferente diante da possibilidade de uma batalha.

— Não queria... quer dizer, ouvi você falando — gaguejou Frank. — Você estava enviando uma mensagem de Íris?

Hedge parecia a ponto de dar um tapa na cara dele, ou ao menos soprar o apito bem alto. Então, seus ombros tombaram. Suspirou e voltou para dentro da cabine, deixando Frank em pé e sem saber o que fazer.

O treinador sentou em seu beliche, apoiou o queixo na mão em concha e examinou a cabine com um olhar melancólico. O lugar parecia um dormitório de faculdade depois de um furacão, o chão coberto de roupas (talvez para usar, talvez para comer. Era difícil saber quando o assunto eram sátiros), DVDs e pratos sujos espalhados sobre a cômoda em volta da tevê. Toda vez que o navio balançava, uma variedade de equipamentos esportivos rolava pelo chão: bolas de futebol, de basquete, de beisebol e, por algum motivo, uma única bola de bilhar. Tufos de pelo de bode flutuavam pelo ar e se acumulavam embolados sob os móveis. Se juntasse todos os tufos, dava para fazer outro treinador Hedge.

Na mesa de cabeceira dele, havia uma tigela de água, uma pilha de dracmas de ouro, uma lanterna, e um prisma de vidro para produzir arco-íris. Obviamente, Hedge viera preparado para enviar um monte de mensagens de Íris.

Frank lembrou que Piper lhe contara sobre a namorada ninfa do vento do treinador, que trabalhara para o pai de Piper. Qual era mesmo o nome dela...? Melinda? Mili...? Não, Mellie.

— Hum, Mellie, sua namorada, está bem? — arriscou Frank.

— Não é da sua conta! — rebateu o treinador.

— Certo.

Hedge revirou os olhos.

— Tudo bem! Se quer saber, sim, estava conversando com Mellie. Mas ela não é mais a minha namorada.

— Ah. — Frank sentiu um peso no coração. — Vocês se separaram?

— Não, seu idiota! Nós nos casamos! Ela é minha esposa!

Frank teria ficado menos surpreso se o treinador tivesse lhe dado um tapa.

— Treinador, isso… isso é ótimo! Quando… como?

— Não é da sua conta! — gritou outra vez.

— Hum… tudo bem.

— Fim de maio — disse o treinador. — Pouco antes da partida do *Argo II*. Não queríamos chamar muita atenção.

Frank sentiu como se o navio estivesse inclinando novamente, mas devia ser apenas impressão sua. O equipamento esportivo continuava acumulado contra a parede oposta.

O treinador estivera casado todo aquele tempo? Apesar de recém-casado, concordara em vir naquela missão. Não admira que Hedge tenha ligado tantas vezes para casa. Não era à toa que estava tão mal-humorado e agressivo.

Ainda assim… Frank sentia que algo mais estava acontecendo. O tom de voz do treinador durante a mensagem de Íris dava a entender que estavam discutindo um problema.

— Não queria me meter — disse Frank. — Mas… ela está bem?

— Era uma conversa particular!

— É. Você está certo.

— Tudo bem! Vou lhe dizer.

Hedge arrancou um pouco de pelo de sua coxa e deixou-o flutuar no ar.

— Ela tirou licença de seu trabalho em Los Angeles e foi passar o verão no Acampamento Meio-Sangue porque achamos que… — Sua voz falhou. — Achamos que seria mais seguro. Agora ela está presa lá, com os romanos prestes a atacar. Ela está… está muito assustada.

Frank se deu conta do emblema de centurião em sua camisa, da tatuagem SPQR em seu antebraço.

— Desculpe — murmurou ele. — Mas se ela é um espírito do vento, não poderia apenas... você sabe, flutuar?

O treinador fechou os dedos em torno do cabo de seu taco de beisebol.

— Normalmente sim. Mas veja... ela está em uma condição delicada. Não seria seguro.

— Condição delicada... — Os olhos de Frank se arregalaram. — Ela vai ter um *bebê*? Você vai ser *pai*?

— Grite um pouco mais alto — resmungou Hedge. — Acho que não ouviram você na Croácia.

Frank não pôde deixar de sorrir.

— Mas, treinador, isso é incrível! Um pequeno bebê sátiro? Ou talvez uma ninfa? Você será um pai fantástico.

Frank não sabia por que, considerando o amor do treinador por bastões de beisebol e chutes à Chuck Norris, mas tinha certeza que sim.

O treinador Hedge ficou com uma cara ainda mais feia.

— A guerra está a caminho, Zhang. Nenhum lugar é seguro. Eu deveria estar lá com Mellie. Se tiver de morrer em algum lugar...

— Ei, ninguém vai morrer — disse Frank.

Hedge olhou no fundo dos olhos do garoto. Ele podia ver que o treinador não acreditava nele.

— Sempre tive um fraco pelos filhos de Ares — resmungou Hedge. — Ou Marte, como queira. Talvez por isso não o tenha pulverizado por fazer tantas perguntas.

— Mas eu não estava...

— Tudo bem, vou lhe contar! — Hedge suspirou novamente. — Quando eu estava em minha primeira missão como investigador, no interior do Arizona, trouxe uma menina chamada Clarisse.

— Clarisse?

— Sua irmã — disse Hedge. — Filha de Ares. Violenta. Rude. Muito potencial. Enfim, enquanto estava fora, sonhei com a minha mãe. Ela... ela era uma ninfa do vento, como Mellie. Sonhei que ela estava em perigo e precisava de minha ajuda imediata. Mas eu disse a mim mesmo: *Não, é apenas um sonho. Quem faria mal a uma velha e doce ninfa do vento? Além disso, preciso levar esta meio-sangue para um lugar seguro*. Então, terminei a minha missão, levei Clarisse para o Acampamento Meio-Sangue. Depois, fui à procura de minha mãe. Era tarde demais.

Frank observou o tufo de pelo de bode pousar sobre uma bola de basquete.

— O que aconteceu com ela?

Hedge deu de ombros.

— Não faço ideia. Nunca mais a vi. Talvez, se estivesse com ela, se eu tivesse voltado mais cedo...

Frank queria dizer algo reconfortante, mas não tinha certeza do quê. Perdera a mãe na guerra do Afeganistão e sabia quão vazias as palavras *sinto muito* podiam soar.

— Você estava fazendo o seu trabalho — disse Frank. — Salvou a vida de uma semideusa.

— Agora — resmungou Hedge —, minha mulher e meu filho ainda não nascido estão em perigo, do outro lado do mundo, e nada posso fazer para ajudar.

— Você *está* fazendo — disse Frank. — Estamos aqui para impedir que os gigantes despertem Gaia. Essa é a melhor maneira de manter nossos amigos a salvo.

— É. É, acho que sim.

Frank queria poder fazer mais para animar Hedge, mas aquela conversa estava fazendo com que se preocupasse com todos os outros que deixara para trás. Ele se perguntou quem estaria defendendo o Acampamento Júpiter agora que a legião marchara para leste, especialmente com todos os monstros que Gaia estava libertando pelas Portas da Morte. Ele se preocupava com seus amigos na Quinta Coorte, e como deveriam estar se sentindo com Octavian ordenando-os a marchar contra o Acampamento Meio-Sangue. Frank queria estar lá, nem que fosse para enfiar um ursinho de pelúcia na garganta daquele áugure desprezível.

O navio embicou. O equipamento esportivo rolou para baixo do beliche do treinador.

— Estamos descendo — disse Hedge. — É melhor subirmos ao convés.

— Sim — disse Frank, com a voz rouca.

— Você é um romano intrometido, Zhang.

— Mas...

— Vamos lá — disse Hedge. — E nem uma palavra sobre isso para os outros, seu fofoqueiro.

Enquanto os outros fixavam as amarras aéreas, Leo pegou Frank e Hazel pelos braços. Ele os arrastou até a balista de proa.

— Muito bem, eis o plano.

Hazel estreitou os olhos.

— Eu *odeio* os seus planos.

— Preciso daquele graveto mágico — disse Leo. — Rápido!

Frank quase engasgou com a própria língua. Hazel recuou, cobrindo instintivamente o bolso do casaco.

— Leo, você não pode...

— Encontrei uma solução. — Leo voltou-se para Frank. — A decisão é sua, grandalhão, mas posso protegê-lo.

Frank pensou em quantas vezes vira os dedos de Leo explodirem em chamas. Um movimento em falso e ele poderia incinerar o pedaço de lenha que controlava a vida de Frank.

Mas, por algum motivo, Frank não estava aterrorizado. Desde que enfrentara os monstros bovinos em Veneza, ele mal pensara em sua frágil linha da vida. Sim, qualquer fagulha poderia matá-lo. Mas também sobrevivera a algumas coisas impossíveis e orgulhara seu pai. Frank decidira que, não importava qual fosse o seu destino, não se preocuparia com aquilo. Faria apenas o melhor que pudesse para ajudar os amigos.

Além disso, Leo parecia sério. Seus olhos ainda estavam repletos de uma estranha melancolia, como se estivesse em dois lugares ao mesmo tempo, mas nada em sua expressão indicava qualquer tipo de brincadeira.

— Vá em frente, Hazel — disse Frank.

— Mas... — Hazel suspirou profundamente. — Tudo bem.

Ela pegou o pedaço de lenha e entregou-o para Leo.

Nas mãos de Leo, não parecia muito maior do que uma chave de fenda. A lenha ainda estava carbonizada em um lado, usado por Frank para queimar as correntes de gelo que prendiam o deus Tânatos no Alasca.

De um bolso de seu cinto de ferramentas, Leo tirou um pedaço de pano branco.

— Vejam!

Frank fez uma careta.

— Um lenço?

— Uma bandeira de rendição? — adivinhou Hazel.

— Não, homens de pouca fé! — disse Leo. — Esta bolsa é feita com um tecido muito legal, presente de uma amiga.

Leo guardou o pedaço de lenha na bolsa e fechou o cordão de bronze com um laço.

— O cordão foi ideia minha — disse Leo com orgulho. — Deu algum trabalho adaptá-lo ao tecido, mas a bolsa não abrirá a não ser que você queira. O tecido respira como pano comum, de modo que a lenha não ficará mais abafada do que estaria no bolso do casaco de Hazel.

— Hum… — disse ela. — Então, qual a novidade?

— Segure isso para você não enfartar.

Leo jogou a bolsa para Frank, que quase a deixou cair no chão. Em seguida invocou uma bola de fogo branco em sua mão direita. Estendeu o antebraço esquerdo, sorrindo, enquanto as chamas lambiam a manga de seu casaco.

— Estão vendo? — disse ele. — Não queima!

Frank não queria discutir com um sujeito que segurava uma bola de fogo, mas respondeu:

— Hã… você é imune às chamas.

Leo revirou os olhos.

— Sim, mas tenho que me *concentrar* para que minhas roupas não queimem. E eu não estou me concentrando, viu? Esse pano é totalmente à prova de fogo. O que significa que sua lenha não queimará dentro dessa bolsa.

Hazel não parecia convencida.

— Como você pode ter certeza?

— Nossa, que público incrédulo. — Leo apagou o fogo. — Creio que só há uma maneira de convencê-lo. — Ele estendeu a mão para Frank.

— Ah, não, não.

Frank recuou. Subitamente, todos aqueles pensamentos corajosos sobre aceitar seu destino pareceram-lhe muito distantes.

— Tudo bem, Leo. Obrigado, mas eu… eu não posso…

— Cara, você precisa confiar em mim.

O coração de Frank disparou. Será que confiava em Leo? Bem, com certeza... com um motor. Para dar um trote. Mas com a sua vida?

Lembrou-se do dia em que ficaram presos na fábrica subterrânea em Roma. Gaia prometera que morreriam naquele lugar. Leo prometera que tiraria Hazel e Frank daquela armadilha. E tirou.

Agora, Leo falava com a mesma confiança.

— Muito bem. — Frank entregou a bolsa para Leo. — Tente não me matar.

A mão de Leo se encheu de chamas. A bolsa não escureceu nem queimou.

Frank esperava que algo desse terrivelmente errado. Contou até vinte, mas ainda estava vivo. Sentia-se como se houvesse um bloco de gelo derretendo logo atrás de seu esterno, um pedaço de medo congelado ao qual estava tão acostumado que nem sequer se dera conta dele até ter desaparecido.

Leo apagou o fogo. Ele levantou as sobrancelhas para Frank.

— Quem é o seu melhor amigo?

— Não responda esta pergunta — disse Hazel. — Mas, Leo, isso *foi* incrível.

— Foi, não é? — concordou Leo. — Então, quem quer ficar com este agora-ultra-seguro pedaço de lenha?

— Eu fico — disse Frank.

Hazel pressionou os lábios. Olhou para baixo para que Frank não visse a mágoa em seus olhos. Ela protegera aquele pedaço de lenha por uma série de árduas batalhas. Era um sinal de confiança entre eles, um símbolo de seu relacionamento.

— Hazel, não é por sua causa — disse Frank, tão delicadamente quanto podia. — Não posso explicar, mas eu... eu tenho a impressão de que precisarei tomar a iniciativa quando estivermos na Casa de Hades. Preciso carregar o meu próprio fardo.

Os olhos dourados de Hazel estavam repletos de preocupação.

— Entendo. Eu só... me preocupo.

Leo jogou a bolsa para Frank, que amarrou-a ao cinto. Sentia-se estranho carregando seu defeito fatal tão abertamente, depois de meses mantendo-o escondido.

— Leo — chamou ele. — Obrigado.

Parecia pouco considerando o presente que lhe dera, mas Leo sorriu.

— Para isso que servem os amigos superdotados.

— Ei, pessoal! — gritou Piper da proa. — É melhor virem até aqui. Vocês precisam ver isso.

Eles encontraram a origem do raio negro.

O *Argo II* pairava diretamente sobre o rio. A poucas centenas de metros dali, no topo da colina mais próxima, havia um grupo de ruínas. Não pareciam grande coisa, apenas alguns muros desmoronados circundando as estruturas calcárias de um punhado de edifícios, mas, de algum lugar dentro das ruínas, tentáculos de éter negro erguiam-se em direção ao céu, como uma lula de fumaça espreitando de sua caverna. Enquanto Frank observava, um raio de energia negra cortou o ar, balançando o navio e lançando uma onda de choque fria por toda a paisagem.

— O *Necromanteion* — disse Nico. — A Casa de Hades.

Frank se equilibrou apoiando na amurada. Imaginou que era tarde demais para sugerir que desistissem e estava começando a sentir uma certa nostalgia quanto aos monstros que enfrentara em Roma. Droga, caçar vacas venenosas em Veneza era mais legal do que aquele lugar.

Piper se abraçou.

— Eu me sinto vulnerável flutuando aqui assim. Não podemos pousar no rio?

— Não é uma boa ideia — disse Hazel. — Este é o Rio Aqueronte.

Jason estreitou os olhos, ofuscado pela luz do sol.

— Eu achava que o Aqueronte corria no Mundo Inferior.

— E corre — disse Hazel. — Mas a sua nascente fica no mundo mortal. Este rio abaixo de nós? Flui para o subsolo, direto para o reino de Plutão... hã, de Hades. Desembarcar um navio de semideuses nessas águas...

— Sim, vamos ficar aqui em cima — decidiu Leo. — Não quero água zumbi no meu casco.

Meio quilômetro rio abaixo, navegavam alguns barcos de pesca. Frank imaginou que os pescadores não sabiam ou não se importavam com a história daquele rio. Deve ser legal ser um mortal comum.

Ao lado de Frank, Nico di Angelo ergueu o cetro de Diocleciano. Sua orbe brilhou com luz roxa, como se em sinal de solidariedade com a tempestade escura.

Relíquia romana ou não, o cetro incomodava Frank. Se realmente tinha o poder de convocar uma legião de mortos... bem, Frank não tinha certeza se aquilo era uma ideia tão boa assim.

Certa vez, Jason lhe dissera que os filhos de Marte tinham uma habilidade similar. Supostamente, Frank poderia invocar soldados fantasmas do lado perdedor de qualquer guerra para servi-lo. Nunca tivera muita sorte com esse poder, provavelmente porque aquilo o assustava bastante. Tinha medo de se tornar um dos fantasmas caso perdesse a guerra, eternamente condenado a pagar por seus fracassos, supondo que sobraria alguém para invocá-lo.

— Então, hã, Nico... — Frank apontou para o cetro. — Você aprendeu a usar esse treco?

— Vamos descobrir. — Nico olhou para os tentáculos de escuridão que emanavam das ruínas. — Não pretendo tentar até ser necessário. As Portas da Morte já estão fazendo hora extra para trazerem os monstros de Gaia. Qualquer atividade a mais para trazer os mortos de volta e as Portas podem ruir permanentemente, abrindo uma fenda no mundo mortal que não poderá ser fechada.

— Odeio fendas no mundo. — resmungou o treinador Hedge. — Vamos cortar algumas cabeças de monstros.

Frank olhou para a expressão sombria do sátiro. Subitamente, teve uma ideia.

— Treinador, você deve ficar a bordo. Proteja-nos com as balistas.

Hedge fez uma careta.

— Ficar para trás? Eu? Mas sou seu melhor soldado!

— Podemos precisar de apoio aéreo — disse Frank. — Como fizemos em Roma. Você salvou as nossas *braccae*.

Ele não acrescentou: Além disso, gostaria que voltasse vivo para a sua mulher e para o seu bebê.

O treinador aparentemente entendeu a mensagem. Sua carranca relaxou. Seus olhos pareceram aliviados.

— Bem — resmungou —, suponho que alguém tenha de salvar as suas *braccae*.

Jason deu um tapa no ombro do treinador. Então, meneou a cabeça para Frank, agradecido.

— Então, está combinado. Todos os demais, vamos para as ruínas. É hora de estragar a festa de Gaia.

LXVI

FRANK

Apesar do calor do meio-dia e da furiosa tempestade de energia mortal, havia um grupo de turistas nas ruínas. Felizmente, não eram muitos e não deram muita atenção aos semideuses.

Após as multidões em Roma, Frank parara de se preocupar demais com a possibilidade de serem notados. Se podiam entrar voando no Coliseu com um navio de guerra e balistas em chamas sem nem mesmo atrapalharem o tráfego, ele achava que podiam fazer qualquer coisa.

Nico caminhava à frente do grupo. No topo da colina, escalaram um velho muro de contenção e caíram do outro lado em uma trincheira. Finalmente chegaram a um portal de pedra que levava diretamente ao interior da colina. A tempestade mortal parecia se originar bem acima de suas cabeças. Olhando para o turbilhão de tentáculos de escuridão, Frank sentiu como se estivesse preso no fundo de uma privada. Aquilo *realmente* não acalmou seus nervos.

Nico encarou o grupo.

— A partir daqui, fica difícil.

— Legal — disse Leo. — Porque até agora estou achando tudo uma moleza.

Nico olhou para ele.

— Vamos ver por quanto tempo você mantém o senso de humor. Lembrem-se, este é o lugar aonde os peregrinos vinham comungar com seus antepassados mortos. No subsolo, vocês poderão ver coisas que são difíceis de olhar, ou ouvir vozes que tentarão fazê-los se perderem nos túneis. Frank, você trouxe os bolos de cevada?

— O quê?

Frank estava pensando em sua avó e em sua mãe, perguntando-se se elas poderiam aparecer para ele. Pela primeira vez em dias, as vozes de Ares e Marte voltaram a discutir no fundo de sua mente, debatendo suas formas favoritas de morte violenta.

— Eu trouxe os bolos — disse Hazel e pegou os biscoitos de cevada mágica que fizeram com os grãos que Triptólemo lhes dera em Veneza.

— Comam — aconselhou Nico.

Frank mordeu o biscoito da morte e tentou não engasgar. Parecia que era feito de serragem em vez de açúcar.

— Eca! — exclamou Piper. Até mesmo uma filha de Afrodite não conseguiu evitar fazer uma careta.

— Muito bem. — Nico engoliu o restante da cevada. — Isso deve nos proteger do veneno.

— Veneno? — perguntou Leo. — Perdi a parte do veneno? Porque eu adoro veneno.

— Logo — prometeu Nico. — Apenas fiquem juntos e talvez possamos evitar ficarmos perdidos ou loucos.

Com essa feliz observação, Nico os guiou para o subterrâneo.

O túnel descia em uma espiral suave, o teto sustentado por arcos de pedra branca que faziam Frank se lembrar da caixa torácica de uma baleia.

Enquanto caminhavam, Hazel passou a mão pela parede.

— Isso não faz parte do templo — murmurou. — Isso era... o porão de uma casa senhorial, construída em tempos gregos posteriores.

Frank achava estranho como Hazel poderia saber tanto a respeito de um lugar no subterrâneo apenas estando ali. E ela nunca se enganara.

— Uma mansão? — perguntou ele. — Por favor, não me diga que estamos no lugar errado.

— A Casa de Hades fica mais abaixo — assegurou Nico. — Mas Hazel está certa, o nível onde estamos agora é muito mais recente. Quando os primeiros arqueólogos descobriram este lugar, pensaram ter encontrado o *Necromanteion*. Então perceberam que as ruínas eram muito recentes, e decidiram que estavam no lugar errado. Mas estavam certos. Apenas não cavaram fundo o bastante.

Todos dobraram uma esquina e pararam. À frente deles, o túnel terminava em um enorme bloco de pedra.

— Um desmoronamento? — perguntou Jason.

— Um teste — disse Nico. — Hazel, você faria as honras?

Hazel deu um passo à frente. Ela colocou a mão sobre a rocha e o bloco de pedra virou pó.

O túnel estremeceu. Rachaduras se espalharam pelo teto. Por um momento aterrorizante, Frank imaginou que seriam esmagados por toneladas de terra — uma forma decepcionante para se morrer depois de tudo que tinham passado. Então, o ruído parou. A poeira baixou.

Uma escada circular penetrava mais profundamente na terra. O teto abobadado era sustentado por mais fileiras de arcos, estes mais próximos uns dos outros e esculpidos em pedra negra polida. Os arcos fizeram Frank se sentir tonto, como se estivesse olhando para um espelho que refletia infinitamente a mesma imagem. Nas paredes havia pinturas rústicas de gado negro marchando para baixo.

— Eu realmente não gosto de vacas — resmungou Piper.

— Concordo — disse Frank.

— Esse é o gado de Hades — disse Nico. — É apenas um símbolo de...

— Vejam — apontou Frank.

No primeiro degrau da escada, brilhava um cálice dourado. Frank tinha certeza de que aquilo não estava ali havia pouco. O cálice estava cheio de um líquido verde-escuro.

— Uhul! — comentou Leo sem entusiasmo. — Suponho que este seja nosso veneno.

Nico pegou o cálice.

— Nós estamos na antiga entrada do *Necromanteion*. Odisseu esteve aqui, assim como dezenas de outros heróis, buscando o conselho dos mortos.

— Será que os mortos os aconselharam a irem embora imediatamente? — perguntou Leo.

— Eu adoraria isso — admitiu Piper.

Nico bebeu do cálice e, em seguida, ofereceu-o para Jason.

— Você me falou sobre confiança e assumir riscos? Bem, aqui está, filho de Júpiter. O quanto você confia em mim?

Frank não tinha ideia do que Nico estava falando, mas Jason não hesitou. Ele pegou o cálice e bebeu.

Eles o passaram entre si, cada um tomando um gole do veneno. Enquanto esperava sua vez, Frank tentou controlar o tremelique nas pernas e o intestino. Ele se perguntou o que sua avó diria caso pudesse vê-lo.

Ela provavelmente o repreenderia: *Fai Zhang, seu idiota! Se todos os seus amigos bebessem veneno, você beberia também?*

Frank foi o último. O sabor do líquido verde lembrou-lhe de suco de maçã estragada. Ele esvaziou o cálice, que se transformou em fumaça em suas mãos.

Nico assentiu, aparentemente satisfeito.

— Parabéns. Supondo que o veneno não nos mate, devemos conseguir abrir caminho através do primeiro nível do *Necromanteion*.

— Apenas o *primeiro* nível? — perguntou Piper.

Nico olhou para Hazel e apontou para a escadaria.

— Depois de você, irmã.

Logo, Frank se sentiu completamente perdido. A escadaria se dividia em três direções diferentes. Assim que Hazel escolhia um caminho, a escadaria se dividia outra vez. Eles abriam caminho através de túneis interligados e câmaras mortuárias toscas que pareciam iguais: nichos empoeirados entalhados nas paredes que outrora deveriam ter abrigado cadáveres. Os arcos sobre os portais tinham pinturas retratando gado preto, galhos de álamo-branco e corujas.

— Eu pensei que a coruja fosse o símbolo de Minerva — murmurou Jason.

— A coruja é um dos animais sagrados de Hades — disse Nico. — Seu pio é considerado um mau presságio.

— Por aqui. — Hazel apontou para um portal que parecia igual a todos os outros. — É o único que não vai desabar sobre nós.

— Boa escolha, então — disse Leo.

Frank começou a sentir que estavam deixando o mundo dos vivos. Sua pele formigava, e ele se perguntou se aquilo seria um efeito colateral do veneno. A bolsa com o graveto que trazia presa ao cinto pareceu ficar mais pesada. Sob o brilho sobrenatural de suas armas mágicas, seus amigos pareciam fantasmas bruxuleantes.

Ar frio açoitava seu rosto. Em sua mente, Ares e Marte estavam em silêncio, mas Frank pensou ter ouvido outras vozes sussurrando nos corredores laterais, chamando-o para sair de seu caminho e se aproximar para ouvi-las falar.

Finalmente chegaram a um arco esculpido na forma de crânios humanos — ou talvez *fossem* crânios humanos incorporados à rocha. Sob a luz roxa do cetro de Diocleciano, suas órbitas vazias pareciam piscar.

Frank quase bateu no teto quando Hazel tocou em seu braço.

— Essa é a entrada para o segundo nível — disse ela. — É melhor eu dar uma olhada.

Frank ainda não percebera que estava parado em frente ao portal.

— Ah, sim.

Ele abriu caminho para Hazel.

A garota correu os dedos pelos crânios esculpidos.

— Não há armadilhas na porta, mas... tem algo estranho aqui. Minha sensibilidade subterrânea está... está difusa, como se alguém estivesse tentando me atrapalhar, escondendo o que está à nossa frente.

— A feiticeira sobre a qual Hécate nos advertiu? — adivinhou Jason. — Aquela que Leo viu em um sonho? Qual era o nome dela?

Hazel mordeu o lábio.

— Seria mais seguro não dizê-lo em voz alta. Mas fiquem atentos. De uma coisa tenho certeza: deste ponto em diante, os mortos são mais poderosos do que os vivos.

Frank não estava certo de como Hazel sabia daquilo, mas acreditou nela. As vozes na escuridão pareciam estar sussurrando mais alto. Ele vislumbrou movimento nas sombras. Pelo modo como os olhos de seus amigos se moviam, eles também deviam estar vendo coisas.

— Onde estão os monstros? — perguntou Frank em voz alta. — Achei que Gaia tivesse um exército defendendo as Portas.

— Não sei — disse Jason. Sua pele pálida parecia tão verde quanto o veneno do cálice. — Neste momento eu quase preferiria uma luta aberta.

— Cuidado com o que deseja, cara.

Leo produziu uma bola de fogo em sua mão, e pela primeira vez Frank ficou contente ao ver as chamas.

— Pessoalmente, espero que não tenha ninguém em casa. Nós entramos, encontramos Percy e Annabeth, destruímos as Portas da Morte e saímos. Talvez possamos até dar uma passadinha na loja de suvenir.

— Claro — disse Frank. — Pode ir esperando.

O túnel estremeceu. Escombros caíram do teto.

Hazel agarrou a mão de Frank.

— Essa foi por pouco — murmurou ela. — Estes portais não resistirão por muito tempo.

— As Portas da Morte acabam de se abrir novamente — disse Nico.

— Está acontecendo a cada quinze minutos — observou Piper.

— A cada doze — corrigiu Nico, embora não tenha explicado como sabia daquilo. — É melhor nos apressarmos. Percy e Annabeth estão próximos. Estão em perigo. Posso sentir isso.

Quanto mais se aprofundavam, mais os corredores se alargavam. O teto se erguia a mais de seis metros de altura e era decorado com elaboradas pinturas de corujas pousadas em galhos de álamo-branco. O espaço extra deveria ter feito Frank se sentir melhor, mas tudo em que ele conseguia pensar era na parte estratégica. Os túneis eram largos o bastante para acomodar grandes monstros, até mesmo gigantes. Havia cantos cegos em toda parte, o que era perfeito para emboscadas. O grupo poderia ser facilmente flanqueado e cercado. Eles não tinham muitas chances de retirada.

Todos os instintos de Frank lhe diziam para sair daqueles túneis. Se não havia monstros visíveis, isso só queria dizer que estavam escondidos, esperando para desencadear uma armadilha. Apesar de ele saber disso, não havia muito que pudesse fazer a respeito. Eles *precisavam* mesmo chegar às Portas da Morte.

Leo aproximou o fogo das paredes. Frank viu pichações em grego antigo na pedra. Ele não sabia ler essa língua, mas achava que eram orações ou súplicas aos mortos, escritas pelos peregrinos há milhares de anos. O chão do túnel estava repleto de cacos de cerâmica e moedas de prata.

— Oferendas? — supôs Piper.

— Sim — disse Nico. — Se você quisesse ver seus antepassados, tinha que fazer uma oferenda.

— Não vamos fazer uma oferenda — sugeriu Jason.

Ninguém contestou.

— O túnel a partir daqui é instável — advertiu Hazel. — O piso pode... bem, apenas me sigam. Pisem *exatamente* onde eu pisar.

Ela avançou. Frank caminhou bem atrás dela, não porque se sentisse particularmente corajoso, mas porque queria estar perto caso Hazel precisasse de ajuda. As vozes do deus da guerra estavam novamente discutindo em sua mente. Ele podia sentir o perigo — muito perto agora.

Fai Zhang.

Ele parou. Aquela voz... não era Ares ou Marte. Parecia vir bem do lado dele, como se alguém estivesse sussurrando em seu ouvido.

— Frank? — Jason sussurrou atrás dele. — Hazel, espere um segundo. Frank, o que há de errado?

— Nada — murmurou em resposta. — Eu só...

Pilo, disse a voz. *Eu o espero em Pilo.*

Frank sentiu como se o veneno estivesse borbulhando de volta à sua garganta. Ele já se assustara diversas vezes antes. Ele chegara a enfrentar o deus da morte.

Mas aquela voz o aterrorizava de uma maneira diferente. Ressoava até os ossos, como se soubesse tudo sobre ele: sua maldição, sua história e seu futuro.

A avó sempre fizera questão de homenagear os antepassados. Era uma coisa chinesa. Você tinha que apaziguar os fantasmas. Você tinha que levá-los a sério.

Frank sempre achara que as superstições da avó eram tolices. Agora, ele mudou de ideia. Ele não tinha nenhuma dúvida... a voz que falara com ele era de um de seus antepassados.

— Frank, não se mova.

Hazel parecia alarmada.

Frank olhou para baixo e percebeu que estava prestes a sair da trilha.

Para sobreviver, você deve liderar, disse a voz. *Quando a oportunidade surgir, você deve assumir o comando.*

— Liderar para onde? — perguntou Frank em voz alta.

Então a voz se foi. Frank podia sentir a sua ausência, como se a umidade do ar tivesse diminuído subitamente.

— Hã, grandalhão? — disse Leo. — Você poderia tentar não surtar? Por favor e obrigado.

Todos olhavam Frank com preocupação.

— Estou bem — conseguiu dizer. — Foi só... uma voz.

Nico balançou a cabeça.

— Eu *avisei.* Isso só vai piorar. Devemos...

Hazel ergueu a mão pedindo silêncio.

— Esperem aqui.

Frank não gostou, mas ela seguiu em frente sozinha. Ele contou até vinte e três antes de Hazel voltar, rosto compenetrado e pensativo.

— Lugar assustador adiante — alertou. — Não entrem em pânico.

— Essas coisas não combinam — murmurou Leo.

Mas todos seguiram Hazel até o interior da caverna.

O lugar era como uma catedral circular, com um teto tão alto que se perdia na escuridão. Dezenas de outros túneis levavam a direções diferentes, cada um deles ecoando com vozes fantasmagóricas. O que deixou Frank nervoso foi o chão. Era um mosaico assustador de ossos e pedras preciosas — fêmures, pelves e costelas de humanos retorcidas e fundidas em uma superfície lisa, pontilhada de diamantes e rubis. Os ossos formavam padrões, como contorcionistas esqueléticos caídos juntos, curvando-se para proteger as pedras preciosas — uma dança da morte e da riqueza.

— Não toquem em nada — disse Hazel.

— Não planejava tocar — murmurou Leo.

Jason examinou as saídas.

— Qual o caminho agora?

Pela primeira vez, Nico pareceu incerto.

— Esta deve ser a sala onde os sacerdotes invocavam os espíritos mais poderosos. Uma dessas passagens leva ao terceiro nível e ao altar do próprio Hades. Mas qual...?

Frank apontou.

— Aquela.

Em um portal na extremidade oposta da sala, um fantasma legionário romano acenava para eles. Seu rosto era enevoado e indistinto, mas Frank teve a sensação de que o fantasma olhava diretamente para ele.

Hazel franziu a testa.

— Por que aquela?

— Vocês não estão vendo o fantasma? — perguntou Frank.

— Fantasma? — questionou Nico.

Certo... se Frank estava vendo um fantasma que os filhos do Mundo Inferior não podiam ver, algo estava definitivamente errado. Ele sentiu como se o chão vibrasse debaixo dele. Então percebeu que estava *mesmo* vibrando.

— Precisamos chegar àquele portal — disse ele. — Agora!

Hazel quase teve que agarrá-lo para contê-lo.

— Espere, Frank! Este piso *não* é estável, e por baixo... bem, não tenho certeza *do que* há por baixo. Preciso encontrar um caminho seguro.

— Depressa, então — insistiu Frank.

Ele sacou o arco e seguiu Hazel tão rápido quanto tinha coragem de fazê-lo. Leo foi logo atrás, para fornecer luz. Os outros guardavam a retaguarda. Frank percebeu que estava assustando os amigos, mas não podia evitar. Ele tinha certeza absoluta de que tinham apenas alguns segundos antes de...

À sua frente, o fantasma legionário se vaporizou. A caverna reverberou com monstruosos rugidos: dezenas, talvez centenas de inimigos vindos de todas as direções. Frank reconheceu o rugido gutural dos filhos da terra, o berro dos grifos, os gritos roucos dos ciclopes — sons que o faziam se lembrar da Batalha de Nova Roma, amplificados no subterrâneo, ecoando em sua cabeça ainda mais alto do que as vozes do deus da guerra.

— Hazel, não pare! — ordenou Nico. Ele tirou o cetro de Diocleciano do cinto. Piper e Jason sacaram suas espadas enquanto os monstros invadiam a caverna.

Um grupo de seis filhos da terra arremessou uma saraivada de pedras que partiu o chão de ossos e joias como se fosse gelo. Uma fissura se abriu no centro da sala, aproximando-se em linha reta de Leo e Hazel.

Não havia tempo para ser cauteloso. Frank saltou em direção aos seus amigos, derrubando-os, e os três deslizaram através da caverna, aterrissando no limiar do túnel do fantasma enquanto pedras e lanças voavam sobre suas cabeças.

— Vamos! — gritou Frank. — Vamos, vamos!

Hazel e Leo entraram no túnel, que parecia ser o único livre de monstros. Frank não tinha certeza se aquilo era um bom sinal.

Depois de percorrerem dois metros, Leo virou-se.

— Os outros!

Toda a caverna estremeceu. Frank olhou para trás e sua coragem se esvaiu. No meio da caverna havia um abismo de quinze metros de largura, com apenas duas frágeis pontes de ossos unindo as bordas. A maior parte do exército de monstros estava do lado oposto, uivando de frustração e arremessando tudo o que podia encontrar, incluindo uns aos outros. Alguns tentaram atravessar as pontes, que rangiam e estalavam sob seu peso.

Jason, Piper e Nico estavam na borda do lado oposto, o que não era tão ruim, mas estavam cercados por ciclopes e cães infernais. Mais monstros continuaram a entrar pelos corredores laterais, enquanto grifos voejavam acima de suas cabeças, alheios ao chão que desmoronava.

Os três semideuses nunca chegariam ao túnel. Mesmo que Jason tentasse voar, seria abatido.

Frank lembrou-se da voz de seu ancestral: *Quando a oportunidade surgir, você deve assumir o comando.*

— Precisamos ajudá-los — disse Hazel.

A mente de Frank disparou, fazendo cálculos de batalha. Ele viu exatamente o que aconteceria: onde e quando seus amigos seriam esmagados, como todos os seis morreriam ali naquela caverna… a não ser que Frank mudasse a equação.

— Nico — gritou ele. — O cetro!

Nico ergueu o cetro de Diocleciano e a caverna brilhou com a luz roxa. Fantasmas surgiram das fissuras e paredes, uma legião romana preparada para o combate. Começaram a tomar forma física, como zumbis, mas pareciam confusos. Jason gritou ordens em latim, mandando que eles formassem fileiras e atacassem. Mas os mortos-vivos apenas vagaram por entre os monstros, causando alguma confusão, mas aquilo não duraria muito tempo.

Frank se voltou para Hazel e Leo.

— Vocês dois, continuem.

Hazel arregalou os olhos.

— O quê? Não!

— Vocês precisam continuar. — Foi a coisa mais difícil que Frank já fizera, mas sabia que era a única opção. — Encontrem as Portas. Salvem Annabeth e Percy.

— Mas... — Leo olhou por sobre o ombro de Frank. — Para o chão!

Frank se deitou no exato momento em que uma saraivada de pedras passou por cima de sua cabeça. Quando conseguiu se levantar, tossindo e coberto de poeira, a entrada do túnel já não existia. Uma seção inteira da parede desabara, deixando uma montanha de escombros fumegantes.

— Hazel... — A voz de Frank falhou.

Ele tinha que acreditar que ela e Leo estavam vivos do outro lado. Frank não podia se dar ao luxo de pensar o contrário.

A raiva cresceu em seu peito. Ele se virou e avançou contra o exército de monstros.

LXVII

FRANK

Frank não era um especialista em fantasmas, mas os legionários mortos deveriam ter sido semideuses, porque eram totalmente hiperativos e com déficit de atenção.

Eles saíam do abismo e então circulavam, sem rumo, esbarrando uns nos outros sem motivo aparente, empurrando um ou outro de volta ao abismo, atirando flechas para o ar como se estivessem tentando matar moscas e, ocasionalmente, por pura sorte, arremessando uma lança ou uma espada ou um aliado na direção do inimigo.

Enquanto isso, o exército de monstros ficava cada vez maior e mais furioso. Nascidos da terra lançaram uma saraivada de pedras que atingiu os legionários zumbis, esmagando-os como papel. Demônios femininos com pernas incompatíveis e cabelos de fogo (Frank supôs que fossem *empousai*) rangiam as presas e gritavam ordens para os outros monstros. Uma dezena de ciclopes avançou para as pontes em ruínas, enquanto humanoides em forma de foca — telquines, como Frank vira em Atlanta — arremessavam frascos de fogo grego através do abismo. Havia até mesmo alguns centauros selvagens no meio, atirando flechas flamejantes e pisoteando aliados menores com seus cascos. Na verdade, a maior parte dos inimigos parecia estar armada com algum tipo de arma de fogo. Apesar de sua nova bolsa não inflamável, Frank não achou aquilo legal.

Avançou através da multidão de romanos mortos, abatendo monstros até acabarem as suas flechas, lentamente abrindo caminho em direção aos amigos.

Um pouco tarde, percebeu — dã — que devia se transformar em algo grande e poderoso, como um urso ou um dragão. Mas assim que lhe ocorreu tal pensamento, sentiu a dor explodir em seu braço. Cambaleou, olhou para baixo e ficou incrédulo ao ver a haste de uma flecha despontando de seu bíceps esquerdo. A manga de sua camisa estava encharcada de sangue.

A visão do ferimento lhe causou tonturas. Mas, principalmente, deixou-o furioso. Tentou se transformar em um dragão, sem sucesso. A dor era forte demais para que pudesse se concentrar. Talvez não pudesse mudar de forma enquanto estivesse ferido.

Ótimo, pensou. Agora eu descubro isso.

Largou o arco e pegou a espada de um ser caído... bem, realmente não tinha certeza do que era aquilo, algum tipo de mulher guerreira reptiliana com corpos de serpentes em vez de pernas. Abriu caminho tentando ignorar a dor e o sangue escorrendo pelo seu braço.

Cinco metros à frente, Nico brandia sua espada negra com uma mão, erguendo o cetro de Diocleciano com a outra. Gritava ordens para os legionários, mas estes não lhe davam atenção.

Claro que não, pensou Frank. Ele é *grego*.

Jason e Piper estavam às costas de Nico. Jason invocou rajadas de vento para afastar dardos e flechas. Desviou um frasco de fogo grego para dentro da garganta de um grifo, que explodiu em chamas e caiu em espiral no abismo. Piper manejava com eficiência a nova espada, enquanto lançava comida da cornucópia com a outra mão, usando presuntos, frangos, maçãs e laranjas como mísseis interceptadores. O ar acima do abismo se transformou em um espetáculo pirotécnico de projéteis de fogo, estilhaços de rochas e comida fresca.

Ainda assim, os amigos de Frank não poderiam resistir eternamente. O rosto de Jason já estava coberto de suor. Gritava em latim:

— Formar fileiras!

Mas os legionários mortos também não o ouviam. Alguns dos zumbis foram úteis apenas por estarem no caminho, bloqueando monstros e sendo atingidos. Mas, se continuassem a serem ceifados, não sobraria um número suficiente deles para organizar.

— Abram caminho! — gritou Frank.

Para a sua surpresa, os legionários mortos se afastaram para ele passar. Os mais próximos se voltaram e o olharam com olhos vazios, como se à espera de novas ordens.

— Ah, ótimo — murmurou Frank.

Em Veneza, Marte lhe avisara que seu verdadeiro teste de liderança estava por vir. O ancestral fantasma de Frank insistira que ele devia assumir o comando. Mas se aqueles romanos mortos não quiseram ouvir Jason, por que deveriam ouvi-lo? Porque era filho de Marte, ou talvez, porque...

A verdade o atingiu. Jason não era mais romano. Seu tempo no Acampamento Meio-Sangue o mudara. Reyna reconhecera aquilo. Aparentemente, os legionários mortos-vivos também. Se Jason não emitia mais o tipo certo de vibração, ou a aura de um líder romano...

Frank conseguiu chegar até onde estavam os amigos no exato momento em que uma onda de ciclopes os atacava. Ergueu a espada para desviar do porrete de um ciclope, então feriu o monstro na perna, derrubando-o de costas no abismo. Outro atacou. Frank conseguiu perfurá-lo, mas a perda de sangue o estava enfraquecendo. Sua visão estava turva. Seus ouvidos zumbiam.

Estava vagamente consciente de Jason em seu flanco esquerdo, desviando os projéteis com vento; Piper à sua direita, usando o charme, incentivando os monstros a atacarem uns aos outros ou darem um refrescante salto no abismo.

— Vai ser divertido — prometia.

Alguns ouviram, mas do outro lado do abismo, as *empousai* contrariavam as suas ordens. Aparentemente, também sabiam usar o charme. Os monstros se acumulavam tão densamente em torno de Frank que ele mal conseguia usar a espada. O fedor dos corpos e dos hálitos era quase suficiente para derrubá-lo, mesmo sem a dor da flecha no braço.

O que deveria fazer? Tinha um plano, mas seus pensamentos estavam ficando confusos.

— Fantasmas idiotas! — gritou Nico.

— Eles não ouvem! — concordou Jason.

Era isso. Frank tinha de fazer os fantasmas ouvirem.

Convocou toda a sua força e gritou:

— Coortes, travar escudos!

Os zumbis em torno dele se agitaram. Eles se alinharam diante de Frank, erguendo os escudos em uma desleixada formação defensiva. Mas estavam se movendo muito lentamente, como sonâmbulos, e apenas alguns responderam à sua voz.

— Frank, como você fez isso? — gritou Jason.

A cabeça de Frank estava confusa pela dor. Ele se esforçou para não desmaiar.

— Sou o oficial romano em comando — disse ele. — Eles… hã, eles não o reconhecem. Sinto muito.

Jason fez uma careta, mas não parecia particularmente surpreso.

— O que fazemos?

Frank desejava ter uma resposta. Um grifo pairou acima dele, quase decapitando-o com suas garras. Nico atingiu-o com o cetro de Diocleciano, e o monstro se chocou contra uma parede.

— *Orbem formate!* — ordenou Frank.

Cerca de duas dezenas de zumbis obedeceram, lutando para formar um anel defensivo em torno de Frank e seus amigos. Foi o suficiente para dar aos semideuses um pouco de descanso, mas havia muitos inimigos tentando avançar. A maioria dos legionários fantasmas ainda vagava, em transe.

— O meu escalão — Frank deu-se conta.

— Todos esses monstros são do seu escalão! — gritou Piper, ferindo um centauro selvagem.

— Não — disse Frank. — Sou apenas um centurião.

Jason amaldiçoou em latim.

— Ele quer dizer que não pode controlar uma legião inteira. Não está em uma posição hierárquica elevada.

Nico cravou a espada negra em outro grifo.

— Bem, então, promova-o!

A mente de Frank estava lenta. Não compreendeu o que Nico estava dizendo. Promovê-lo? Como?

Jason gritou em sua melhor voz de sargento de treinamento:

— Frank Zhang! Eu, Jason Grace, pretor da Décima Segunda Legião Fulminata, dou-lhe a minha última ordem: renuncio ao meu posto e lhe dou uma promoção emergencial de campo de batalha, tornando-o pretor, com plenos poderes de tal posição. Assuma o comando desta legião!

Frank sentiu como se uma porta tivesse se aberto em algum lugar na Casa de Hades, deixando entrar uma lufada de ar fresco que atravessou os túneis. A flecha no braço subitamente não importava mais. Seus pensamentos clarearam. Sua visão se aguçou. As vozes de Marte e Ares falaram em sua mente, fortes e em uníssono: Acabe com eles!

Frank mal reconheceu a própria voz quando gritou:

— Legião, *agmen formate*!

No mesmo instante, cada legionário morto na caverna sacou a espada e ergueu o escudo. Avançaram na direção de Frank, empurrando e cortando monstros no caminho até ficarem ombro a ombro com os companheiros, organizando-se em uma formação de quadrado. Choviam pedras, dardos e fogo, mas agora Frank tinha uma linha defensiva disciplinada que os protegia atrás de uma parede de bronze e couro.

— Arqueiros — gritou Frank. — *Eiaculare flammas!*

Não tinha muita esperança de que o comando funcionaria. Os arcos dos zumbis não podiam estar em boas condições. Mas, para a sua surpresa, várias dezenas de arqueiros fantasmagóricos prepararam as flechas em uníssono. As pontas de suas flechas pegaram fogo espontaneamente e uma onda flamejante e mortal partiu das fileiras da legião, diretamente em direção ao inimigo. Ciclopes tombaram. Centauros tropeçaram. Um telquine gritava e corria em círculos com uma flecha ardente cravada na testa.

Frank ouviu uma risada às suas costas. Olhou para trás e não pôde acreditar no que via. Nico di Angelo estava realmente rindo.

— É isso aí — disse Nico. — Vamos virar o jogo!

— *Cuneum formate!* — gritou Frank. — Avançar com as *pila*!

A linha de zumbis engrossou no centro, formando uma cunha projetada para romper as linhas inimigas. Colocaram suas lanças em linha e avançaram.

Nascidos da terra urravam e atiravam pedras. Ciclopes golpeavam os escudos com punhos e porretes, mas os legionários zumbis não eram mais alvos indefesos. Possuíam força sobre-humana, dificilmente vacilando sob os ataques mais ferozes. Logo, o chão estava coberto de pó de monstro. A fileira de lanças abriu caminho em meio aos inimigos como uma gigantesca arcada dentária, derrubando ogros, mulheres serpentes e cães infernais. Os arqueiros de Frank abatiam grifos em pleno ar e provocavam o caos na equipe principal do exército de monstros do outro lado do abismo.

As forças de Frank começaram a assumir o controle de seu lado da caverna. Uma das pontes de pedra ruiu, porém mais monstros continuavam a atravessar a outra. Frank teria de detê-los.

— Jason — disse ele —, pode fazer alguns legionários voarem através do abismo? O flanco esquerdo do inimigo é fraco... está vendo? Faça isso!

Jason sorriu.

— Com prazer.

Três zumbis romanos ergueram-se no ar e voaram através do abismo. Em seguida, outros três se juntaram a eles. Finalmente Jason voou até onde estavam e seu esquadrão começou a atacar alguns telquines muito surpresos, espalhando o medo através das fileiras do inimigo.

— Nico — disse Frank —, continue tentando ressuscitar os romanos. Precisamos de mais soldados.

— Pode deixar comigo.

Nico ergueu o cetro de Diocleciano, que brilhava em uma tonalidade roxa ainda mais escura. Mais romanos fantasmagóricos vazaram das paredes para se unirem à luta.

Do outro lado do abismo, *empousai* gritavam comandos em uma linguagem que Frank não conhecia, mas a essência era óbvia. Estavam tentando fortalecer seus aliados e fazer com que continuassem a atacar pela ponte.

— Piper! — gritou Frank. — Use o charme contra as *empousai*! Precisamos de algum caos.

— Pensei que nunca pediria.

Ela começou a debochar dos demônios femininos:

— Sua maquiagem está borrada! Sua amiga disse que você é horrível! Aquela ali está fazendo caretas às suas costas!

Logo as *empousai* estavam muito ocupadas brigando entre si para gritar qualquer comando.

Os legionários avançaram, mantendo a pressão. Precisavam tomar a ponte antes de Jason ficar sobrecarregado.

— Hora de liderar — decidiu Frank.

Ele ergueu a espada emprestada e deu a ordem de ataque.

LXVIII

FRANK

Frank não percebeu que estava brilhando. Mais tarde, Jason lhe disse que a bênção de Marte o envolvera em uma luz vermelha, como ocorrera em Veneza. Dardos não podiam atingi-lo. De algum jeito, as pedras se desviavam. Mesmo com uma flecha cravada em seu braço esquerdo, Frank nunca se sentira tão cheio de energia.

O primeiro ciclope foi destruído tão rapidamente que pareceu mentira. Frank o cortou ao meio, do ombro à cintura. O grandalhão explodiu em pó. O ciclope seguinte recuou, nervoso, de modo que Frank cortou suas pernas e derrubou-o no abismo.

Os outros monstros que estavam do seu lado do abismo tentaram recuar, mas a legião os deteve.

— Formação Testudo! — gritou Frank. — Fila única, avançar!

Foi o primeiro a atravessar a ponte. Os mortos o seguiram, seus escudos fechados em ambos os lados e sobre as suas cabeças, desviando todos os ataques. Quando o último dos zumbis atravessou, a ponte de pedra desmoronou na escuridão, mas aquilo já não importava mais.

Nico continuou invocando mais legionários para se juntarem à luta. Ao longo da história do império, milhares de romanos serviram e morreram na Grécia. Agora, estavam de volta, respondendo ao chamado do cetro de Diocleciano.

Frank avançou, destruindo tudo à sua passagem.

— Vou queimar você! — guinchou um telquine, brandindo desesperadamente um frasco de fogo grego. — Tenho fogo!

Frank o abateu. Quando o frasco começou a cair em direção ao chão, chutou-o pela borda do penhasco antes que pudesse explodir.

Uma *empousa* arranhou o peito dele com as suas garras, mas Frank nada sentiu. Transformou o demônio em poeira e continuou avançando. A dor não era importante. A derrota era impensável.

Ele era o líder da legião agora, fazendo aquilo que nascera para fazer: lutar contra os inimigos de Roma, manter o seu legado, proteger as vidas de seus amigos e companheiros. Ele era o pretor Frank Zhang.

Suas forças varreram o inimigo, frustrando todas as suas tentativas de se reagrupar. Jason e Piper lutaram ao seu lado, gritando desafiadoramente. Nico avançou contra o último grupo de nascidos da terra, transformando-os em montes de lama com sua espada negra de ferro estígio.

Antes que Frank pudesse perceber, a batalha terminou. Piper traspassou a última *empousa*, que se vaporizou com um grito angustiado.

— Frank — chamou Jason. — Você está pegando fogo.

Ele olhou para baixo. Algumas gotas de óleo deviam ter respingado em sua calça, que estava começando a pegar fogo. Bateu até a calça parar de fumegar, mas não estava particularmente preocupado. Graças a Leo, não precisava mais temer o fogo.

Nico pigarreou:

— Hã... também há uma flecha cravada no seu braço.

— Eu sei.

Frank arrancou a base e tirou a ponta da flecha. Sentiu apenas uma sensação de calor e de algo saindo.

— Vou ficar bem.

Piper o fez comer um pedaço de ambrosia. Enquanto enfaixava a ferida, elogiou:

— Frank, você foi incrível. Completamente assustador, mas incrível.

Frank teve dificuldade para processar as palavras dela. *Assustador* não poderia se aplicar a ele. Era só Frank.

Sua adrenalina se esvaiu. Olhou em volta, perguntando-se para onde tinham ido os inimigos. Os únicos monstros que sobraram eram os seus próprios mortos-vivos romanos, que estavam parados em um estado de estupor com as armas abaixadas.

Nico ergueu o cetro, cujo orbe estava escuro e adormecido.

— Os mortos não permanecerão muito mais tempo agora que a batalha terminou.

Frank voltou-se para as suas tropas.

— Legião!

Os soldados zumbis ficaram de prontidão.

— Vocês lutaram bem — disse Frank. — Agora podem descansar. Dispensados.

Eles se desfizeram em pilhas de ossos, armaduras, escudos e armas. Então, até aquilo se desintegrou.

Frank sentiu como se estivesse a ponto de desmoronar. Apesar da ambrosia, o braço ferido começou a pulsar. Seus olhos estavam pesados de exaustão. A bênção de Marte esvaecia, deixando-o esgotado. Mas sua missão tinha terminado.

— Hazel e Leo — disse ele. — Precisamos encontrá-los.

Seus amigos olharam através do abismo. Na outra extremidade da caverna, o túnel em que Hazel e Leo entraram estava obstruído por toneladas de escombros.

— Não podemos ir por aquele caminho — disse Nico. — Talvez...

Subitamente, ele cambaleou. Nico teria caído se Jason não o tivesse amparado.

— Nico — disse Piper. — O que foi?

— As Portas — disse ele. — Alguma coisa está acontecendo. Percy e Annabeth... precisamos ir agora.

— Mas como? — disse Jason. — O túnel já era.

Frank trincou os dentes. Não fora tão longe para ficar ali, impotente, enquanto seus amigos estavam em apuros.

— Não será divertido — disse ele. — Mas há outro jeito.

LXIX

ANNABETH

Ser morta pelo Tártaro não parecia lá uma grande honra.

Ao encarar o redemoinho de escuridão que era seu rosto, Annabeth decidiu que preferia morrer de uma forma menos memorável. Talvez caindo das escadas, ou uma morte pacífica durante o sono aos oitenta anos, depois de uma vida tranquila com Percy. Sim, isso parecia bom.

Não era a primeira vez que Annabeth enfrentava um inimigo que não tinha condições de derrotar usando a força. Normalmente, isso seria sua deixa para tentar ganhar tempo com alguma de suas conversas enroladoras de filha de Atena.

O problema é que sua voz não saía. Não conseguia nem fechar a boca. Pelo que sabia, estava babando tanto quanto Percy quando ele dormia.

Estava vagamente consciente do exército de monstros correndo ao seu redor, mas após seu rugido inicial de triunfo, a horda ficara em silêncio. Àquela altura, Annabeth e Percy já deviam ter sido feitos em pedaços. Em vez disso, os monstros mantinham distância, esperando Tártaro fazer alguma coisa.

O deus das profundezas flexionou os dedos, examinando as garras negras. Não tinha expressão, mas aprumou os ombros como se tivesse ficado satisfeito.

É bom ter forma, entoou ele. *Com estas mãos, posso eviscerar vocês.*

A voz dele soava como uma gravação tocada ao contrário, como se as palavras estivessem sendo sugadas pelo vórtice de seu rosto em vez de projetadas.

Na verdade, *tudo* parecia sugado pelo rosto daquele deus: a luz fraca, as nuvens venenosas, a essência dos monstros, até a própria frágil força vital de Annabeth. Ela olhou ao redor e se deu conta de que tudo naquela vasta planície passara a exibir uma cauda vaporosa de cometa apontada na direção de Tártaro.

Annabeth sabia que devia começar a falar, mas seus instintos lhe diziam para se esconder, para evitar fazer qualquer coisa que pudesse chamar a atenção do deus.

Além disso, o que poderia dizer? *Você não vai conseguir se safar!*

Isso não era verdade. Ela e Percy só tinham sobrevivido até aquele momento porque Tártaro estava ocupado saboreando sua nova forma. Queria o prazer de fazê-los em pedaços com as próprias mãos. Se Tártaro quisesse, Annabeth não tinha a menor dúvida de que ele poderia devorar sua existência com um simples pensamento, com a mesma facilidade com que havia vaporizado Hiperíon e Crios. Será que haveria um renascimento depois daquilo? Annabeth não queria descobrir.

Ao lado dela, Percy fez algo que ela nunca o havia visto fazer. Ele largou a espada. Contracorrente simplesmente caiu de suas mãos e bateu no chão com um ruído abafado. A Névoa da Morte não ocultava mais seu rosto, mas ele ainda parecia um cadáver.

Tártaro rosnou de novo, o que possivelmente era uma risada.

O medo de vocês é um aroma maravilhoso, disse o deus. *Entendo o apelo de ter um corpo físico com tantos sentidos. Talvez minha amada Gaia tenha razão ao desejar despertar de seu sono.*

Ele esticou sua gigantesca mão roxa e poderia ter arrancado Percy do chão como se o semideus fosse uma erva daninha, mas Bob o interrompeu.

— Vá embora! — O titã apontou a lança para o deus. — Você não tem o direito de se meter!

Me meter? Tártaro se virou. *Eu sou o senhor de* todas *as criaturas das trevas, Jápeto, seu insignificante. Posso fazer o que quiser.*

Seu rosto, a espiral de escuridão, começou a girar mais rápido. O som uivante era tão terrível que Annabeth caiu de joelhos e tapou os ouvidos. Bob se desequilibrou. Sua energia vital, na forma da cauda de cometa, ficou mais alongada ao ser sugada na direção do rosto do deus.

Bob rugiu em desafio. Partiu para cima do deus, mirando a lança no peito de Tártaro. Antes que ela o atingisse, Tártaro jogou Bob para o lado como se ele não passasse de um inseto incômodo. O titã foi jogado longe.

Por que você não se desintegra?, perguntou Tártaro. *Você não é nada. É ainda mais fraco que Crios e Hiperíon.*

— Eu sou Bob — disse Bob.

Tártaro rosnou.

O que é isso? O que é Bob?

— Eu escolhi ser mais que Jápeto — disse o titã. — Você não me controla. Não sou como meus irmãos.

A gola de seu uniforme se moveu. Bob Pequeno saiu de debaixo da roupa e pulou para o chão. O gatinho aterrissou diante de seu dono, então arqueou as costas e chiou para o senhor do abismo.

Bob Pequeno começou a crescer diante dos olhos de Annabeth. Sua forma não parou de tremeluzir até se transformar em um esqueleto de tigre-dentes-de--sabre em tamanho real.

— Além disso… — anunciou Bob. — Eu tenho um bom gato.

Bob Não Tão Pequeno atacou Tártaro e cravou as garras em sua coxa. O felino escalou sua perna e entrou por debaixo da cota de malha do deus. Tártaro batia os pés e gritava, aparentemente deixando de saborear sua forma física. Enquanto isso, Bob cravou a lança no lado do corpo do deus, logo abaixo de seu protetor peitoral.

Tártaro rugiu. Ele tentou acertar Bob, mas o titã recuou e saiu de seu alcance. Bob estendeu a mão. Sua lança se libertou da carne do deus com um arranco forte e voou de volta para ele, o que fez Annabeth quase perder o fôlego tamanha a surpresa. Ela nunca havia imaginado que uma vassoura pudesse ter tantas utilidades. Bob Pequeno pulou de debaixo da saia de Tártaro e correu para o lado de seu dono, com icor dourado escorrendo de seus enormes dentes de sabre.

Você vai morrer primeiro, Jápeto, decidiu Tártaro. *Depois, vou pôr sua alma em minha armadura, onde ela vai se dissolver lentamente, várias e várias vezes, em agonia eterna.*

Tártaro bateu o punho no peitoral de sua armadura. Os rostos pálidos aprisionados no metal se agitaram e deram gritos silenciosos, implorando para sair.

Bob se virou para Percy e Annabeth. O titã sorriu, o que provavelmente não teria sido a reação da garota caso tivesse sido ameaçada de morte e agonia eterna.

— Cuidem das Portas — disse o titã. — Eu cuido do Tártaro.

O deus jogou a cabeça para trás e urrou, o que criou um vácuo tão forte que os demônios que voavam mais próximos foram sugados pelo vórtice de seu rosto e despedaçados.

Cuida *de mim?*, perguntou o deus em tom de zombaria. *Você não passa de um titã, um filho inferior de Gaia! Você vai pagar por essa arrogância. E quanto a seus amigos mortais insignificantes...*

Tártaro gesticulou para o exército de monstros, convidando-os a avançar. *Destruam-nos!*

LXX

ANNABETH

Destruam-nos!

Annabeth já tinha escutado essas palavras tantas vezes que elas a arrancaram de seu estado de paralisia. Ergueu a espada e gritou:

— Percy!

Ele sacou Contracorrente.

Annabeth golpeou as correntes que prendiam as Portas da Morte com toda a força. Sua lâmina de osso de drakon as cortou de primeira. Enquanto isso, Percy repelia a primeira onda de monstros. Ele atingiu uma *arai* e soltou um grito.

— Argh! Maldições idiotas!

Em seguida, exterminou meia dúzia de telquines. Annabeth passou por trás dele e cortou as correntes do outro lado.

As Portas estremeceram, depois se abriram com um *Ding!* agradável.

Bob e seu ajudante de dentes de sabre continuavam a se movimentar em volta de Tártaro. Atacavam e se esquivavam para ficarem fora do alcance de seus golpes. Não pareciam causar muitos danos, mas Tártaro, desengonçado, ia de um lado para outro. Era óbvio que não estava acostumado a lutar em um corpo humanoide. Ele atacava e errava, atacava e errava.

Mais monstros correram na direção das Portas. Uma flecha passou ao lado da cabeça de Annabeth. Ela se virou e enfiou a espada na barriga de uma *em-*

pousa, depois mergulhou e passou pelas portas quando estavam começando a se fechar.

Ela as manteve abertas com o pé enquanto lutava. Como estava no elevador, pelo menos não tinha que se preocupar em ser atacada pelas costas.

— Percy, venha! — gritou ela.

Ele foi até a porta. O rosto dele pingava suor e sangue de vários cortes.

— Você está bem? — perguntou ela.

Ele assentiu.

— Uma das *arai* me lançou algum tipo de maldição de *dor*. — Ele atingiu um grifo em pleno ar. — Dói, mas não vai me matar. Entre no elevador. Vou segurar o botão.

— Aham, até parece! — Ela acertou um cavalo carnívoro no focinho com o cabo da espada e o fez voltar correndo para a turba de monstros. — Você prometeu, Cabeça de Alga. Nós *não* íamos nos separar! Nunca mais!

— Você é impossível!

— Eu também amo você.

Toda uma falange de ciclopes atacou, derrubando monstros menores em seu caminho. Annabeth achou que ia morrer.

— Tinham que ser ciclopes — resmungou ela.

Percy soltou um grito de guerra. Aos pés dos ciclopes, uma veia no chão explodiu, e o fogo líquido do Flegetonte espirrou nos monstros. O rio podia ter curado mortais, mas não foi muito benéfico para os ciclopes. A veia arrebentada se fechou sozinha, mas os monstros desapareceram, deixando para trás apenas algumas manchas escuras no chão.

— Annabeth, você *precisa* ir! — disse Percy. — Não podemos ficar os dois aqui!

— Não! — gritou ela. — Se abaixe!

Ele não perguntou por quê. Apenas se agachou, e Annabeth pulou por cima do namorado e acertou a cabeça de um ogro muito tatuado com sua espada.

Percy e ela estavam parados lado a lado no portal, à espera do ataque seguinte. A veia que explodira tinha detido momentaneamente os monstros, mas não ia demorar para que se lembrassem: *Ei, espere aí, nós somos setenta e cinco zilhões, e eles, só dois.*

— Bem, e então, você tem uma ideia melhor? — perguntou Percy.

Annabeth bem que queria ter.

As Portas da Morte, sua saída daquele mundo de pesadelos, estavam bem atrás deles. Mas não podiam passar por elas sem que alguém segurasse o botão do elevador por longos doze minutos. Se entrassem e simplesmente deixassem que as Portas se fechassem, Annabeth achava que os resultados não seriam nada saudáveis. E caso se afastassem das Portas, o elevador provavelmente ia se fechar e desaparecer sem eles.

A situação era tão pateticamente triste que quase dava vontade de rir.

Os monstros avançavam bem devagar, rosnando e tomando coragem.

Enquanto isso, os ataques de Bob começavam a ficar mais lentos. Tártaro estava aprendendo a controlar seu corpo novo. O Bob Pequeno dentes-de-sabre saltou sobre o deus, mas Tártaro o jogou para o lado. Bob correu na direção do deus, gritando de ódio, mas ele apenas arrancou a lança das mãos do titã e o chutou morro abaixo, fazendo-o derrubar uma fileira de telquines como se fossem pinos de boliche na forma de mamíferos marinhos.

Entregue-se!, bradou Tártaro.

— Não — disse Bob. — Você não é meu senhor.

Então morra me desafiando, disse o deus das profundezas. *Vocês, titãs, não são nada para mim. Os meus filhos gigantes sempre foram melhores, mais fortes e malignos. Eles vão deixar o mundo superior tão escuro quanto meus domínios!*

Tártaro quebrou a lança em duas. Bob uivou de dor. O Bob Pequeno dentes--de-sabre saiu em defesa de seu dono, rosnou para Tártaro e mostrou as presas. O titã tentava se levantar, mas Annabeth sabia que era o fim. Até os monstros se viraram para ver, como se sentissem que seu mestre Tártaro estava prestes a se tornar o centro das atenções. A morte de um titã era algo que merecia ser visto.

Percy segurou a mão de Annabeth.

— Fique aqui. Tenho que ajudá-lo.

— Percy, você não pode — gritou ela, rouca. — Não se pode lutar contra o Tártaro. Pelo menos, não nós.

Ela sabia que tinha razão. Tártaro estava em uma categoria única. Era mais poderoso que deuses ou titãs. Semideuses não eram nada para ele. Se Percy tentasse ajudar Bob, seria esmagado como uma formiga.

Mas Annabeth também sabia que Percy não ia ouvi-la. Ele não podia deixar Bob morrer sozinho. Simplesmente não era o jeito dele, e essa era uma das muitas razões que a faziam amá-lo, mesmo que fosse um pé no *sacculum*.

— Vamos juntos — decidiu Annabeth, sabendo que aquela seria a batalha final dos dois.

Se eles se afastassem das Portas, nunca mais deixariam o Tártaro. Pelo menos morreriam lutando lado a lado.

Estava prestes a dizer: *Agora!*

Uma comoção tomou conta do exército. A distância, Annabeth ouviu guinchos, gritos e um *bum, bum* persistente e rápido demais para ser a pulsação do coração no chão. Era mais como algo grande e pesado correndo a toda velocidade. Um nascido da terra girou no ar como se tivesse sido arremessado. Um jato de gás verde-claro caía em cima da horda monstruosa como se fosse uma mangueira de veneno contra motins. Tudo em seu caminho se dissolvia.

Na outra extremidade do trecho de chão fervilhante e agora vazio, Annabeth viu o motivo da comoção. Ela começou a sorrir.

O drakon maeônio abriu a pele em torno do pescoço e sibilou. Seu hálito venenoso encheu o campo de batalha com o aroma de pinho e gengibre. Ele moveu o corpo de dezenas de metros, sacudiu a cauda verde pintalgada e varreu um batalhão de ogros.

Havia um gigante de pele vermelha montado em suas costas, com flores nas tranças ruivas, um gibão de couro verde e uma lança de costela de drakon na mão.

— Damásen! — gritou Annabeth.

O gigante inclinou a cabeça.

— Annabeth Chase, eu resolvi seguir seu conselho. Escolhi um novo destino para mim.

LXXI

ANNABETH

O QUE É ISSO?, ROSNOU o deus das profundezas. *Por que você veio, meu filho renegado?*

Damásen encarou Annabeth com uma mensagem clara nos olhos: *Vão! Agora!*

Ele se virou para Tártaro. O drakon maeônio bateu as patas no chão e rosnou.

— Pai, você não desejava um adversário mais à sua altura? — perguntou Damásen com calma. — Eu sou um dos gigantes dos quais você tanto se orgulha. Não queria que eu fosse mais beligerante? Talvez eu comece destruindo você!

Damásen preparou sua lança e atacou.

O exército monstruoso se fechou ao seu redor, mas o drakon maeônio destruía tudo em seu caminho, agitando a cauda e lançando veneno enquanto Damásen atacava Tártaro e forçava o deus a recuar como um leão encurralado.

Bob se afastou da batalha cambaleando, com o tigre-dentes-de-sabre ao lado. Percy deu a eles o máximo de cobertura que pôde. Fez veias no chão explodirem uma atrás da outra. Alguns monstros foram vaporizados pela água do Estige. Outros levaram uma ducha do Cócito e desmoronaram, chorando desesperançosos. Outros foram banhados pelo Lete e, com olhos vazios, ficaram observando ao redor, sem saberem ao certo onde estavam ou mesmo *quem* eram.

Bob foi mancando até as Portas. Icor dourado escorria dos ferimentos em seus braços e peito. O uniforme de zelador estava em farrapos. O titã estava retorcido e curvado, como se ao quebrar sua lança Tártaro tivesse quebrado alguma coisa dentro dele. Apesar de tudo isso, estava sorrindo e com os olhos prateados brilhando de satisfação.

— Vão — ordenou ele. — Eu vou segurar o botão.

Percy olhou para o titã, preocupado.

— Bob, você não está em condições de…

— Percy. — A voz de Annabeth estava trêmula. Ela se odiou por deixar Bob fazer aquilo, mas sabia que era a única maneira. — Precisamos ir.

— Não podemos simplesmente deixar os dois!

— Você precisa fazer isso, amigo. — Bob deu um tapinha no braço de Percy que quase o derrubou. — Ainda consigo apertar um botão. E tenho um bom gato para cuidar de mim.

Bob Pequeno dentes-de-sabre rugiu, concordando.

— Além disso, é seu destino retornar ao mundo — disse Bob. — E pôr um fim nessa loucura de Gaia.

Um ciclope aos gritos, dissolvendo-se por causa do veneno de drakon, foi lançado por cima de suas cabeças.

A cinquenta metros, o drakon maeônio atropelava monstros. O barulho de seus passos era úmido, como se estivesse pisoteando uvas. Montado nele, Damásen berrava insultos e provocava o deus das profundezas, atraindo Tártaro para mais longe das portas.

Tártaro o perseguiu com passos pesados. Suas botas de ferro faziam crateras no chão.

Você não pode me matar!, gritou ele. *Eu sou o próprio abismo. É a mesma coisa que tentar matar a terra. Gaia e eu… somos eternos. Nós* possuímos *você, sua carne e seu espírito!*

Ele baixou seu punho enorme, mas Damásen desviou e enfiou sua lança no pescoço de Tártaro.

Tártaro grunhiu, parecendo mais irritado que ferido. Virou seu rosto, o redemoinho de vácuo, na direção do gigante, mas Damásen saiu do caminho bem a tempo. Uns dez monstros foram sugados para o interior do vórtice e se desintegraram.

— Bob, não! — disse Percy com olhos suplicantes. — Ele vai destruí-lo para sempre. Sem volta. Sem regeneração.

Bob deu de ombros.

— Quem sabe o que vai acontecer? Vocês precisam ir agora. Tártaro tem razão sobre uma coisa: nós não podemos derrotá-lo. Só podemos ganhar tempo para vocês.

As Portas tentaram fechar, mas o pé de Annabeth estava no caminho.

— Doze minutos — disse o titã. — Posso dar isso a vocês.

— Percy... segure as portas. — Annabeth deu um pulo e jogou os braços em volta do pescoço do titã. Beijou seu rosto com os olhos tão cheios de lágrimas que não conseguia ver direito. A barba por fazer de Bob cheirava a produtos de limpeza: lustra-móveis com aroma fresco de limão e outros produtos para limpar madeira.

— Monstros são eternos — disse para ele, tentando não cair no choro. — Vamos nos lembrar de você e de Damásen como heróis, como o *melhor* titã e o *melhor* gigante. Vamos contar para nossos filhos. Vamos manter a história viva. Um dia vocês vão se regenerar.

Bob esfregou os cabelos dela. Um sorriso fez surgirem rugas em torno de seus olhos.

— Isso é bom. Até lá, amigos, digam oi ao sol e às estrelas por mim. E sejam fortes. Este pode não ser o último sacrifício que terão que fazer para deter Gaia.

Ele a empurrou com delicadeza.

— Não há mais tempo. Vá.

Annabeth agarrou o braço de Percy. Ela o puxou para o elevador. Teve um último vislumbre do drakon maeônio sacudindo um ogro como se fosse um fantoche e de Damásen atacando as pernas de Tártaro.

O deus das profundezas apontou para as Portas da Morte e gritou: *Monstros, detenham-nos!*

Bob Pequeno dentes-de-sabre armou um bote e rosnou, pronto para lutar.

Bob piscou para Annabeth.

— Mantenham as portas fechadas do seu lado — disse ele. — Elas vão resistir à sua passagem. Segurem...

As portas deslizaram e fecharam.

LXXII

ANNABETH

— **Percy, me ajude!** — **pediu Annabeth**, assustada.

Ela jogou todo o peso do corpo na porta da esquerda para mantê-la fechada. Percy fez o mesmo do lado direito. Não havia maçanetas nem nada em que se segurar. Conforme o elevador subia, as Portas sacudiam e tentavam se abrir, ameaçando lançá-los no que quer que houvesse entre a vida e a morte.

Os ombros de Annabeth doíam. A música ambiente típica de elevador não ajudava. Se todos os monstros tinham que ouvir aquela música sobre gostar de *piñas coladas* e ser pego pela chuva, não era de se espantar que chegassem ao mundo mortal loucos por uma carnificina.

— Deixamos Bob e Damásen para trás — disse Percy com a voz falhando. — Eles vão morrer por nós, e nós simplesmente...

— Eu sei — respondeu ela. — Pelos deuses do Olimpo, Percy, eu sei.

Annabeth estava quase feliz por ter que se preocupar em manter as Portas fechadas. O medo que sentia pelo menos evitava que ela caísse no choro. Abandonar Damásen e Bob tinha sido a coisa mais difícil que fizera na vida.

Por anos no Acampamento Meio-Sangue, Annabeth sofria quando outros colegas saíam em missões enquanto ela ficava para trás. Tinha visto outros conquistarem inúmeras glórias... ou fracassarem e não voltarem. Desde os sete anos, ela pensava: *Por que não posso provar minhas habilidades? Por que não posso liderar uma missão?*

Agora entendia que o teste mais difícil para uma filha de Atena não era liderar uma missão ou enfrentar a morte em combate. Era tomar a decisão estratégica de sair do caminho e deixar que outra pessoa ficasse com a parte mais perigosa, especialmente quando essa pessoa era sua amiga. Precisava encarar o fato de que não podia proteger todo mundo que amava. Não podia resolver todos os problemas.

Ela odiava isso, mas não tinha tempo para se lamentar. Piscou para afastar as lágrimas.

— Percy, as Portas — alertou.

Elas começaram a deslizar e se abrir, deixando entrar um sopro de... ozônio? Enxofre?

Percy empurrou seu lado com toda a força e a fresta se fechou. Seus olhos queimavam de raiva. Annabeth esperava que não fosse raiva dela, mas se fosse, não podia culpá-lo.

Se isso fizer com que ele siga em frente, então é melhor que fique com raiva.

— Vou matar Gaia — balbuciou ele. — Vou despedaçá-la com minhas próprias mãos.

Annabeth assentiu, mas estava pensando sobre o que Tártaro dissera. Ele não podia ser morto. Nem Gaia. Nem titãs e gigantes podiam enfrentar tamanho poder. Semideuses não tinham a menor chance.

Ela também se lembrou do aviso de Bob: *Este pode não ser o último sacrifício que terão que fazer para deter Gaia.*

Algo lhe disse que o titã estaria certo.

— Doze minutos — murmurou ela. — Doze minutos.

Então rezou para Atena. Pediu que Bob conseguisse segurar o botão por esse tempo todo, e também pediu força e sabedoria. Perguntou-se o que iriam encontrar quando chegassem ao fim daquela viagem de elevador.

Caso seus amigos não estivessem lá, controlando o outro lado...

— Nós vamos conseguir — disse Percy. — Nós *temos* que conseguir.

— É — disse Annabeth. — É, temos, sim.

Mantiveram as portas fechadas enquanto o elevador estremecia e a música continuava a tocar. Em algum lugar abaixo deles, um titã e um gigante sacrificavam suas vidas para que os dois pudessem fugir.

LXXIII

HAZEL

Hazel não estava orgulhosa de ter chorado.

Após o túnel desabar, chorou e gritou como uma criança de dois anos fazendo birra. Não podia mover os escombros que separavam a ela e a Leo dos outros. Se a terra se movesse mais um pouco, tudo poderia desabar sobre as suas cabeças. Ainda assim, socou as pedras e gritou palavrões que teriam lhe valido uma lavagem da boca com sabão de lixívia na Academia St. Agnes.

Leo olhou para Hazel, com os olhos arregalados e sem palavras.

Não estava sendo justa com ele.

A última vez que estiveram sozinhos, partilharam um *flashback* e o apresentara a Sammy, seu bisavô e o primeiro namorado de Hazel. Ela o sobrecarregara com uma bagagem emocional da qual Leo não precisava, e deixara-o tão confuso que quase foi morto por um monstruoso camarão gigante.

Agora, ali estavam os dois, sozinhos novamente, enquanto seus amigos podiam estar morrendo nas mãos de um exército de monstros, e ela estava dando um chilique.

— Sinto muito.

Ela limpou o rosto.

— Ei, sabe... — Leo deu de ombros. — Já ataquei algumas pedras também.

Ela engoliu com dificuldade.

— Frank está… ele…

— Ouça — disse Leo. — Frank Zhang tem habilidades. Provavelmente vai se transformar em um canguru e dar alguns golpes de jiu-jitsu marsupial naquelas carrancas horrorosas.

Ele a ajudou a se levantar. Apesar do pânico fervendo dentro dela, Hazel sabia que Leo estava certo. Frank e os outros não estavam desamparados. Descobririam um jeito de sobreviver. O melhor que ela e Leo podiam fazer era seguir em frente.

Ela olhou para Leo. Seu cabelo crescera e estava mais bagunçado, o rosto mais magro, de modo que ele se parecia menos com um diabinho e mais com um desses elfos de contos de fadas. A maior diferença estava nos olhos. Estavam constantemente à deriva, como se Leo estivesse procurando por algo.

— Leo, sinto muito — disse ela.

Ele ergueu uma sobrancelha.

— O.k.. Mas por quê?

— Por… — Ela gesticulou ao redor, impotente. — Tudo. Por pensar que você era Sammy, por iludi-lo. Quer dizer, não pretendia, mas se eu fiz isso…

— Ei.

Leo apertou-lhe a mão, mas Hazel nada percebeu de romântico no gesto.

— As máquinas foram feitas para funcionar.

— O quê?

— Acredito que o universo é basicamente como uma máquina. Não sei quem fez isso, se foram as Parcas, os deuses, ou o Deus com D maiúsculo, ou qualquer outro ente. Mas funciona como deve a maior parte do tempo. Claro, algumas peças quebram e as coisas dão errado de vez em quando, mas, na maioria das vezes… tudo acontece por um motivo. Tipo nos encontrarmos.

— Leo Valdez, você é um filósofo — maravilhou-se Hazel.

— Não — disse ele. — Sou apenas um mecânico. Mas acho que meu *bisabuelo*, Sammy, manjava das coisas. Ele a deixou ir, Hazel. Meu trabalho é lhe dizer que está tudo bem. Você e Frank… vocês combinam. Todos superaremos isso. Espero que tenham a chance de serem felizes. Além disso, Zhang não consegue amarrar os sapatos sem a sua ajuda.

— Isso é cruel — repreendeu Hazel, mas sentiu como se algo estivesse se desatando dentro dela, um nó de tensão que vinha carregando havia semanas.

Leo *realmente* mudara. Hazel estava começando a pensar que encontrara um bom amigo.

— O que aconteceu com você enquanto esteve sozinho? — perguntou ela. — Quem conheceu?

Os olhos de Leo estremeceram.

— É uma longa história. Eu vou contá-la um dia, mas ainda estou esperando para ver onde isso vai dar.

— O universo é uma máquina. Por isso vai dar tudo certo — disse Hazel.

— Tomara.

— Desde que não seja uma de suas máquinas — acrescentou Hazel. — Porque elas nunca fazem o que devem.

— Muito engraçadinha. — Leo invocou fogo em sua mão. — Agora, qual o caminho, Miss Mundo Inferior?

Hazel examinou o caminho à sua frente. A uns dez metros dali, o túnel se dividia em quatro artérias menores, todas idênticas, mas a da esquerda irradiava frio.

— Por ali — concluiu. — Parece ser o mais perigoso.

— Estou nessa — disse Leo.

Eles começaram a descer.

Assim que chegaram ao primeiro arco, Gale, a doninha, os encontrou.

Gale correu até Hazel e enroscou-se em volta de seu pescoço, guinchando, zangada, como se dissesse: *Onde você esteve? Você está atrasada.*

— Essa doninha flatulenta outra vez — reclamou Leo. — Se essa coisa soltar um pum assim tão perto do meu fogo, vamos explodir.

Gale chiou um palavrão de doninha para Leo.

Hazel mandou os dois se calarem. Podia sentir que o túnel à frente inclinava-se levemente para baixo por cerca de uns cem metros e, em seguida, abria-se em uma grande câmara. Nela havia uma presença... fria, pesada, poderosa. Hazel não sentia nada parecido desde a caverna no Alasca, onde Gaia a obrigara a ressuscitar Porfírio, o rei gigante. Hazel frustrara os planos da deusa na ocasião, mas precisou fazer a caverna desabar, sacrificando a sua vida e a de sua mãe. Ela não estava ansiosa para passar por uma experiência semelhante.

— Leo, prepare-se — sussurrou ela. — Estamos perto.

— Perto de quê?

Uma voz feminina ecoou pelo corredor:

— Perto de *mim*.

Uma onda de náusea atingiu Hazel com tanta força que seus joelhos dobraram. O mundo inteiro rodou. Seu senso de direção, geralmente impecável no subterrâneo, ficou completamente confuso.

Ela e Leo pareciam não terem se movido, mas subitamente se viram cem metros mais abaixo no corredor, na entrada da câmara.

— Bem-vindos — disse a voz feminina. — Aguardei ansiosamente por isso.

Os olhos de Hazel esquadrinharam a caverna. Não conseguia ver quem estava falando.

O lugar lembrava o Panteão de Roma, só que era decorado no estilo Hades Moderno.

As paredes de obsidiana eram entalhadas com cenas de morte: vítimas da peste, cadáveres no campo de batalha, câmaras de tortura com esqueletos pendurados em gaiolas de ferro, tudo adornado com pedras preciosas que de algum modo tornavam as cenas ainda mais medonhas.

Como no Panteão, o teto abobadado era composto por um padrão de painéis quadrados rebaixados, mas ali cada painel era uma estela, uma lápide com inscrições em grego antigo. Hazel se perguntou se de fato havia cadáveres por trás delas. Com seus sentidos subterrâneos fora de sintonia, não era possível ter certeza.

Hazel não viu outras saídas. No cume do teto, onde ficaria a claraboia do Panteão, brilhava um círculo de pedra negra, como se para reforçar a ideia de que não havia nenhum jeito de escapar daquele lugar: nenhum céu lá em cima, apenas a escuridão.

Os olhos de Hazel voltaram-se para o centro da câmara.

— Sim — murmurou Leo. — São portas, com certeza.

A uns quinze metros dali, havia um conjunto de portas de elevador isoladas, com painéis entalhados em prata e ferro. Havia fileiras de correntes em ambos os lados, fixando a moldura a grandes ganchos no chão.

A área ao redor das portas estava repleta de entulho negro. Com uma sensação de raiva crescente, Hazel percebeu que ali havia um antigo altar para Hades, que fora destruído para abrir espaço para as Portas da Morte.

— Onde você está? — gritou Hazel.

— Não nos vê? — provocou a voz feminina. — Pensei que Hécate a escolhera por suas habilidades.

Outro surto de mal-estar tomou conta do intestino de Hazel. Em seu ombro, Gale latiu e soltou gases, o que não ajudou.

Manchas escuras flutuaram diante dos olhos de Hazel. Piscou para afastá-las, mas só ficaram mais escuras. As manchas se consolidaram em uma figura sombria de seis metros de altura que pairava junto às Portas.

O gigante Clítio estava envolto em fumaça negra, assim como aparecera em sua visão na encruzilhada, mas agora Hazel podia distinguir vagamente a sua forma: pernas de dragão com escamas cinzentas, um enorme tronco humanoide envolto por uma armadura de ferro estígio, cabelo comprido e trançado que parecia ser feito de fumaça. Sua pele era tão escura quanto a da Morte (Hazel devia saber, já que conhecera a Morte pessoalmente). Seus olhos brilhavam, frios como diamantes. Não portava nenhuma arma, mas isso não o tornava menos aterrorizante.

Leo assobiou.

— Sabe, Clítio... para um cara tão grande, até que você tem uma bela voz.

— Idiota — sibilou a mulher.

A meio caminho entre Hazel e o gigante, o ar tremulou. A feiticeira apareceu. Trajava um elegante vestido sem mangas tecido com fios de ouro e tinha o cabelo escuro preso em um coque rodeado de diamantes e esmeraldas. Em torno de seu pescoço, usava um pingente em forma de labirinto em miniatura, preso à ponta de uma corrente cravejada de rubis que fizeram Hazel pensar em gotas de sangue cristalizadas.

A mulher era bela de um jeito atemporal, régia — como uma estátua que você pode até admirar, mas jamais poderia amar. Seus olhos brilhavam com malícia.

— Pasifae — disse Hazel.

A mulher inclinou a cabeça.

— Minha querida Hazel Levesque.

Leo tossiu.

— Vocês se conhecem? Como parceiras de Mundo Inferior, ou…

— Silêncio, idiota. — A voz de Pasifae era tranquila, mas repleta de veneno. — Não tenho tempo para meninos semideuses, sempre tão cheios de si, tão atrevidos e destrutivos.

— Ei, moça — protestou Leo. — Não destruo as coisas. Sou um filho de Hefesto.

— Um faz-tudo — retrucou Pasifae. — Pior ainda. Conheci Dédalo. Suas invenções só me trouxeram problemas.

Leo piscou.

— Dédalo… tipo, o Dédalo? Bem, então deve saber tudo sobre a gente, os faz-tudo. Gostamos mais de consertar, construir e, ocasionalmente, enfiar chumaços de oleado na boca de senhoras rudes…

— Leo.

Hazel estendeu o braço sobre o peito dele. Ela tinha a sensação de que a feiticeira estava a ponto de transformá-lo em algo desagradável caso Leo não calasse a boca.

— Deixe-me resolver isso, certo?

— Ouça a sua amiga — disse Pasifae. — Seja um bom menino e deixe as mulheres conversarem.

Pasifae caminhou lentamente diante deles, examinando Hazel com os olhos tão cheios de ódio que fizeram a sua pele formigar. O poder irradiava da feiticeira como o calor de uma fornalha. Sua expressão era perturbadora e vagamente familiar…

De algum modo, porém, o gigante Clítio irritava Hazel mais.

Ele ficou em segundo plano, silencioso e imóvel, exceto pela fumaça escura que emanava de seu corpo, acumulando em torno de seus pés. *Ele* era a presença mais fria que ela já sentira, como um grande depósito de obsidiana, tão pesado que Hazel não poderia movê-lo, poderoso e indestrutível e completamente desprovido de emoção.

— Seu… seu amigo não fala muito — observou.

Pasifae olhou para o gigante e fungou com desdém.

— Reze para que ele fique em silêncio, minha querida. Gaia me deu o prazer de lidar com você, mas Clítio é o meu, hum, seguro. Apenas entre nós, como feiticeiras irmãs, creio que ele também está aqui para manter os meus poderes sob controle, no caso de esquecer as ordens de minha nova senhora. Gaia é muito cuidadosa.

Hazel estava tentada a retrucar, dizendo que não era uma feiticeira. Não queria saber como Pasifae planejava "lidar" com eles, ou como o gigante mantinha a sua magia sob controle. Mas endireitou as costas e tentou parecer confiante.

— Seja lá o que esteja planejando, não vai funcionar — disse Hazel. — Matamos cada monstro que Gaia pôs diante de nós. Se vocês forem espertos, sairão do nosso caminho.

Gale, a doninha, rangeu os dentes em sinal de aprovação, mas Pasifae não pareceu impressionada.

— Você não me parece ter muito valor — ponderou a feiticeira. — Mas, afinal, semideuses nunca parecem. Meu marido, Minos, o rei de Creta? Era filho de Zeus. Apenas olhando para ele, jamais desconfiaria. Ele era quase tão magrelo quanto aquele ali.

Ela apontou para Leo.

— Uau — murmurou Leo. — Minos deve ter feito algo realmente horrível para merecer você.

As narinas de Pasifae se inflaram.

— Ah... você não faz *ideia*. Ele era orgulhoso demais para fazer os sacrifícios adequados a Poseidon, de modo que os deuses puniram a *mim* por sua arrogância.

— O Minotauro — lembrou-se Hazel subitamente.

A história era tão revoltante e grotesca que Hazel sempre tampava os ouvidos quando a contavam no Acampamento Júpiter. Pasifae fora condenada a se apaixonar pelo touro premiado do marido. Dera à luz o Minotauro, metade homem, metade touro.

Agora, enquanto Pasifae a fuzilava com os olhos, Hazel percebeu por que sua expressão era tão familiar.

A feiticeira tinha no olhar a mesma amargura e ódio que a mãe de Hazel exibia de vez em quando. Em seus piores momentos, Marie Levesque olhava para a filha como se fosse uma criança monstruosa, uma maldição dos deuses, a fonte de todos os seus problemas. É por isso que a história do Minotauro incomodava Hazel. Não apenas a imagem repulsiva de Pasifae e do touro, mas a ideia de que uma criança, qualquer criança, pudesse ser considerada um castigo para seus pais, um monstro a ser trancado e odiado. Para Hazel, o Minotauro sempre fora a vítima da história.

— Sim — disse Pasifae afinal. — Minha desgraça era insuportável. Depois que meu filho nasceu e foi trancado no labirinto, Minos se recusou a ter qualquer coisa comigo. Disse que tinha arruinado a sua reputação! E você sabe o que aconteceu com Minos, Hazel Levesque? Por seus crimes, por seu orgulho? Foi recompensado. Tornou-se um juiz dos mortos no Mundo Inferior, como se tivesse o direito de julgar os outros! Hades deu-lhe essa posição. Seu pai.

— Plutão, na verdade.

Pasifae zombou.

— Irrelevante. Então como percebe, odeio semideuses, tanto quanto odeio os deuses. Gaia me prometeu que, se qualquer um dos seus irmãos sobreviverem à guerra, poderei vê-los morrer lentamente em meu novo domínio. Só gostaria de ter mais tempo para torturar vocês corretamente. Que pena...

No centro da câmara, as Portas da Morte emitiram um agradável som de sino. O botão verde de SUBIR no lado direito da moldura começou a brilhar. As correntes estremeceram.

— Ali, estão vendo? — Pasifae deu de ombros, se desculpando. — As portas estão funcionando. Mais doze minutos, e elas se abrirão.

O estômago de Hazel estremeceu quase tanto quanto as correntes.

— Mais gigantes?

— Felizmente, não — disse a feiticeira. — Estão todos mobilizados no mundo mortal, prontos para o ataque final. — Pasifae lançou-lhe um sorriso frio. — Não, imagino que as Portas estejam sendo utilizadas por outra pessoa... alguém não autorizado.

Leo deu um passo à frente. Fumaça emanava de seus punhos.

— Percy e Annabeth.

Hazel não conseguia falar. Não tinha certeza se o nó na garganta era de alegria ou frustração. Se os amigos tivessem conseguido chegar às Portas, se realmente apareceriam ali em doze minutos...

— Ah, não se preocupe. — Pasifae fez um gesto de desdém. — Clítio cuidará deles. Quando ouvirem a campainha outra vez, alguém do *nosso* lado precisará apertar o botão de SUBIR ou as Portas não se abrirão, e quem estiver lá dentro… *puf*. Já era. Ou talvez Clítio os deixe sair para lidar com eles pessoalmente. Isso depende de vocês.

Hazel sentiu um gosto metálico na boca. Ela não queria perguntar, mas tinha de fazê-lo.

— Como exatamente isso depende de nós?

— Bem, obviamente, precisamos de apenas um grupo de semideuses vivos — disse Pasifae. — Os dois sortudos serão levados para Atenas e sacrificados para Gaia no Banquete da Esperança.

— Obviamente — murmurou Leo.

— Então? Serão vocês dois, ou seus amigos no elevador? — A feiticeira estendeu as mãos. — Veremos quem ainda estará vivo em doze… na verdade, onze minutos agora.

A caverna se dissolveu em escuridão.

LXXIV

HAZEL

O GPS EMBUTIDO DE HAZEL ficou descontrolado.

Ela se lembrou de quando era muito pequena, em Nova Orleans, no final da década de trinta, e sua mãe a levou ao dentista para extrair um dente ruim. Foi a primeira e única vez que Hazel experimentou éter. O dentista prometeu que aquilo a deixaria sonolenta e relaxada, mas Hazel sentiu como se estivesse flutuando para longe de seu corpo, em pânico e fora de controle. Quando o efeito do éter passou, ela ficou doente por três dias.

Aquilo parecia uma superdose de éter.

Parte dela sabia que ainda estava na caverna. Pasifae estava apenas alguns metros à sua frente. Clítio esperava em silêncio ao lado das Portas da Morte.

Mas camadas de Névoa envolviam Hazel, confundindo seu senso de realidade. Ela deu um passo à frente e trombou com uma parede que não deveria estar ali.

Leo encostou as mãos na pedra.

— Que diabos? Onde estamos?

Um corredor se estendia para a esquerda e para a direita. Tochas ardiam em suportes de ferro. O lugar cheirava a mofo, como um túmulo antigo. No ombro de Hazel, Gale chiou furiosamente, cravando suas garras na clavícula dela.

— Sim, eu sei — murmurou ela para a doninha. — É uma ilusão.

Leo socou a parede.

— Uma ilusão bastante sólida.

Pasifae riu. Sua voz soou fraca e distante:

— É uma ilusão, Hazel Levesque, ou algo mais? Não percebe o que acabei de criar?

Hazel estava tão tonta que mal conseguia ficar de pé, muito menos pensar direito. Ela tentou expandir seus sentidos, ver através da Névoa e encontrar a caverna novamente, mas tudo o que sentiu foram túneis se dividindo em dezenas de direções, indo para todos os lugares, *exceto* para a frente.

Pensamentos aleatórios pipocaram em sua mente, como pepitas de ouro vindo à superfície: *Dédalo. A prisão do Minotauro. Morrer lentamente em meu novo domínio.*

— O Labirinto — disse Hazel. — Ela está refazendo o Labirinto.

— *O quê?* — Leo estava batendo na parede com um martelo de bola, mas se virou e franziu a testa. — Pensei que o Labirinto tivesse desabado durante a batalha no Acampamento Meio-Sangue, tipo, que ele estava ligado à força vital de Dédalo ou algo assim, e então ele morreu.

Pasifae soltou um muxoxo de desaprovação.

— Ah, mas *eu* ainda estou viva. Você acha que Dédalo é o responsável por todos os segredos do labirinto? *Eu* coloquei vida mágica nele. Dédalo não era nada comparado a mim, a feiticeira imortal, filha de Hélio, irmã de Circe! Agora o Labirinto será *meu* domínio.

— É uma ilusão — insistiu Hazel. — Nós só precisamos atravessá-la.

Enquanto dizia isso, as paredes pareciam ficar cada vez mais sólidas, o cheiro de mofo mais intenso.

— Tarde demais — cantarolou Pasifae. — O Labirinto já foi despertado. Ele vai se espalhar sob a superfície da terra mais uma vez enquanto o mundo mortal é dizimado. Vocês, semideuses... vocês, *heróis*... vagarão por seus corredores, morrendo lentamente de sede, medo e tormentos. Ou talvez, caso me sinta misericordiosa, morrerão rapidamente e com muita dor!

Buracos se abriram no chão sob os pés de Hazel. Ela agarrou Leo e o empurrou para o lado ao mesmo tempo em que uma fileira de espetos disparou para cima, cravando-se no teto.

— Corra! — gritou Hazel.

O riso de Pasifae ecoou pelo corredor.

— Aonde acha que vai, jovem feiticeira? Está fugindo de uma ilusão?

Hazel não respondeu. Estava muito ocupada tentando permanecer viva. Atrás deles, diversas fileiras de espetos disparavam contra o teto com um persistente *tump, tump, tump*.

Ela puxou Leo para um corredor lateral, pulou uma armadilha feita com uma corda e então parou à beirada de um poço de seis metros de diâmetro.

— Acha que é muito fundo? — perguntou Leo, ofegante. Sua calça estava rasgada no lugar onde um dos espetos o acertara de raspão.

Os sentidos de Hazel lhe diziam que o poço tinha pelo menos quinze metros de profundidade e estava repleto de veneno. Mas podia confiar em seus sentidos? Mesmo que Pasifae tivesse criado um novo Labirinto, Hazel acreditava que ainda estavam na mesma caverna, correndo sem rumo para a frente e para trás enquanto Pasifae e Clítio se divertiam assistindo a tudo. Ilusão ou não, a menos que Hazel descobrisse como sair daquele lugar, as armadilhas os matariam.

— Faltam oito minutos — disse a voz de Pasifae. — Eu sinceramente adoraria vê-los sobreviver. Isso provaria que são sacrifícios dignos para Gaia em Atenas. Mas então, é claro, não precisaríamos de seus amigos no elevador.

O coração de Hazel disparou. Ela olhou para a parede à sua esquerda. Apesar do que seus sentidos lhe diziam, aquela *deveria* ser a direção das Portas. Pasifae deveria estar bem à sua frente.

Hazel desejou atravessar a parede e estrangular a feiticeira. Em oito minutos, ela e Leo precisavam estar às Portas da Morte para deixar seus amigos saírem.

Mas Pasifae era uma feiticeira imortal com milhares de anos de experiência em feitiços. Hazel não poderia derrotá-la apenas usando a força de vontade. Ela conseguira enganar a Círon, o bandido, mostrando-lhe o que ele esperava ver. Hazel precisava descobrir o que Pasifae mais desejava.

— Sete minutos — lamentou a feiticeira. — Ah, se tivéssemos mais tempo! Há tantas humilhações que eu gostaria que vocês sofressem…

Era isso, Hazel percebeu. Ela tinha que aceitar o desafio. Tinha que fazer o Labirinto ficar *mais* perigoso, *mais* espetacular, precisava fazer Pasifae se concentrar mais nas armadilhas do que na direção para a qual o Labirinto os estava levando.

— Leo, precisamos pular — disse Hazel.

— Mas...

— Não é tão longe quanto parece. Agora!

Hazel pegou a mão dele e ambos saltaram o poço. Ao caírem do outro lado, Hazel olhou para trás e não havia nenhum poço, apenas uma fenda de dez centímetros no chão.

— Vamos!

Eles correram enquanto a voz de Pasifae dizia:

— Ah, querida, não. Você nunca sobreviverá se for por *esse* caminho. Seis minutos.

O teto acima deles se abriu. Gale, a doninha, chiou alarmada, mas Hazel imaginou um novo túnel que levava para a esquerda — um túnel ainda mais perigoso e que ia para a direção errada. A Névoa cedeu à sua vontade. O túnel apareceu, e os dois entraram nele.

Pasifae suspirou decepcionada.

— Você não é muito boa nisso, querida.

Mas Hazel sentiu uma centelha de esperança. Ela criara um túnel. Introduzira um pequeno rasgo no tecido mágico do Labirinto.

O chão desabou sob seus pés. Hazel saltou para o lado, puxando Leo com ela. Imaginou outro túnel, voltando pelo caminho de onde vieram, mas repleto de gás venenoso. O Labirinto o criou.

— Leo, prenda a respiração — alertou Hazel.

Eles passaram pela névoa tóxica. Os olhos de Hazel pareciam terem sido mergulhados em molho de pimenta, mas ela continuou correndo.

— Cinco minutos — disse Pasifae. — Que pena! Queria tanto vê-los sofrer mais...

Eles chegaram a um corredor com ar fresco. Leo tossiu.

— Queria tanto que ela calasse a boca.

Eles se abaixaram sob um garrote de fio de bronze. Hazel imaginou o túnel se curvando um pouquinho na direção de Pasifae. A Névoa cedeu à sua vontade.

As paredes do túnel começaram a se fechar sobre eles. Hazel não tentou impedi-las. Ela as fez se fecharem mais rápido, estremecendo o chão e abrindo rachaduras no teto. Ela e Leo correram para se salvar, seguindo a curva que os aproximava cada vez mais do que ela achava ser o centro da câmara.

— Uma pena — disse Pasifae. — Eu gostaria de poder matar vocês *e* seus amigos no elevador, mas Gaia insiste que dois semideuses devem ser mantidos vivos até o Banquete da Esperança, quando seu sangue será bem utilizado! Tudo bem. Precisarei encontrar outras vítimas para meu Labirinto. Vocês dois foram fracassos de quinta categoria.

Hazel e Leo pararam de correr. À frente deles estendia-se um abismo tão largo que ela não conseguia ver o outro lado. De algum lugar na escuridão abaixo, vinha o som de milhares e milhares de cobras sibilantes.

Hazel sentiu-se tentada a recuar, mas o túnel estava se fechando atrás deles, deixando-os ilhados em uma pequena saliência. Gale, a doninha, passeou pelos ombros de Hazel e peidou com ansiedade.

— Tudo bem, certo — murmurou Leo. — As paredes são móveis. Têm que ser mecânicas. Preciso de um segundo.

— Não, Leo — falou Hazel. — Não há caminho de volta.

— Mas...

— Segure a minha mão — disse ela. — No três.

— Mas...

— Três!

— *O quê?*

Hazel pulou no poço, puxando Leo. Ela tentou ignorar seus gritos e a doninha flatulenta agarrada a seu pescoço, e concentrou-se em redirecionar a magia do Labirinto.

Pasifae riu com prazer, sabendo que a qualquer momento os dois seriam esmagados ou mordidos até a morte em um poço repleto de cobras.

Em vez disso, Hazel imaginou uma rampa na escuridão, bem à sua esquerda. Ela se virou no ar e caiu naquela direção. Ela e Leo acertaram a rampa e deslizaram para dentro da caverna, caindo bem em cima de Pasifae.

— Ai! — A cabeça da feiticeira bateu no chão quando Leo caiu com força sobre seu peito.

Por um instante, os três e a doninha formaram uma pilha de corpos estatelados e membros se debatendo. Hazel tentou puxar a espada, mas Pasifae conseguiu levantar-se primeiro. A feiticeira se afastou, o penteado tombando para o lado como a Torre de Pisa. Seu vestido estava manchado de graxa do cinto de ferramentas de Leo.

— Seus *miseráveis* — gritou ela.

O labirinto desaparecera. A poucos metros dali, Clítio estava de costas para eles, olhando para as Portas da Morte. Pelos cálculos de Hazel, faltavam cerca de trinta segundos para que seus amigos chegassem. Hazel estava exausta pela corrida através do labirinto enquanto controlava a Névoa, mas precisava lançar mão de mais um truque.

Ela conseguira fazer com que Pasifae visse o que mais desejava. Agora Hazel tinha que fazer a feiticeira ver o que ela mais temia.

— Você deve odiar semideuses de verdade — disse Hazel, tentando imitar o sorriso cruel da feiticeira. — Nós sempre exigimos o máximo de você, não é mesmo, Pasifae?

— Blasfêmia! — gritou Pasifae. — Vou acabar com vocês! Vou…

— Nós estamos sempre puxando o seu tapete — disse Hazel. — Seu marido a traiu. Teseu matou o Minotauro e roubou sua filha, Ariadne. Agora, dois fracassos de quinta categoria viraram seu próprio labirinto contra você. Mas você sabia que seria assim, não é mesmo? Você sempre perde no final.

— Eu sou imortal! — gemeu Pasifae. Ela deu um passo para trás, tocando o colar. — Vocês não podem me vencer!

— Você é que não pode vencer — rebateu Hazel. — Veja.

Ela apontou para os pés da feiticeira. Um alçapão se abriu embaixo de Pasifae. Ela caiu, gritando, em um poço sem fundo que não existia de verdade.

O chão se solidificou. A feiticeira se fora.

Leo olhou para Hazel, espantado.

— Como você…

Logo em seguida, a campainha do elevador tocou. Em vez de apertar o botão SUBIR, Clítio afastou-se do painel, mantendo Percy e Annabeth presos lá dentro.

— Leo! — gritou Hazel.

Estavam a dez metros de distância — longe demais para chegarem ao elevador a tempo —, mas Leo pegou uma chave de fenda e a lançou como uma faca. Um tiro impossível. A ferramenta passou por Clítio e se chocou contra o botão SUBIR.

As Portas da Morte se abriram com um sibilo. Fumaça preta começou a sair pela abertura e dois corpos caíram de cara no chão, Percy e Annabeth, parecendo mortos.

Hazel ofegou.

— Ah, deuses...

Ela e Leo tentaram se aproximar, mas Clítio levantou a mão em um gesto inconfundível: *parem*. Ele ergueu o enorme pé de réptil sobre a cabeça de Percy em aviso.

A fumaça da mortalha do gigante se espalhava pelo chão, cobrindo Annabeth e Percy com neblina escura.

— Clítio, você perdeu — rosnou Hazel. — Deixe-os ir, ou acabará como Pasifae.

O gigante inclinou a cabeça. Seus olhos de diamante brilhavam. Aos seus pés, Annabeth teve um espasmo, como se tivesse sido atingida por uma descarga elétrica. Ela virou de costas, fumaça preta saindo de sua boca.

— *Não sou Pasifae* — disse Annabeth com uma voz que não era dela, grave como um contrabaixo. — *Você não ganhou nada.*

— Pare com isso!

Mesmo a dez metros de distância, Hazel podia sentir a força vital de Annabeth se esvaindo, seu pulso ficando cada vez mais fraco. Seja lá o que Clítio estivesse fazendo para falar através de Annabeth, aquilo a estava matando.

Clítio cutucou a cabeça de Percy com o pé. O rosto de Percy tombou para o lado.

— *Não está morto.* — As palavras do gigante explodiram na boca de Percy. — *Imagino que deva ser um choque terrível para um corpo mortal voltar do Tártaro. Eles ficarão desacordados por algum tempo.*

Clítio voltou sua atenção para Annabeth. Mais fumaça saiu por entre os lábios dela:

— *Eu os amarrarei e levarei para Porfírio, em Atenas. Eles são o sacrifício de que precisamos. Infelizmente, isso significa que não tenho mais utilidade para vocês dois.*

— Ah, é? — exclamou Leo, com raiva. — Bem, talvez você tenha a fumaça, amigo, mas eu tenho o fogo.

Suas mãos se incendiaram. Ele lançou colunas de chamas brancas contra o gigante, mas a aura de fumaça de Clítio as absorveu no impacto. Tentáculos de fumaça negra consumiram as colunas de fogo, apagando sua luz e calor e cobrindo Leo com escuridão.

O semideus caiu de joelhos, agarrando a própria garganta.

— Não! — Hazel correu na direção dele, mas Gale chiou com urgência em seu ombro, um aviso claro.

— *Eu não faria isso.* — A voz de Clítio reverberou na boca de Leo. — *Você não entende, Hazel Levesque. Eu devoro magia. Destruo a voz e a alma. Você não pode me vencer.*

A fumaça negra se espalhou ainda mais pela câmara, cobrindo Annabeth e Percy e se aproximando de Hazel.

O sangue rugia em seus ouvidos. Ela precisava agir, mas como? Se aquela fumaça negra podia incapacitar Leo tão rapidamente, que chance ela teria?

— F-Fogo — gaguejou ela baixinho. — Você deveria ser vulnerável ao fogo.

O gigante riu, desta vez usando a voz de Annabeth:

— *Você estava contando com isso, não é mesmo? É verdade que não gosto de fogo. Mas as chamas de Leo Valdez não são fortes o bastante para me incomodar.*

Em algum lugar atrás de Hazel, uma voz suave e lírica disse:

— E quanto às *minhas* chamas, velho amigo?

Gale chiou com entusiasmo e pulou do ombro de Hazel, correndo até a entrada da caverna, onde havia uma mulher loura com um vestido preto, a Névoa girando ao seu redor.

O gigante cambaleou para trás, trombando nas Portas da Morte.

— *Você* — disse ele através da boca de Percy.

— Eu — concordou Hécate. Ela abriu os braços. Tochas ardentes surgiram em suas mãos. — Faz milênios que não luto ao lado de um semideus, mas Hazel Levesque mostrou-se digna. O que você me diz, Clítio? Quer brincar com o fogo?

LXXV

HAZEL

Se o gigante tivesse fugido gritando, Hazel teria ficado grata. Em seguida, poderiam tirar o resto do dia de folga.

Clítio a decepcionou.

Quando viu as tochas ardentes da deusa, o gigante pareceu recuperar o ânimo. Bateu o pé, fazendo o chão tremer e quase pisando no braço de Annabeth. Uma fumaça escura ergueu-se ao seu redor até Annabeth e Percy ficarem completamente escondidos. Hazel não conseguia ver coisa alguma além dos olhos brilhantes do gigante.

— *Palavras corajosas* — disse Clítio através da boca de Leo. — *Mas você esqueceu, deusa, que quando nos encontramos pela última vez, teve a ajuda de Hércules e de Dioniso, os mais poderosos heróis do mundo, ambos fadados a se tornarem deuses. Agora você me traz... esses daí?*

O corpo inconsciente de Leo se retorcia de dor.

— Pare com isso! — gritou Hazel.

Ela não planejou o que aconteceu em seguida. Apenas sabia que tinha que proteger os amigos. Imaginou-os atrás dela, da mesma forma como imaginara os novos túneis que apareceram no Labirinto de Pasifae. Leo desapareceu e reapareceu aos pés de Hazel, ao lado de Percy e Annabeth. A Névoa rodopiou em torno dela, derramando-se sobre as pedras e envolvendo seus amigos. A Névoa branca chiou e emanou vapor quando encontrou a fumaça negra de Clítio, como lava rolando para dentro do mar.

Leo abriu os olhos e ofegou.

— O-o quê...

Annabeth e Percy permaneceram imóveis, mas Hazel podia sentir os batimentos cardíacos cada vez mais fortes, a respiração cada vez mais uniforme.

No ombro de Hécate, Gale, a doninha, chiou em sinal de admiração.

A deusa se aproximou, com os olhos escuros brilhando à luz das tochas.

— Você está certo, Clítio. Hazel Levesque não é Hércules ou Dioniso, mas creio que a achará tão formidável quanto eles.

Através da mortalha de fumaça, Hazel viu o gigante abrir a boca. As palavras não saíam. Clítio fez uma careta de frustração.

Leo tentou sentar.

— O que está acontecendo? O que posso...

— Cuide de Percy e Annabeth. — Hazel sacou a espata. — Fique atrás de mim. Mantenha-se na Névoa.

— Mas...

O olhar que Hazel lhe lançou deve ter sido mais grave do que ela se deu conta.

Leo engoliu em seco.

— Sim, entendi. Névoa branca é bom. Fumaça preta é ruim.

Hazel avançou. O gigante abriu os braços. O teto abobadado estremeceu e a voz do gigante ecoou pela câmara, ampliada cem vezes.

Formidável?, perguntou o gigante. Ele soava como se estivesse falando através de um coro de mortos, usando todas as almas infelizes sepultadas atrás das estelas da cúpula. *Porque a menina aprendeu os seus truques de magia, Hécate? Porque permitiu que esses fracotes se escondessem em sua Névoa?*

Uma espada apareceu na mão do gigante, uma lâmina de ferro estígio muito parecida com a de Nico, só que cinco vezes maior. *Não compreendo por que Gaia acha que algum destes semideuses é digno de sacrifício. Vou esmagá-los como cascas de nozes vazias.*

O medo de Hazel se transformou em raiva. Ela gritou. As paredes da câmara emitiram um som crepitante como gelo em água morna, e dezenas de pedras preciosas dispararam em direção ao gigante, perfurando a armadura como balas de chumbo.

Clítio cambaleou para trás, a voz desencarnada gritando de dor. A armadura de ferro estava salpicada de buracos.

Icor dourado escorria de um ferimento no braço direito. O manto de escuridão se diluiu. Hazel podia ver a expressão assassina no rosto do gigante.

Você, rosnou Clítio. *Sua desprezível...*

— Desprezível? — perguntou Hécate calmamente. — Diria que Hazel Levesque conhece alguns truques que nem mesmo *eu* poderia ensinar.

Hazel ficou à frente de seus amigos, determinada a protegê-los, mas sua energia estava enfraquecendo. A espada pesava em sua mão, e ainda não a usara. Desejou que Arion estivesse ali. Poderia aproveitar a velocidade e a força do cavalo. Infelizmente, seu amigo equino não poderia ajudá-la naquele momento. Era uma criatura nascida para espaços abertos, não para o subterrâneo.

O gigante enfiou os dedos na ferida do braço. Tirou dali um diamante e jogou-o de lado. A ferida fechou.

Então, filha de Plutão, retumbou Clítio, *realmente acredita que Hécate leva a sério os seus interesses? Circe era uma de suas favoritas. E Medeia. E Pasifae. E como elas acabaram, hein?*

Atrás dela, Hazel ouviu Annabeth despertando, gemendo de dor. Percy murmurou algo que soou como "Bob-bob-bob?"

Clítio adiantou-se, segurando a espada casualmente, como se fossem companheiros em vez de inimigos. *Hécate não lhe dirá a verdade. Ela envia acólitos como você para fazer o seu trabalho e correr todos os riscos. Se por algum milagre me incapacitar, apenas então ela será capaz de atear fogo em mim. Então, reivindicará a glória de ter me matado. Sabe como Baco lidou com os gêmeos Aloadas no Coliseu. Hécate é pior. É uma titã que traiu os titãs. Então ela traiu os deuses. Realmente acredita que será fiel a você?*

O rosto de Hécate estava ilegível.

— Não posso responder às acusações dele, Hazel — disse a deusa. — Esta é a *sua* encruzilhada. Você deve escolher.

Sim, encruzilhada. O riso do gigante ecoou. Suas feridas pareciam ter se curado completamente. *Hécate lhe oferece obscuridade, escolhas, vagas promessas de magia. Sou o anti-Hécate. Eu darei a você verdade. Eliminarei as opções e a magia. Afastarei a Névoa de uma vez por todas e mostrarei o mundo em todo o seu horror verdadeiro.*

Leo esforçou-se para ficar de pé, tossindo como um asmático.

— Estou amando esse cara. — Ele ofegou. — Sério, devemos mantê-lo por perto para dar palestras motivacionais. — Suas mãos se inflamaram como maçaricos. — Ou eu poderia apenas incendiá-lo.

— Leo, não — disse Hazel. — Aqui é o templo do meu pai. Minha responsabilidade.

— Sim, está bem. Mas...

— Hazel — arquejou Annabeth.

Hazel ficou tão feliz ao ouvir novamente a voz da amiga que quase virou, mas sabia que não deveria tirar os olhos de Clítio.

— As correntes... — Conseguiu dizer Annabeth.

Hazel inspirou rápido. Fora uma tola! As Portas da Morte ainda estavam abertas, estremecendo contra as correntes que as prendiam no lugar. Ela teria de quebrá-las para que desaparecessem e, finalmente, ficassem fora do alcance de Gaia.

O único problema: um enorme gigante de fumaça em seu caminho.

Você não pode acreditar seriamente que tem força para isso, repreendeu Clítio. *O que você fará, Hazel Levesque: atirar mais rubis? Fazer chover safiras?*

Hazel deu-lhe uma resposta. Ergueu a espata e atacou. Aparentemente, Clítio não esperava que ela fosse tão suicida. O gigante foi lento ao erguer a espada. No momento em que desferiu o golpe, Hazel se jogou entre as suas pernas e cravou a espada de ouro imperial em seu *gluteus maximus*. Não foi a atitude de uma dama. As freiras da St. Agnes reprovariam. Mas funcionou.

Clítio berrou e arqueou as costas, afastando-se dela. A Névoa ainda girava em torno de Hazel, sibilando quando tocava a fumaça negra do gigante.

Hazel percebeu que Hécate a *estava* ajudando, dando-lhe força para manter um manto defensivo. Também sabia que, no instante em que a sua concentração vacilasse e a escuridão a tocasse, cairia. Se isso acontecesse, não tinha certeza se Hécate seria capaz — ou estaria disposta — a evitar que o gigante esmagasse a ela e a seus amigos.

Hazel correu em direção às Portas da Morte. Sua lâmina quebrou as correntes do lado esquerdo como se fossem feitas de gelo. Pulou para a direita, mas Clítio gritou:

— NÃO!

Por pura sorte ela não foi cortada ao meio. O lado plano da espada do gigante atingiu-a no peito e jogou-a longe. Ela bateu na parede e sentiu ossos se partindo.

Do outro lado da câmara, Leo gritou seu nome.

Através de sua visão embaçada, viu um clarão de fogo. Hécate estava ali perto, sua forma tremulando como se estivesse prestes a se dissolver. As tochas pareciam se apagar, mas isso poderia ser apenas porque Hazel estava começando a perder a consciência.

Não podia desistir agora. Ela se obrigou a levantar. Um lado de seu corpo parecia estar cortado por lâminas de barbear. Sua espada estava no chão a uns dois metros dali. Cambaleou em direção à arma.

— Clítio! — gritou Hazel.

Ela quis que aquilo soasse como um desafio corajoso, mas saiu mais como um gemido.

Ao menos chamou a atenção dele. O gigante parou de prestar atenção em Leo e nos outros. Quando a viu mancando, riu.

Boa tentativa, Hazel Levesque, admitiu Clítio. *É melhor do que eu esperava. Mas apenas magia não pode me derrotar, e você não tem força suficiente. Hécate falhou com você. Assim como falhou com todos os seus seguidores no final.*

A Névoa ao redor dela estava se diluindo. No outro extremo da sala, Leo tentava forçar Percy a comer um pouco de ambrosia, embora o garoto ainda estivesse praticamente inconsciente. Annabeth estava desperta, mas ainda tonta, mal conseguindo erguer a cabeça.

Com suas tochas, Hécate ficou observando e esperando — o que enfureceu Hazel a ponto de ela conseguir uma última onda de energia.

Arremessou a espada. Não contra o gigante, mas em direção às Portas da Morte. As correntes no lado direito se quebraram. Hazel desabou em agonia, com um lado do corpo queimando, quando as Portas estremeceram e desapareceram em um brilho de luz roxa.

Clítio rugiu tão alto que seis estelas caíram do teto e se partiram.

— Isso foi pelo meu irmão, Nico — ofegou Hazel. — E por você ter destruído o altar do meu pai.

Você perdeu o seu direito a uma morte rápida, rosnou o gigante. *Vou sufocá-la nas trevas, lenta e dolorosamente. Hécate não poderá ajudá-la. NINGUÉM poderá ajudá-la!*

A deusa ergueu as tochas.

— Não estaria tão certa disso, Clítio. Os amigos de Hazel só precisavam de um pouco de tempo para alcançá-la, tempo que você lhes deu ao ficar se gabando e zombando.

Clítio debochou. *Quais amigos? Aqueles fracotes? Eles não são um desafio.*

Diante de Hazel, o ar tremulou. A névoa se adensou, criando um portal, e quatro pessoas o atravessaram.

Hazel chorou de alívio. Frank tinha o braço enfaixado e com manchas de sangue, mas estava vivo. Junto a ele, estavam Nico, Piper e Jason, todos com as espadas desembainhadas.

— Desculpem o atraso — disse Jason. — Esse é o cara que precisa ser morto?

LXXVI

HAZEL

HAZEL QUASE SENTIU PENA DE Clítio.

Eles atacaram de todas as direções — Leo lançando fogo em suas pernas, Frank e Piper o golpeando no peito e Jason voando e chutando seu rosto. Hazel estava orgulhosa de ver o quanto Piper aprendera com suas aulas de esgrima.

Toda vez que o véu de fumaça do gigante começava a se fechar em torno de um deles, Nico aparecia na hora para cortá-lo, tragando a escuridão com sua espada de ferro estígio. Percy e Annabeth estavam de pé, parecendo fracos e confusos, mas com as espadas desembainhadas. Onde Annabeth conseguira uma espada? E do que era feita? *Marfim?* Pareciam querer ajudar, mas não havia necessidade. O gigante estava cercado.

Clítio rosnou, virando-se para trás e para a frente, como se não conseguisse decidir qual deles matar primeiro. *Esperem! Fiquem parados! Não! Ui!*

A escuridão em torno dele se dissipou completamente, deixando-o sem qualquer proteção além da armadura danificada. Icor escorria de uma dúzia de ferimentos. Eles se curavam quase tão rapidamente quanto eram infligidos, mas Hazel percebeu que o gigante estava ficando cansado.

Jason voou uma última vez em direção ao gigante, chutando-o no peito e quebrando sua armadura. Clítio cambaleou para trás, largou a espada no chão e caiu de joelhos. Os semideuses o cercaram.

Somente então Hécate se aproximou, mantendo as tochas erguidas. A Névoa cobriu o gigante, sibilando e borbulhando ao tocar sua pele.

— E assim termina — disse Hécate.

Isso não terminou. A voz de Clítio ecoou de algum lugar acima, abafada e quase ininteligível. *Meus irmãos se levantaram. Gaia espera apenas pelo sangue do Olimpo. Foi preciso todos vocês juntos para me derrotar. O que farão quando a Mãe Terra despertar?*

Hécate virou as tochas para baixo e as cravou como punhais na cabeça de Clítio. O cabelo do gigante incendiou mais rápido do que palha seca, o fogo espalhando-se por sua cabeça e por todo o seu corpo até que o calor fez Hazel estremecer. Clítio caiu de cara sobre os escombros do altar de Hades com um baque surdo. Seu corpo se desfez em cinzas.

Por um instante, todos ficaram em silêncio. Hazel ouviu um ruído doloroso e irregular e percebeu que era a sua própria respiração. Um lado de seu corpo parecia ter sido atingido por um aríete.

A deusa Hécate a encarou.

— Você deve ir agora, Hazel Levesque. Tire seus amigos daqui.

Hazel cerrou os dentes, tentando conter a raiva.

— Só isso? Nenhum "obrigada"? Nenhum "bom trabalho"?

A deusa inclinou a cabeça. Gale, a doninha, chiou — talvez um adeus, talvez um aviso — e desapareceu nas dobras da saia da dona.

— Você procura gratidão no lugar errado — disse Hécate. — Quanto ao "bom trabalho", veremos. Vocês ainda precisam chegar a Atenas. Clítio não estava errado. Os gigantes despertaram, *todos* eles, e estão mais fortes do que nunca. Gaia está prestes a despertar. O Banquete da Esperança não fará jus ao nome a menos que vocês a detenham.

A câmara estremeceu. Outra estela caiu no chão e se quebrou.

— A Casa de Hades está instável — disse Hécate. — Vá agora. Nós nos encontraremos de novo.

A deusa desapareceu. A Névoa evaporou.

— Muito simpática — resmungou Percy.

Os outros olharam para ele e Annabeth como se tivessem acabado de perceber que estavam ali.

— Cara.

Jason deu um abraço de urso em Percy.

— De volta do Tártaro! — gritou Leo. — Esse é meu chapa!

Piper abraçou Annabeth e chorou.

Frank correu até Hazel e a abraçou com delicadeza.

— Você está ferida — disse ele.

— Provavelmente quebrei algumas costelas — admitiu ela. — Mas, Frank, o que aconteceu com seu braço?

Ele conseguiu sorrir.

— É uma longa história. Estamos vivos. Isso é o que importa.

Ela estava tão tonta de alívio que levou um instante para reparar em Nico sozinho em um canto, o rosto repleto de dor e dúvida.

— Ei — chamou Hazel, acenando com o braço bom.

Ele hesitou e, em seguida, aproximou-se e beijou-a na testa.

— Estou feliz que você esteja bem — disse ele. — Os fantasmas estavam certos. Apenas um de nós chegou às Portas da Morte. Você... você teria deixado nosso pai orgulhoso.

Ela sorriu e tocou no rosto dele com delicadeza.

— Nós não poderíamos ter derrotado Clítio sem você.

Hazel passou o polegar sob o olho de Nico e se perguntou se ele estivera chorando. Ela queria muito entender o que estava acontecendo com ele, descobrir pelo que Nico passara nas últimas semanas. Depois de tudo pelo que tinham acabado de passar, Hazel estava mais grata do que nunca por ter um irmão.

Antes que ela pudesse dizer isso, o teto estremeceu. Fissuras apareceram nos ladrilhos restantes. Colunas de poeira caíram sobre eles.

— Precisamos sair daqui — disse Jason. — Hã, Frank...

Frank balançou a cabeça.

— Acho que já gastei meu favor dos mortos por hoje.

— Espere, o quê? — perguntou Hazel.

Piper ergueu as sobrancelhas.

— Seu namorado *inacreditável* pediu um favor aos mortos como um filho de Marte. Ele convocou os espíritos de alguns guerreiros, fez com que nos guiassem até aqui através das... hum, bem, não tenho certeza. Das passagens da morte? Tudo que sei é que era *muito*, *muito* escuro.

À esquerda, uma seção da parede se abriu. Dos olhos de um esqueleto esculpido na pedra saltaram dois rubis, que rolaram pelo chão.

— Teremos que viajar nas sombras — disse Hazel.

Nico fez uma careta.

— Hazel, eu mal consigo me transportar sozinho. Com mais sete pessoas...

— Vou ajudá-lo.

Ela tentou soar confiante. Hazel nunca viajara nas sombras antes e não tinha ideia se podia, mas depois de trabalhar com a Névoa e alterar o Labirinto, ela tinha que acreditar que era possível.

Uma seção inteira de ladrilhos se desprendeu do teto.

— Pessoal, deem as mãos! — gritou Nico.

Eles formaram um círculo às pressas. Hazel visualizou os campos gregos acima deles. A caverna desabou, e ela se sentiu dissolvendo-se nas sombras.

Emergiram na encosta com vista para o Rio Aqueronte. O sol estava nascendo, a água cintilava e as nuvens brilhavam com uma tonalidade alaranjada. O ar fresco da manhã cheirava a madressilvas.

Hazel estava de mãos dadas com Frank e Nico. Estavam todos vivos e mais ou menos inteiros. A luz do sol nas árvores era a coisa mais linda que já vira. Ela queria viver aquele momento: livre de monstros, deuses e espíritos malignos.

Então, seus amigos começaram a despertar.

Nico percebeu que estava segurando a mão de Percy e rapidamente a soltou.

Leo cambaleou para trás.

— Sabem... Acho que preciso me sentar.

Ele caiu. Os outros se juntaram a ele. O *Argo II* ainda flutuava no rio a algumas centenas de metros dali. Hazel sabia que eles deviam sinalizar para o treinador Hedge e dizer que estavam vivos. Será que tinham passado a noite toda no templo? Ou *várias* noites? Mas, no momento, o grupo estava cansado demais para fazer qualquer coisa além de sentar, relaxar e se maravilhar com o fato de estarem bem.

Eles começaram a trocar histórias.

Frank explicou o que acontecera com a legião fantasma e o exército de monstros — como Nico usara o cetro de Diocleciano e quão bravamente Jason e Piper lutaram.

— Frank está sendo modesto — disse Jason. — Ele controlou toda a legião. Vocês precisavam ver. Ah, por falar nisso... — Jason olhou para Percy. — Eu renunciei ao meu cargo e promovi Frank a pretor. A menos que você queira contestar esta decisão.

Percy sorriu.

— Por mim, tudo bem.

Hazel olhou para Frank.

— *Pretor?*

Ele deu de ombros, desconfortável.

— Bem... é. Eu sei que parece estranho.

Ela tentou abraçá-lo, então fez uma careta quando se lembrou de suas costelas machucadas. Hazel se contentou em beijá-lo.

— Parece *perfeito.*

Leo deu um tapinha no ombro de Frank.

— Muito bem, Zhang. Agora você pode mandar Octavian se atirar contra a própria espada.

— Tentador — concordou Frank. Ele olhou para Percy, apreensivo. — Mas vocês... O Tártaro deve ser a *grande* história. O que aconteceu lá embaixo? Como vocês...?

Percy entrelaçou os dedos com os de Annabeth.

Hazel examinou Nico e viu dor em seus olhos. Ela não tinha certeza, mas talvez ele estivesse pensando na sorte que Percy e Annabeth tiveram por terem um ao outro. Nico atravessara o Tártaro *sozinho.*

— Nós contaremos a história — prometeu Percy. — Mas não agora, tudo bem? Não estou pronto para me lembrar daquele lugar.

— Nem eu — concordou Annabeth. Então olhou para o rio e balbuciou: — Hã, acho que nossa carona está chegando.

Hazel se virou. O *Argo II* rumava em direção ao porto, os remos aéreos em movimento e as velas enfunadas. A cabeça de Festus brilhava sob o sol. Mesmo a distância, Hazel podia ouvi-lo rangendo e tinindo de júbilo.

— Esse é o meu garoto! — gritou Leo.

Enquanto o navio se aproximava, Hazel viu o treinador Hedge de pé na proa.

— Já não era sem tempo! — gritou ele. Exibia sua melhor carranca, mas seus olhos brilhavam como se talvez, apenas talvez, estivesse feliz em vê-los. — Por que demoraram tanto, docinhos? Vocês deixaram a visita esperando!

— Visita? — murmurou Hazel.

Na amurada junto ao treinador Hedge, surgiu uma menina de cabelos escuros usando um manto roxo, o rosto tão coberto de fuligem e arranhões ensanguentados que Hazel quase não a reconheceu.

Reyna havia chegado.

LXXVII

PERCY

Percy encarava fixamente a Atena Partenos, esperando que ela o atacasse a qualquer momento.

O novo sistema de içamento mecânico de Leo tinha baixado a estátua pela encosta com facilidade surpreendente. Agora, a deusa de mais de dez metros olhava serenamente para o Rio Aqueronte. À luz do sol, seu vestido parecia feito de ouro líquido.

— Incrível — reconheceu Reyna.

Ela ainda estava com os olhos vermelhos de choro. Logo depois de aterrissar no *Argo II*, seu pégaso Cipião desabou, sucumbindo ao veneno das garras de um grifo que os atacara na noite anterior. Reyna sacrificou o cavalo para acabar com seu sofrimento. Com sua faca de ouro, transformou o pégaso em uma poeira que se espalhou pelo ar perfumado da Grécia. Talvez não fosse um final tão ruim para um pégaso, mas Reyna tinha perdido um amigo leal. Percy imaginou que ela já havia aberto mão de muita coisa em sua vida.

Desconfiada, a pretora andou em torno da Atena Partenos.

— Parece nova.

— É — disse Leo. — Nós tiramos as teias de aranha e usamos um bom produto de limpeza. Não foi difícil.

O *Argo II* pairava logo acima. Com Festus de vigia, atento a ameaças no radar, toda a tripulação tinha resolvido almoçar na colina enquanto planejavam o que fariam a seguir. Depois das últimas semanas, Percy achava que mereciam uma bela refeição juntos. Na verdade, qualquer coisa que não fosse fogo líquido ou sopa de drakon.

— Ei, Reyna — chamou Annabeth. — Tem comida aqui. Venha sentar com a gente.

A pretora os olhou com a testa franzida, como se não conseguisse processar direito a frase *Venha sentar com a gente.* Percy nunca tinha visto Reyna sem sua armadura antes. Ela tinha ficado a bordo do navio, sendo reparada por Buford, a Mesa Maravilha. Reyna vestia jeans e uma camiseta roxa do Acampamento Júpiter, e parecia quase uma adolescente normal, a não ser pela faca no cinto e a expressão cautelosa, como se estivesse esperando um ataque vindo de qualquer direção.

— Está bem — disse por fim.

Eles chegaram um pouco para o lado e abriram espaço para ela na roda. Reyna sentou de pernas cruzadas ao lado de Annabeth, pegou um sanduíche de queijo e começou a comê-lo devagar.

— E então... — disse Reyna. — Frank Zhang... pretor.

Frank se mexeu, desconfortável, e limpou farelos do queixo.

— Pois é. Fui promovido durante a batalha.

— Para comandar outra legião — observou Reyna. — Uma legião de fantasmas.

Hazel deu o braço a Frank em um gesto protetor. Depois de uma hora na enfermaria do barco, os dois pareciam muito melhor; mas Percy conseguia perceber que não sabiam lidar muito bem com a antiga chefe do Acampamento Júpiter aparecendo para o almoço.

— Reyna — disse Jason. — Você tinha que ver o Frank na batalha.

— Ele foi *incrível* — concordou Piper.

— Frank é um líder — insistiu Hazel. — Ele é um grande pretor.

Reyna continuou observando Frank, como se estivesse tentando adivinhar seu peso.

— Acredito em vocês — disse por fim. — Eu aprovo.

— É mesmo? — perguntou Frank, surpreso.

Reyna deu um sorriso seco.

— Um filho de Marte, o herói que ajudou a recuperar a águia da legião... Posso trabalhar com um semideus assim. Só não descobri ainda como convencer a Décima Segunda Fulminata.

Frank pareceu preocupado.

— É, eu tenho me perguntado a mesma coisa.

Percy ainda não acreditava em como Frank estava diferente. Um "crescimento rápido" era muito pouco para descrever a mudança. Estava pelo menos dez centímetros mais alto, mais magro, e forte como um jogador de futebol americano. O rosto parecia mais forte, e o queixo, mais marcante. Era como se Frank tivesse se transformado em touro e, ao voltar à forma humana, tivesse mantido algumas características do animal.

— A legião vai escutá-la, Reyna — disse o novo pretor. — Você atravessou as terras antigas sozinha e chegou até aqui.

Reyna mastigava o sanduíche como se fosse um pedaço de papelão.

— Ao fazer isso, quebrei as leis da legião.

— César não seguiu as leis quando atravessou o Rubicão — argumentou Frank. — Grandes líderes às vezes precisam ir além do que se espera.

Ela balançou a cabeça.

— Não sou César. Depois de encontrar o bilhete de Jason no palácio de Diocleciano, seguir seu rastro foi fácil. Só fiz o que achei necessário.

Percy não conseguiu evitar um sorriso.

— Reyna, você é modesta demais. Voar sozinha metade do mundo para atender à súplica de Annabeth porque você sabia que era a melhor chance de garantir a paz? Isso é heroico pra caramba.

Reyna deu de ombros.

— Falou o semideus que caiu no Tártaro e conseguiu voltar.

— Ele teve ajuda — lembrou Annabeth.

— Ah, obviamente — disse Reyna. — Sem você, duvido que Percy conseguisse sair de um saco de papel.

— É verdade — concordou Annabeth.

— Ei! — reclamou Percy.

Os outros começaram a rir, mas Percy não se importou. Era bom vê-los sorrir. Droga, só estar no mundo mortal já era bom, respirar ar sem veneno, sentir a luz do sol nas costas...

De repente, ele pensou em Bob. *Diga oi para o sol e as estrelas por mim.*

O sorriso de Percy sumiu. Bob e Damásen tinham sacrificado suas vidas para que ele e Annabeth pudessem estar ali sentados naquele instante, aproveitando a luz do sol e rindo com os amigos.

Não era justo.

Leo pegou uma pequena chave de fenda de seu cinto de ferramentas. Ele espetou um morango coberto de chocolate e o entregou ao treinador Hedge. Em seguida, pegou outra chave de fenda e espetou um segundo morango para si mesmo.

— Bom, vamos então à pergunta que vale vinte milhões de pesos — disse Leo. — Nós temos essa estátua seminova de mais de dez metros de Atena. O que vamos fazer com ela?

Reyna mirou Atena Partenos com certa desconfiança.

— Por mais bela que fique nesta colina, não viajei até aqui para ficar admirando sua beleza. Segundo Annabeth, a estátua deve ser devolvida ao Acampamento Meio-Sangue por um líder romano. Eu entendi direito?

Annabeth assentiu.

— Eu tive um sonho lá embaixo... você sabe, no Tártaro. Eu estava na colina Meio-Sangue, e a voz de Atena disse: *Devo ficar aqui. Os romanos devem me trazer.*

Percy observava a Atena Partenos, sentindo-se desconfortável. Nunca teve uma boa relação com a mãe de Annabeth. Esperava que, a qualquer momento, aquela Estátua Gigante da Mamãe fosse ganhar vida e lhe dar um sermão por meter sua filha em tantos problemas, ou talvez apenas pisasse nele sem dizer nada.

— Faz sentido — disse Nico.

Percy se sobressaltou. Parecia que Nico havia lido sua mente e concordava que Atena deveria pisar nele.

O filho de Hades estava sentado do outro lado da roda, comendo apenas uma romã, a fruta do Mundo Inferior. Percy se perguntou se para Nico aquilo era uma piada.

— A estátua é um símbolo poderoso — continuou o garoto mais novo. — Se um romano a devolvesse aos gregos... isso poderia acabar com a desavença histórica, talvez até mesmo curar as personalidades divididas dos deuses.

O treinador Hedge engoliu o morango junto com metade da chave de fenda.

— Agora esperem aí. Gosto da paz tanto quanto qualquer sátiro...

— Você *odeia* a paz — interrompeu Leo.

— Valdez, a questão é... Estamos a apenas... o quê? Alguns dias de Atenas? Temos um exército de gigantes lá à nossa espera. Enfrentamos vários obstáculos para salvar esta estátua.

— *Eu* encarei a maioria dos obstáculos — lembrou Annabeth.

— ... porque a profecia a chamava de *a ruína dos gigantes* — prosseguiu o treinador. — Então, por que não a levamos para Atenas com a gente? Obviamente, é nossa arma secreta. — Ele olhou para Atena Partenos. — Para mim, parece um míssil balístico. Talvez se Valdez prendesse algumas engenhocas a ela...

Piper pigarreou.

— Hã, é uma excelente ideia, treinador, mas muitos de nós tivemos sonhos e visões de Gaia despertando no Acampamento Meio-Sangue...

Ela desembainhou a adaga Katoptris e a pôs em seu prato. Naquele momento, a lâmina apenas refletia o céu, mas olhar para ela deixava Percy desconfortável.

— Desde que voltamos ao navio — disse Piper —, tenho visto coisas muito ruins na adaga. A legião romana está quase perto o bastante para atacar o Acampamento Meio-Sangue. Eles estão reunindo reforços: espíritos, águias, lobos.

— Octavian — resmungou Reyna. — Eu *disse* que era para ele esperar.

— Quando assumirmos o comando — sugeriu Frank —, uma de nossas prioridades vai ser botar Octavian na primeira catapulta que a gente encontrar e mandá-lo para o mais longe possível.

— Concordo — disse Reyna. — Mas por enquanto...

— Ele quer a guerra — interveio Annabeth. — E vai conseguir, a menos que a gente impeça isso.

Piper virou a lâmina de sua adaga.

— Infelizmente, essa não é a pior parte. Vi imagens de um futuro possível... o acampamento em chamas, semideuses gregos e romanos mortos. E Gaia... — Não conseguiu terminar a frase.

Percy se lembrou do deus Tártaro em sua forma física, surgindo enorme à sua frente. Nunca sentira tamanho terror e desespero. Ainda morria de vergonha ao se lembrar de como deixara a espada cair de sua mão.

É a mesma coisa que tentar matar a terra, dissera Tártaro.

Se Gaia fosse tão poderosa assim e tivesse um exército de gigantes ao seu lado, Percy não sabia como sete semideuses poderiam vencê-la, especialmente com a maioria dos deuses incapacitada. Eles precisavam derrotar os gigantes *antes* que Gaia despertasse, ou seria o fim da linha.

Se Atena Partenos fosse mesmo uma arma secreta, levá-la para Atenas era uma ideia bem tentadora. Droga, Percy até que gostava da ideia do treinador de usá-la como míssil e explodir Gaia em um cogumelo atômico.

Infelizmente, seus instintos diziam que Annabeth estava certa. O lugar da estátua era em Long Island, onde poderia impedir a guerra entre os dois acampamentos.

— Então, Reyna leva a estátua — disse Percy. — E nós seguimos para Atenas.

Leo deu de ombros.

— Por mim, tudo bem. Mas há, hã... alguns pequenos problemas logísticos. Temos o quê? Duas semanas até o dia do banquete em Roma quando Gaia pretende despertar?

— O Banquete de Spes — disse Jason — é em primeiro de agosto. Hoje é...

— Dezoito de julho — interveio Frank. — Então são, a partir de amanhã, catorze dias exatos.

Hazel fez uma careta.

— A gente demorou *dezoito* dias para vir de Roma até aqui, uma viagem que deveria ter levado no máximo dois ou três dias.

— Então, considerando nossa falta de sorte habitual — disse Leo —, *talvez* tenhamos tempo suficiente de chegar a Atenas, encontrar os gigantes e impedir que eles despertem Gaia. *Talvez*. Mas como Reyna vai conseguir levar essa estátua enorme de volta para o Acampamento Meio-Sangue antes que os gregos e romanos se matem? Ela nem tem mais seu pégaso. Hã, desculpe...

— Tudo bem — respondeu Reyna, um pouco ríspida.

Ela até os estava tratando como aliados em vez de inimigos, mas Percy percebia que a pretora não gostava muito de Leo, provavelmente porque ele tinha explodido metade do Fórum em Nova Roma.

Reyna respirou fundo.

— Infelizmente, Leo tem razão. Não sei como transportar algo tão grande. Eu achava... bem, esperava que todos vocês tivessem um plano.

— O Labirinto — sugeriu Hazel. — Eu... eu quero dizer, se Pasifae o reabriu mesmo, e eu acho que sim... — Ela olhou com apreensão para Percy. — Bem, vocês disseram que o Labirinto podia levá-los a qualquer lugar. Por isso, talvez...

— Não — disseram Percy e Annabeth em uníssono.

— Não é nada pessoal, Hazel — disse Percy. — É só que...

Era difícil achar as palavras certas. Como poderia descrever o Labirinto para alguém que nunca o tivesse explorado? Dédalo o havia criado para ser um lugar vivo, sempre em crescimento. Ao longo dos séculos, ele tinha se espalhado como as raízes de uma árvore sob toda a superfície da terra. Claro, ele podia levá-lo a qualquer lugar. As distâncias não importavam lá dentro. Você podia entrar no labirinto em Nova York, andar três metros e sair em Los Angeles, mas só se descobrisse um modo confiável de se orientar por seus corredores. Do contrário, ele ia enganá-lo e tentar matá-lo a cada curva. Quando a rede de túneis desmoronou após a morte de Dédalo, Percy ficou aliviado. A ideia de o labirinto se regenerar sozinho, abrir caminho sob a terra outra vez e criar um lar novo e espaçoso para monstros não o agradava nem um pouco. Ele já tinha muitos problemas.

— Em primeiro lugar, as passagens no Labirinto são pequenas demais para Atena Partenos. Não tem como levá-la lá para baixo...

— E mesmo que o labirinto *esteja* reabrindo — prosseguiu Annabeth. — Não sabemos como ele pode estar agora. Já era bem perigoso antes, sob o controle de Dédalo, e ele não era maligno. Se Pasifae refez o labirinto como ela queria... — Ela sacudiu a cabeça. — Hazel, *talvez* seu senso de orientação no subterrâneo possa guiar Reyna, mas nenhuma outra pessoa teria a menor chance. E precisamos de você aqui. Além disso, se você se perdesse lá embaixo...

— Tem razão — disse Hazel, chateada. — Deixa pra lá.

Reyna passou os olhos por todo o grupo.

— Mais ideias?

— Eu podia ir — ofereceu-se Frank, sem parecer muito animado com a sugestão. — Se sou um pretor, eu *devo* ir. Talvez consigamos montar uma espécie de trenó, ou...

— Não, Frank Zhang. — Reyna deu um sorriso desanimado para ele. — Espero que trabalhemos lado a lado no futuro, mas agora seu lugar é com a tripulação deste navio. Você é um dos sete da profecia.

— Eu não sou — disse Nico.

Todos pararam de comer. Percy olhou fixamente para Nico do outro lado da roda, tentando descobrir se ele estava brincando.

Hazel pousou o garfo.

— Nico...

— Eu vou com Reyna — disse ele. — Posso viajar pelas sombras levando a estátua.

— Hã... — Percy levantou a mão. — Quer dizer, sei que você trouxe todos nós oito para a superfície, e isso foi incrível. Mas há um ano você disse que transportar *apenas você* era perigoso e imprevisível. Algumas vezes você foi parar na China. Transportar uma estátua de mais de dez metros e duas pessoas para o outro lado do mundo...

— Mudei muito desde que voltei do Tártaro.

Os olhos de Nico brilharam de raiva, com mais intensidade do que Percy compreendeu. Ele se perguntou se havia feito algo para ofender o cara.

— Nico — interveio Jason. — Não estamos questionando seu poder. Só queremos ter certeza de que você não vai se matar tentando fazer isso.

— Eu consigo — insistiu ele. — Vou fazer pequenas viagens. Apenas alguns quilômetros de cada vez. É verdade que não vou estar em condições de enfrentar monstros. Por isso vou precisar de Reyna para defender a mim e à estátua.

Reyna tinha uma expressão indecifrável. Ela estudou o grupo, examinou seus rostos, mas era impossível saber o que estava pensando.

— Alguma objeção?

Ninguém falou nada.

— Ótimo — concordou ela, com a firmeza de um juiz. Percy achava que, se ela tivesse um martelo, teria dado uma martelada para selar a decisão. — Não vejo alternativa melhor. Mas haverá *muitos* ataques de monstros. Eu ia me sentir melhor se levasse uma terceira pessoa. É o número ideal para uma missão.

— O treinador Hedge — disse Frank na hora.

Percy olhou para ele, sem saber se tinha ouvido direito.

— Hã, o quê, Frank?

— O treinador é a melhor opção — disse Frank. — A *única* opção. Ele é um bom lutador. Um protetor experiente. Vai dar conta.

— Um fauno — disse Reyna.

— Sátiro! — corrigiu o treinador, irritado. — E, é, eu vou, sim. Além disso, quando chegarem ao Acampamento Meio-Sangue, vão precisar de alguém com contatos e diplomacia para evitar que os gregos ataquem vocês. Deixem-me só mandar uma... quer dizer, pegar meu taco de beisebol.

Ele se levantou e encarou Frank, dizendo sem palavras algo que Percy não conseguiu entender direito. Apesar de ter acabado de se apresentar como voluntário para uma missão potencialmente suicida, o treinador parecia *agradecido*. Ele foi correndo até a escada do navio, batendo os cascos no ar como uma criança empolgada.

Nico ficou de pé.

— Preciso ir, também, e descansar antes da primeira viagem. Vamos nos encontrar perto da estátua ao pôr do sol.

Depois que ele foi embora, Hazel franziu a testa, preocupada.

— Ele está agindo de modo estranho. Não sei se pensou direito no assunto.

— Ele vai ficar bem — disse Jason.

— Espero que tenha razão. — Ela passou a mão por cima do chão. Diamantes irromperam na superfície, uma Via Láctea de pedras cintilantes. — Estamos em uma nova encruzilhada. A Atena Partenos vai para o Oeste. O *Argo II*, para o Leste. Tomara que tenhamos tomado a decisão certa.

Percy quis dizer algo animador, mas não se sentia à vontade. Apesar de tudo pelo que haviam passado e de todas as batalhas vencidas, eles ainda não pareciam perto de derrotar Gaia. Claro, tinham libertado Tânato e fechado as Portas da Morte. Pelo menos agora podiam matar monstros e eles *ficariam* no Tártaro. Mas os gigantes estavam de volta. Todos eles.

— Só tem uma coisa que me incomoda — disse ele. — Se o Festival de Spes é daqui a duas semanas, e Gaia precisa do sangue de dois semideuses para despertar... Como foi que Clítio chamou? O sangue do Olimpo? Será que não estamos fazendo justamente o que Gaia quer, indo para Atenas? Se não formos, e ela não puder sacrificar nenhum de nós, não seria impossível para ela despertar por completo?

Annabeth segurou a mão dele. Percy ficou embevecido ao olhar para ela agora que estavam de volta ao mundo mortal, sem a Névoa da Morte, com o sol banhando seus cabelos louros, ainda que ela estivesse magra e abatida como ele, e seus olhos cinzentos parecessem atormentados por pensamentos ruins.

— Percy, as profecias são uma faca de dois gumes. Se *não* formos, podemos perder nossa chance de detê-la. Nossa batalha está em Atenas. Não temos como evitá-la. Além disso, tentar impedir profecias nunca funciona. Gaia pode nos capturar em algum outro lugar, ou derramar o sangue de outros semideuses.

— É, você está certa — disse Percy. — Eu não gosto disso, mas você tem razão.

O estado de espírito do grupo ficou sombrio como o ar do Tártaro, até que Piper quebrou a tensão.

— Bem! — Ela guardou sua lâmina na bainha e deu um tapinha na cornucópia. — Foi um ótimo piquenique. Quem quer sobremesa?

LXXVIII

PERCY

Ao entardecer, Percy encontrou Nico.

O filho de Hades estava amarrando cordas em torno do pedestal da Atena Partenos.

— Obrigado — agradeceu Percy.

Nico franziu a testa.

— Por quê?

— Você prometeu levar os outros até a Casa de Hades — disse o filho de Poseidon. — E cumpriu.

Nico amarrou as pontas das cordas juntas, fazendo uma espécie de alça.

— Você me tirou daquele jarro de bronze em Roma. E salvou minha vida novamente. Era o mínimo que eu podia fazer.

A voz dele soou firme e contida. Percy desejava saber o que fazia aquele cara demonstrar emoção, mas nunca conseguiu descobrir. Nico não era mais um garotinho nerd da Westover Hall com cartas de Mitomagia. Nem era o solitário ressentido que perseguiu o fantasma de Minos pelo Labirinto. Mas quem era ele?

— Além disso, você visitou Bob… — disse Percy.

Contou a Nico sobre a viagem pelo Tártaro. Achou que se havia alguém que pudesse entendê-lo, este era Nico.

— Convenceu Bob de que podia confiar em mim, apesar de eu nunca ter ido visitá-lo. Nunca mais pensei nele. Você provavelmente salvou nossas vidas por ter sido legal com ele.

— É, bem... — disse Nico. — Não pensar nas pessoas... isso pode ser perigoso.

— Cara, eu estou tentando agradecer.

Nico riu sem humor.

— Estou tentando dizer que não precisa. Agora tenho que terminar isto, se puder me dar um pouco de espaço.

— Claro, claro, tudo bem. — Percy deu um passo para trás enquanto Nico ajustava as alças de cordas. Jogou-as no ombro como se a Atena Partenos fosse uma mochila gigante.

Percy não conseguiu evitar ficar um pouco chateado ao ser dispensado daquele jeito. Mas afinal, Nico tinha passado por tanto. O cara tinha sobrevivido sozinho no Tártaro. Percy sabia por experiência própria quanta força foi exigida dele.

Annabeth subiu a colina para se juntar a eles. Pegou a mão de Percy, o que o fez se sentir melhor.

— Boa sorte — disse ela a Nico.

— É. — Ele não a olhou nos olhos. — Para você também.

Um minuto depois, Reyna e o treinador Hedge chegaram com armaduras completas e mochilas nos ombros. Reyna parecia muito séria e pronta para o combate. O treinador Hedge sorria como se estivesse esperando uma festa surpresa.

Reyna deu um abraço em Annabeth.

— Nós vamos conseguir — prometeu.

— Eu sei que vão — respondeu Annabeth.

O treinador Hedge apoiou seu taco de beisebol no ombro.

— É, não se preocupe. Vou chegar ao acampamento para ver minha garota! Hã, quero dizer que vou levar esta garota para o acampamento! — Ele deu um tapinha na perna de Atena Partenos.

— O.k. — disse Nico. — Segurem as cordas, por favor. É hora de ir.

Reyna e Hedge seguraram. O ar escureceu. A Atena Partenos desmoronou para o interior de sua própria sombra e desapareceu, junto com três acompanhantes.

* * *

O *Argo II* zarpou após o anoitecer.

Tomou o rumo sudoeste até alcançar a costa, então desceu e seguiu pelas águas do Mar Jônico. Percy estava aliviado por sentir as ondas embaixo dele novamente.

A viagem até Atenas seria mais curta por terra, mas depois da experiência da tripulação com espíritos da montanha na Itália, acharam melhor não voar sobre o território de Gaia mais do que o necessário. Fariam a volta na Grécia pelo mar, seguindo as rotas usadas pelos heróis gregos da Antiguidade.

Percy adorou isso. Amava estar de volta aos domínios de seu pai, com o ar marítimo nos pulmões e borrifos salgados nos braços. Ele se debruçou na amurada de boreste e fechou os olhos, sentindo as correntes abaixo. Mas imagens do Tártaro não paravam de surgir em sua mente: o Rio Flegetonte, o chão repleto de bolhas onde os monstros se regeneravam, a floresta sombria onde as *arai* voavam em círculos no alto, em meio às nuvens da névoa de sangue. Mas, principalmente, pensava em uma cabana em um pântano com um fogo quente, ganchos e prateleiras com ervas e carne de drakon secando. Ele se perguntou se a cabana agora estaria vazia.

Annabeth encostou nele com seu calor reconfortante.

— Eu sei — murmurou ela, lendo sua expressão. — Também não consigo tirar aquele lugar da cabeça.

— Damásen — disse Percy. — E Bob…

— Eu sei. — A voz dela estava fragilizada. — Temos que fazer com que o sacrifício deles não tenha sido em vão. Temos que derrotar Gaia.

Percy olhou para o céu noturno. Desejou que estivessem olhando o céu da praia em Long Island em vez de a meio mundo de distância, navegando rumo à morte quase certa.

Ele se perguntou onde estariam Nico, Reyna e Hedge naquele momento, e quanto tempo levariam para voltar, supondo que sobrevivessem. Imaginou os romanos em formação de batalha cercando o Acampamento Meio-Sangue.

Faltavam catorze dias para chegarem a Atenas. Depois, de um jeito ou de outro, a guerra seria decidida.

Na proa, Leo assobiava satisfeito enquanto mexia no cérebro mecânico de Festus, murmurando algo sobre um cristal e um astrolábio. No centro do barco,

Piper e Hazel treinavam esgrima com suas lâminas de bronze e ouro. Jason e Frank estavam no leme, falando baixo, talvez contando histórias da legião ou compartilhando reflexões sobre ser pretor.

— Nossa tripulação é muito boa — disse Percy. — Se tenho que navegar rumo à morte...

— Você não vai morrer antes de mim, Cabeça de Alga — disse Annabeth. — Lembra? Nunca ficaremos separados de novo. E depois que chegarmos em casa...

— O quê? — perguntou Percy.

Ela o beijou.

— Pergunte de novo quando derrotarmos Gaia.

Ele sorriu, feliz por ter algo a almejar no futuro.

— Como quiser.

Quando se afastaram da costa, o céu escureceu, e mais estrelas surgiram.

Percy estudou as constelações, as mesmas que Annabeth tinha ensinado a ele tantos anos antes.

— Bob mandou um "oi" — disse para as estrelas.

O *Argo II* navegou noite adentro.

GLOSSÁRIO

Acampamento Júpiter campo de treinamento para semideuses romanos, localizado entre as Oakland Hills e as Berkeley Hills, na Califórnia

Acampamento Meio-Sangue campo de treinamento para semideuses gregos, localizado em Long Island, Nova York

Aegis o escudo que provoca medo de Thalia Grace

Afrodite a deusa grega do amor e da beleza. Era casada com Hefesto, mas amava Ares, o deus da guerra. Forma romana: Vênus

Akhlys deusa grega da miséria; deusa dos venenos, controla a Névoa da Morte, filha do Caos e da Noite

Alcioneu o mais velho dos gigantes nascidos de Gaia, destinado a combater Plutão

Aloadas gêmeos gigantes que tentaram atacar o Monte Olimpo empilhando três montanhas gregas uma em cima da outra. Ares tentou detê-los, mas foi derrotado e aprisionado em um jarro de bronze até ser resgatado por Hermes. Ártemis mais tarde destruiu os gigantes quando correu entre eles transformada em veado. Os dois tentaram acertá-la com suas lanças, mas erraram e acabaram atingindo um ao outro

alojamento aposentos dos soldados romanos

Aníbal comandante romano que viveu entre 247 e 183/182 AEC. É considerado um dos maiores estrategistas militares da História. Uma de suas maiores conquistas foi conduzir um exército, que incluía elefantes, da Ibéria, através dos Pirineus e dos Alpes, até o Norte da Itália

Aqueloo um *potamus*, ou deus-rio

Áquilo deus romano do Vento Norte. Forma grega: Bóreas

Aracne tecelã que alegava ter habilidades superiores às de Atena. Isso enfureceu a deusa, que destruiu as tapeçarias e o tear de Aracne. A tecelã se enforcou, e Atena a trouxe de volta à vida como aranha

arai espíritos femininos das maldições. Velhas enrugadas com asas de morcego e olhos vermelhos reluzentes. São filhas de Nix (Noite)

Ares o deus grego da guerra; filho de Zeus e Hera e meio-irmão de Atena. Forma romana: Marte

argentum prata; nome de um dos dois cães de metal de Reyna que podem detectar mentiras

Argo II o fantástico navio construído por Leo, que pode tanto navegar quanto voar e tem a cabeça do dragão de bronze Festus como sua figura de proa. O navio foi batizado em homenagem a *Argo*, a embarcação usada pelo grupo de heróis gregos que acompanhou Jasão em sua busca pelo Velocino de Ouro

Argonautas heróis da mitologia grega que viajaram com Jasão no *Argo* na busca pelo Velocino de Ouro

Ariadne filha de Minos que ajudou Teseu a sair do Labirinto

Arion pégaso incrivelmente rápido que corre solto e sem rumo, mas às vezes atende aos chamados de Hazel. Seu petisco favorito são pepitas de ouro

Arquimedes matemático, físico, engenheiro, inventor e astrônomo grego que viveu entre 287 e 212 AEC e é considerado um dos principais cientistas da Antiguidade Clássica. Foi quem descobriu como calcular o volume de uma esfera

astrolábio instrumento de navegação com base na posição dos planetas e estrelas

Atena a deusa grega da sabedoria. Forma romana: Minerva

Atena Partenos uma estátua gigantesca de Atena; a estátua grega mais famosa de todos os tempos

augúrio sinal de algum porvir, presságio; prática de adivinhar o futuro

aurum ouro; nome de um dos dois cães metálicos de Reyna que podem detectar mentiras

Austro deus romano do Vento Sul. Forma grega: Noto

Baco o deus romano do vinho e da orgia. Forma grega: Dioniso

balista escorpião arma de cerco romana que arremessava grandes projéteis em um alvo distante

Belona deusa romana da guerra

Boreadas Calais e Zetes, filhos de Bóreas, deus do Vento Norte

braccae calças em latim

bronze celestial metal raro letal para monstros

Bunker 9 oficina escondida descoberta por Leo no Acampamento Meio-Sangue, cheia de ferramentas e armas. Tem pelo menos duzentos anos e foi usada durante a Guerra Civil dos Semideuses

Cadmo semideus que foi transformado em cobra por Ares ao matar o filho dragão do deus da guerra

Calipso deusa ninfa da ilha mítica Ogígia; filha do titã Atlas. Ela deteve o herói Odisseu por muitos anos

Campe monstro que na parte de cima é uma mulher com cabelos de serpentes e, embaixo, tem o corpo de drakon; indicada pelo titã Cronos para vigiar os ciclopes no Tártaro. Zeus a matou e libertou os gigantes de sua prisão para que eles o ajudassem na guerra contra os titãs

Campos de Asfódelos parte do Mundo Inferior para onde pessoas que não fizeram nem o bem nem o mal são enviadas após a morte

Campos de Punição parte do Mundo Inferior para onde pessoas que foram más são enviadas para expiarem seus crimes após a morte

Casa de Hades local no Mundo Inferior onde Hades, deus grego da morte, e Perséfone reinam sobre as almas dos mortos. Templo subterrâneo em Épiro, na Grécia, dedicado a Hades e Perséfone, às vezes chamado de *Necromanteion*, ou "oráculo da morte". Os gregos antigos acreditavam que ele marcava uma entrada para o Mundo Inferior, e peregrinos iam até lá para comungar com os mortos

Casa dos Lobos mansão em ruínas, originalmente encomendada por Jack London, perto de Sonoma, na Califórnia, onde Percy Jackson foi treinado como semideus romano por Lupa

catapulta máquina de guerra usada para arremessar objetos

Catóblepa vaca monstruosa cujo nome significa "aquele que olha para baixo". Foram acidentalmente trazidas da África para Veneza. Comem raízes venenosas que crescem nos canais e têm hálito e olhar venenosos

Cavalo de Troia passagem da Guerra de Troia; um enorme cavalo de madeira feito pelos gregos e deixado perto de Troia com um grupo selecionado de homens escondido em seu interior. Após ser puxado pelos troianos para dentro de sua cidade como um troféu de vitória, os gregos saíram de lá à noite, permitiram a entrada do restante de seu exército e destruíram a cidade, terminando definitivamente com a guerra

centauro raça de criaturas metade homem, metade cavalo

centurião oficial do exército romano

Cêrcopes anões com aparência de chimpanzé que roubam coisas brilhantes e criam o caos

Ceres deusa romana da agricultura. Forma grega: Deméter

Ceto deusa grega dos monstros e das criaturas marinhas de grande porte, tais como baleias e tubarões; filha de Gaia e irmã-esposa de Fórcis, deus dos perigos do mar

charme (na fala) bênção concedida por Afrodite a seus filhos, que os capacita a persuadir outras pessoas com a voz

chiton traje grego. Túnica sem mangas de linho ou lã presa nos ombros por broches e na cintura por um cinto

ciclope membro de uma raça primordial de gigantes que tem um único olho no meio da testa

Cipião o pégaso de Reyna

Circe feiticeira grega. Nos tempos antigos, transformou a tripulação de Odisseu em porcos

Círon ladrão infame que emboscava viajantes e os forçava a lavar seus pés como pedágio. Quando se abaixavam, chutava as vítimas do penhasco, fazendo-as cair no mar onde eram devoradas por uma tartaruga gigante

Clítio gigante criado por Gaia para absorver a magia de Hécate e derrotá-la

Coio um dos doze titãs; Senhor do Norte

Coliseu anfiteatro elíptico no centro de Roma, Itália. Com capacidade para cinquenta mil espectadores sentados, o Coliseu era usado para competições entre gladiadores e para espetáculos públicos, como simulações de batalhas navais, caçadas, execuções, e a reencenação de batalhas e dramas famosos

Contracorrente espada de Percy Jackson (*Anaklusmos*, em grego)

coorte grupo de soldados; uma das dez divisões de uma Legião Romana

cornucópia um grande recipiente em formato de chifre de onde transbordam comestíveis ou algum tipo de riqueza. A cornucópia foi criada quando Héracles (Hércules, para os romanos) lutou com o deus-rio Aqueloo e arrancou um de seus chifres

Crisaor irmão de Pégaso, filho de Poseidon e Medusa; conhecido como "o Espada de Ouro"

Cronos deus grego da agricultura e das colheitas, da justiça e do tempo; filho de Urano e Gaia e pai de Zeus. Forma romana: Saturno

Cupido deus romano do amor. Forma grega: Eros

Damásen gigante filho de Tártaro e Gaia. Criado para se opor a Ares; condenado ao Tártaro por matar um drakon que estava destruindo as terras perto da casa de Damásen

Dédalo na mitologia grega, um hábil artesão que criou o Labirinto em Creta, no qual o Minotauro (parte homem, parte touro) era mantido

Deméter a deusa grega da agricultura; filha dos titãs Reia e Cronos. Forma romana: Ceres

denário a moeda mais comum no sistema monetário romano

Diocleciano último grande imperador pagão e primeiro a se aposentar pacificamente; semideus (filho de Júpiter). Segundo a lenda, seu cetro podia convocar um exército de mortos

Diomedes um dos principais heróis gregos na Guerra de Troia

Dioniso deus grego do vinho e da orgia; filho de Zeus. Forma romana: Baco

dracma moeda de prata da Grécia Antiga

drakon serpente gigantesca verde e amarela com garras afiadas e uma juba de pele. Cospe veneno

dríades ninfas das árvores

Efialtes e Oto gigantes gêmeos; filhos de Gaia

eidolon espírito possessor

Elísio (Campos Elísios) parte do Mundo Inferior para onde os abençoados pelos deuses são enviados ao morrer para passar a eternidade

***empousa* (pl.: *empousai*)** vampira com presas, garras, uma perna de bronze e a outra de burro, cabelo de fogo e pele branca como ossos. Tem o poder de manipular a Névoa, mudar de forma e usar o charme para atrair suas vítimas para a morte

Éolo deus de todos os ventos

Épiro região onde atualmente estão o noroeste da Grécia e o sul da Albânia

Éris deusa da discórdia

Eros deus grego do amor. Forma romana: Cupido

escolopendra monstro marinho grego gigantesco com narinas peludas, cauda semelhante à da lagosta e fileiras de patas palmípedes ao longo dos flancos

espata espada pesada usada pela cavalaria romana

Euristeu neto de Perseu, que, por meio dos favores de Hera, herdou o reinado de Micenas, o qual Zeus pretendia para Héracles

falange formação compacta de tropas fortemente armadas

fauno deus romano da floresta, parte bode e parte homem. Forma grega: sátiro

Favônio deus romano do Vento Oeste. Forma grega: Zéfiro

ferro estígio metal mágico forjado no Rio Estige, capaz de absorver a essência dos monstros e de ferir mortais, deuses, titãs e gigantes. Tem grande efeito sobre fantasmas e criaturas do Mundo Inferior

fogo grego arma incendiária usada em batalhas navais, porque continua a queimar mesmo na água

Fontana di Trevi fonte no bairro romano de Trevi, em Roma. Com vinte e cinco metros de altura e vinte de largura, é a maior fonte barroca da cidade e uma das mais famosas do mundo

Fórcis na mitologia grega, deus primordial dos perigos do mar; filho de Gaia e irmão-marido de Ceto

Fortuna deusa romana da fortuna e da sorte. Forma grega: Tique

fórum o fórum romano era o centro da Roma Antiga, uma praça onde os romanos faziam negócios, julgamentos e atividades religiosas

Fúrias deusas romanas da vingança. Normalmente caracterizadas como três irmãs: Alectó, Tisifone e Megera. Filhas de Gaia e Urano. Vivem no Mundo Inferior atormentando os mortos julgados culpados. Forma grega: Erínias

Gaia deusa grega da terra; mãe dos titãs, gigantes, ciclopes e outros monstros. Forma romana: Terra

Geras deus da velhice

Geríon monstro com três corpos que foi morto por Herácles/Hércules

gládio espada curta

gladius gládio, uma espada curta

górgonas três irmãs monstruosas (Esteno, Euríale e Medusa), cujos cabelos eram serpentes venenosas. A mais famosa delas, Medusa, podia transformar em pedra aqueles que a encaravam

Graecus termo usado pelos romanos referindo-se aos gregos

grevas peças da armadura para a canela

grifo criatura que tem a parte dianteira (incluindo as garras) e as asas de águia e a traseira de leão

grisgris prática de vodu comum em Nova Orleans; o nome significa cinza em francês (*gris*). Nela, ervas especiais e outros ingredientes são misturados e colocados em uma bolsinha de flanela, que é usada ou guardada para reestabelecer o equilíbrio entre os aspectos bons e maus da vida de uma pessoa

Guerra de Troia na mitologia grega, guerra declarada contra a cidade de Troia pelos Achaeans (gregos) quando Páris, de Troia, roubou Helena de seu marido, Menelau, rei de Esparta

Hades deus grego da morte e das riquezas. Forma romana: Plutão

Hagno ninfa que teria criado Zeus. No Monte Liceu, na Arcádia, havia um poço consagrado a ela e batizado em sua homenagem

harpia criatura fêmea alada que rouba objetos

Hécate deusa da magia e das encruzilhadas. Controla a Névoa. Filha dos titãs Perses e Astéria

Hebe deusa da juventude; filha de Zeus e Hera, casada com Héracles. Forma romana: Juventa

Hefesto deus grego do fogo, do artesanato e dos ferreiros; filho de Zeus e Hera, casado com Afrodite. Forma romana: Vulcano

Hemera deusa do dia. Filha de Noite

Hera deusa grega do casamento; esposa e irmã de Zeus. Forma romana: Juno

Héracles forma grega de Hércules; filho de Zeus e Alcmena; o mais forte dos mortais

Hércules forma romana de Héracles; filho de Júpiter e Alcmena, nasceu com grande força

Hermes deus grego dos viajantes; guia dos espíritos dos mortos; deus da comunicação. Forma romana: Mercúrio

Hesíodo poeta grego que imaginou que seriam necessários nove dias para atingir o fundo do Tártaro

Hiperíon um dos doze titãs. Titã do Leste

Hipnos deus grego do sono. Forma romana: Somnus

hipocampos criaturas que, da cintura para cima, têm corpo de cavalo e, da cintura para baixo, têm corpo de peixe prateado, com escamas reluzentes e nadadeiras nas cores do arco-íris. Eram usadas para puxar a carruagem de Poseidon, e seu movimento criou a espuma do mar

Hipódromo estádio grego para corridas de cavalos e carruagens

hipogeu a área debaixo de um coliseu que abrigava peças de cenário e o maquinário usado para os efeitos especiais

Horácio general romano que, sozinho, deteve uma horda de invasores, sacrificando-se em uma ponte para evitar que os bárbaros atravessassem o rio

Hotel Lótus hotel e cassino em Las Vegas onde Percy, Annabeth e Grover perderam tempo valioso durante uma missão

icor fluido dourado que é o sangue dos deuses e imortais

ictiocentauro peixe-centauro descrito como tendo patas dianteiras de cavalo, torso e cabeça humanos e cauda de peixe. Às vezes é retratado com um par de chifres semelhantes a garras de lagosta

Invídia deusa romana da vingança. Forma grega: Nêmesis

Íris deusa grega do arco-íris e mensageira dos deuses; filha de Taumante e Electra. A forma romana tem o mesmo nome

Jano deus dos portais, inícios e transições. Descrito como tendo dois rostos, porque olha para o futuro e para o passado

Jápeto um dos doze titãs; Senhor do Oeste. Seu nome significa *Empalador*. Quando Percy o combateu nos domínios de Hades, Jápeto caiu no Rio Lete e perdeu a memória. Percy o rebatizou de Bob

Juno deusa romana das mulheres, do casamento e da fertilidade; irmã e esposa de Júpiter; mãe de Marte. Forma grega: Hera

Júpiter rei romano dos deuses; também chamado de Júpiter Optimus Maximus (o melhor e o maior). Forma grega: Zeus

Juventa deusa romana da juventude. Forma grega: Hebe

karpoi espíritos dos grãos

Katoptris adaga de Piper, que já pertenceu a Helena de Troia. A palavra significa "espelho"

Lar deus da casa, espírito ancestral romano

Labirinto labirinto subterrâneo construído originalmente na ilha de Creta pelo artesão Dédalo para aprisionar o Minotauro (parte homem, parte touro)

Lestrigão monstro canibal gigante do norte

legionário soldado romano

Lemures termo romano para fantasmas raivosos

Letó filha do titã Coio; gerou com Zeus Ártemis e Apolo; deusa da maternidade

Linha Pomeriana limite em torno de Nova Roma e, nos tempos antigos, os limites da cidade de Roma

livros sibilinos conjunto de profecias em versos rimados escritos em grego. Tarquínio Soberbo, rei de Roma, comprou-os de uma profetisa chamada Sibila e os consultava em épocas de grande perigo

Lupa loba romana sagrada que amamentou os gêmeos abandonados Rômulo e Remo

Mansão da Noite palácio de Nix

manticore criatura com cabeça humana, corpo de leão e cauda de escorpião

Marte deus romano da guerra; também chamado de Marte Ultor. Patrono do império; pai divino de Rômulo e Remo. Forma grega: Ares

Medeia seguidora de Hécate e uma das maiores feiticeiras do mundo antigo

Mercúrio mensageiro romano dos deuses; deus do comércio, dos negócios e do lucro. Forma grega: Hermes

Minerva deusa romana da sabedoria. Forma grega: Atena

Minotauro monstro com cabeça de touro e corpo de homem

Minos rei de Creta, filho de Zeus; todos os anos obrigava o rei Aegus a escolher sete rapazes e sete moças para enviar ao Labirinto onde seriam devorados pelo Minotauro. Depois de sua morte, se tornou um juiz no Mundo Inferior

Mitra originalmente, deus persa do sol; Mitra era venerado pelos guerreiros romanos como guardião das armas e patrono dos soldados

Monte Tamalpais local na região da Baía de São Francisco, na Califórnia, onde os titãs construíram um palácio

muskeg pântano

náiades ninfas da água

Narciso caçador grego célebre por sua beleza. Era excepcionalmente orgulhoso e desdenhava aqueles que o amavam. Nêmesis, ao perceber isso, atraiu Narciso até um lago, onde ele viu sua imagem refletida na água e por ela se apaixonou. Incapaz de se afastar da beleza de seu reflexo, Narciso morreu

nascidos da terra *gegeines* em grego. Monstros de seis braços que vestem somente tangas

Necromanteion Oráculo da Morte ou Casa de Hades em grego. Um templo de vários pavimentos onde as pessoas consultavam os mortos

Nêmesis deusa grega da vingança. Forma romana: Invídia

nereidas cinquenta espíritos femininos do mar; protetoras dos marinheiros e pescadores e zeladoras das riquezas do oceano

Nesso centauro astuto que enganou Dejanira e a levou a matar Héracles

Netuno deus romano dos mares. Forma grega: Poseidon

Névoa força mágica que disfarça coisas aos olhos dos mortais

Nice deusa grega da força, da velocidade e da vitória. Forma romana: Vitória

ninfa deidade feminina que dá vitalidade à natureza

ninfeu santuário dedicado às ninfas

Noto deus grego do Vento Sul. Forma romana: Austro

Nova Roma comunidade perto do Acampamento Júpiter onde os semideuses podem viver juntos e em paz, sem a interferência dos mortais ou de monstros

numina montanum deus romano da montanha. Forma grega: Ourae

Nix deusa da noite; uma dos primeiros deuses elementais antigos a nascer

ombreira peça de armadura para o ombro e a parte superior do braço

ouro imperial metal raro letal para monstros, consagrado no Panteão; sua existência era um segredo muito bem guardado dos imperadores

Odisseu lendário rei grego de Ítaca e herói do poema épico de Homero *A odisseia*. Forma romana: Ulisses

Ogígia ilha mágica que é o lar e a prisão de Calipso

Ourae deus da montanha em grego. Forma romana: *Numina montanum*

Panteão construção em Roma, Itália, encomendada por Marcus Agrippa como um templo dedicado a todos os deuses da Roma Antiga e reconstruída pelo Imperador Adriano por volta de 126 EC.

Parcas, as Três na mitologia grega, mesmo antes da existência dos deuses, havia as Parcas: Clotho, que fia o fio da vida; Lachesis, a medidora, que determina a duração de uma vida; e Atropos, que corta o fio da vida com suas tesouras

Pasifae esposa de Minos, amaldiçoada a se apaixonar por seu touro premiado e dar à luz o Minotauro (metade homem, metade touro); conhece as ervas e as artes mágicas

pássaros da Estinfália na mitologia grega, aves devoradoras de homens, com bico de bronze e penas metálicas afiadas que podiam ser lançadas contra suas vítimas; consagradas a Ares, o deus da guerra

pater pai em latim; também é o nome de um antigo deus romano do Mundo Inferior, mais tarde incorporado por Plutão

Pégaso na mitologia grega, cavalo divino alado; gerado por Poseidon, em sua figura de deus-cavalo, e nascido da górgona Medusa; irmão de Crisaor

Periclimeno um Argonauta. Filho de dois semideuses e neto de Poseidon, que deu a ele a habilidade de se transformar em vários animais

peristilo entrada da residência particular do imperador

Perséfone rainha grega do Mundo Inferior; esposa de Hades; filha de Zeus e Deméter. Forma romana: Proserpina

***Piazza* Navona** praça em Roma, construída no local do Estádio de Domiciano, onde os cidadãos da Roma Antiga assistiam a jogos competitivos

***pilum* (pl.: *pila*)** lança usada pelo exército romano

Plutão deus romano da morte e das riquezas. Forma grega: Hades

Polibotes gigante; filho de Gaia, a Mãe Terra

Polifemo ciclope; filho de Poseidon e Toosa

Porfírion rei dos gigantes na mitologia greco-romana

Portas da Morte portal para a Casa de Hades, localizado no Tártaro. As portas têm dois lados: um no mundo mortal, o outro no Mundo Inferior

Poseidon deus grego do mar; filho dos titãs Cronos e Reia, irmão de Zeus e Hades. Forma romana: Netuno

pretor pessoa eleita para magistrado e comandante do exército romano

Proserpina rainha romana do Mundo Inferior. Forma grega: Perséfone

Psique jovem mortal que se apaixonou por Eros e foi forçada pela mãe dele, Afrodite, a conquistá-lo de volta

Quione deusa grega da neve; filha de Bóreas

quoits jogo no qual os participantes arremessam ferraduras em uma estaca

Reia Sílvia sacerdotisa e mãe dos gêmeos Rômulo e Remo, que fundaram Roma

Rio Aqueronte quinto rio do Mundo Inferior; Rio da Dor, a punição suprema para as almas dos amaldiçoados

Rio Cócito o rio das Lamentações no Tártaro, feito de infelicidade

Rio Flegetonte rio de fogo que corre dos domínios de Hades para o Tártaro. Mantém os maus vivos para que suportem mais tormentos nos Campos de Punição

Rio Lete um dos vários rios do Mundo Inferior. Quem bebe dele perde a memória e esquece a própria identidade

Rio Tibre o terceiro maior rio em extensão da Itália. Roma foi fundada às suas margens. Na Roma Antiga, criminosos executados eram atirados no rio

Rômulo e Remo filhos gêmeos de Marte e da sacerdotisa Reia Sílvia, foram atirados no Rio Tibre por seu pai humano, Amúlio. Resgatados e criados por uma loba, fundaram Roma ao alcançar a idade adulta

sátiros deuses gregos da floresta, parte bode e parte homem. Forma romana: faunos

Saturno deus romano da agricultura; filho de Urano e Gaia, pai de Júpiter. Forma grega: Cronos

***Senatus Populusque Romanus* (SPQR)** "O Senado e o Povo de Roma"; refere-se ao governo da República Romana e é usado como emblema oficial de Roma

Spes deusa da esperança; a Festa de Spes, o Banquete da Esperança, cai no dia primeiro de agosto

estela (*stela*, pl. *stelae*) placa de pedra com inscrições usada como lápide

Urano pai dos titãs

Tânatos deus grego da morte. Forma romana: Letus

Tântalo na mitologia grega, esse rei era tão amigo dos deuses que jantava à mesa com eles. Até o dia em que contou os segredos deles para os mortais. Foi mandado para o Mundo Inferior, onde sua maldição foi ficar preso em um montante de terra, envolto por um lago e sob uma árvore frutífera, mas sem jamais poder beber água ou comer uma fruta

Tártaro marido de Gaia; espírito do abismo; pai dos gigantes; também a região mais profunda do mundo

telquines demônios marinhos misteriosos, ferreiros nativos das ilhas de Chios e Rhodes; filhos de Tálassa e Pontos; conhecidos como crianças-peixes, tinham cabeça de cachorro e, no lugar das mãos, nadadeiras

Tempestade amigo de Jason; um espírito das tempestades em forma de cavalo

Término deus romano das fronteiras e dos marcos

Terra deusa romana do planeta Terra. Forma grega: Gaia

Teseu rei de Atenas conhecido por muitas proezas, entre elas matar o Minotauro

Tibério imperador romano de 14 EC a 37 EC. Foi um dos maiores generais de Roma, mas é lembrado por ter sido um governante recluso e sombrio, que nunca quis ser imperador

Tique deusa grega da boa sorte; filha de Hermes e Afrodite. Forma romana: Fortuna

tirso arma de Baco, um cajado encimado por uma pinha e envolto com hera

titãs poderosas deidades gregas, descendentes de Gaia e Urano. Governaram durante a Era de Ouro e foram derrubados por deuses mais jovens, os olimpianos

Triptólemo deus da agricultura. Ajudou Deméter quando ela procurava a filha, Perséfone, que fora raptada por Hades

trirreme antigo navio de guerra grego ou romano com três fileiras de remo de cada lado

venti espíritos do ar

Vênus deusa romana do amor e da beleza. Era casada com Vulcano, mas amava Marte, o deus da guerra. Forma grega: Afrodite

***Via* Labicana** antiga estrada da Itália que levava na direção leste-sudeste, a partir de Roma

Via Principalis principal rua em um acampamento ou forte romano

viagem nas sombras forma de transporte que permite que criaturas e filhos de Hades viajem para qualquer lugar na Terra ou no Mundo Inferior. Deixa o viajante extremamente cansado

Vitória deusa romana da força, velocidade e vitória. Forma grega: Nice

Vulcano deus romano do fogo, do artesanato e dos ferreiros; filho de Júpiter e Juno, casado com Vênus. Forma grega: Hefesto

Zéfiro deus grego do Vento Oeste. Forma romana: Favônio

Zeus deus grego do céu; rei dos deuses. Forma romana: Júpiter

1ª edição OUTUBRO DE 2013
reimpressão JUNHO DE 2025
impressão LIS GRÁFICA
papel de miolo POLÉN NATURAL 70 G/M^2
papel de capa CARTÃO SUPREMO ALTA ALVURA 250 G/M^2
tipografia ADOBE CASLON PRO